El circo de los tres anillos

El circo de los tres anillos

Kobe, Shaq, Phil y los años locos
de la dinastía de los Lakers

Jeff Pearlman

Traducción de Genís Monrabà

Título original en inglés: *Three-Ring Circus: Kobe, Shaq, Phil, and the Crazy Years of the Lakers Dynasty*

© 2020, Jeff Pearlman

Edición publicada en acuerdo con David Black Literary Agency a través de International Editors'Co.

Primera edición: junio de 2021

© de la traducción: 2021, Genís Monrabà Bueno
© de esta edición: 2021, Roca Editorial de Libros, S.L.
Av. Marquès de l'Argentera 17, Pral.
08003 Barcelona
actualidad@rocaeditorial.com
www.rocalibros.com

Impreso por LIBERDÚPLEX, S.L.U.

ISBN: 978-84-12138-27-6
Depósito legal: B. 7836-2021
Código IBIC: WSJM

RC38276

A Gary Miller, cuya desmesurada necesidad de parecerse a Gene Simmons y Paul Stanley casi termina con una amistad (hace unos cuarenta años).

Para hombres y mujeres que quieren hacer cosas,
no hay nada tan motivador como la fuerza
de un ego encarcelado. Todo genio sale de aquí.

MARY ROBERTS RINEHART

Índice

Nota del autor

*L*a mañana del 26 de enero de 2020, estaba sentado en una mesa del Corner Bakery en Irvine, California. Tenía el portátil abierto y un bol caliente de avena enfrente, junto a una de esas crujientes galletas azucaradas y una taza de café.

Exactamente, a las 11.37 mi iPhone emitió un sonido. *Ping*. Cogí el aparato de la mesa y vi que el mensaje era de mi amiga Amy Bass…

—Dicen en las noticias que Kobe Bryant ha muerto.

Espera.

Espera.

Espera.

—¿Qué?

Era imposible que Kobe Bryant hubiera muerto. Hay cosas en este mundo que son posibles y otras que no. «Aquello» era imposible.

Kobe Bryant solo tenía cuarenta y un años. Estaba casado y era padre de cuatro hijos. Era emprendedor, feligrés habitual de la iglesia, entrenaba a las categorías juveniles y, además, era un vecino activo e involucrado del condado de Orange. Sus vídeos eran virales: Kobe jugando al baloncesto con su hija Gigi, de trece años; Kobe acurrucado con su mujer Vanessa y su hijo recién nacido. Más de quince millones de seguidores habían visto los últimos tuits de @kobebryant, y no era de extrañar. Su presencia era a la vez excitante y reconfortante.

Kobe Bryant no podía estar muerto.

Era sencillamente imposible.

ϒ

Los dos últimos años, había estado trabajando sin descanso en este libro, *El circo de los tres anillos*. Y, aunque se trata de una crónica sobre Los Angeles Lakers entre 1996 y 2004, también es, de algún modo, la historia de cómo Kobe Bryant evolucionó como jugador profesional de baloncesto y se convirtió en un ser humano plenamente funcional.

Cuando se unió a la franquicia en 1996, con diecisiete años, Bryant era el típico adolescente insufrible y excesivamente seguro de sí mismo. Como la mayoría de nosotros al salir del instituto, creía que tenía respuestas para todo, y que los mayores estaban equivocados y anticuados. Creía que podía alcanzar una media de treinta puntos por partido siendo *rookie*. Creía que Shaquille O'Neal era un holgazán, que Eddie Jones era mediocre y que Nick Van Exel estaba sobrevalorado. Creía que tenía que jugar todos los minutos, y que Del Harris, el veterano entrenador jefe, no sabía de lo que hablaba.

Durante los ocho años que siguieron, Bryant cosechó simpatías y antipatías a partes iguales. Era un mago en la pista, pero se comportaba como un niño malcriado fuera de ella. Trataba a muchos de sus admiradores como si fueran sus amigos, mientras que a muchos de sus compañeros de equipo (especialmente a los *rookies* que no habían sido elegidos en el *draft*) los trataba como si fueran colillas tiradas en el suelo. Despreciaba a algunos entrenadores y sentía un inmenso respeto por otros. Era arisco y alegre, intenso y jocoso, cruel y cariñoso. Fue acusado de violar a una mujer y defendió su inocencia, pero estuvo muy cerca de ser condenado.

Jerry Buss, el propietario del equipo, lo trataba como si fuera su hijo, como a Magic Johnson, la antigua estrella del club. La hija de Buss, Jeanie, consideraba a Kobe un hermano. Shaquille O'Neal lo miraba con cierta indiferencia, casi molesto. Otros compañeros ni siquiera lo conocían. Hola y adiós, poco más.

«Con Kobe nunca sabías a qué atenerte», me dijeron algunos. «Con Kobe siempre sabías a qué atenerte», decían otros.

Cuando supimos que Bryant había perdido la vida junto a su hija Gigi y siete personas más en el accidente del helicóptero en el que volaban, su muerte se hizo abruptamente real. Me hizo pensar larga e intensamente en la fragilidad de la vida, en el fin de la existencia de un icono.

En el legado de las personas.

Tengo la suerte de contar entre mis amigos a varios periodistas deportivos extraordinarios. Esta idea, la del «legado», es algo que hemos abordado largo y tendido. De hecho, de algún modo, es uno de los defectos de nuestra profesión. Cuando uno escribe la historia de una era, no tiene el encargo de hacer una hagiografía, sino una recopilación honesta, sincera y detallada de un periodo. Al hacerlo, sin embargo, el autor le pide al lector que comprenda que una brizna de tiempo no es una eternidad.

Dicho de otro modo: un libro fosiliza a las personas.

Esta es mi torpe forma de decir que el Kobe Bryant del periodo de 1996 a 2004 no es el mismo que el de 2005 al 26 de enero de 2020. Entonces, no era el adulto reflexivo y entusiasmado con sus cuatro hijas ni el marido cariñoso ni el ganador de un Óscar por un corto de animación.

Aún no sabía quién era.

Lo que espero poder ofrecer, para bien o para mal, no son solamente los altos y bajos de una dinastía del baloncesto, sino también los primeros pasos y los traspiés de un jugador que llegó al deporte profesional siendo un niño y que murió trágicamente hace unos días siendo un ser humano plenamente formado. Así como no se puede explicar la brillantez de Albert Einstein sin entender sus días como joven empleado de la oficina de registro de patentes en Berna, o conocer a Amelia Earhart sin saber que fue una niña escolarizada en su casa de Des Moines, es muy difícil, si no imposible, apreciar la riqueza de la vida de Kobe Bryant sin haber conocido sus días de arrogancia, crecimiento y desarrollo social.

Cuando muere una leyenda, perdemos una estrella que nos ilumina el camino.

Sin embargo, a veces (espero), saber cómo empezó todo puede aliviar el duelo.

Y honrarlo.

JEFF PEARLMAN
10 de febrero de 2020

PRÓLOGO

*E*s 21 de febrero de 2002. Estamos en Cleveland. El Cleveland anterior a LeBron, una ciudad cubierta por un cielo perpetuamente plomizo que filtra menos luz que un antifaz para dormir. La ciudad no tiene nada de particular, de modo que cuando los jugadores de la NBA la visitan no hacen básicamente nada. Simplemente, se quedan en sus habitaciones de hotel y comen, duermen y trastean con el mando a distancia.

Por eso, Samaki Walker, el ala-pívot de los Lakers de 2,06 y casi 109 kilos, se encuentra en su habitación y lo único que hace es comer, dormir y trastear con el mando a distancia.

De repente, algo llama su atención. La luz roja del teléfono de la mesita de noche parpadea.

Parpadea una vez.

Dos veces.

Tres veces.

Walker da por hecho que es una llamada rutinaria, algún mensaje doméstico o de algún huésped anterior. Pero, con todo, siente curiosidad y aprieta el botón del buzón de voz mientras se acerca el aparato a la oreja.

—Eh [sollozo], Samaki…

«¿Será…?»

—Maki [sollozo], sabes que eres [sollozo] mi colega [sollozo]…

«¿Es posible…?»

—Yo [sollozo] solo…, yo solo [sollozo]…

«Parece que es…»

—Tío [sollozo]…, lo siento [sollozo] mucho…

«¿Kobe Bryant?»

—Maki [sollozo], de verdad, lo [sollozo]…

«Y, además, ¿está llorando?»

Es el sexto año de Walker en la NBA. Aunque el que fuera una vez la estrella de Louisville no ha alcanzado el potencial por el cual fue elegido en el número nueve del *draft*, Samaki Walker ha vivido mucho. Por decir algo: su padre pasó trece años en prisión por robo con agravantes. Su madre padeció un alcoholismo severo. Se saltó su último año de baloncesto en el instituto Whitehall-Yearling de Ohio porque odiaba al entrenador. Abandonó Louisville antes de tiempo porque le acusaron de utilizar un Honda Accord que su padre había recibido de un promotor. Una vez lo detuvieron por conducir una moto a más de ciento sesenta kilómetros por hora por las calles de Columbus (Ohio). Todas estas hazañas acumuladas en espacio y tiempo perjudican a cualquiera.

Pero aquello…, aquello no podía entrar en la cabeza de Samaki Walker.

Sigue escuchando la voz.

—Tío, Samaki…, [sollozo] no sé en qué [sollozo] estaba [sollozo] pensando. Eres mi amigo, tío [sollozo]. Un buen [sollozo] amigo. Lo [sollozo] siento mucho. Lo [sollozo] siento muchísimo. De verdad, solo…

Clic.

Mientras se queda atrapado en el silencio de su habitación, Walker repasa los incidentes de las últimas veinticuatro horas. Una serie de sucesos que, por su extraña naturaleza, rivalizan con todo lo que ha experimentado en sus primeros veintiséis años de vida.

La mañana del día anterior, los Lakers estuvieron haciendo una sesión de lanzamientos en el Gund Arena de Cleveland. Hacia el final, tal y como manda el ritual, los miembros del equipo se colocaron en fila para lanzar desde el centro del campo. El ganador se llevará cien dólares de cada participante.

Como es natural en un equipo que viene de ganar dos campeonatos consecutivos de la NBA, sus jugadores son la flor y nata del baloncesto moderno. Está Robert Horry, el experto artillero de tres puntos cuya tendencia a las heroicidades al final de los partidos es legendaria; Rick Fox, el inteligente alero que, gracias a sus apariciones cinematográficas y a su matrimonio con Vanessa Williams, forma parte de la aristocracia hollywoodiense; Brian Shaw, el cerebral base, considerado el sabio del vestuario; Derek Fisher, el ingenioso y chispeante base oriundo de Little Rock, Arkansas; Shaquille O'Neal, el pívot más grande entre los grandes con sus 2,16 y sus 147 kilos; y Kobe Bryant, la superestrella salida del instituto, al que muchos consideran la reencarnación del mismísimo Michael Jordan.

Los jugadores hacen cola para lanzar. Tiran y fallan. Tiran y fallan. Tiran y fallan. La banda sonora de fondo son los comentarios mordaces que se dedican unos a otros. Se lanzan pullas e insultos superficiales. Finalmente, Bryant, con su 1,98 de altura, 96 kilos de peso y su musculatura fibrosa, coge una pelota, retrocede unos cuantos pasos por detrás de la línea de media pista, corre hacia delante en cuatro zancadas, extiende sus brazos, lanza el balón y…, y…, y…

Canasta.

La hostia.

—¡Quiero mi dinero! —grita Bryant a sus compañeros—. ¡Quiero mi puto dinero!

Los Lakers le pagan un sueldo de 12,3 millones de dólares por temporada, y además gana otros veinte por ser la imagen de empresas como McDonald's o Sprite. Los mil doscientos dólares de la sesión de tiros desde medio campo apenas es calderilla para Bryant. Pero el dinero no es lo importante. Se trata del orgullo. De la jerarquía. De golpear o ser golpeado. Este ha sido el *modus operandi* de Bryant desde que llegó a la NBA. Nadie lo dominaría. Para algunos, este tipo de apuestas son solo como un pasatiempo. O'Neal participa, con una media sonrisa grabada en el rostro, a sabiendas de que no ganará. Lo mismo piensa Mark Madsen, el pesado ala-pívot de 2,05 salido de Stanford. Pero en el mundo de Kobe Bryant, nada es un juego. Absolutamente nada. Ni las damas ni el ajedrez ni el Conecta Cuatro ni, por supuesto, los lanzamientos desde media pista con mil doscientos dólares en juego. Por ello, al terminar el entrenamiento, se acerca a todos y cada uno de sus compañeros con la mano extendida. Coge los cien dólares de O'Neal, los cien de Fox, los cien de Shaw, los cien de Horry.

Bryant mira a Walker.

—¿Y mi dinero? —dice

—Te lo tendré que dar más tarde —responde Walker—. No lo llevo encima.

Bryant lo mira con incredulidad, pero se aleja. En los Lakers hay un acuerdo no escrito que dicta que las deudas se pueden pagar con un margen de cuarenta y ocho horas. Bryant es joven, rico y tiene una media de 25,2 puntos por partido en un equipo que cuenta con todas las opciones para hacerse otra vez con el campeonato. Con este panorama, ¿qué importancia tienen cien dólares?

Llegamos a la mañana siguiente. Son aproximadamente las diez del 21 de febrero. Los jugadores de los Lakers suben al autobús alquilado con el que se dirigirán de nuevo a las instalaciones deportivas para realizar una breve sesión de entrenamiento antes del partido contra los modestos Cavaliers. De acuerdo con su condición de veteranos del equipo, O'Neal y Fox se dirigen a la parte trasera del autobús, a la que llaman afectuosamente «el gueto». Se instalan en los asientos que hay detrás de Jelani McCoy, el pívot suplente. Les sigue Walker, que se sienta en su sitio habitual. Todos están escuchando sus CD con auriculares, siguiendo el ritmo de la música con sus cabezas.

Entonces, Bryant sube al autobús.

Se dirige a Walker con cara de pocos amigos.

—Eh, Maki —dice—, ¿me vas a dar mi puto dinero?

Esta vez Walker decide ignorarle, así que Bryant cambia el tono de su pregunta por un más arrogante.

—¡Maki ¿dónde está mi puto dinero?!

Walker tampoco le hace caso y se lo saca de encima como si fuera un mosquito molesto.

—Te daré el dinero cuando lo tenga —dice.

Para Walker se trata de una simple broma. Él y Bryant empezaron a jugar juntos en la NBA, y la mayoría de los jugadores de la plantilla creen que el tono y los aspavientos de Bryant no son más que una parodia de un pandillero. Bryant es el tipo de persona que siempre dice «gracias» y «de nada». Tiene buenos modales, es de barrio rico, educado y de buena familia. De hecho, siempre ha desentonado bastante en esta liga llena de superestrellas curtidas en la calle como Allen Iverson o Stephon Marbury. El lenguaje soez es la última incorporación de Bryant en su antinatural intento de sonar como un tipo duro, pero suena tan falso como un sordo afinando una guitarra.

«Era su etapa de rapero —dice McCoy—. Sonaba demasiado forzado.»

Sin embargo, en esa ocasión, si uno pudiera acercarse lo suficiente a Bryant podría ver como echaba humo por las orejas. El cuatro veces *All-Star* se inclina en la dirección de Fox, cierra su puño derecho, se abalanza sobre Walker y…, ¡bum!, le da un puñetazo en el ojo derecho.

Por un instante, todos los integrantes del equipo se quedan petrificados.

Walker, que pesa casi trece kilos más que Bryant, mira a McCoy, su mejor amigo en la plantilla y le pregunta:

—¿Este cabrón me acaba de pegar? ¿Me acaba de pegar «él a mí»?

McCoy asiente con la cabeza.

Walker se levanta, cierra el puño y… Jerome Crawford, el guardaespaldas y eterno compañero de O'Neal con pinta de luchador de lucha libre, se le echa encima y lo sujeta fuertemente con los brazos, un instante después de que Walker arrojó a la cabeza de Bryant su reproductor de CD. Como es de esperar, con un 63 % de acierto en tiros libres, Walker falla el tiro. El aparato cae al suelo y se parte en dos. Walker empieza a gritar a Bryant.

—¡Que te follen, cabrón!

—¡Que te follen a ti! —contesta Bryant.

O'Neal, cuya relación con el joven base es de sobra conocida e irremediablemente mala, mira a Walker a la cara.

—Tienes que joderle la vida —le dice—. Joderle la puta vida.

Walker asiente y luego mira a Phil Jackson, el veterano entrenador jefe cuya capacidad para captar (y manipular) la psicología de sus jugadores ha sido siempre su tarjeta de presentación.

—Phil —dice Walker—, ¿puedes pedir que paren el autobús?

En sus dos temporadas y media con los Lakers, Jackson ha sobrellevado algunas situaciones absolutamente demenciales. Ha visto las horrorosas películas de Shaq y ha oído los lamentables gemidos de Bryant cuando canta *hiphop*. En una ocasión, un recepcionista de un hotel le entregó una nota de un jugador que decía: «POR FAVOR, EXCUSE SU AUSENCIA DEL ENTRENAMIENTO». Incluso, a veces, ha sospechado que algunos de sus jugadores entrenaban bajo los efectos de las drogas.

Ahora mismo están en el centro de Cleveland. A Jackson no le parece una buena idea que sus dos estrellas se bajen del autobús en pleno centro. Sin embargo, él también es capaz de ver lo que muchos otros jugadores piensan de Kobe Bryant: es un ser humano egoísta que se pone a sí mismo por delante y cuyas habilidades sociales quedan muy lejos de las deportivas.

—Escucha —le dice al conductor del autobús—, para cuando puedas.

El autobús se detiene. Walker mira a Bryant. Su voz no muestra ningún tipo de emoción. Bryant mira hacia el suelo.

—¿Entonces? —dice Walker— ¿Quieres bajar a la calle y lo arreglamos?

Bryant lo ignora. Hay un gran silencio.

—Me lo imaginaba —dice Walker.

Hay una pausa.

—Maldito cabrón.

A pesar de este incidente, todo sigue adelante con total normalidad. El autobús llega al pabellón, los Lakers entrenan (excepto Walker, a quien Jackson le ha pedido que se quede en una habitación y se calme), y los chicos vuelven al hotel para descansar antes del partido. En su cabeza, Walker reproduce una escena en la que sacude a Bryant hasta que no queda más que un amasijo de mocos. Se imagina hundiéndole el puño en la cara. Se imagina clavándole el codo en el estómago. No solo quiere golpearlo, quiere que sufra. Quiere hacerle daño. Walker es un tipo de barrio, un hombre que aprendió de la vida durante su etapa en Columbus. «Voy a joderlo vivo», le dice en algún momento a O'Neal. «No quedará ni rastro de él.»

Esto es lo que Walker está pensando cuando se enciende la luz roja parpadeante del teléfono en su habitación de hotel. Cuando escucha los sollozos de Kobe. Cuando se da cuenta de que su compañero de equipo no es precisamente un ejemplo de estabilidad emocional.

Más tarde, aquella noche, poco antes de que se lance la pelota al aire ante los Cavs, Walker está en la cinta de correr en el Gund Arena. Sigue enfadado, aunque la rabia ha remitido. Esto es lo que significa ser un deportista profesional. Uno debe aparcar las distracciones. Seguir adelante. Avanzar. Centrarse en los objetivos a corto plazo.

—Oye, Samaki.

Es Crawford, el guardaespaldas de O'Neal.

—Tengo al cabrón ahí fuera —dice—. Quiere hablar contigo.

Al cabo de unos momentos, Bryant se acerca. Su voz suena inusualmente suave. Tiene los hombros encogidos. Parece herido, como si estuviese a punto de llorar otra vez.

—Maki —dice—. Lo siento de verdad. Es culpa mía.

El ala-pívot deja de correr y baja de la cinta. De hecho, lo embarga un sentimiento de empatía hacia el chico. Walker, un tipo que ha conducido una moto a ciento sesenta kilómetros por hora por la ciudad, sabe lo que significa meter la pata.

—Escucha —dice—. No pasa nada. De verdad, estamos en paz. Pero no puedes ir por ahí pegando al personal. Tienes que trabajar muchos aspectos de tu vida. No puedes vivir así.

Esa noche los Lakers ganan a los Cavs 104 a 97. Kobe Bryant anota treinta y dos puntos, cifra de récord en los Lakers (13 de 24 tiros de campo). Juega como si estuviera poseído.

«Kobe —diría Walker— era un gran jugador de baloncesto. Sin lugar a dudas. Pero algunas veces te preguntabas si estaba cómodo representando ese papel. Si sabía quién era realmente.»

1

Magic

Su regreso estaba destinado a ser memorable.

Si uno lo piensa, ¿cómo no iba a serlo? Hacía cuatro años y medio, el 7 de noviembre de 1991, el base legendario de Los Angeles Lakers Earvin, *Magic*, Johnson había anunciado su retirada del baloncesto después de haber contraído el VIH. Fue uno de esos momentos en los que el tiempo se detiene y todo el mundo recuerda qué estaba haciendo. No era el fin del mundo, como cuando asesinaron a John F. Kennedy o a Martin Luther King, pero sí que podía competir con la trágica explosión del transbordador Challenger. Uno podía llegar a preguntarse: «¿Esto está pasando de verdad?».

Después de algunas décadas, es difícil sentarse ante un *millennial* y explicarle el impacto que tuvo en ese momento que Magic Johnson, la cara visible de la NBA y la imagen del deporte, la buena voluntad y la fortaleza mental, saliera ante los medios de comunicación en el Great Western Forum, se inclinara hacia el micrófono y dijera: «He contraído el VIH y tengo que abandonar los Lakers».

La noticia nos dejó a todos sin aliento.

Sí, es cierto que muchas otras celebridades habían muerto de sida, pero este caso era muy distinto. Freddie Mercury, Liberace, Anthony Perkins o Gia Carangi eran personas de dimensiones físicas y magnitud humana. Además, todos encontrábamos alguna explicación que en aquel momento considerábamos razonable: Eran drogadictos. Eran promiscuos. Llevaban una vida de dudosa reputación. «Se lo habían buscado.»

La idea de presenciar la caída de un superhéroe como Magic Johnson, es decir, como languidecía, perdía parte de su peso o se desvanecía ante nuestros ojos... era difícil de asumir. Gary Nuhn escribió en el *Dayton Daily News*: «Supongo que tendremos que ver cómo muere Magic Johnson igual que la generación de mi padre vio morir a Lou Gehrig y a Babe Ruth. Lentamente. Dolorosamente. Irreversiblemente».

Pero Magic Johnson no sucumbió ante nuestros ojos ni perdió o mostró secuelas de su enfermedad. Cuando Magic Johnson se mantuvo íntegro delante de todos fue como un milagro. A medida que pasaban los años y podías ver a Johnson inaugurando salas de cine o grandes cafeterías, estrechando diez millones de manos, abrazando a diez millones de bebés y sonriendo con su sonrisa de diez millones de megavatios, fue calando la idea de que, si alguien era capaz de vencer a esa enfermedad, ese era Magic.

Especialmente, en la pista de baloncesto.

No es que Los Angeles Lakers fueran particularmente irrecuperables. Pero en los años que siguieron a la marcha de Johnson, la franquicia pasó de ser una jarra de cerveza helada a un vaso de plástico medio vacío de soda tibia. Quedaron atrás los días en los que Magic enviaba sus pases sin mirar a Michael Cooper en las transiciones rápidas. Quedaron atrás los días en los que Kareem Abdul-Jabbar lanzaba sus ganchos por encima de Jack Sikma. Entre 1979, el año de *rookie* de Johnson, y su retirada, los Lakers del *Showtime* no solo lograron cinco campeonatos de la NBA, sino que, además, lo hicieron con clase, con estilo y con un entusiasmo desenfrenado.

Sin embargo, con la ausencia de Johnson, todo cambió. Los Lakers de la temporada 1990-91 llegaron a la final de la NBA con 58 victorias y 24 derrotas bajo el liderazgo de Magic, pero al año siguiente, sin su estrella, sus estadísticas cayeron a 43 victorias y 39 derrotas antes de acabar la temporada con una apática derrota en la primera ronda de los *playoffs* ante Portland. La temporada siguiente fue aún peor, con un registro para olvidar: 39 victorias y 43 derrotas. Y la que vino después fue todavía más floja y patética: 33 victorias y 49 derrotas. Estos eran Los Lakers desganados de Sedale Threatt. Unos segundones que traicionaban el baloncesto vestidos de púrpura y oro.

Cuando contrataron al reputado entrenador Del Harris para la temporada 1994-95 y el equipo consiguió un sorprendente registro de 48 victorias y 34 derrotas, el optimismo regresó a Los Ángeles. Se hablaba del talento de los jóvenes, del despertar de un base con carácter como Nick Van Exel, procedente de Cincinnati, y de Eddie Jones, un elegante escolta salido de Temple. La temporada 1995-96 empezó con un aprobado. A mitad de enero llevaban un promedio de victorias del cincuenta por ciento. Les faltaba esa chispa, ese empujón, esa energía, ese… «regreso».

Para ser sinceros, Magic Johnson estaba aburrido. «Muy» aburrido. Si es cierto que no hay nada más emocionante que dirigir el juego de un gigante de la NBA bien engrasado, seguramente pocas cosas son tan descorazonadoras como «haber dirigido» el juego de un gigante de la NBA en el pasado. Especialmente si uno sabe, en el fondo de su corazón, que es mejor que los que están en la pista. Y así es como se sentía Johnson aquel invierno de 1996, besando a bebés e inaugurando cines mientras observaba a los mediocres Lakers («sus» mediocres Lakers) y se decía a sí mismo: «Yo soy mejor».

De modo que, mientras Van Exel dirigía al equipo en la cancha, Johnson levantaba pesas y fortalecía las piernas pensando que, quizás, había llegado el momento de regresar. Había hecho una gira por Asia, Australia y Nueva Zelanda con un equipo similar a los Globetrotters, formado por exjugadores universitarios y de la NBA, y había demostrado que sus habilidades seguían intactas. Además, la opinión pública sobre el VIH y el sida había cambiado, ¿no? Algunos años atrás, antes de la temporada 1992-93, el que debía ser el primer regreso de Magic quedó en agua de borrajas cuando varios jugadores (entre ellos Karl Malone, la estrella de los Utah Jazz) expresaron su temor a enfrentarse a un positivo por VIH. No obstante, en esos pocos años se habían aprendido ciertas cosas como, por ejemplo, que la transmisión de un jugador a otro en una pista de baloncesto era tan probable como la transmisión entre un hombre y una piedra.

El 17 de enero de 1996, el *USA Today* publicó un artículo titulado «Magic: sin planes para regresar a los Lakers». En él, el periodista Jerry Langdon explicaba que Johnson se estaba entrenando con el equipo, pero solo para mantenerse en forma. Nueve días después, Ken Peters, de la agencia Associated Press, abordó a Johnson para preguntarle sobre los rumores que aseguraban que estaba todo preparado para su regreso.

—Digamos que todavía no lo he decidido —le dijo Johnson a Peters.

Pero ya lo tenía decidido.

Del Harris me dijo que, un día, Jerry West lo convocó en su despacho para comunicarle que Magic quería volver a jugar. «Jerry me dijo que Magic pensaba que podía jugar, que estaba en muy buena forma y quería ayudar al equipo. Pero me dijo que la decisión dependía totalmente de mí. Yo tenía la última palabra.»

Harris pidió una reunión con Johnson. Se vieron en las oficinas de Los Lakers y el veterano entrenador le dijo al veterano jugador que no podría jugar de base, porque Van Exel era muy bueno, pero emocionalmente frágil, ni de escolta, porque Jones era muy bueno, pero también emocionalmente frágil, o de titular. A Harris le gustaba la idea de tener a Magic Johnson en la plantilla porque, bueno, ¿a quién no le gustaría? Pero para el entrenador era importante recalcar que los tiempos habían cambiado y que Pat Riley ya no estaba al frente de los Lakers. Johnson tendría que adaptarse al equipo para encajar en él. Si eso era posible, Harris estaría encantado de incorporarlo.

El 29 de enero de 1996, Magic Johnson hizo oficial su regreso firmando un contrato de 2,5 millones de dólares por un año, renunciando a su participación del 4,5 % como propietario de la franquicia y regresando a un equipo que lo quería de verdad. Harris, el hombre al mando, dijo: «Sumamos una pieza maravillosa, un elemento maravilloso». Jones, el escolta estrella de segundo año, expresó: «Lo necesitamos. El equipo será más fuerte con él». El base del equipo, Van Exel, declaró: «Con el regreso de Magic, creo que tenemos opciones reales de lograr el título».

Johnson empezó su heroico segundo acto como jugador de los Lakers el 30 de enero de 1996 con la visita de los Golden

State Warriors. Las entradas se revendían fuera del Forum a precios de partido de *All-Star*. John Black, el jefe de prensa del equipo, repartió trescientas acreditaciones de prensa para el partido. A las 19.20, mientras sonaba *I love L. A.*, de Randy Newman, a todo volumen por los altavoces, Johnson volvió a calentar sobre la pista enfundado en su chándal púrpura y oro. Algunas cosas habían cambiado: a sus treinta y seis años se le veía mayor, con doce kilos de más parecía más pesado, y con Van Exel de base, él sería ala-pívot. Sin embargo, su carisma seguía intacto. «Fue fascinante», dijo John Nadel, que cubría a Los Lakers para la Associated Press. «Era el héroe que regresaba para arreglarlo todo.»

En un esfuerzo para demostrar a los otros jugadores que («de verdad, en serio, estoy seguro») sus vidas no iban a cambiar demasiado, Harris y Johnson empezaron el partido en el banquillo, sentados discretamente al lado de George Lynch y Derek Strong. Apenas en el minuto 2.21 del primer cuarto, después de que a Elden Campbell le pitaran su segunda personal, Harris se acercó al recién llegado y le dijo: «Vamos». Johnson caminó hacia la mesa del marcador para que lo inscribieran. El aforo completo, es decir, 17 505 personas, se levantó y Johnson no tardó en meter su primera canasta tras una conducción *vintage* hacia el aro y superando con facilidad a un ala-pívot llamado Joe Smith. Esa noche fue realmente un despliegue mágico de pases elegantes, choques de mano y ovaciones en pie del público. La nueva y vieja estrella de Los Lakers acabó el partido con 19 puntos, 10 asistencias y 8 rebotes. El resultado final del partido fue:128-118.

«Es magnífico —dijo tras el partido el pívot de Los Ángeles Vlade Divac—. Tenerlo de vuelta es genial. No puedo expresarlo con palabras. Todo el mundo juega mejor con él. No puedes negar su química si hace que todo el mundo sea mejor.»

Por un tiempo, todo parecía maravilloso. Los Lakers tuvieron una racha de ocho victorias seguidas y las multitudes acudían en masa para ver al equipo en casa y fuera. El *showtime* había vuelto, con Magic Johnson al frente.

Aunque quizás… en realidad… no estaba muy claro que los otros miembros de los Lakers quisieran a Magic Johnson al frente. Evidentemente, de cara al público, mostraban su gratitud. Es imposible que llegue al equipo un jugador que ha sido doce veces *All-Star*, con su camiseta literalmente colgando encima de tu cabeza, y que no aceptes su liderazgo. Pero «estos» Lakers no eran «aquellos» Lakers, y mientras Kareem Abdul-Jabbar y James Worthy siempre estuvieron dispuestos a pasar por alto o aceptar la predisposición de Johnson a ser el foco de atención, ahora Magic se parecía más a un pelmazo que a un compañero de equipo. Tan solo dos días después de su regreso, Johnson le dijo a Wendy E. Lane de la Associated Press que creía que debían tenerlo en cuenta para el próximo equipo olímpico de Estados Unidos («Sé que puedo salir a la pista y hacer lo que sé hacer»). Luego declaró a la prensa que, si las cosas no le iban bien en su regreso al sur de California, estaría encantado de jugar con los New York Knicks o los Miami Heat la temporada siguiente. Siempre había cerca algún micrófono, alguna cámara de televisión o alguna libreta en la que se tomaban notas, y Johnson nunca dejaba escapar la oportunidad para dejar algún comentario, compartir sus opiniones o proponer sus ideas. Además, mostraba muy poco o ningún interés en sus compañeros de equipo, de quienes pensaba que eran muy afortunados porque podían gozar de su presencia. Para él eran complementos. Bonitos complementos. Complementos productivos, tal vez. Pero, al fin y al cabo, simples accesorios que compartían vestuario con él cuando solía repetir su trillada frase: «No sé qué hacer con estos cinco anillos en mis dedos, me pesan las manos». Si había alguien con quien pasara algún tiempo ese era Jerry Buss, el propietario de la franquicia, que le consideraba como un hijo. Cuando volvió a sumarse al equipo, Johnson fue directo a su antigua taquilla, ocupada en ese momento con los pertrechos de George Lynch, el alero de tercer año procedente de Carolina del Norte. Sin pedirlo ni ofrecer nada a cambio, se la volvió a agenciar. Simplemente, se la quedó.

En su cuarto partido, Johnson ya insistía en que él tenía que estar en la pista durante los momentos críticos de los partidos. En el quinto encuentro, algunos jugadores rivales empezaron a murmurar sobre si era seguro enfrentarse a alguien con VIH. Cuando Johnson hablaba del equipo, el noventa y nueve por ciento era «yo» y el uno por ciento «nosotros». Y lo peor de todo es que su presencia empezó a afectar negativamente a sus compañeros. El 17 de marzo, el equipo de Los Ángeles no pudo aprovechar la oportunidad de dar la vuelta al marcador contra Orlando cuando Van Exel, normalmente tan seguro de sí mismo, no se atrevió con un lanzamiento que podría haberles dado la victoria. Era un tiro que, si Magic no hubiera estado en la pista, seguramente habría intentado. Fue un lance de juego desafortunado, pero el jugador que tuvo una reacción más negativa ante la presencia de Johnson fue Cedric Ceballos, un nuevo alero que había perdido minutos en la cancha con la llegada de Magic.

Ceballos era un veterano de sexto año procedente de la Universidad Estatal de California, en Fullerton, cuya presencia siempre fue negativa para el equipo desde su llegada en septiembre de 1994. Era el típico deportista ególatra al que le habían dicho demasiadas veces lo genial y lo increíble que era, cuando, en realidad, tenía poco de genial e increíble. La intensidad defensiva de Ceballos era nula. Pasaba el balón de higos a brevas y le sobraba descaro. Al conseguir una media de 21,7 puntos en la temporada 1994-95 se apodó a sí mismo «The Chise» (de *franchise*, franquicia en inglés). Este comportamiento podría tener algo de lógica si Ceballos estuviese en la plantilla de los nuevos y desventurados Minnesota Timberwolves. Pero en los Lakers, que contaba con una lista de jugadores históricos como George Mikan, Jerry West, Wilt Chamberlain, Elgin Baylor, Gail Goodrich, Jamaal Wilkes, Kareem Abdul-Jabbar, James Worthy y, por supuesto, Magic Johnson, era ridículo.

«Nos reíamos de él —recuerda Eddi Jones—. Uno no puede elegir su propio mote.»

«Se puso a sí mismo un mote —dijo Corie Blount, ala-pívot de los Lakers—. ¡Qué prepotencia! ¿*Franchise*? ¿En serio? ¿Tú eres nuestro jugador franquicia? Pues vale, tío, ya te las apañarás...»

Mark Heisler, el formidable periodista especializado en baloncesto de *Los Angeles Times*, caricaturizaba a Ceballos como un «pavo real», y tenía razón. Ceballos ganó en 1992 el concurso de mates de la NBA, estuvo en el *All-Star* en 1995 y grabó un disco de rap. Se consideraba una leyenda. Y las leyendas no son suplentes de nadie.

El 20 de marzo, al día siguiente de haber jugado solo doce minutos ante los Sonics (fue el partido en el que menos minutos disputó de toda la temporada) y después de oír cómo Magic decía que tenía que empezar como alero, Ceballos desapareció del mapa. Se saltó un viaje del equipo a Seattle y no se presentó en el partido, que perdieron 104 a 93. Fred Slaughter, el representante de Ceballos, no sabía nada de él. Tampoco Mitch Kupchak, el director general de los Lakers. Ceballos perdería 27 378 dólares por partido. Pero, al parecer, nadie en los Lakers se preocupaba demasiado por él, por lo que nadie sabía dónde podía estar. La única pista sobre su paradero la dio Dean Messmer, propietario de la empresa de embarcaciones Boat Brokers, en Lake Havasu City (Arizona). «Está por ahí haciendo esquí acuático, pasándolo bien —declaró Messmer a un periodista—. «Lo acabo de ver. Alquiló una moto acuática y está esperando a que le arreglen el barco.»

Finalmente, cinco días después de haber desaparecido, Ceballos regresó con una excusa sin sentido (se ausentó para atender un grave problema personal) que le sirvió para ocultar la frustración de tener que vivir a la sombra de Magic Johnson. Todos los jugadores criticaron su comportamiento. Incluso alguien dejó delante de su taquilla un cartón de leche con la frase «¿DÓNDE NARICES ESTÁ CEBALLOS?» inscrita en un lateral. «Siempre estaba actuando —decía Scott Howard-Cooper de *Los Angeles Times*—. Podía estar soltando por la boca toda clase de barbaridades, pero cuando aparecía una cámara de televisión todo eran sonrisas. Ninguno de sus compañeros confiaba en él.» Fue el peor capitán de la historia moderna del deporte. En el vuelo de cuatro horas de Los Ángeles a Orlando, sus compañeros lo despojaron de cualquier rastro de autoridad y lo apartaron del equipo. Aun así, el escándalo no estalló hasta que Johnson habló. A diferencia de sus compañeros, que también censuraban su comportamiento, Johnson manifestó públicamente su malestar porque el asunto le había salpicado directamente. Aquello estaba arruinando su temporada. Estaba restándole protagonismo. «Es el peor momento para esto. Estoy muy harto y cansado de todo esto. Quizá no seguiré la temporada que viene. No lo sé. Me resulta difícil lidiar con estas cosas. Soy demasiado viejo», dijo.

Lo que un mes atrás parecía el resurgir más feliz de la historia del deporte empezaba a empantanarse. Después de una racha de cuatro victorias seguidas, el 28 de marzo, los Lakers llegaron a puestos de *playoff*. Sin embargo, dos semanas después, sancionaron a Van Exel con siete partidos por empujar a un árbitro en Denver. Magic, fiel a su estilo, apenas esperó unas horas para criticar la actuación de su compañero, aunque, solo una semana después, él mismo recibiría una sanción de tres partidos por enfrentarse a un árbitro en la victoria contra Phoenix. El columnista estrella del *New York Times*, Ira Berkow, recriminó abiertamente la leve sanción que le impuso la NBA a Johnson. La situación era un completo disparate.

«Se convirtió en un circo —diría Harris años después—. Magic criticaba a Nick y luego hacía exactamente lo mismo que él. Ceballos se otorgaba su propio y ridículo mote, luego, desaparecía del mapa, y cuando regresó puso mala cara. Teníamos muy buenos jugadores, pero todo se desmoronó en el peor momento.»

Detrás de los focos, Jerry West estaba horrorizado. El que era un Laker legendario podía (generalmente) asumir las derrotas si veía que el equipo andaba en la buena dirección. En la temporada anterior, por ejemplo, pese a los malos resultados, consideró que el equipo crecía y que Van Exel y Jones estaban madurando. Sin embargo, en aquel momento, llegó a la conclusión de que el regreso de Johnson, aunque temporalmente glorioso, había sido un error. Era la persona equivocada en el momento equivocado. Fue un matrimonio forzado entre una estrella de los ochenta con olor a naftalina y un montón de jóvenes engreídos con actitudes de los noventa (con especial mención a un tipo que se apodó a sí mismo «The Chise»). El 18 de abril de 1996, los Lakers perdieron una ventaja de veintiún puntos en el tercer cuarto y cayeron derrotados por 103-100 en San Antonio. Fue entonces cuando se hizo evidente que aquello no podía funcionar de ninguna manera. Dos semanas más tarde, el sufrimiento de Los Lakers llegaría a su fin cuando cayeron en la primera ronda de los *playoffs* contra Houston.

Luego le preguntarían a Johnson, siempre bajo los focos, sobre los problemas de aquella temporada perdida. «Había demasiados problemas, nunca hubo sintonía, nunca estuvimos unidos», dijo. «Invertía casi toda [mi energía] en las batallas internas. En cada partido pasaba algo, en cada sesión de lanzamientos, en cada entrenamiento. Así eran las cosas. Vosotros no sabéis ni la mitad. No podíamos llegar más lejos. El equipo iba totalmente a la deriva.»

Al día siguiente, tres jugadores (Van Exel, Threatt y Anthony Miller) no asistieron a la despedida de Harris. Van Exel y Miller ni siquiera volaron desde Houston con el equipo.

«¿Que si es mi último partido? —dijo Johnson a los periodistas amontonados en los vestuarios del Houston Summit—. Quiero volver. Quiero ganar. Hay que remontar esta situación.»

El 14 de mayo, menos de dos semanas después de la derrota final ante Houston, Johnson emitió un breve comunicado anunciando su retirada definitiva del baloncesto. «Estoy satisfecho de mi regreso a la NBA, aunque esperaba haber podido llegar más lejos en los *playoffs*», escribía. «Ahora estoy listo para dejarlo. Es hora de pasar página. Me retiro por propia voluntad, no como cuando no pude regresar a las pistas en 1992.»

En aquel momento, un chico de un barrio residencial de Filadelfia que cursaba su último año de instituto y pretendía dominar la NBA se preguntaba qué significaría aquella noticia para él.

Lo mismo le sucedía a un gigante de 2,16 y 145 kilos en Orlando, Florida.

Y, en algún lugar de Los Ángeles, Jerry West se paseaba arriba y abajo por su despacho ideando un plan que cambiaría el baloncesto profesional para siempre.

Sin Magic Johnson.

2

El elegido

Después del decepcionante final de la temporada 1995-96, Jerry West era consciente de que las cosas tenían que cambiar. Al vicepresidente ejecutivo de Los Angeles Lakers le gustaba Del Harris, un entrenador que no era una estrella, pero que aportaba estabilidad. También creía que sus directivos (el director general Mitch Kupchak, el consultor Bill Sharman y los *scouts* Gene Tormohlen y Ronnie Lester) eran hombres expertos e inteligentes capaces de reconstruir una dinastía como la de los Lakers. Pero cuando miraba el listado de jugadores y repasaba los nombres, West veía problemas. Su jugador favorito, el base Nick Van Exel, tenía agallas, talento y era duro, pero también era incapaz de controlar su irascible temperamento. Se podía ganar «con» Nick Van Exel. Pero no se podía ganar con Nick Van Exel «como líder», porque en cualquier momento podía pelearse con un árbitro o mandar al entrenador a la mierda. Sucedía algo parecido con Eddie Jones, el fino escolta seleccionado en la primera ronda del *draft* de 1994. Tras pasar de las calles poco amables de Pompano Beach, en Florida, a la Universidad de Temple, Jones era una buenísima tercera opción ofensiva para cualquier equipo competitivo de la NBA. En la temporada 1995-96 tuvo una media de 12,8 puntos por partido, pero, como Exel, no estaba hecho para liderar un equipo. En absoluto.

Con la marcha de Magic Johnson, el nombre más deslumbrante en los Lakers era Cedric Ceballos, el autoproclamado jugador franquicia. No había nada en el juego ni en la actitud de Ceballos que le gustara a West. De hecho, el vicepresidente de los Lakers lo consideraba la encarnación de todos los males del jugador de baloncesto moderno: egoísta, egocéntrico, poco amigo de pasar el balón o de defender, y obsesionado con sus números, en lugar de en ayudar al juego del equipo. La mayor parte de los puntos que conseguía Ceballos salían de canastas poco lucidas y de vagar por la línea de fondo recogiendo las sobras. «Ced era un tipo raro», decía Kurt Rambis, el inquebrantable ala-pívot de los Lakers de los ochenta que se acababa de retirar para ejercer de segundo entrenador. «En algún momento de su carrera, su ego reemplazó a su cordura.»

¿Y el resto de la plantilla? Pues nada del otro mundo. Vlade Divac era uno de los mejores pívots pasadores de la NBA. Elden Campbell era un ala-pívot algo limitado, pero fiable. El alero George Lynch y el escolta Anthony Peeler eran buenos. Pero Fred Roberts, Sedale Threatt, Derek Strong, Anthony Miller…

No era una plantilla de ensueño.

West era una persona realista. Los directivos mediocres suelen ver lo mejor de sus jugadores, incluso cuando cuentan con una plantilla llena de inadaptados o descartes. West, en cambio, estaba obsesionado con los defectos de los jugadores, por sus fallos y carencias. Fue su método de sobrevivir durante sus inigualables catorce años con los Lakers con una media de veintisiete puntos y participando en catorce *All-Star*. Sin embargo, rara vez (¿quizá nunca?) estuvo plenamente satisfecho de sí mismo. Si hacía 13 de 14 en tiros de campo, se centraba en el tiro fallado. Si un compañero de equipo la fastidiaba en un lanzamiento en el último segundo, West se flagelaba por haber hecho el pase un poco ladeado. Como ejecutivo, casi no podía ni mirar cómo jugaban sus equipos, y solía pasearse arriba y abajo por los pasillos. No es que Jerry West fuese incapaz de estar satisfecho. Era incapaz de estar totalmente satisfecho de sí mismo. Siempre había algo que podía haber hecho mejor.

Por lo tanto, al repasar la plantilla, se culpó a sí mismo. En particular, podría (y debería) haberse ahorrado el regreso de Magic Johnson. Hubo más espectáculo que sustancia, y todo aquel circo entorpeció el progreso de la franquicia.

Tan pronto como terminó la temporada 1995-96, West, de quien el columnista Jim Murray escribió una vez que «podía detectar el talento desde la ventana de un tren en marcha», empezó a mirar hacia el futuro. Gracias al registro de 53 victorias y 29 derrotas de la temporada, los Lakers obtuvieron el puesto número 24 en el *draft*. No era un puesto conveniente para un equipo que necesitaba un buen empujón. Desde su creación en 1947, el *draft* había tenido años buenos y años malos. La edición de 1984 trajo al mundo cuatro futuros nombres del Salón de la Fama: Hakeem Olajuwon, Michael Jordan, Charles Barkley y John Stockton. La edición de 1986 estuvo marcada por criminales, fiascos y, en el caso del número dos del *draft* Len Bias de Maryland, una muerte trágica por sobredosis de cocaína. Por cada Lew Alcindor en primera posición (Milwaukee, 1969) había un LaRue Martin también como número uno (Portland, 1972). Por cada *draft* que sacaba jugadores como Cazzie Russel y Dave Bing (1966), había otro que venía con Joe Barry y Darrell Griffith (1980). «Es imposible saberlo —apuntaba West— hasta que no juegan en la liga.»

Dicho esto, la mayoría de los *scouts* coincidían en que 1996 tenía el potencial de ser la mejor cosecha de nuevo talento para la NBA desde hacía décadas. Es cierto que no había ningún Kareem Abdul-Jabbar o Wilt Chamberlain que pudieran, por pura fuerza física, cambiar la dinámica de una franquicia. Pero gracias a dieciocho jugadores que se apuntaron antes de acabar su carrera universitaria, y a una oleada de estrellas extranjeras, era razonable pensar que el número diez del draft fuera menos valioso que el número uno o el número dos. Entre los nombres más destacados estaban Allen Iverson, de Georgetown; Stephon Marbury, de Georgia Tech; y Ray Allen, de Connecticut, que habían destacado en sus respectivas competiciones y copaban la mayoría de los titulares. Los Lakers ni siquiera se preocuparon de estudiar a ninguno de los tres. ¿Para qué? Iverson, Marbury y Allen ya estarían elegidos cuando llegara su turno.

No obstante, eso no quería decir que West no pudiese ser creativo.

Υ

El 29 de abril de 1996, un día antes de que los Lakers perdieran el tercer partido de la primera serie de los *playoffs* ante los Houston Rockets, un estudiante de último curso del instituto Lower Merion de Filadelfia convocó una descabellada rueda de prensa para anunciar una idea aún más descabellada. La rueda de prensa tuvo lugar en el gimnasio del instituto, pero no se parecía en nada a las asambleas ordinarias que solían celebrarse ahí. El reportero del periódico del instituto, el *Merionite*, tuvo que abrirse paso a codazos entre periodistas enviados por el *Washington Post* o *Sports Illustrated*. Los cuatro miembros de la banda Boyz II Men, no mucho tiempo después de haber lanzado uno de los álbumes más vendidos de la historia, observaban desde la parte de atrás intrigados por lo que se cocía en su ciudad natal. El chaval, larguirucho, de espaldas anchas y con la cabeza rapada, entró vestido con un traje que le iba grande y unas gafas de sol de marca sobre la cabeza. «Dios mío, fue tan prepotente», comenta John Smallwood, que cubrió el evento para el *Philadelphia Daily News*. «Ya solo con esa mirada... De verdad, fue una de las cosas más feas que he visto en mi vida.»

Con unas dos docenas de reporteros apelotonados ahí dentro, ese chico de «diecisiete» años y curioso nombre, Kobe Bean Bryant, caminó hacia la mesa al frente de la sala, se mostró ante todos, se frotó la barbilla, se inclinó hacia un micrófono, sonrió algo nervioso y dijo: «Kobe Bryant ha decidido... no ir a la universidad y ofrecer su talento a la NBA».

Mmm...

«¿Kobe Bryant?»

Los estudiantes presentes en la rueda de prensa enloquecieron, gritando, aplaudiendo, celebrándolo.

Los adultos... no tanto.

«Ahí estaba ese chaval de instituto, vestido como si fuese un miembro de la *Rat Pack* —recuerda Jeremy Schaap de la ESPN—. ¿Qué demonios era aquello? Llevaba gafas de sol. ¡Gafas de sol! Y podrían haber sido de mercadillo, pero a él le quedaban como unas Armani. Era difícil asumir esa total falta de humildad y todo ese rollo hollywoodiense. Yo había estado con Michael Jordan. Había estado con Charles Barkley. Pero jamás había visto a nadie alardear de esa forma.»

Con su 1,98, Bryant tenía la altura de un escolta de la NBA. Su padre, Joe, *Jellybean*, Bryant, había jugado ocho temporadas en la NBA antes de mudarse a Italia y sumar otras ocho temporadas compitiendo en varias ligas europeas. Y sí, a los cinco años, Kobe había botado una pelota de baloncesto en una pista con Magic Johnson. Por lo que tenía el tamaño y tenía el pedigrí.

Aun así, aquello era una locura.

Bryant obtuvo una media de 30,8 puntos, 12 rebotes, 6,5 asistencias, 4 recuperaciones y 3,8 tapones por partido liderando al Lower Merion hacia el título estatal Clase AAAA, pero jugaba con Robby Schwartz y Dave Rosenberg, y una pandilla de don nadies de barrio residencial con un futuro increíble como abogados o contables. Además, los escoltas de la NBA no salían directamente de las ligas de instituto. Era sencillamente un despropósito. En la historia del baloncesto estadounidense, solo otros cinco jugadores de instituto saltaron directamente a la NBA, y todos eran aleros o pívots. El último caso había sido el de Kevin Garnett, salido de la Farragut Career Academy, que medía 2,10 y era un prodigio con los rebotes y los tapones. E incluso con tal tamaño y fuerza, entró en los Minnesota Timberwolves en 1995 y obtuvo una media de tan solo 10,4 puntos por partido. «Fue realmente duro», confesó más tarde.

De buenas a primeras, la apuesta de Bryant era totalmente ilógica. Era un estudiante de notable con una puntuación media en la selectividad. Todas las universidades lo querían, y era Duke la que tenía más opciones. Todavía no había contactado con ningún *scout* de la NBA y la mayoría jamás había oído hablar de él. «Se está autoengañando», declaró el director de *scouting* de la NBA, Marty Blake, en *Los Angeles Times*. «Claro que quiere venir. Yo también quiero ser una estrella de cine. Pero no está preparado.»

«Cuando miras a Kobe Bryant, tampoco ves nada especial», dijo Rob Babcock, el director de jugadores de Minnesota. «Su juego no dice: tengo un talento muy especial.»

«Yo creo que es un tremendo error —aseguró Jon Jennings, el director de desarrollo de los Boston Celtics—. Kevin Garnett era el mejor jugador de instituto que había visto y tampoco le hubiese aconsejado saltar a la NBA. Y Kobe no es Kevin Garnett.»

Lo que muchos no supieron entender (no podían entenderlo) era que el tren de Kobe Bryant hacia la NBA ya había salido de la estación mucho antes de anunciarlo en aquel gimnasio de instituto. Desde la segunda mitad de los ochenta, con el auge de Nike y de las academias y campus deportivos de alto rendimiento, los deportistas norteamericanos con talento eran descubiertos en edades infantiles, formados, mimados, etiquetados, marcados, acosados y procesados. Ya no bastaba con dejar que los niños fueran niños y dejar que se desarrollaran poco a poco. El hábil jugador de hoy podía ser, quizá y solo quizá, el Isiah Thomas de mañana, y por tanto había que formarlo enseguida. Esto explica, en gran medida, el paso de Garnett del instituto a la NBA. Un jugador tan enorme desde tan joven era ya una mercancía antes de ni siquiera conocer el significado de la palabra.

Bryant, en cambio, parecía más bien un diamante en bruto por descubrir, estaba fuera del mercado.

Aunque Joe Bryant era exjugador de la NBA y fue elegido en la primera ronda del *draft* de 1975 por los Golden State Warriors, fue uno de esos jugadores del montón. Llegó, jugó y desapareció de los focos. Jugó ocho temporadas con tres equipos diferentes obteniendo una media discreta de 8,7 puntos y 4 rebotes por partido. Disputó treinta partidos de *playoff*, siempre saliendo desde el banquillo. Su momento álgido lo tuvo el 5 de mayo de 1976, cuando la policía de Filadelfia intentó pararle por llevar una luz trasera estropeada. Bryant intentó escapar, pero chocó con tres coches aparcados, lo detuvieron y los policías encontraron varias bolsas de cocaína en su coche. «Tendría que haber sido mucho mejor de lo que era —dijo Dick Weiss, el veterano periodista de baloncesto de Filadelfia—. Joe tenía unas condiciones atléticas increíbles, tenía mucho de Kevin Durant mucho antes de Kevin Durant. Pero nunca terminó de dar resultado.»

Su salida de la NBA se acogió con indiferencia generalizada. Fred Hartman del *Baytown Sun* de Texas escribió el 7 de agosto de 1983 que «Bryant terminó su contrato el año pasado y ahora es un agente libre sin ficha». Eso fue todo.

En ese momento, Kobe estaba a punto de cumplir cinco años. Era el hijo pequeño de Joe y Pam Bryant, que tenían dos hijas más, Sharia y Shaya. Hacía un par de meses que sus padres le habían apuntado a clases de kárate en un *dojo* de Houston. Cuando estaba a punto de pasar de cinturón blanco a cinturón amarillo, un día el profesor le hizo enfrentarse a un cinturón marrón. Su rival era un niño mayor, más alto, más pesado y con bastante más experiencia. Kobe empezó a llorar, pero el instructor insistió: «¡Lucha contra él!». El pequeño Kobe dio un paso adelante y se puso en guardia.

La resiliencia era una característica de los Bryant. En aquella época, Joe aceptó un trabajo como vendedor de coches en un concesionario de Houston, pero fue un despropósito. Era un joven negro de veintiocho años nacido para jugar al baloncesto intentando vender Fords a hombres blancos incómodos que observaban con recelo su altura, sus músculos y su infelicidad. Cuando le propusieron por primera vez la idea de jugar en el extranjero, se mostró algo escéptico. ¿Le compensaría el sueldo? ¿Cómo viviría Pam, que había nacido y crecido en Filadelfia, una nueva mudanza por culpa del baloncesto? ¿El nivel de juego superaría la mediocridad?

Al cabo de algunos meses, los Bryant ya estaban en Rieti, una ciudad de cuarenta mil habitantes a setenta y siete kilómetros al norte de Roma. Joe era la última incorporación de AMG Sebastiani Rieti, que le proporcionaría una casa, un coche y un muy buen sueldo para convertirse en su Dr. J. Sorprendentemente, funcionó. Joe Bryant consiguió una media récord en el equipo de treinta puntos por partido y redescubrió su pasión por el deporte. ¿Y qué si jugaba con unos jóvenes chicos italianos llamados Francesco y Mattia? En la NBA se estaría pudriendo en el banquillo, lamentándose de que otros compañeros con menos talento le robaran minutos. En Italia era libre, destacaba y se sentía feliz. Como explicaba Roland Lazenby en su biografía de Kobe Bryant, *Showboat*, los aficionados italianos usaban una palabra singular para describir el juego de Joe: «*Bello*».

Durante los siguientes ocho años, Italia fue el hogar de los Bryant, y el juego del joven Kobe adquirió un estilo y un deje claramente europeos. Iba a los entrenamientos con su padre, que terminó jugando en cuatro equipos diferentes de la liga italiana. Kobe practicaba los tiros en suspensión y se divertía en los uno contra uno con los compañeros de equipo de Joe. «Empecé a driblar desde el minuto cero —explicaba Kobe Bryant—. Para mí, el baloncesto era lo más divertido. No solo por ver jugar a mi padre. Lo que más me divertía era driblar arriba y abajo con la pelota. Podías jugar solo y visualizar situaciones del juego.» Kobe hablaba un italiano fluido, recibía clases de *ballet*, se le daba muy bien el fútbol y le encantaba la *bruschetta* y la *panzanella*. El baloncesto estaba presente en su vida, pero no era el centro de ella. Luego los Bryant instalaron una canasta en la entrada de su casa. Mientras sus amigos italianos miraban los programas *Mio Mao* y *Quaq Quao* en la televisión, Kobe absorbía las cintas de VHS que le enviaba su abuelo donde podía ver jugar a Magic, a Bird y a una joven estrella de los Chicago Bulls llamada Michael Jordan. «Me encantaba la sensación de tener la pelota en mis manos —dijo—. También me encantaba su sonido. El tap, tap, tap cuando bota sobre el parqué. Su nitidez y su precisión. Su predictibilidad.»

Kobe crecía, y Joe y Pam lo apuntaron a jugar con equipos italianos de categorías inferiores. Siempre era el mejor jugador, pero también el menos apreciado. Era tan superior a sus compañeros de equipo que los ignoraba. Cuando le decían: «*Kobe, passa la palla!*» («¡Kobe, pasa la pelota!»), él respondía simplemente: «No». Igual que muchos niños con padres famosos o de familias adineradas, Kobe era conocido por su arrogancia, su sequedad y su desprecio hacia los otros niños. No lo odiaban, pero lo aborrecían. La única arma que tenían para dañarle los otros jugadores era algo que le repetían constantemente: «*Sei bravo qui, ma non sarai molto in America*» («Aquí eres muy bueno, pero en Estados Unidos no lo serás tanto»).

Todos los veranos, cuando Joe terminaba la temporada, los Bryant regresaban a Filadelfia. Sin embargo, Kobe no encajaba muy bien allí. Era un niño afroamericano con aires europeos y un ligerísimo acento italiano.

En julio de 1991, poco antes de su decimotercer cumpleaños, el padre de Kobe lo apuntó en el torneo de verano Sonny Hill Community Involvement League, donde los mejores jugadores jóvenes de Filadelfia se enfrentaban en las pistas del McGonigle Hall de la Universidad de Temple. En su época, el propio Joe había destacado en una edición del torneo, y pensaba que a su hijo le vendría bien enfrentarse al estilo duro de los mejores jugadores de la ciudad. De modo que rellenó la solicitud y le dio el papel a su hijo para que completara la información personal. Cuando Kobe llegó el primer día de la competición, un supervisor del torneo leyó sus respuestas:

Nombre: Kobe Bryant
Edad: 12
Lugar de nacimiento: Filadelfia
Planes de futuro profesional: NBA

«¿Esto va en serio?», le preguntó el supervisor.

Bryant asintió con la cabeza. Iba muy en serio, lo cual hizo que los miembros del personal prestaran especial atención al chico de nombre extravagante que había escrito esa pretenciosa respuesta. Lo que se encontraron fue de risa. En Italia, los chavales llevaban rodilleras de voleibol en los partidos. De modo que Kobe, pensando que era una norma generalizada, importó el estilo (o la falta de él) a Filadelfia. «Parecía Jim Carrey en *Un loco a domicilio*», recordaba más tarde. En Italia era una fiera indomable del baloncesto que hacía bandejas con facilidad. Pero en Estados Unidos resultaba un jugador del montón con un pésimo sentido de la moda y que parecía un anciano que padecía la enfermedad de Osgood-Schlatter y sufría un dolor insoportable en las rodillas. Anotó cero puntos en veinticinco partidos. «No hice ni una canasta, ni un tiro libre, nada —recordaba—. Terminé llorando desconsoladamente.»

No obstante, cuando a Kobe se le daba mal algo, no tenía ninguna intención de rendirse. Volvió a Sonny Hill el verano siguiente, jugó aceptablemente, hizo algunas canastas y defendió de forma admirable.

Los Bryant dejaron definitivamente Italia después de la temporada 1991-92. El regreso de Kobe a su vida cien por cien estadounidense comenzó en octavo curso, en el instituto Bala Cynwyd Junior High, en los arbolados barrios residenciales del oeste de Filadelfia. El colegio era setenta por ciento caucásico, y a Kobe le costaba encajar. No era blanco. Su actitud afroamericana parecía forzada. Hablaba italiano en un lugar donde «nadie» hablaba italiano. No había ningún rostro familiar. Estaba mucho más preparado que la media, cosa que lo hacía parecer distante y arrogante. Gracias a sus dotes atléticas y a su condición de estadounidense expatriado, Kobe había destacado en sus primeros años de infancia. Ahora, de vuelta al rebaño en Estados Unidos, él seguía pensando que destacaba. Que era, de algún modo, mejor que los demás.

Y lo era.

En el Bala Cynwyd no había el talento que se congregaba en el Sonny Hill cada verano, de modo que Kobe, con sus habilidades mejorando día a día, armado de experiencia, con una genética de ensueño (además de su padre, el hermano de su madre, Chubby Cox, jugó parte de la temporada de 1983 en la NBA con los Washington Bullets) y una confianza inquebrantable, era el mejor. Con su 1,88 de altura, dominaba la pista con el equipo de octavo anotando una media de treinta puntos por partido. La visión de un grácil y esbelto Bryant abriéndose paso entre unos niños que le rodeaban totalmente enbelesados era algo esperpéntica. Gregg Downer, el entrenador del equipo del instituto Lower Merion, oyó hablar de las proezas del joven Bryant y lo invitó a participar en una de sus sesiones de entrenamiento. Kobe entró en el gimnasio acompañado por su padre, de 2,05. «Dios, es Joe Bryant —le susurró Downer a un asistente—. *Jellybean* Bryant.»

Gregg Downer, de veintisiete años, había jugado en la División III de la NCAA con la Universidad de Lynchburg (Virginia). Enseguida se dio cuenta de que aquel chico no era un jugador de baloncesto común. Bryant no mostraba ningún miedo. Lanzaba desde la esquina y taponaba a los mejores jugadores del Lower Merion. Bastaron cinco minutos para que Downer dijera: «Este chaval es un profesional».

«Enseguida supe que tenía algo muy especial ante mí —decía Downer—. Era sumamente bueno con trece años, y lo que me venía a la cabeza era que el chico se haría todavía más alto y fuerte.»

En su primer año en el Lower Merion, Bryant entró en el equipo titular de Downer con una media de dieciocho puntos en un equipo que llevaba un balance de 4-20. Lo que más destacaba de él era su feroz intensidad. No era que no le gustara perder, sino que lo odiaba. No se limitaba a desesperarse cuando fallaba un tiro libre, sino que tales errores le pesaban en el alma. Los otros jugadores podían reírse de una mala defensa, de un pase chapucero o por una pérdida de balón. Pero ese no era el caso de Bryant. Él creía en la perfección, y todo lo que se alejara de ella le dejaba insatisfecho. En una ocasión, durante un entrenamiento, Downer le amonestó porque no seguía la táctica del equipo para defender. Bryant le contestó: «¡Eso no es lo que haré en la NBA!».

Durante una excursión con la escuela al parque de atracciones Hersheypark, una alumna llamada Susan Freedland le pidió ayuda para conseguir un animal de peluche en una caseta de tiro libre. Algunos compañeros se juntaron a su alrededor y se oyeron algunas risas. Pero Kobe cogió la pelota estoicamente, se colocó, miró el aro y lanzó. Dentro.

Volvió a lanzar. Dentro.

Volvió a lanzar. Dentro.

A Susan ganó un elefante azul con colmillos verdes y le dio las gracias a Kobe por haberla ayudado. Pero Kobe no había terminado. Apostó tres dólares más.

Volvió a lanzar. Dentro.

Volvió a lanzar. Dentro.

El hombre de la caseta, rabioso y resignado, le entregó otro elefante y le dijo a Kobe que desapareciera de su vista.

Para Kobe, aquello no se trataba de una diversión. Nada era una diversión. Todo significaba algo. Ser el mejor. Ser el más grande. No rendirse jamás. Durante las siguientes dos décadas habría un debate intenso sobre el origen de tal pulsión. ¿Qué había hecho que Kobe fuera un «animal» del baloncesto como Jordan? Las respuestas pueden encontrarse en el Lower Merion, donde, relativamente solo y aislado, decidió comprometerse con su mejor amigo: el baloncesto.

Kobe Bryant era un chico extraño. Era tan guapo e inteligente como complicado e inestable. Jamás entendió las convenciones de una conversación informal. Era torpe y le sudaban las manos cuando hablaba con las chicas. Además, tampoco sabía de música o cultura popular. Es complicado ser uno de los pocos niños afroamericanos en una escuela eminentemente blanca. Por injusto que sea, la gente esperaba que actuara de un modo determinado o hablara distinto. Que usara un lenguaje callejero y mostrara una actitud de barrio. Pero Kobe Bryant no era eso. Sus esfuerzos por aparentar ser lo que no era en los largos pasillos del instituto eran admirables, en cierto sentido, pero su éxito fue nulo. Incluso cuando fue mayor, cuando su cara ocupaba las portadas de las revistas, sus amigos y compañeros de equipo se reían de esos esfuerzos. Ahí estaba Kobe Bryant, luciendo en las portadas de *Sports Illustrated* o *Slam* como ejemplo de la masculinidad, pero, en realidad, no era más que un niño rarito. La consecuencia de ese desajuste fue su compromiso con la excelencia en sus lanzamientos, sus pases, sus rebotes, sus recuperaciones y sus tapones. El joven Kobe salía a correr por las calles de su vecindario hasta vomitar, hacía pesas hasta que los músculos le quemaban, controlaba cada caloría y cada gota de agua de su cuerpo. Perseguía la excelencia, no solo por el precedente de su padre, sino porque ese afán era todo lo que tenía más allá de una familia muy unida.

Los rumores sobre Bryant empezaron a difundirse durante su segundo año en el Lower Merion, un año en el que consiguió una media de 22 puntos y 10 rebotes por partido, y lideró a un equipo con registros deplorables hacia un récord de 16-6. «Siempre jugaba como si estuviera enfadado por algo», recordaba Shaheen Holloway, un base del instituto St. Patrick High en Elizabeth, Nueva Jersey. «Siempre se comportaba como si tuviera algo que demostrar. En parte podría ser porque vivía e iba al instituto en un barrio residencial. La gente presuponía que no era un tipo duro. Pero el chaval era un asesino a sangre fría.» Gracias a unas estadísticas llamativas y a algunos mates memorables, el nombre de Bryant empezaba a llenar cada vez más artículos del *Philadelphia Inquirer*, pero fuera del área de influencia eran pocos los que se fijaban en él seriamente. La opinión generalizada era que no dejaba de ser otro jugador de baloncesto que sobresalía de la media. Sin ser nada del otro mundo sacaba los colores a los empollones de su barrio.

Por eso lo que sucedió después fue tan importante. En verano de 1972, Joe Bryant, con diecisiete años y a un año vista de entrar en la Universidad de La Salle, fue nombrado *MVP* del campeonato *All-Star* del instituto Dapper Dan que tuvo lugar en Pittsburgh. El hombre al frente de aquella competición era Sonny Vaccaro.

Veintidós años después, Joe Bryant se reencontró con Vaccaro gracias a un conocido común, el entrenador de la AAU (Amateur Athletic Union), Gary Charles. Bryant le recordó a Vaccaro su pasado en común y cómo Dapper Dan le había cambiado la vida. Le explicó que había dejado la NBA para irse a Italia, que había vuelto y que le habían contratado como segundo entrenador en La Salle, que les iban bien las cosas a él y a su mujer, que todo iba genial y...

—Tengo que pedirte un favor —le dijo.

—¿Qué necesitas? —le contestó Vaccaro.

Vaccaro era conocido por ser el responsable, como directivo de Nike, de firmar el primer contrato de Michael Jordan por unas zapatillas y cambiar así el *marketing* deportivo para siempre. Vaccaro trabajaba ahora para Adidas y dirigía el ABCD All America Camp de la empresa, un escaparate de élite para los mejores ciento veinticinco jugadores de baloncesto de instituto del país. Empezó el proyecto en 1984 como una forma de mejorar su imagen —o la de la empresa para la que trabajara— ante la siguiente generación de jugadores de élite. Cualesquiera que fueran sus motivaciones, el ABCD pronto se convirtió en el lugar donde tenían que estar los mejores de los mejores.

—Sonny —le dijo Joe—, tengo un hijo, Kobe. Y es muy bueno. Me gustaría ver si puedes hacerle un hueco en el ABCD.

En un primer momento, Vaccaro vaciló. ¿Cuántas veces se había encontrado en esa misma situación? «Mi hijo es increíble, será el rey del campus, lo único que necesita es una oportunidad...» ¿Y cuántas veces había resultado ser un desastre sobre la pista? «Jamás había oído hablar de Kobe Bryant —dijo años más tarde—. Nadie sabía quién era ni de lo que era capaz. Pero sentía que Joe y yo teníamos un pasado común y pensé que quizás era verdad. Le dije que sí, que le dejaría entrar.»

El 7 de julio de 1994, Kobe Bryant se presentó al campus de la Universidad Fairleigh Dickinson en Teaneck, Nueva Jersey. Tenía por delante una semana de baloncesto de alto nivel para la que, *a priori*, no estaba preparado. Era uno de los cuatro únicos estudiantes de primer curso de instituto. El resto eran mayores y la atención estaba puesta principalmente en un par de bases neoyorquinos: Stephon Marbury, del instituto Lincoln High, y Shammgod Wells, de la academia La Salle de Nueva York. Ser uno de los jugadores menos conocidos en el ABCD suele implicar relacionarse con la cabeza gacha y la mirada clavada en las zapatillas. Uno se siente intimidado e incómodo. «Estás ahí con tíos que pueden hacer cosas increíbles —aseguraba Holloway—. Eres el mejor en tu casa. Pero estar ahí es una cura de humildad.»

Desde el primer día, Bryant se paseaba con total naturalidad. Jugaba duro, con rapidez, y no se dejaba intimidar por Marbury, Wells o el fantástico Tim Thomas de Paterson, Nueva Jersey. Cargaba con tres heridas abiertas: ser el niño de Italia que no le importaba a nadie, el chico de buena familia que no le importaba a nadie y ser el hijo de un ex-NBA. La estrella del campus era Marbury. En una ocasión, logró zafarse del marcaje de Holloway, saltó desde la línea de tiro libre y estrelló su cuerpo de 1,85 contra un pívot de más de dos metros y 109 kilos llamado Patrick Ngongba. Con un rugido ensordecedor culminó el mate en la misma cara de ese gigante. Cuando aterrizó en el suelo, lanzó un grito sonoro y esbozó una sonrisa de oreja a oreja. Luego cruzó toda la pista, salió del gimnasio y se metió en el bus que trasladaba a los participantes.

Los otros jugadores gritaron y lo aclamaron entusiasmados.

Bryant se unió al espectáculo sonoro, pero por dentro le comían de celos. Tenía que haber sido él. Y lo sería. Cuando el campus llegó a su fin, y Marbury y Thomas fueron nombrados mejores jugadores, Bryant se acercó a Vaccaro y le golpeó en el hombro.

—Señor Vaccaro —dijo—, quiero disculparme.

—¿A qué te refieres? —contestó Vaccaro.

—Solo quiero decirle que el año que viene seré *MVP*. Siento haberte decepcionado.

Vaccaro se quedó sin palabras. Kobe Bryant no le debía ninguna disculpa. Pero esa integridad e intensidad fueron algo que jamás había visto en toda la historia del ABCD. «Nunca lo olvidaré —dijo años después—. Su actitud no era del tipo "Gracias por la oportunidad, he disfrutado y tengo ganas de volver", sino más bien de "A la mierda. Voy a ser *MVP*". Podemos llamarlo de muchas formas, confianza, arrogancia, seguridad, pero él sabía que sería bueno. Y, en ese momento, en ese mismo momento, yo también supe que Adidas apostaría por Kobe Bryant.»

Durante los dos años siguientes, Kobe Bryant fue creciendo como jugador. Consiguió una media de 31,1 puntos, 10,4 rebotes y 5,2 asistencias por partido con el Lower Merion, y lo nombraron jugador del año de Pensilvania. Bryant era radical. Llegaba al gimnasio a las cinco de la mañana para practicar lanzamientos, y por la tarde después del entrenamiento se quedaba dos horas más. Lo que le faltaba en habilidades sociales lo compensaba con perseverancia. Con mucha perseverancia. «La gente cree que lo más destacable de Kobe es su condición atlética, pero se equivocan —recalcaba Emory Dabney, el base del Lower Merion—. Era su mentalidad. Su comportamiento rozaba la psicopatía.» Dabney recordaba especialmente un día de verano que el termómetro alcanzó los treinta y cinco grados. Él y Kobe estaban haciendo ejercicios en la pista de la cercana Universidad Saint Joseph's, y luego cruzaron la calle para dirigirse a la Academia Episcopal para jugar un partido amistoso. «Kobe se metió en el coche después de correr y subió la calefacción a treinta y dos grados porque no quería que se le enfriaran los músculos —explicaba Dabney—. A cualquiera le parecería una locura, pero esto es lo que le hacía distinto a los demás. No es que soñara con ello. Lo quería de verdad.»

Bryant regresó al ABCD y, como había prometido, fue nombrado *MVP* después de lograr una media de 21 puntos y

7 rebotes. Ese año quizá se juntaron los mejores talentos en la historia de la ABCD. Además de Bryant, estaban Thomas, Jermaine O'Neal, del instituto Eau Claire High (Carolina del Sur), y Lester Earl, de Glen Oaks (Luisiana). Hubo una jugada en uno de los partidos que, dos décadas después, a Vaccaro le seguía pareciendo extraordinaria. Kobe se elevó hacia la canasta y machacó con fuerza por encima de un rival abatido. Mientras la pelota repicaba en el aro, Bryant aterrizó en el suelo, esbozó una sonrisa y gritó:

—¿Ha sido mejor que el de Stephon?

—No —respondió Vaccaro—, pero ha sido extraordinario.

Si la confianza que mostró Bryant en el ABCD fue sorprendente, hubo un par de experiencias más cercanas a su casa que la llevaron a otro nivel. Aunque no era más que un muchacho de instituto, Bryant pasaba mucho tiempo jugando partidos amistosos en el gimnasio Pearson Hall de la Universidad de Temple. Pero no se trataba de unos partidillos donde se enfrentaba a miembros de alguna hermandad. De hecho, entre sus rivales había muchas estrellas de los Owls, incluidos futuros jugadores de la NBA como Rick Brunson, Aaron McKie y Eddi Jones. «Dios, su juego era muy refinado para ser un chaval de instituto —recuerda Jones—. Un talento impresionante. Lo que más llamaba la atención es que no se asustaba. Nosotros éramos la élite del deporte no profesional, grandes nombres del baloncesto universitario. Y Kobe simplemente nos mostraba todo lo que tenía. Podías ver que el chaval estaba hecho para la NBA. No había duda.»

Por aquella época, los 76ers de Filadelfia celebraban los entrenamientos fuera de temporada en el campus de la Universidad de San José. Como Kobe era la estrella local y los 76ers necesitaban jugadores (aparte de que Tarvia Lucas, la hija del entrenador John Lucas, también iba al Lower Merion) dejaron que Bryant y Dabney asistieran a los entrenamientos. Eran los Sixers de Shawn Bradley, Sean Higgins, Elmer Bennett y Greg Graham. Habían terminado la temporada con 18 victorias y 64 derrotas. Pero, aun así, era un equipo de la NBA, y Kobe Bryant estaba a punto de empezar su último año de instituto.

Hay un mito que se ha extendido sobre lo que ocurrió en esos entrenamientos. La historia, contada por diez millones de testigos (no había más de treinta personas en aquel gimnasio) y repetida hasta la saciedad cuenta que Bryant vapuleó a Jerry Stackhouse, el fantástico joven escolta de Filadelfia. Bryant lo mareó sobre el parqué, hacia la derecha, hacia la izquierda, y lo superó por encima con un mate mientras se zampaba un bocadillo de jamón y tarareaba el repertorio entero de Peter Cetera.[1]

A decir verdad, Bryant jugó muy bien contra Stackhouse y contra otros buenos jugadores de NBA, como Vernon Maxwell, Richard Dumas o Sharone Wright. Pero no era el jugador más valioso, ni siquiera uno de los diez mejores. Era indisciplinado, descuidado y errático. Lanzaba cuando no tenía que hacerlo, y perdía balones que, en caso de hacerlo en un partido oficial, lo habrían mandado directo al banquillo. Pero era increíblemente osado, y eso llamaba la atención. Además, aunque no llegara a vapulear a Stackhouse, sí que lo sacó de quicio. «Stack era un tío con poca paciencia —explicó Dabney—. No le sentó bien que un chaval de diecisiete años le pasara la mano por la cara.» John Nash, el director general de los Washington Bullets, se puso al día con Lucas.

—¿Qué tal va Stack en los entrenamientos? —preguntó Nash.

—Bien —respondió Lucas—. Pero es el segundo mejor escolta del gimnasio.

Nash repasó mentalmente la lista de escoltas de los Sixers. No era una lista particularmente larga, así que terminó por preguntarle.

—¿Quién es mejor que él?

—Kobe —respondió.

Vaya.

---

1. Me puse en contacto con Stackhouse, un buen hombre a quien una vez le dediqué un artículo para el *Wall Street Journal*. Me devolvió el mensaje: «¿Qué tal,tío? Espero que estés bien. Seguramente no soy el más indicado para hablar de Kobe y hacer más grande la leyenda de que me vapuleó cuando todavía iba al instituto. En su favor tengo que decir que nunca le he oído decirlo, aunque tampoco lo ha negado nunca. O sea, básicamente, que le den».

Un día, Shaun Powell, periodista del *Newsday* que solía cubrir las noticias relacionadas con la NBA, se paseaba por el vestuario de los Nets de Nueva Jersey cuando Rick Mahorn, el ala-pívot titular del equipo, le dijo:

—¿Sabes sobre quién tendrías que escribir? Sobre el hijo de Jellybean.

—¿El hijo de Jellybean?

—Sí —respondió Mahorn—, se llama Kobe. En verano, cuando entrenábamos, jugaba con nosotros. Y no lo hacía nada mal…

Por aquella época, Bryant empezó a entrenar a diario con Joe Carbone, un exlevantador de pesas profesional contratado por la familia como entrenador personal para convertir al chico en un roble. El objetivo era transformar a un joven más bien enjuto en una máquina capaz de aguantar una temporada de ochenta y dos partidos contra tipos enormes. Pronto, Bryant empezó a frecuentar a diario la sala de pesas. Hacía flexiones, dominadas y levantaba pesas. «Levantaba unos diez kilos —dice Carbone—. No ganaba peso fácilmente, así que fuimos incrementando los kilos a medida que se hacía más fuerte.»

Cuando regresó al Lower Merion para afrontar su último año de instituto, Bryant ya sabía, reafirmado por la experiencia en el ABCD, y por los partidos en Temple y con los Sixers, que no iría a la universidad. «Me lo dijo aquel verano» —dice Dabney—. Me dijo rotundamente: "El año que viene me voy a la NBA".»

Aunque Bryant lo supiera, en aquel momento todavía era un secreto para los demás. Recibía cartas de todas las universidades, desde la universidad de Duke, Carolina del Norte o Delaware, hasta las de Temple, Drexel, Villanova, la UCLA o la USC. Era otoño de 1995. En ese momento, Joe Bryant estaba en su segundo año como segundo entrenador de la cercana Universidad de La Salle, su *alma mater*. Speedy Morris, el entrenador jefe, lo había contratado en 1993. Aunque el argumento oficial fue que el programa necesitaba un sustituto para Randy Monroe, que acababa de abandonar el equipo, la realidad era muy distinta. «¿Que si se me ocurrió que podía ayudarnos a conseguir a Kobe? —dijo Morris décadas después—. Sí, por supuesto. Joe no era un buen segundo entrenador. No trabajaba duro y en realidad no tenía tantos conocimientos. Era un buen tipo. Pero lo fichamos para poder llegar a su hijo.»

Kobe Bryant se dejaba querer. Hizo un puñado de visitas en algunos campus y fingía estar verdaderamente indeciso sobre su futuro. Le gustaba presumir de todas las ofertas que había recibido, y se sentía orgulloso de haber dejado plantado a Rick Pitino, el entrenador de Kentucky, cuando no se presentó a una visita programada en el campus. Actuaba como si la universidad fuera una opción real. Pero no lo era. Como no había firmado con ningún agente ni había aceptado un solo céntimo de ninguna marca de zapatillas, no había nada escrito sobre su futuro. Las cartas de reclutamiento terminaron en la basura de los Bryant junto a los restos de hamburguesa o los envases vacíos de yogur. El mes de junio anterior había participado en un torneo al aire libre en Penns Grove, Nueva Jersey, llamado *War in the Woods*. Mientras Kobe brillaba en la cancha, su padre lo observaba junto a Gary Charles, un veterano entrenador de la AAU y persona de confianza de Sonny Vaccaro. Con cada triple de Kobe, su padre se giraba hacia Charles y decía: «¿Lo has visto?». Con cada mate, exclamaba: «Increíble, ¿verdad?». Cuando acabó el partido, Joe se puso serio.

—Gary —dijo—, creo que mi hijo quiere dar el salto a la NBA directamente desde el instituto. Pero como familia nos preocupa porque no tenemos ninguna garantía.

Charles sonrió.

—¿Y si te dijera que puedo ayudarte a conseguirla?

Joe Bryant estaba confundido.

—¿Y si te dijera que puedo ayudar a Kobe a conseguir algo seguro? —insistió Charles.

—Espera, ¿en serio? —respondió Bryant.

—Pues creo que sí —dijo Charles.

Aquella misma noche, Charles llamó a Vaccaro.

—Sonny —dijo—, creo que Kobe Bryant puede ser nuestro chico.

Al decir «nuestro chico» quería decir «el elegido». Desde que trabajaba en Adidas, Vaccaro había estado buscando al próximo Michael Jordan, el próximo gigante del *marketing* deportivo. En aquella época, Adidas era considerada una empresa aburrida y poco imaginativa, apenas un grano en el culo de Nike. La actuación de Bryant en el ABCD había despertado la atención de Vaccaro y le gustaba lo que había visto. Bryant era maduro, inteligente, guapo y, sin duda, sabía jugar. La NBA corría por sus venas. «Y ese nombre, Kobe Bryant —decía Vaccaro—, tiene algo. "Kobe Bryant desde Italia". Es interesante, tiene miga.»

A Vaccaro le encantó lo que estaba oyendo. Se puso en contacto con Joe Bryant para asegurarse de que el interés era real. Se quedó tranquilo y fue testigo de cómo Kobe Bryant fue la estrella de una de las mejores temporadas en la historia local del baloncesto de instituto, el Lower Merion logró conquistar su primer campeonato estatal desde 1943. Bryant terminó el instituto como máximo anotador de la historia del suroeste de Pensilvania con 2883 puntos. Obtuvo el premio Naismith como mejor jugador de instituto, el premio Gatorade como mejor jugador nacional de baloncesto, y el All-American de McDonald's. «Lo más sorprendente es que nunca perdía en ningún enfrentamiento directo —señala Jeremy Treatman, entrenador asistente de los Aces—. Durante cuatro años, Kobe jamás perdió un uno contra uno, un partidillo o un esprint. La derrota no formaba parte de su vocabulario.» A principios de temporada empezó a correr el rumor de que Bryant estaba pensando en la NBA, y los *scouts* del campeonato (los que se lo tomaron en serio, que no fueron la mayoría) empezaron a aparecer en las gradas del Lower Merion. Pete Babcock, director general de los Atlanta Hawks, cogió un avión para ver a un chaval «hacer todo lo que quería sin que nadie supiera cómo pararle». Larry Harris, un *scout* de los Milwaukee Bucks, fue a verle tres veces, preguntándose si lo que estaban viendo sus ojos no era una alucinación. «Llevaba el número 33, y eso me hizo pensar enseguida en Scottie Pippen —cuenta Harris—. Su físico era parecido al de Pippen, y también se mostraba muy cómodo con su condición atlética. Una vez que empezaba el partido se acababan las tonterías, no se conformaba con simples tiros en suspensión. Se lo tomaba en serio. Aquello me llamó mucho la atención.»

Vaccaro estaba más seguro que nunca de convertir a Kobe en la cara visible de Adidas. A mitad de temporada convenció a la empresa para que gastaran setenta y cinco mil dólares para trasladarle del sur de California a Nueva York, para poder estar más cerca de aquella estrella de instituto. Nunca asistió a ningún partido en el Lower Merion por el temor de que Nike u otra empresa sospechara de sus intenciones, pero le pidió a Charles que fuera por él. Ambas partes hablaron de fama, gloria y talento. Pero sobre todo hablaron de zapatillas. La familia Bryant quería una garantía económica, y Vaccar y Adidas estaban dispuestos a ofrecérsela. Le pagarían cuarenta y ocho millones de dólares a Kobe, otros ciento cincuenta mil dólares a Joe Bryant, y convertirían a Kobe en la nueva imagen de la marca. Lo que los convenció fue el concepto Michael Jordan. A Bryant le dijeron que sería el próximo Jordan, empezando por unas zapatillas con su firma y una agresiva campaña publicitaria alrededor del concepto «*Feet you wear*». Apelaron tanto a su ego como a su amor por la historia del baloncesto.

¿Ir a la universidad? ¿Para qué?

Kobe Bryant había decidido ofrecer su talento a la NBA.

Sin embargo, cuando uno firma un contrato con una marca de zapatillas deportivas y la empresa le está pagando millones de dólares para promocionar su marca, las cosas pueden complicarse.

Especialmente, cuando uno es un muchacho de instituto.

Especialmente, cuando uno jugaría encantado en cualquier equipo de la NBA.

Especialmente, cuando esta empresa vende sus productos en determinados mercados mundiales.

Los días que siguieron al comunicado que anunciaba el salto de Kobe Bryant a la NBA, una serie de franquicias le pidieron que fuera a sus instalaciones para participar en sus entrenamientos. Así es como funcionan las cosas en el baloncesto profesional, y un jugador tan joven tendría que ser muy estúpido, muy ignorante o extremadamente confiado (más bien prepotente) para rechazar una invitación de estas. Sobre todo, si se trata de un jugador joven sin experiencia en el baloncesto universitario.

Kobe Bryant rechazó muchísimas.

Para el escolta, que no había cumplido todavía los dieciocho, no se trataba de decidir si prefería la playa o la montaña, o la costa este o la oeste. No. Su prioridad era vender zapatillas. Desde que Vaccaro convenció a Adidas para que invirtiera tantos millones en él, se creó una lealtad bidireccional entre ambos. Cuando Bryant (y sus padres) se pusieron a buscar un agente, eligieron a Arn Tellem, un poderoso intermediario de Los Ángeles que era uno de los mejores amigos de Vaccaro y del vicepresidente de los Lakers, Jerry West. Tellem, igual que Vaccaro, era consciente de lo importante que era llevar a Kobe a una gran ciudad, tanto para jugar al baloncesto como para vender zapatillas.

Los Toronto Raptors, faltos de talento, poco conocidos y con el segundo puesto de elección en el *draft* de 1996, invitaron a Bryant a sus entrenamientos. Recibieron un no rotundo. Los Vancouver Grizzlies, faltos de talento, poco conocidos y con el tercer puesto de elección en el *draft* de 1996, invitaron a Bryant a sus entrenamientos. Recibieron otro no por respuesta. Los Milwaukee Bucks, faltos de talento, poco conocidos y con el cuarto puesto de elección en el *draft* de 1996, invitaron a Bryant a sus entrenamientos. Otra negativa. Bryant rechazaba todas las invitaciones. Una detrás de otra, respondía: «Gracias, pero no». El 24 de junio tenía que coger un avión hasta Charlotte para entrenar con los Hornets. Pero esa misma mañana anuló la visita sin ninguna explicación. Al día siguiente hizo lo mismo con los Sacramento Kings. Sin excusas, sin avisar con antelación.

A Bryant le preocupaba su reputación. Temía que los equipos se lo tuvieran en cuenta en el *draft*. Tellem, que en su cartera de clientes contaba con jugadores de béisbol como Nomar Garciaparra y Mike Mussina, o estrellas del baloncesto como Reggie Miller, le aseguró que todo saldría bien. «Tenemos que ser exigentes», dijo. La verdad era que los equipos que habían visto a Bryant en persona habían quedado impresionados. Barry Hecker, segundo entrenador de Los Ángeles Clippers, no quería saber nada de un muchacho de instituto cuando sus jefes le dijeron que Bryant asistiría a un entrenamiento. «Yo era muy escéptico —dijo Hecker—. No creía que nuestro equipo pudiera ser un buen lugar para alguien tan joven. Además, también daba por sentado que no estaría preparado para un deporte de hombres. Está claro que me equivocaba.» De pie junto a Bill Fitch, entrenador principal, y al otro asistente, Jim Brewer, Hecker se dispuso a presenciar el desastre. Pero luego... fue increíble. Le pidieron a Bryant que hiciera un ejercicio llamado Mikan, que consiste en una serie rápida de ganchos cerca de la canasta. Sin embargo, en lugar de ganchos, Bryant hacía mates. ¡Bam! ¡Bam! ¡Bam! «Diez veces seguidas, izquierda, derecha, izquierda. Fue un espectáculo», cuenta Hecker.

Quedó impresionado. Igual que los Nets, que tenían el octavo puesto en el *draft*. Oficialmente, Bryant acudió a sus instalaciones en tres ocasiones. Extraoficialmente, fueron cuatro. O quizá cinco. «Eso probablemente va en contra de las normas de la NBA», apunta Bobby Marks, el asistente de operaciones de los Nets. «Pero no hay problema.» Marks era el encargado de organizar los viajes de Bryant en tren o en avión. Lo recogía en la estación o el aeropuerto, lo llevaba en coche hasta las instalaciones y preparaba una serie de ejercicios. En ese momento, los jugadores de la plantilla de los Nets eran tan limitados como jóvenes, y no era difícil lograr que uno de ellos se enfrentara a un aspirante como Bryant. Cierto día, Marks pidió a Khalid Reeves y a Ed O'Bannon que llegaran más temprano al entrenamiento para lucirse ante un muchacho de instituto. Ambos jugadores presumían de sus galones. Reeves había sido elegido en primera ronda por los Miami Heat después de una notable trayectoria universitaria en Arizona. A O'Bannon lo habían elegido los Nets en primera ronda después de haber hecho carrera en UCLA.

Kobe Bryant les dio un repaso.

«Siempre hacíamos algún tipo de dos contra dos o tres contra tres, y Kobe siempre se las apañaba para ganar —recuerda

Marks—. Era el mejor jugador de la pista jugando contra jugadores consolidados de la NBA.»

Enseguida se extendió el rumor de que Nueva Jersey era un destino probable para Bryant. Por este motivo, Jerry West no quería romperse la cabeza por él. Los Lakers tenían asignado el puesto veinticuatro en el *draft*. No tenían ninguna opción. Además, salía del instituto y el equipo de Los Ángeles necesitaba jugadores de rendimiento inmediato. «Sabía muy poco sobre él —dijo West más tarde—. Nuestro objetivo no era Kobe Bryant.»

No obstante, a Tellem le gustaba la idea de Los Ángeles, el gran mercado, la franquicia histórica. Llamó a West y le pidió que invitara a su cliente para una sesión de entrenamiento. Y así fue. Bryant estaba en la ciudad por un acto publicitario y llegó al YMCA de Inglewood al mismo tiempo que Dontae' Jones, el alero de la Mississippi State que recientemente había llevado a los Bulldogs a la *Final Four*.[2] En cuarenta y cinco minutos, Bryant se comió a Jones (2,03) con patatas. Larry Drew, asistente de los Lakers, era el responsable de la sesión. Bryant y Jones hicieron varios uno contra uno que dejaron al veterano universitario sin aliento. «Uno no se espera que un chaval de diecisiete años pudiera hacer todo lo que intentaba hacer», declaró Jones más tarde.

En sus tres décadas y media de baloncesto profesional, West había visto de todo. Elgin Baylor, Kareem, Magic, Bird, Jordan, Yinka Dare. Esto, sin embargo, era distinto. «Dios mío —recuerda West—. No era posible. Nada más verlo supe que no podía haber ninguna duda. Lo juro por Dios, lo hubiese elegido en primera posición antes que a Allen Iverson. Así de bueno era.»

Al cabo de un par de días, los Lakers le pidieron a Bryant que asistiera a una última sesión de entrenamiento, esta vez en el instituto de Inglewood. Tenía que hacer un uno contra uno

---

2. Un apunte interesante: Bryant llegó a Los Ángeles inmediatamente después de una sesión con los Nets. Bobby Marks le había reservado el vuelo y un asiento en medio en la fila central. Tellem se puso furioso y Marks siempre se preguntó si eso había arruinado las opciones de New Jersey, «o si, por lo menos, había contribuido a ello», explicó Marks más tarde.

contra Michael Cooper, el exjugador de los Lakers que en aquel momento ejercía de entrenador asistente en el equipo. Aunque hacía ya cinco años que se había retirado, a sus cuarenta años se parecía mucho al Cooper de treinta. Estaba en plena forma, fibroso y musculado. West le pidió a su exjugador que le diera un repaso a Bryant:

—Pónselo difícil —dijo West.

Cooper asintió.

—Ningún problema.

Durante treinta minutos, Bryant le dio el mismo repaso a Cooper que le había dado a Jones. Cortando hacia la izquierda, girando hacia la derecha, haciendo mates, se deslizaba por la pista como si nada. West dio por terminada la sesión antes de tiempo y les dijo a John Black y a Raymond Ridder, dos responsables de prensa del equipo, que ya había visto suficiente.

—Vámonos. Es mejor que cualquiera de nuestros jugadores.

Y concluyó:

—La mejor sesión de entrenamiento que he visto en mi vida.

Más tarde, ese mismo día, West se puso en contacto con Tellem.

—Acabo de ver a Kobe Bryant jugar como jamás había visto hacerlo a ningún chaval. Por supuesto que nos encantaría que fuera un Laker. Aunque no estoy seguro de cómo lo vamos a conseguir...

El 26 de junio de 1996 se celebró el *draft* de la NBA en el Continental Airlines Arena, el pabellón en East Rutherford, la pista de los New Jersey Nets. Hacia las ocho de la tarde, el comisario David Stern anunciaba que, con la primera elección, los Philadelphia 76ers se quedaban con Allen Iverson, el extraordinario base de Georgetown. El equipo había sopesado la opción de Bryant, pero, según su director general Brad Greenberg, «nos encantaba, pero no necesitábamos un escolta, con lo cual no era una opción». A continuación, los Toronto apostaban por el pívot de la Universidad de Massachusetts Marcus Camby, y Vancouver eligió a Shareef Abdul-Rahim, de la Universidad de California. A medida que iban desapareciendo nombres del tablero, uno detrás de otro, John Nash, el recién contratado director general de los Nets empezó a entusiasmarse. El día anterior, West había llamado a Nash para ofrecerle al pívot Vlade Divac a cambio de la elección de Bryant. Los Nets tardaron tres segundos en rechazar la oferta y Nash tardó otros tres en decirle a John Calipari, su nuevo entrenador: «Si Jerry West cree que Kobe Bryant es una estrella, es que es una estrella». Al cabo de unas horas, Nash y Calipari cenaron con Joe y Pam Bryant. En un momento de la cena, Nash hizo callar a todo el mundo y soltó sin tapujos:

—Si Kobe está disponible cuando llegue la octava elección, nos lo llevamos. ¿Cómo lo veis?

¿Que cómo lo veían? Los Bryant estaban eufóricos. Su hijo jugaría a cien kilómetros de casa, en un buen escaparate y para una franquicia que lo deseaba.

—Eso sería maravilloso —respondió Joe.

El día del *draft*, Nash y Calipari comieron con Joe Taub, uno de los propietarios de la franquicia, y le explicaron que su intención era elegir a Kobe Bryant y reconstruir a los Nets alrededor de ese genio.

Pero Taub frunció el ceño.

—¿Ese muchacho de instituto? —preguntó.

—Sí —respondió Nash—. Kobe Bryant será una estrella de la NBA.

—Pero es muy joven —respondió Taub—. ¿Qué pasará si invertimos toda nuestra energía en su desarrollo y para cuando esté listo se marcha como agente libre? Eso sería desastroso.

Nash miró a Calipari buscando apoyo, pero no lo encontró.

—Joe —dijo Nash—, no suelen presentarse muchas oportunidades para contratar a un talento como este. Confía en mí.

La comida terminó y Nash se encerró en su despacho pensando que el plan se mantenía en pie. Pero lo que sucedió a continuación fue una locura en todos los sentidos. Calipari recibió una llamada de Kobe Bryant diciéndole que quería alejarse de sus padres, que Nueva Jersey estaba demasiado cerca de Filadelfia y que necesitaba más espacio. Nash recibió una llamada de Tellem que le decía, en palabras de Nash, «que el desacuerdo de Kobe con sus padres y su deseo de irse al oeste era una historia absurda». Luego, Calipari recibió una llamada de Tellem, que tenía justo al lado a uno de sus clientes, el jugador de los Nets Kendall Gill. «Lo escuché todo —recuerda Gill—. Calipari le dijo a Arn Tellem que los Nets elegirían a Kobe. Y Tellem le respondió: "John, te juro por Dios que si os lo lleváis rompemos nuestro acuerdo. Tengo un trato cerrado entre los Hornets y los Lakers, y es mejor que no lo fastidies o lo pagarás muy caro".»

Un pálido Calipari y un agotado Nash se encontraron en el pasillo, y el entrenador de treinta y siete años le preguntó al ejecutivo de cuarenta y ocho qué pensaba de todo aquello. «Dame una hora —dijo Nash—. Algo no me cuadra.» Entonces decidió llamar a Bob Bass, el director general de los Hornets, que disponía de la oportunidad de elección número trece en el *draft*. Incluso antes de que Calipari le informara de su conversación con Tellem, Nash ya había oído rumores de que Charlotte y los Lakers estaban tramando algo gordo. «Bob —le preguntó Nash—, ¿tienes un acuerdo con los Lakers?»

Bass dudaba y carraspeaba, carraspeaba y dudaba. Hablaba mucho sin decir nada.

«En ese momento tuve muy claro que nos la estaban jugando», dijo Nash.

El embrollo empezaba a cobrar sentido, y Calipari aceptó una llamada de David Falk, el agente que representaba a Kerry Kittles, el escolta de *All-American* de la Universidad de Villanova. Después de haber hecho su carrera universitaria al lado de su casa, Kittles tenía el gran deseo de ir a Nueva Jersey. Por este motivo, Falk, un agente con agallas, le dijo a Calipari que, si los Nets no elegían a su cliente en el *draft*, ninguno de sus representados se plantearía jugar para su franquicia en el futuro.

Entonces, recuerda Nash, «John entra corriendo en mi despacho y me lo cuenta. Yo le dije: "Venga, John, no me digas que te has tragado esa basura. Es todo un farol. La familia, los agentes… Es una gran mentira, créeme"».

Pero Calipari cayó en la trampa. Seguía siendo un novato en ese mundo. Eso fue todo, su falta de experiencia. Solo había entrenado al equipo de la Universidad de Massachusetts y antes había sido entrenador asistente en Kansas y en Pittsburg. Jamás había entrenado a un equipo profesional y apenas conocía todos los nombres de la plantilla de los Nets. La amenaza de Falk fue suficiente. Pero, además, Calipari nunca estuvo seguro cien por cien sobre Bryant. Se hacía cargo de un equipo que había terminado la temporada anterior con 30 victorias y 52 derrotas, y tenía mucha presión porque era un entrenador joven conocido por la rapidez de su rendimiento. Los Nets le pagaban a Calipari un sueldo de tres millones de dólares al año, el más alto de la liga. Y eso significaba que tenía la última palabra sobre cualquier asunto relacionado con el baloncesto.

—No vamos a ganar con un chaval de instituto —dijo Calipari—. Lo sabes, ¿verdad?

—John —respondió Nash—, tienes un contrato garantizado de cinco años. Todo el mundo sabe que esto es un equipo en construcción.

Dos horas antes del comienzo del *draft*, Nash estuvo de acuerdo en estudiar la posibilidad de negociar a la baja su elección. De ese modo, quizá podría elegir a Bryant más adelante. Llamó a unas cuantas franquicias, pero ninguna aceptó el trato. A las 18.30, Nash y Calipari se reunieron con los propietarios del equipo en el restaurante del pabellón.

Todos estaban sentados. Les sirvieron entrecots y descorcharon botellas de vino. Los habían mareado por todos lados, pero Nash estaba satisfecho. Sabía cómo irían las siete primeras elecciones del *draft*. Finalmente, Nueva Jersey elegiría a Kobe Bryant sin ningún melodrama. Evidentemente, la elección causaría cierto asombro. Era la primera vez que los Nets apostarían por un jugador salido directamente del instituto. Pero los periodistas adorarían al muchacho desde la primera rueda de prensa. Era un chico sorprendentemente equilibrado, serio e inteligente para su edad. La historia del padre exjugador de la NBA también vendía. Sería fabuloso. Más que fabuloso. Sería...

—Tengo algo que anunciaros.

Mierda.

Calipari se puso en pie. Todo el mundo dejó de hablar.

—Si Kerry Kittles está en la lista, nos lo llevamos —dijo—. Si no, elegimos a Kobe Bryant.

A Nash se le cayó el alma a los pies. Kittles era un jugador sólido que conseguiría una media de 14,1 puntos a lo largo de ocho temporadas en la NBA. Era bueno, pero jamás fue uno de los grandes; era regular, pero jamás fue extraordinario. De hecho, Kittles y Bryant habían coincidido un par de veces en la Saint Joseph's, y la estrella de Villanova quedó impresionado. «Kobe era extraordinario. Si yo tuviera que tomar la decisión, probablemente le elegiría a él antes que a mí.»

A posteriori, Nash pensó que todas las fuerzas demoniacas de la NBA se habían confabulado en su contra. Calipari era un entrenador joven, estúpido, que se dejaba intimidar con facilidad y que no sabía de lo que hablaba. Falk quería que su cliente estuviera contento. Hacer de canguros de un chaval no entraba en los objetivos de los propietarios de Nueva Jersey. Kobe Bryant quería vender zapatillas, y Arn Tellem, a través de Sonny Vaccaro, pensaba que el mejor sitio para vender zapatillas era Los Ángeles. Los Charlotte Hornets querían un pívot de NBA consolidado, y los Lakers querían apostar por el mejor joven aspirante que sus ojeadores habían visto jamás. «Sigo sin creer que Cal se dejara intimidar por un chico de instituto», dijo más adelante Jayson Williams, ala-pívot de los Nets. «O sea, era Cal quien solía intimidar a los demás. ¿Dejar escapar a uno de los cinco mejores jugadores de la historia de la NBA porque te amenazan? Eso es ser muy débil. Muy pero que muy débil.»

Poco después de que Kittles fuese elegido por Nueva Jersey (con el correspondiente entusiasmo del jugador), West habló por teléfono con Bass, el director general de los Hornets. Si todo iba según lo previsto, y ni los Mavs, ni los Pacers, ni los Warriors, ni los Cavaliers seleccionaban al fenómeno de instituto, entonces los Hornets elegirían a Bryant y lo intercambiarían por Vlade Divac, un jugador con una media de 12,9 puntos y 8,6 rebotes en la temporada 1995-96. A sus veintiocho años seguía siendo uno de los mejores pívots de la NBA. («Les ofrecimos a Elden Campbell —dijo Harris—. Pero tenía que ser Vlade.»)

West esperó.

Esperó y esperó.

«No podía estar más nervioso, había mucho en juego», dijo más tarde.

Cuando los Cleveland eligieron al pívot de la Wright State, Vitaly Potapenko, West soltó un grito de alegría. Marcó el número de Bass.

—Bob, ¿trato hecho?

—Sí —respondió Bass—, trato hecho.

West llamó inmediatamente a Jerry Buss.

—Lo creas o no —presumió—, creo que tienes al mejor jugador del *draft*.

Esa noche, una vez concluido el *draft,* el vicepresidente ejecutivo de operaciones de la NBA, Rod Thorn, se acercó a Nash.

—Estaba convencido de que elegirías a Kobe Bryant —dijo Thorn—. Jerry West también lo creía.

Nash apenas podía ocultar su dolor.

—Yo también estaba convencido —dijo mientras se arrastraba hacia la salida—. Joder. Yo también.

3

¡Kazaam!

*E*l 11 de febrero de 1995, Paul Michael Glaser conoció a Shaquille O'Neal.

Aquel encuentro cambiaría la historia del cine.

Glaser era conocido por haber interpretado al detective Dave Starsky en el éxito televisivo de la década de los setenta *Starsky y Hutch*. Glaser se encontraba en Phoenix para asistir con su hijo Jake al *All-Star* de la NBA, que se celebraba al día siguiente. El encuentro entre el actor y el deportista tuvo lugar en un restaurante cerca del America West Arena. Lo había organizado un amigo común que conocía el afán por abrirse paso en Hollywood de O'Neal y el deseo de Glaser de satisfacer a su hijo.

Después de darse la mano e intercambiar algunos cumplidos, aquel actor de 1,78 que quería orientar su carrera hacia la dirección miró a O'Neal a los ojos y le dijo:

—Para mí eres como un genio de una lámpara.

Y así empezó la leyenda de la dinastía de los noventa de Los Angeles Lakers.

Más o menos.

O'Neal había debutado en el cine un año antes, interpretando un personaje llamado Neon en una película de baloncesto protagonizada por Nick Nolte, *Blue Chips*. La cinta no era particularmente buena ni mala. O'Neal no puso demasiado empeño en su interpretación y su papel fue igual de sorprendente que una lámpara encima de un escritorio. Sin embargo, Glaser se percató del atractivo que desprendía la presencia de ese gran hombre con su resplandeciente sonrisa. De hecho, desde que su mujer Elisabeth entró en la recta final de su batalla contra el sida (que se había prolongado durante trece años) andaba buscando desesperadamente algo de luz. La vida de Glaser se había convertido en un desfile de infortunios. En 1981, Elisabeth contrajo el VIH por una transfusión de sangre infectada que recibió mientras daba a luz. El virus también infectó a su bebé recién nacido, Ariel, que moriría siete años después. Su hijo Jake nació en 1984 y también contrajo el virus en el útero.

«Paul cargaba con una oscuridad enorme —cuenta el guionista Roger Soffer—. Buscaba algo de luz.»

Y Shaquille O'Neal era brillante. Era enorme y poderoso. Era perfecto. A pesar de su enorme tamaño y de su rostro intimidante en las canchas, uno quería abrazarlo como si fuera un oso gigante de peluche. Durante los últimos días de vida de su esposa (murió en diciembre de 1994), Glaser estaba absorto con una idea que no dejaba de rondarle la cabeza: la historia de un niño pequeño y un imaginario genio de tres mil años que canta hiphop. La idea de empezar una saga se convirtió en una obsesión. Sería una oda a la alegría juvenil, al júbilo eterno, al poder de la bondad, del amor, de la compasión, de la felicidad… No es que Glaser quisiera rodar esa película, es que lo necesitaba.

Así pues, O'Neal no tardó en interpretar el papel principal de *Kazaam*, una pieza cinematográfica hecha con la mejor de las intenciones y la más loable de las motivaciones… que ponía a una película como *Ishtar* a la altura de *Casablanca*.

Todo lo que tuvo que ver con *Kazaam* fue un completo desastre. Los dos guionistas de la película, Soffer y Christian Ford, recibieron el plan de rodaje sin haber tenido tiempo de escribir ni una sola palabra del guion. «Me desperté un sábado a las seis de la mañana, y el maldito Starsky ya estaba al otro lado de la ventana gritando: "¡Despierta! ¡Es hora de ir a trabajar!"», recuerda Ford. Glaser era como un cartucho de dinamita andante que se pasaba el día en el estudio de rodaje de Los Ángeles gritando, riendo o sollozando. Por aquel entonces, el estudio lo despidió, lo contrató de nuevo, lo despidió de nuevo y lo contrató otra vez. «En ese momento de mi vida…, no estaba totalmente en mis cabales, ¿sabes? —decía Glaser años después—. Es decir, intentaba sacar adelante el trabajo de la mejor forma posible. Pero mi hijo acababa de perder a su madre. Yo acababa de perder a mi mujer. Hice todo lo que pude para mantenerme a flote.»

Francis Capra, el niño de doce años que interpretaba a Max en la película, había rechazado una oferta para coprotagonizar la película *Jack* junto a Robbie Williams para poder participar en ese proyecto. Una mañana antes de empezar el rodaje el niño se quemó accidentalmente. O'Neal tenía que hacer rimas de rap del estilo: «Me llamo Kazaam / tengo un plan, / escúchame, / yo soy el sultán». Hubo un día particularmente desastroso en el que James Acheson, el actor que tenía que interpretar a Nick, les dijo a todos: «¡A la mierda con este puto desastre!». Abandonó el estudio de rodaje cabreadísimo y recorrió a pie catorce kilómetros hasta el aeropuerto internacional de Los Ángeles. «Todo era muy extraño —cuenta Ally Walker, que interpretaba a la madre de Capra—. Extremadamente extraño.»

Si el proyecto estaba maldito, nadie se acordó de avisar a Shaquille O'Neal. A pesar de los golpes y los moratones, de los gritos y los berridos, la estrella de la película se lo pasó en grande. Interscope le pagó siete millones de dólares por representar un genio en pijama y acordaron un plan de rodaje flexible para que el jugador pudiera ir y venir en función de los entrenamientos fuera de temporada. En el rodaje, O'Neal era la alegría personificada. Obsequiaba al elenco y al resto del personal con zapatillas, camisetas y CD e iba a menudo a casa de Capra al terminar el rodaje para hacer maratones de *Tekken* en la PlayStation mientras se hartaban de Kentucky Fried Chicken. Martha, la mujer de Soffer, estaba embarazada en aquel momento, y un día O'Neal cogió un rotulador para dibujarle un aro de baloncesto enorme en la barriga. Según Walker: «Era como tener a tu hermano pequeño en el trabajo. Era dulce y se mostraba siempre entusiasmado, incluso rodando aquella desastrosa y horrible película».

Kazaam se estrenó en el verano de 1996, y el resultado no fue demasiado bueno. Recaudó 18,9 millones de dólares, y Barry

McIlheney, de la revista *Empire Magazine*, plasmó por escrito la opinión del público cuando dijo que la película «era soporífera. No se salva por ningún lado, a menos que a uno le gusten los hombres grandes vestidos con ropa extravagante de genio».

Y aun así... a O'Neal no parecía importarle. Le gustaba ser el foco de atención, los trajes, los efectos especiales. Le gustaba pasearse por la alfombra roja en el estreno de la película en Hollywood. Verse a sí mismo en las vallas publicitarias era como un sueño de infancia hecho realidad. «Todo era magnífico —recuerda O'Neal años más tarde—. Me encantaba estar en Los Ángeles. De hecho, me mudé allí al terminar la universidad. Fuera de temporada, Los Ángeles era el sitio donde había que estar para hacer *marketing* o publicidad. Y te encontrabas con todo el mundo. Una vez vi a Eddie Murphy entrar en un restaurante vestido de cuero de arriba abajo. De arriba abajo, tío. Estar en Los Ángeles te mostraba cómo ser una superestrella. Veía a todas aquellas estrellas y pensaba: ¡esto es lo que quiero!»

Muy pronto, los focos adoraron a Shaquille O'Neal, tanto como Shaquille O'Neal adoraba los focos.

Y los focos estaban en el sur de California.

Así es como Leonard Armato, el representante de O'Neal, creía que iban las cosas, y no era sencillo rebatírselo. La idea de convertir a su cliente en un fenómeno global que superara a cualquier otro fenómeno global le vino por primera vez a la cabeza en la primavera de 1992, poco después de que O'Neal terminara su temporada como júnior en la Universidad Estatal de Luisiana y decidiera entrar en el siguiente *draft* de la NBA. En aquel momento, O'Neal era considerado el mejor pívot universitario desde Kareem Abdul-Jabbar. Era un portento, rápido, poderoso, imparable, con una media de 24,1 puntos y 14 rebotes. Los mates de O'Neal salían en las jugadas destacadas de la noche en la ESPN. «Era el jugador más especial que nunca tuve —afirma Dale Brown, su entrenador en Luisiana—. Era capaz de hacer cosas realmente sorprendentes.»

A pesar de los cantos de sirena de docenas de agentes que le prometían oro en abundancia, O'Neal eligió a Armato por su integridad y su reputación. A lo largo de la carrera universitaria de O'Neal, Armato asistía a algunos partidos, solo para dejarse ver y dejar claro su interés futuro. No hubo entregas de dinero bajo mano, ni elogios vacíos ni sinceridad fingida. «Les dije a sus padres que siempre podrían pedirme consejo —decía Armato—, pero que no podían ofrecerme nada a cambio.» De hecho, O'Neal tomó la decisión el 30 de noviembre de 1991, poco antes de que su equipo se enfrentara a la UNLV en Las Vegas. Armato estaba en la ciudad para ver jugar al que esperaba que fuera su futuro cliente. Mientras estaba tumbado en la cama de su habitación del Mandalay Bay, le pasaron una nota por debajo de la puerta. «La abrí —recuerda Armato— y sonreí». La nota decía: «Hola. Por favor, no le cuentes a nadie que te he mandado esta carta, pero quiero ir a la NBA cuando termine como júnior y quiero que tú seas mi agente. En serio, no se lo digas a nadie».

Armato estaba eufórico. A medida que se acercaba el *draft* elaboró un plan muy específico para su cliente. Para la mayoría de la gente, el mejor hombre anuncio de todos los tiempos había sido Michael Jordan, el escolta de los Chicago Bulls que ganaba millones y millones cada año con la publicidad para empresas como Nike o McDonald's. Armato valoraba lo que David Falk, el agente de Jordan, había hecho para su cliente. Pero también le encontraba un pequeño defecto. «Jordan era el rey y ganó muchísimo dinero —decía Armato—. Pero no poseía nada. Nada de aquello era suyo. Por eso le dije a Shaq: "Vamos a convertirte en una marca con propiedad intelectual para que puedas ser dueño de lo que haces y expandirte hacia el entretenimiento, los deportes o la tecnología".»

El 24 de junio de 1992, los Orlando Magic usaron su primera oportunidad de elección en el *draft* para llevarse a O'Neal. En sus primeras cuatro temporadas, superó todas las expectativas. Estuvo cuatro veces en el *All-Star* y logró una media de 27,2 puntos, 12,5 rebotes y 2,8 tapones. En una liga repleta de grandes pívots (Patrick Ewing, David Robinson, Hakeem Olajuwon, Alonzo Mourning o Dikembe Mutombo), Shaquille se erigió como el rey de las pistas. «Cuando se acercaba al aro y metía un mate, me recordaba a un árbol de Navidad: los defensores colgaban de su tronco como si fueran adornos navideños», decía Greg Kite, el pívot suplente de los Orlando. «Era como si los demás fuesen bolos, y él, una enorme bola de ciento cuarenta kilos. No había visto nada igual.» Cuando O'Neal llegó, los Orlando Magic eran una franquicia con tan solo tres años de vida. Hasta ese momento nunca había logrado un balance positivo de victorias y derrotas. Pero aquello cambió inmediatamente con la incorporación de Shaquille. En su primera temporada ganaron cuarenta y un partidos; en la segunda, cincuenta; en la tercera, cincuenta y siete; y en la cuarta, llegaron a las Finales de la NBA 1995 con sesenta victorias. Lo mejor de todo es que Shaq era el sueño dorado de todos los directores de relaciones públicas. Los Magic ponían a O'Neal en el centro de todas las campañas de *marketing*: apariciones, charlas, lo que fuera necesario. Su mote, Shaq, valía millones, pero su alegría desmesurada no tenía precio. En la temporada 1991-92, las horrendas camisetas con rayas blancas y negras de los Orlando Magic alcanzaron la mitad del *ranking* de camisetas más vendidas de la NBA. Con la llegada de Shaq, la camiseta ganó atractivo y se acercaba a la camiseta roja y negra de los Bulls que Jordan había hecho tan famosa.

«Viajar con el equipo era como viajar con los Beatles —recuerda Alex Martins, el jefe de prensa de los Magic—. Independientemente de la hora, tenías a cientos de personas esperando fuera de los hoteles en los desplazamientos. Se suele usar la expresión "el más grande" para describir a alguien excepcional, pero es que él realmente lo era.»

A O'Neal le encantaba. Él y Denis Tracey, su amigo y compañero de equipo en la universidad, vivían en una mansión de 3250 metros cuadrados con vistas al lago en Isleworth. Cuando no estaba jugando al baloncesto o con sus vecinos (entre los cuales estaba Tiger Woods y el jugador de béisbol Ken Giffey Jr.), lo encontrabas bañándose en su piscina, practicando esquí acuático, saliendo por la noche o grabando su primer álbum de *hiphop*, *Shaq Diesel*, producido por Jive Records en 1993. «Recuerdo que recibía llamadas de sus vecinos rogándome que le pidiera a Shaq que bajara el volumen de la música —explica la periodista del *Orlando Sentinel* Selena Roberts—. Yo les preguntaba si iban a presentar una denuncia, pero la respuesta siempre era: "No, es muy querido en el vecindario".»

Entre tanto, el plan de *marketing* de Armato iba recogiendo sus frutos. O'Neal firmó un contrato de veinte millones con Reebok y un acuerdo multimillonario con Pepsi. Además, se quedó con los derechos de lo que él llamaba el «logo del mate», una silueta de Shaq colgando de un aro torcido. «Cada vez que Shaq salía en un anuncio, la empresa tenía que usar alguna de las marcas que habíamos creado —cuenta Armato—. Eso lo convirtió en un hombre muy rico.»

No obstante, a medida que pasaban los años, el atractivo de Orlando empezó a desaparecer. Era una ciudad sin encanto ubicada en mitad de la nada que, básicamente, albergaba el parque de atracciones Disney World y 12 471 centros comerciales. Según Susan Slusser, una periodista especializada del *Orlando Sentinel*, «no había nada que hacer allí. Absolutamente nada». La temporada siguiente a la llegada de O'Neal, los Magic incorporaron a un base *rookie*, Anfernee, *Penny*, Hardaway, de la Universidad Estatal de Memphis. Aunque él y Shaq formaron una de las mejores duplas de la liga, el nivel de tensión entre ellos iba en aumento. Era la consecuencia de tener dos gallos en un corral demasiado pequeño, un corral donde los medios de comunicación convertían cualquier pequeña noticia en algo de interés público. «Shaq no podía soportar que un tío tan bueno o mejor que él acaparara tanta atención», decía Brian Schmitz, un periodista del *Sentinel*. «Aunque Penny era un tipo tranquilo, tenía mucho talento, y Shaq no lo llevaba bien.»

La familia de Nueva Jersey de O'Neal pasaba cada vez más tiempo en Orlando, pero a la estrella de los Magic parecía gustarle cada vez menos la ciudad. El foco de atención era reducido; la exposición mediática, limitada. El puente aéreo desde Nueva Jersey suponía un flujo incesante de familiares que lo visitaban, es decir, que debía afrontar un flujo incesante de personas pidiéndole favores y atención. Había tías, tíos, primos, primos segundos, primos terceros, primos que no eran primos… «Todo el mundo quería estar a su lado —cuenta Tracey—. No estoy diciendo que Shaq siempre hubiese querido irse a Los Ángeles, pero marcharse de allí empezó a ser una opción atractiva. Llega un momento en el que, después de la enésima persona esperando entrar en nómina, uno dice basta.»

Aquello era música para los oídos de Armato. Desde el primer día que O'Neal le dijo que quería ir a la NBA, pretendía que su cliente estrella estuviera más cerca de Disneyland que de Disney World. «Armato le comía constantemente la cabeza a Shaq —asegura Tracey—. Todos los años lo machacaba para que fuera a Los Ángeles, Los Ángeles, Los Ángeles. Era como una madre recordándole cada día lo malo que es tu padre y cómo, en realidad, ella le quiere más. Al final, empiezas a creértelo. El mensaje era siempre: "Shaq, ven a Los Ángeles".»

En los días que precedieron al *draft* de 1992, O'Neal y Tracey estuvieron en la casa del agente, en Brentwood, California. Cuando se decidió el orden de elección, sus opciones *a priori* se reducían a tres equipos: Orlando Magic, Minnesota Timberwolves y Charlotte Hornets. Cuando los Timberwolves sacaron el tercer puesto, O'Neal y Tracey soltaron un grito de entusiasmo.

—¡Sí! —gritó Tracey—. ¡No se nos van a congelar las pelotas!

O'Neal dijo que estaría contento tanto con Orlando como con Charlotte, a lo que Armato le respondió:

—No te preocupes. Tarde o temprano conseguiremos llevarte a Los Ángeles.

—¿Qué?

—Shaq —le dijo—, tú tienes que estar en Hollywood. Eres una estrella.

Después de la experiencia de *Kazaam*, O'Neal se empezó a plantear seriamente la idea de Armato. Pero no se trataba de una simple atracción por los focos; Armato mencionaba Hollywood en cada frase que pronunciaba. En verano de 1996, según el acuerdo colectivo de la NBA, no había salario máximo en las negociaciones. Esto quería decir que, aunque había un tope salarial de 24,3 millones de dólares, un equipo podía gastar lo que fuera necesario para retener a un jugador. Como era agente libre y el dominador absoluto de tableros de la NBA, O'Neal daba lógicamente por sentado que Orlando haría todo lo que estuviera en sus manos para que no abandonara la plantilla. Al fin y al cabo, el equipo era joven, prometedor y había nacido para ser un aspirante a campeón de la Conferencia Este. Además de O'Neal y Hardaway, la plantilla contaba con uno de los mejores triplistas de la liga (Dennis Scott), un peligroso escolta (Nick Anderson), un ala-pívot con tres anillos de campeón de su etapa en Chicago (Horace Grant) y un banquillo muy equilibrado. Es verdad que los Bulls les pasaron por encima en las finales de la Conferencia Este de 1996, pero también es verdad que aquella fue la época de Jordan, Scottie Pippen y Dennis Rodman. Nadie podía avergonzarse de un revés así ante aquella dinastía de campeones, y Orlando estaba en muy buena posición para entrar a formar parte de la élite de las franquicias en la década siguiente. «Estábamos en la antesala de algo asombroso», decía Scott, el mejor amigo de O'Neal en el equipo. «Si tenías en cuenta el talento, la edad y la situación financiera del equipo, los Orlando Magic debían dominar la NBA la década siguiente.»

Todo lo que el equipo tenía que hacer era pagarle a Shaquille O'Neal lo que se merecía.

No era una decisión complicada. Uno puede discutir la necesidad de gastar sumas indecentes de dinero en un escolta de 1,93 que consigue una media de dieciocho puntos por partido, o en un pívot corpulento con gran habilidad para los tapones, pero limitado en los movimientos en el poste bajo. Pero solo había un Shaq y valía una fortuna.

En consecuencia, cuando Orlando le hizo una oferta inicial de cincuenta y cuatro millones de dólares por cuatro años, O'Neal y los suyos se echaron a reír y a llorar a la vez. «Los propietarios eran tan inocentes que resultaba doloroso —comenta Schmitz—. No les entraba en la cabeza pagarle cien millones a un chaval de veinticuatro años». La oferta era ridícula. En primer lugar, porque en 1996 tampoco era una cantidad exagerada para una superestrella que estaba alcanzando su máximo potencial. En segundo lugar, porque Alonzo Mourning de los Miami Heat y Juwan Howard de los Washington Bullets estaban a punto de recibir ofertas de ciento cinco millones por siete años por parte de sus respectivas franquicias. Eran dos excelentes jugadores; el nombre de Mourning terminaría en el Salón de la Fama del Baloncesto y fue uno de los mejores cinco pívots de la liga; Howard era un sólido lanzador con un gran abanico de movimientos y había participado en el último *All-Star*. Pero ninguno de los dos tenía la categoría de O'Neal. «Pude escuchar las primeras llamadas cuando estábamos negociando con los Magic y trataban a Shaq como cualquier otro agente libre, no como al talento de su generación», decía Joel Corry, el ayudante de Armato. «Recuerdo decirme a mí mismo: "¿Acaso no lo entienden? ¿No entienden la magnitud de este jugador?".» Durante una de esas conversaciones, John Gabriel, el director general de Orlando Magic, destacó repetidamente las habilidades defensivas y de rebote de O'Neal. «¿Es que no sabéis lo que tenéis? ¿No entendéis lo bueno que es Shaquille O'Neal? Actuaban como si se tratara de un delantero suplente de un equipo de fútbol.» Nada más colgar el teléfono, Corry le preguntó a un colega suyo: «¿Quieren a Shaq o no?».

La pregunta era lógica.

Orlando era una organización dirigida de forma peculiar. Resaltaban el compromiso con los valores familiares y con la comunidad, pero tenían una forma extraña de demostrarlo. «Lo voy a decir así —cuenta Tracey—: los Orlando Magic no distinguían su culo de un agujero en la pared.» El propietario del equipo, Rick DeVos, era el multimillonario cofundador de Amway, una empresa que defendía valores fundamentalistas cristianos y al mismo tiempo era acusada de promocionar un sistema piramidal de beneficios. DeVos creía fervientemente en la lealtad. Sentía que sus empleados tenían que ser fieles a la empresa sin excepción; que los jugadores tenían que ser fieles al equipo.

Sin embargo, llevar a la práctica estos valores parecía complicado. En abril de ese mismo año, O'Neal había abandonado la concentración de los Magic durante unos días porque su abuela Odessa Chambliss murió de cáncer. Fue un golpe muy duro. Chambliss era una mujer creyente que había ayudado a criar al pequeño Shaquille. Después de firmar su primer contrato profesional, Shaquille le construyó una mansión en Newark, Nueva Jersey. O'Neal explicaba que, cuando se en-

teró de su muerte, estuvo tres horas llorando desconsoladamente en el piso de abajo. «Nunca había perdido a nadie tan
cercano. Lloré sin parar.»

El funeral tuvo lugar un jueves, y los Magic tenían que
jugar el domingo siguiente. O'Neal no llamó a la gente del
equipo para informarla de su plan de regreso, por lo que la
dirección entró en cólera, acusándolo de ser inmaduro y poco
profesional. Después de aquello: «Ya no me apetecía jugar para
los Magic —cuenta O'Neal—. No me apetecía en absoluto».

O'Neal fue capaz de pasar página, pero aquella falta de
tacto no quedó en nada. Como tampoco pasó desapercibido
el racismo de la franquicia. O, si bien no era racismo, era una
falta de sensibilidad absoluta sobre el tema. La dirección de
la franquicia era totalmente blanca, y el equipo técnico, también, a excepción de Tree Rollins, que fue jugador-entrena-
dor en la temporada 1994-95. Además, la mayor parte de los
aficionados eran blancos en un noventa y nueve por ciento.
Más allá del *glamour* y del resplandor del Reino Mágico de
Disney, Orlando es un rincón de Estados Unidos claramente
de derechas, en el que la palabra *nigger* se usa demasiado a
menudo (al menos en la década de los noventa). Nadie en los
Magic acusaba abiertamente a DeVos y compañía de ser unos
fanáticos derechistas, pero más de una vez se había comenta-
do en el vestuario. Había una ruptura entre «los de arriba y
los de abajo», como si aquellos grandes hombres negros con
grandes habilidades físicas tuvieran que sentirse afortunados
de trabajar con la cuadrilla de DeVos.

O'Neal así lo sentía.

De modo que, cuando los Magic le ofrecieron aquellos miserables cincuenta y cuatro millones, no se trataba de una simple
primera oferta en una negociación de contrato. Para O'Neal,
Armato, Tracey y el entorno de Shaq era como si la intención
de la directiva fuera poner en su sitio a su superestrella. O
peor aún: el equipo argumentaba su reticencia a ofrecerle más
dinero a O'Neal aduciendo que dentro de un año Hardaway
sería agente libre y los Magic «necesitaban» que se quedara.
Según O'Neal, Gabriel le dijo literalmente: «No podemos pagarte más que a Penny. No queremos disgustar a Penny».

«Cuando pronunció esas palabras, tiré la toalla —recuerda O'Neal—. Por dentro estaba echando humo. Me dije a mí mismo: "No quiero saber nada de esta gente. ¿Les preocupa herir los sentimientos de Penny?".» (Años después, Gabriel explicó que siempre había tenido la sensación de que O'Neal había usado esa conversación como excusa para marcharse. «Teníamos que frenar la competencia salarial entre dos superestrellas que querían ganar cien millones. Shaquille no quería entenderlo. Pero era mucho más complicado de lo que él hizo creer a la gente»).

Aunque Armato solo pensaba en California, le pidió a O'Neal que hiciera una lista de equipos en los que le gustaría jugar. Eran cinco: Lakers, Knicks, Pistons, Heat y Hawks.[3] El que más le atraía era Los Lakers. El 30 de mayo de 1996, vieron a O'Neal en Sunset Boulevard comiendo con el base Nick Van Exel; dos semanas más tarde, apareció por Rodeo Drive, dejando impactados a los transeúntes con sus 2,16 de altura. El *Orlando Sentinel* se hizo eco de sus escapadas a California, y usó este tipo de titulares: «*Say it ain't so! Shaq chillin' on Rodeo Drive, o-riots, o-sorrow*» («¡Dime que no! Shaq relajándose en Rodeo Drive, O-disturbios, O-tristeza»). Por aquel entonces, Shaq también había empezado a buscar residencia en Los Ángeles. Fue la pista definitiva para descubrir que los Lakers tenían muchas opciones de conseguir a su hombre. No salió en la prensa, pero Jeanie Buss, la hija del propietario del equipo, Jerry Buss, tenía su propiedad de Manhattan Beach a la venta. «Shaq vino a verla —cuenta Jeanie—. Creo que ni siquiera sabía que era mi casa, yo no estaba cuando vino. Pero pensé: "Madre mía, ¡esto es una señal!".»

En las oficinas de Orlando, los directivos empezaron a entrar en pánico. La idea de que O'Neal se fuera de verdad no se les había pasado por la cabeza realmente. Los Magic habían seleccionado a Shaq en el *draft*, lo habían refinado, habían construido un proyecto prometedor a su alrededor.

---

3. Curiosamente, Atlanta le atraía por la presencia del base Mookie Blaylock y del ala-pívot Christian Laettner, a quienes O'Neal consideraba (equivocadamente) jugadores esenciales.

El equipo no le debía nada. Era él quien se lo debía todo al equipo. Esa era la mentalidad en Orlando, una franquicia que, antes de la llegada de O'Neal, jamás había tenido una estrella a la que mimar, cuidar y apaciguar.[4] DeVos era el propietario del equipo, pero también creía que era el dueño de los jugadores. «No lo entendía —dijo Dennis Scott—. Alguien tenía que haberle explicado que él era un empresario de jabones y productos de cocina. Aquello era la NBA, tenía en sus manos un diamante en bruto. Tenía que pagarle lo que pidiera.» Desde el punto de vista de los Orlando Magic, quizás aquella primera oferta era algo decepcionante, pero las cosas iban así: haces una oferta, recibes una contraoferta, haces otra oferta y recibes otra contraoferta. Brian Hill, el entrenador de los Magic, había advertido a los directivos que Armato estaba presionando a su cliente para irse a Los Ángeles, al esplendoroso escaparate de Hollywood, pero sus ruegos cayeron en saco roto.

Cuando se le preguntaba, O'Neal afirmaba que quedarse en Orlando seguía siendo una opción. Pero no lo era, a menos que el equipo estuviera dispuesto a pagarle una cantidad astronómica de dinero. El periodo de agencia libre de la NBA se abrió el 9 de julio de 1996 y Los Lakers no perdieron ni un segundo. La franquicia le presentó a O'Neal una oferta de 95,5 millones de dólares por siete años con una cláusula de salida a partir de la tercera temporada.

Los Magic (amenazados, desconcertados, aterrados y desprevenidos) contraatacaron con una ridícula oferta de 100 millones que encolerizó al jugador. Cuando vieron que el tiro les salía por la culata, DeVos intentó mejorar la oferta y puso sobre la mesa un contrato de 115 millones por siete años. Jerry West, el vicepresidente ejecutivo de los Lakers, empezó a perder las esperanzas de hacerse con los servicios de O'Neal. Cuando Los Lakers acordaron intercambiar con Charlotte a Vlade Divac por Kobe Bryant, tenían en la cabeza que O'Neal reemplazaría al serbio. Quizás habían sido demasiado optimistas. Pero West apuntaba alto y creía en el poder del púrpura y dorado. Sin

---

4. Mis disculpas para Mark Acres y Morlon Wiley.

embargo, con los Magic sumándose al grotesco ritual de cubrir de oro a un gigante, Los Lakers dejaron de ser la única opción.

Pero luego ocurrió.

En la mañana del 16 de julio de 1996, los lectores del *Orlando Sentinel*, el periódico de referencia en la ciudad, se encontraron una encuesta en la portada con la siguiente pregunta: «¿Vale la pena pagar 115 millones a Shaquille O'Neal por siete temporadas?». Esta pregunta fuera de contexto (o «tendenciosa», como diría el periodista Brian Schmitz) fue idea de Lynn Hoppes, una editora del periódico, que pretendía arrastrar a los lectores en un debate que cada vez era más acalorado. Antes de que aparecieran las encuestas digitales, los participantes tenían que llamar al 420-5022 para votar «Sí» y al 450-5044 para votar «No».

Cuando se cerró el periodo de votación, el 91,3 % de los 5111 participantes votó «no». Shaquille O'Neal no se merecía 115 millones. La iniciativa fue un completo despropósito, la pregunta era tramposa y parecía fruto de un estudiante de primer curso de la facultad. Estaba fuera de contexto. Realmente, ¿Shaquille O'Neal valía 115 millones? Por supuesto que no. Nadie sobre la faz de la Tierra tiene tal valor. Ni Pamela Anderson, ni Bill Clinton, ni Stanley Herz, el mejor cazatalentos de Estados Unidos. La cantidad era desorbitada. Incluso, en privado, O'Neal y Armato lo admitían.

Sin embargo, en la NBA, donde Alonzo Mourning y Juwan Howard iban a ganar 105 millones, ¿Shaquille O'Neal valía 115 millones de dólares? Por supuesto.

Ese mismo día, más tarde, Hoppes le pidió a Rex Hoggard, un miembro de la plantilla del *Sentinel* de veintisiete años, que publicara un artículo con los resultados de la encuesta. «No fue hasta la hora de comer cuando tuve la oportunidad de leer esa pregunta, y pensé: "Esto no puede salir bien". Era tan tendenciosa», confiesa Hoggard. Además, Hoggart afirma que había un buen número de mensajes racistas en el buzón de voz. Eran realmente ofensivos, como, por ejemplo: «Cómo se atreve este negro afortunado a ser tan desagradecido tras todo lo que le hemos dado». El 17 de julio salió el artículo de Hoggard con este titular: *Shaq Attack: callers just say no* [juego de palabras en inglés que asemeja la expresión *shark attac*, es decir, ataque de tiburón, y *Shaq attac*, es decir, ofensiva contra Shaq]. El periodista sabía que el titular sería polémico, pero no imaginaba la magnitud que alcanzaría. Los lectores que querían que O'Neal se quedara con los Magic estaban furiosos. Los directivos de los Magic también. Gabriel llamó al periódico para poner a la sección encargada de los deportes de vuelta y media. Y lo peor de todo: O'Neal estaba indignado.

«Me molestó mucho —dijo años más tarde—. Muchísimo. No diría que me dolió, pero no me gusta que no me valoren».

Ese verano, O'Neal formó parte del equipo olímpico de baloncesto de Estados Unidos. Los juegos se disputaban en Atlanta, empezaban el 19 de julio y, en los días previos, el equipo se entrenó en Orlando. Cuando salió publicado el artículo de Hoggard, los compañeros olímpicos de O'Neal (veteranos de la NBA que eran conscientes de la importancia de tener un buen contrato) no se quedaron al margen. Charles Barkley, el ala-pívot de los Phoenix Suns y bocazas oficial, no se mordió la lengua: «¿Qué mierda es esta? —le dijo a O'Neal—. ¿Traes la gloria a esta ciudad de paletos y así te lo pagan? Huye de aquí cuanto antes. Que les den».

Eran palabras muy crudas, pero que calaban.

«Llegados a un punto, cogí el teléfono y llamé a John Gabriel —cuenta Dennis Scott—. Le grité: "¿Qué narices estáis haciendo? ¿En qué demonios estáis pensando?". Era absurdo. Más allá de la patética gestión de los Magic, la encuesta era la gota que colmaba el vaso. Shaq puede aguantar mucho. De verdad. Pero que la ciudad entera considere que no es valioso... No hay nada que hacer. Estaba decidido, se iría. Y no lo culpo por ello.»

Los Magic seguían pensando que podían calmar el malestar de O'Neal. Pero Jerry West no quería conformarse con las segundas opciones para reforzar la posición de pívot de Los Lakers (un excéntrico jugador de los Clippers llamado Brian Williams, o Dale Davis, de los Indiana Pacers). Aproximadamente, en el mismo momento en el que se estaba llevando a cabo la encuesta del *Sentinel*, West se puso en contacto con Stu Jackson, el director general de Vancouver, y le hizo una oferta que no podía rechazar. A cambio de dos latas de Pepsi Light, una tarjeta regalo por valor de veinticinco dólares y dos futuras elecciones de segunda ronda del *draft*,[5] traspasaría al alero George Lynch y al escolta Anthony Peeler.

Ambos eran jugadores con talento, jóvenes y comprometidos. Ambos ayudarían a dar un salto de calidad a la franquicia, que la temporada anterior había terminado la liga con un balance de victorias y derrotas de récord (15-67). Para West, la salida de estos dos jugadores liberaba 3,63 millones de dólares que podría incorporar a la oferta de O'Neal sin superar el límite salarial. «Eran dos buenos jugadores —explicó West—. No eran estrellas, pero eran buenos. Eran jugadores de NBA. Pero necesitábamos a Shaquille, y esa era la única forma de conseguirlo. Teníamos que ser creativos para mejorar la oferta.»

Aun así, los Vancouver Grizzlies se mostraban reacios. Sin embargo, Del Harris llamó a Larry Riley, su antiguo entrenador asistente en Milwaukee y que, por aquel entonces, era el director de personal de los jugadores en Vancouver. Ambos tenían una relación estrecha desde hacía años: Riley había entrenado a dos de los hijos de Harris, y este había dicho unas palabras en el funeral del hijo de Riley… «Estaba en una cabina telefónica de Long Beach —recuerda Harris—, y le dije: "Larry, no hay ningún problema. Tú quieres construir un buen equipo y nosotros te vamos a dar el sexto y octavo jugador de un equipo que ganó cincuenta y tres partidos la temporada pasada. No seas testarudo."»

El acuerdo se consumó el 16 de julio. Uno de los primeros en sospechar que podía haberse cerrado definitivamente fue Gabriel, que llamó a la oficina de Jackson en Vancouver esperando que los rumores fueran falsos. El asistente ejecutivo del director general atendió la llamada:

—Soy John Gabriel, de Orlando. ¿Puedo hablar con Stu?

—Lo siento, ahora mismo no está disponible —respondió el asistente.

—Por favor, no me digas que está en una rueda de prensa. No me digas eso…

---

5. En realidad, la negociación no incluyó ninguna Pepsi ni ningún vale regalo. Solo los dos puestos de selección en segunda ronda.

—Lo siento, John —le dijo el asistente.

Las repercusiones del acuerdo fueron tremendas. Criticaron duramente a Stu Jackson, que intentaba construir un equipo ganador, por haber liberado a Los Angeles Lakers de dos salarios que les permitían ofrecer a O'Neal la friolera de ciento veinte millones de dólares. «¿Qué podía hacer? —dijo años después—. Teníamos un equipo con poco talento y sin opciones en el campeonato. Teníamos que mejorar.» Lynch, con una media de 3,8 puntos y 2,8 rebotes sin ser titular, se dirigía a Palos Verdes para hacer de anfitrión en un campus de baloncesto cuando su novia lo llamó y le dijo:

—¿Sabes que te acaban de traspasar?

—¿Dónde? —preguntó Lynch.

—A Vancouver —respondió ella.

Lynch estaba furioso: «Jerry tenía que habérmelo dicho en persona. Me molestó muchísimo».

No obstante, nada era comparable a la indignación que se experimentaba en las oficinas de los Orlando Magic. Fue entonces cuando descubrieron el auténtico propósito de los traspasos de Lynch y Peeler a Vancouver. Poco después de que el acuerdo se cerrara, los Magic enviaron a su jefe de prensa, Alex Martins, al Instituto Disney, donde el equipo olímpico terminaba su *stage* antes de dirigirse a Atlanta. Martins tenía muy buena relación con O'Neal. DeVos había escrito una carta para O'Neal con la oferta final del equipo: 115 millones de dólares por siete años de contrato. Metió la carta en un sobre y se la dio a Martins para que se la diera en mano a Shaq, cosa que hizo. «Le supliqué que la leyera —recuerda Martin—. Él la cogió y se marchó para tomar el avión hacia Georgia. Sinceramente, no sé si llegó a abrirla.»

Pero Gabriel no estaba dispuesto a tirar la toalla sin luchar hasta el final. «Necesitamos un *jet* en el aire cuanto antes», le dijo a DeVos. Armato estaba en Atlanta con su novia, la estrella del equipo olímpico de vóley-playa Holly McPeak. DeVos accedió a la petición, aunque ese mismo día había hecho unas declaraciones ante un periodista del *Orlando Sentinel* en las que decía: «Si están intentando sacar un millón o dos más en esta negociación, que lo paguen los Lakers». Estaba harto de tanto tira y afloja. Pero finalmente dio su aprobación para que Gabriel y Bob Vander Weide, el presidente del equipo, realizaran un vuelo de una hora y veinticinco minutos hasta el aeródromo de Peach State para reunirse con Armato a la orilla de un lago. Armato llevaba una camiseta y unos pantalones de chándal, y recogía los balones que su novia lanzaba por encima de una red.

Gabriel vestía traje y corbata. Se metió en la arena y le dijo a Armato que los Magic le pagarían a Shaquille O'Neal 115 millones.

El agente escuchó sus palabras sin prestarle mucha atención. Era demasiado tarde.

—Gracias por nada —dijo Gabriel al marcharse.

—¿Por qué lo dices? —preguntó Armato.

—Porque ya sé que todo ha terminado —contestó Gabriel.

El 17 de julio de 1996, exactamente a las 2.15 de la madrugada, O'Neal accedió a jugar con Los Ángeles, con un contrato de 120 millones por siete años, el más elevado en la historia del baloncesto profesional. Fue una noticia bomba en todo el panorama deportivo. Había grandes contratos, y contratos todavía más grandes. En Estados Unidos, este estaba a la altura de contratos históricos como el de Reggie Jackson con los New York Yankees o el de Nolan Ryan con los Houston Astros. La Associated Press difundió una nota titulada «De Kareem a Kazaam: los Lakers vuelven a levantar la cabeza». El acuerdo coincidió con el primer día de competición en los Juegos Olímpicos, de modo que O'Neal decidió no decir nada. En cambio, sus compañeros de selección no dejaban de hablar de ello. Penny Hardaway se enteró de la noticia y quedó abatido. «Es devastador», admitió. Luego hizo una pausa sufrida, probablemente pensando en Jon Koncak, el pívot sustituto de los Magic: «Solo puedo desearle lo mejor».

La tarde siguiente, West y O'Neal convocaron una rueda de prensa en Atlanta, en la carpa de Reebok, cerca del Centennial Olympic Park. El recién incorporado Laker tendría que cambiar el número de su camiseta. Pasaría del 32 (que pertenecía a Magic Johnson) al 34. Los precios de las entradas en el Forum tendrían que subir un poco. Le entusiasmaba la idea de jugar junto a Nick Van Exel y Eddie Jones. Le gustaba el púrpura y el dorado. Sonreía mucho. Saludaba con las manos.

Mentía.

«Ha sido una decisión muy muy difícil —dijo O'Neal con el rostro impasible—. Siempre he dicho que Orlando era mi primera opción, y esta ha sido una de las decisiones más difíciles de mi vida. Ha sido muy duro, pero creo que he tomado la decisión correcta.» También afirmó que la decisión final no había tenido nada que ver con la encuesta del periódico. Mentira. Que no tenía que ver con el dinero. Mentira. Ni con la torpeza para negociar de Orlando. Otra mentira. Dijo que creía que el juego rápido y de altísimo nivel de los Lakers se adecuaba más a sus habilidades que el de los Magic. Sería eso.

«En mi opinión, nada tenía ningún sentido. Se fue porque California le ofrecía algo que Orlando no podía. Se marchó para tocar el cielo», dijo George Díaz, el columnista del *Orlando Sentinel*.

4

Génesis

*A*quí empieza la leyenda.

Exactamente, ese día, en ese instante.

Aunque nadie lo supiera.

A medida que han pasado los años y la leyenda ha crecido, separar los hechos de la ficción, es decir, el grano de la paja, se ha convertido en un reto casi imposible. Es lo que ocurre cuando santificamos a nuestros héroes con unos apodos o una grandeza más propios de un rascacielos o del Gran Cañón.

Pero desde ahí, desde ese peculiar edificio de Long Beach (California), muy poca gente podía imaginar lo que se estaba gestando en ese momento. Era el 18 de julio de 1996, veintidós días después de que Los Lakers hubiesen elegido a un muchacho de instituto llamado Kobe Bryant en el *draft*, y una semana después de que el equipo lo presentara oficialmente al mundo en una rueda de prensa por todo lo alto. Hubo una anécdota curiosa de camino al evento: cuando Bryant se dirigía a la rueda de prensa, le preguntaron si se consideraba un atleta. «Bueno, juego para el Instituto Lower Merion», respondió. Pero, de repente, se corrigió a sí mismo: «Es decir, soy un Laker». La liga anual Fila Summer Pro League de la NBA se estaba disputando en la Pirámide, el campo de la Universidad Estatal de California en Long Beach. Después de disputar sus tres primeros partidos, la primera impresión era que el *rookie* estrella de los Lakers había jugado bien, pero no había demostrado todo su talento. Logró veintisiete puntos en su debut ante los Pistons, y veintidós en un partido de exhibición ante el equipo nacional chino. En un extraño enfrentamiento contra una selección de jugadores de los Warriors y los Pacers, anotó quince puntos más. Jugó bien, pero le faltaba disciplina y no sabía gestionar el ritmo del partido.

«Justo antes de que Kobe llegara, Jerry West me llamó a su despacho —recuerda el ala-pívot Corie Blount, recién incorporado a los Lakers después de dos temporadas en Chicago—. Me dijo: "Mira, el chaval viene a la ciudad. Ayúdale a adaptarse y a sentirse cómodo". Sin embargo, no creo que necesitara nada. Kobe sabía lo que se hacía.»

Los Lakers tenían que jugar contra unos Phoenix Suns, que contaban con jugadores como Russ Millard, Paul Lusk y John Coker. Eso era lo que ofrecía la NBA fuera de la temporada regular a los jugadores con menos mercado: tenían la oportunidad de lucirse para lograr unos números que los metieran en un vuelo de catorce horas hacia Kiev para firmar un buen contrato con el SK Mykolaiv. Esos jugadores podían albergar ciertas esperanzas de jugar en la élite, pero la realidad era muy distinta. Jugadores como Lusk (un lento escolta de la Southern Illinois) o Millard (un lento ala-pívot de Iowa) no estaban hechos para compartir vestuario con jugadores como Scottie Pippen y Clyde Drexler. Eran los *sparrings* de la NBA, y la liga de verano era su oportunidad para recibir golpes.

Con todo, la liga de verano era una especie de presentación extraoficial. O, para ser más exactos, una presentación oficial ante la élite del baloncesto profesional. Diecisiete años atrás, un base de 2,06 llamado Earvin, *Magic*, Johnson había sido elegido en el *draft* por Los Lakers. Era todo lo famoso que un jugador de baloncesto universitario podía llegar a ser, una superestrella nacional, portada de la revista *Sports Illustrated*, un mago de los aros capaz de conquistar la NCAA con los Spartans frente a Larry Bird y sus Indiana State. Igual que con Kobe Bryant, hubo una rueda de prensa, entrevistas y grandes expectativas. Pero incluso en el caso de Johnson, con su gran sonrisa al estilo de George McGinnis, se podría decir que no fue un Laker hasta el 27 de julio de 1980, el día en el que saltó a la pista del pabellón de la Universidad Estatal de California para jugar un partido en la liga de verano donde anotó 24 puntos, dio nueve asistencias y logró cuatro recuperaciones. Fue su forma de gritar: «¡Estoy aquí y voy en serio!».

Del mismo modo, Kobe Bryant no se convirtió en un Laker hasta que saltó a la pista para enfrentarse a los Phoenix Suns y gritó que estaba ahí y que iba en serio.

La plantilla de Los Angeles era, en su mayor parte, una colección de muñecos inadaptados. Estaba David Booth, el otrora alero de la Universidad DePaul en su quinto e infructuoso año en la NBA. Estaba Blount, un ala-pívot desconocido que los Lakers acababan de comprar a Chicago por muy poco dinero. Estaba, también, Juaquin Hawkins, un jugador especializado en defensa salido de la Universidad Estatal de Long Beach que compartía nombre con el *pitcher* de los St. Louis Cardinals, Joaquín Andújar, y sus mismas opciones de estar en la plantilla final. Otro de los jugadores era Derek Fisher, un base de Little Rock, Arkansas, muy poco conocido que los Lakers habían elegido en el puesto veinticuatro de la primera ronda del *draft*.

Así pues, cuando llegó esa tarde, empezaron a crecer las expectativas. Unos cuatro mil doscientos aficionados llenaban un pabellón mal iluminado de apenas cinco mil localidades. En el aire seguía flotando, después de tres partidos, una pregunta: ¿qué podía hacer realmente ese chico de instituto?

«En realidad, nadie tenía ni idea —cuenta Booth—. Todavía estaba por estrenar.»

Se anunciaron los jugadores titulares, empezando por Booth y siguiendo con Derrick Battie, el ala-pívot salido de Temple. Ninguno de los dos jugadores fue recibido con un aplauso digno de mención. Blount, que había sido titular en diecinueve partidos de la NBA, fue anunciado como «¡El interceptor!», y su nombre era lo suficientemente conocido como para que tres o cuatro personas del público se entusiasmaran moderadamente. Fisher, con el número nueve en su camiseta y luciendo un peinado perfectamente recortado, sí que recibió un gran aplauso.

Y luego…

«¡Y el otro escolta, del Instituto Lower Merion de Pensilvania, con 1,96 y el número 32, Koooooobeeee Bryyyyant!»

Llevaba una camiseta azul por encima de la camiseta del equipo y una enorme muñequera blanca en su brazo izquierdo. Lo más probable es que llevara esa camiseta azul y esa muñequera blanca en su brazo izquierdo porque ninguno de los otros jugadores llevaba ninguna camiseta azul ni ninguna muñequera blanca en el brazo izquierdo. Según todos los compañeros que compartieron vestuario con él, ese siempre fue su estilo: destacar por encima de los demás. Reafirmarse públicamente, sin que pareciera algo voluntario. Chocó las manos de los otros cuatro Lakers titulares, mantuvo un breve corrillo con el grupo, intercambió algunas palabras con el entrenador Larry Drew (el ayudante principal de Del Harris durante la temporada regular), se mojó los labios, alisó los pantalones dorados, se quitó la camiseta azul y se paseó por la pista, donde los jugadores de los Suns estaban esperando.

Ser un jugador de baloncesto profesional significa parecer un jugador de baloncesto profesional. De modo que los titulares de los Suns saludaron con la misma naturalidad a Bryant, a Booth, a Battie y al resto de los jugadores (qué tal, cómo va, choque de manos). Pero nada de eso era sincero. Darryl Wilson, el base de los Suns, hacía tres meses y medio que había llevado a los Mississippi State a la Final Four universitaria. Fue el máximo anotador de los Bulldogs durante tres temporadas consecutivas y su calidad dejaba en ridículo a los mejores bases universitarios del país. «Voy a ser totalmente sincero. En ese momento pensaba: "Este chaval viene del instituto, yo vengo de la Final Four". No me va a pasar por encima"», recuerda Wilson años después.

Brian Green, un alero de los Suns que había sido titular durante dos temporadas en Nevada, sabía que el público estaba con Bryant, igual que el equipo de producción audiovisual que se preparaba para captar imágenes de Kobe para un anuncio televisivo de Sprite. Era un poco irritante. «Yo tenía veintidós años, de dieciocho a veintidós hay un salto —asegura Green—. Sentía que yo merecía parte del respeto que él recibía. Y la verdad es que quería demostrárselo.»

Ninguno de los Suns sabía a qué atenerse, y cuando Blount ganó el salto inicial y golpeó el balón hacia Bryant, se podía percibir una gran expectación en el ambiente. La pelota llegó a manos de Fisher. La botó ocho veces antes de meterla en el poste bajo, donde Bryant atacó a Green. El chico de instituto cogió la pelota con su mano izquierda, hundió el hombro, siguió botando la pelota, empujó hacia atrás a Green con su torso, sacó ligeramente el codo y recibió una falta. Booth estaba totalmente abierto en la parte alta de la zona, y Battie estaba solo en la esquina. Bryant no se percató de ello ni hizo nada para darse cuenta.

En la siguiente posesión de los Lakers, Bryant recorrió toda la pista botando la pelota, ignorando a Fisher, que avanzaba solo por la derecha. Se plantó ante Green, que había anotado pocos segundos antes, y se negó a soltar la pelota. Seguía botando el balón. Botaba y botaba, mientras sus compañeros de equipo lo esperaban, abriéndose, cortando, escribiendo cartas a sus familias o tomándose un tentempié. Nada. Finalmente, Bryant aprovechó un bloqueo de Hawkins, atravesó la zona y falló una bandeja. Pero recibió una falta de Mario Bennett, el pívot de los Suns. Anotó ambos tiros libres e inauguró sus registros oficiales.

Los jugadores de los Suns estaban boquiabiertos. Wilson no podía creer que el chico fuera tan rápido. Green, que se consideraba a sí mismo un buen defensor, solo era capaz de ver una mancha dorada moviéndose a placer. «He jugado con muy poca gente que me haya hecho pensar: "Mierda, este tío es mejor que yo" —recuerda Green—. Pero así es como me sentí. Él tenía dieciocho años y sabía colocarse, dominaba el juego de pies, se movía a la perfección. Él era un niño y yo era un hombre, pero él era mejor. Sencillamente, mejor. No podía detenerle, y eso me sacaba de quicio.»

Bryant se exhibía y dejaba a todos sin aliento. Mostraba más confianza en sí mismo que en los primeros tres partidos del torneo. Aquello no tenía ninguna lógica. Un muchacho de instituto jugando contra adultos «debería» mostrar más respeto o, por lo menos, cierto grado de indecisión. Pero Bryant nunca dudaba. No era solo que creyera firmemente que ese era su lugar, sino que estaba convencido de que era el mejor jugador de la pista, de la liga y del planeta. Él sabía que tenía nivel para anotar treinta puntos fácilmente en cada encuentro: «Podías ver su fanfarronería en su forma de caminar —recuerda Drew—. Era un chico seguro de sí mismo que no se escondía, no tenía ningún miedo a enfrentarse a jugadores profesionales». Contra los Suns no hubo pausas o descansos. Era como si hubiese tomado la determinación de que él sería la primera opción en ataque, y la segunda, y la tercera, y solo pasaría el balón si se derrumbaba una pared de ladrillos sobre la pista.

Brian Tolbert, un enérgico escolta de los Suns salido de la Eastern Michigan, compartía minutos con Wilson, su compañero de habitación durante la liga de verano. Empezó el tercer cuarto concentrándose en Bryant y pensó que quizá (solo quizá) podría contenerlo utilizando algunas de las técnicas de *hand-cheking* que había aprendido en la universidad bajo las órdenes de Ben Braun, el histórico entrenador de los Eagles. Tolbert miraba a Bryant como los demás: veía a un niño en un mundo de adultos. Rezumaba atrevimiento. ¿Quién se creía que era? ¿Qué derecho tenía a pisar una pista profesional? Entonces Tolbert se colocó delante de Bryant, utilizó su mejor postura defensiva y...

No fue bonito.

«La pelota hacía lo que Kobe quería —recuerda Tolbert—. La cogía en la parte alta de la zona, quizás un metro por detrás de la línea de tres puntos. Yo esperaba que él hiciera su movimiento, pero antes de darme cuenta... ¡zas! Había desaparecido. Cortó en seco hacia la izquierda, botó dos veces e hizo un mate tremendo en la cara de Mario Bennett.»

Bennett, elegido en primera ronda de los Suns en el *draft* de la temporada anterior, miró hacia Tolbert y gritó: «¿Quién coño tenía que marcarle?».

Tolbert bajó la cabeza. «Resultó bochornoso —dijo—. No sabíamos que Kobe Bryant iba a ser "Kobe Bryant". Era solo un chaval que nos estaba haciendo quedar mal.»

En la actualidad, la liga de verano de la NBA ya anda por las cincuenta ediciones. Nunca (ni antes ni después de aquel encuentro) un jugador dominó con tal determinación un partido. Bryant encontraba espacio para lanzar en medio de todos esos gigantes de la zona. Ignoraba a sus compañeros libres de marca para crear su juego. Lanzaba desde cualquier ángulo, desde cualquier lugar. De cuchara o de gancho. El mate sobre Bennet había sido espectacular, pero su mejor jugada llegó más tarde, cuando penetró en la pintura superando a Tolbert, dio dos pasos, levantó el vuelo e hizo un mate estilo *tomahawk* por encima del pobre Coker, un pívot de 2,13 salido de la Universidad Estatal de Boise que había jugado once gloriosos minutos con los Suns la temporada 1995-96. Coker hizo un gesto desganado cuando la pelota cruzó la red y, aunque la canasta fue anulada por falta sobre Tolbert, la multitud estalló. No estaban ante un jugador normal. Estaban ante el Michael Jordan de mediados de los ochenta. Consiguió 36 puntos, (9 de 22 en tiros de campo, y 17 de 21 en tiros libres), además de 5 asistencias… y 7 pérdidas.

Sin embargo, a pesar del revuelo que se generó en la Pirámide, ser un jugador de los Lakers en la liga de verano que no se llamara Kobe Bean Bryant significaba estar aislado, solo, y no ser partícipe de nada. Bryant se mostraba distante, arrogante y reservado con sus compañeros de equipo. Joe y Pam Bryant se habían mudado a California para vivir con su hijo, que había comprado una casa de seis habitaciones por dos millones y medio de dólares en Pacific Palisades. Kobe comía con sus padres, recibía una paga semanal de su papá y su mamá, y pasaba el tiempo en el gimnasio practicando tiros en suspensión o en la sala de pesas ganando masa muscular. Le encantaba escuchar Shirley Temples y *hiphop*. Y nada más. «Estaba mentalmente preparado para evitar cualquier distracción —cuenta Booth—. Era radical. Parecía que su padre le hubiera dicho: "Estás en la NBA. Tienes que sentar la cabeza".»

Pero lo que más enfurecía a sus compañeros era su negativa a involucrarse con el resto del equipo en la pista. Bryant sacaba a sus compañeros del poste bajo y lanzaba duras miradas de desaprobación cuando no le parecía bien una elección de tiro. Ladraba y gruñía, se quejaba y reaccionaba exageradamente. «Y nunca pasaba la pelota —añade Blount—. Y no es una exageración. Cuando le llegaba el balón, nunca lo soltaba.» A Kurt Rambis, el ala-pívot recién retirado y nuevo ayudante de entrenador de la franquicia, le llegaron las quejas de jugadores hartos de tanto egoísmo. Ellos intentaban jugar en equipo, pero Bryant no les daba ninguna oportunidad de demostrar su valía. Sin embargo, Rambis no atendió a ninguna queja. «Vosotros sois quienes le pasáis el balón. No se lo paséis y problema resuelto», respondió.

Durante los cuatro partidos de Bryant en la liga de verano, Harris, el estoico entrenador de los Lakers, estuvo sentado en el banquillo, libreta en mano, asimilando lo que veía y preguntándose qué era lo que tenía que hacer ante esa arma de destrucción masiva que venía sin manual de instrucciones. A decir verdad, también estuvo pendiente de Fisher y esperaba que algún alero o ala-pívot pudieran ganarse una invitación para el campus de entrenamiento. Pero, sobre todo, esos partidos fueron una oportunidad para aprender cómo podía entrenar a Kobe. Harris estaba a punto de empezar su duodécima temporada como entrenador de la NBA y nunca se había encontrado en la tesitura de incorporar un fenómeno de instituto a su equipo. Su primera conclusión: el chico tenía un talento extraordinario, pero no estaba en absoluto preparado.

«Era obvio que tenía talento, pero no estaba preparado para la liga. Todavía no tenía perfil NBA. Kobe tenía mucho que trabajar», dice Harris.

Los Angeles Lakers inauguraron oficialmente su pretemporada el 4 de octubre de 1996. Si el plan ese año era demostrar un gran despliegue de juego, contando con el pívot más grande entre los grandes, con un *rookie* eléctrico y la esperanza de recuperar la gloria del *Showtime* de la década de los ochenta, no era la mejor forma de empezar.

En 1988, Jerry Buss, que por aquel entonces llevaba nueve años como propietario de la franquicia, insistió en que el *stage* se llevara a cabo en Hawái, y así había sido desde entonces.[6] Era tanto una forma de alejarse de posibles distracciones como una oportunidad para mostrar la gloria y el prestigio de la franqui-

6. Hubo una excepción en 1991, año en que los Lakers hicieron su *stage* en Palm Springs.

cia histórica de la NBA. Mientras los Lakers se rodeaban de chicas bailando hula y de palmeras, los Pistons entrenarían en Michigan, y los Bucks, en Wisconsin.

En 1996, sin embargo, los jugadores se preparaban para llegar al Sheraton Waikiki en un momento de cambio que se les antojaba complicado e incierto. En primer lugar, había un problema con Shaquille O'Neal, el hombre de los ciento veintiún millones. Cuando un jugador firma un contrato de tal calibre, genera ciertas expectativas. Es decir, se espera que muestre profesionalidad y asuma su condición con clase, dignidad e incluso cierta humildad.

En lugar de eso, O'Neal se pasó parte del verano mostrando todo lo contrario. No respondió a las llamadas de los Lakers e ignoró felizmente las responsabilidades que conlleva la fama. Cuando alegremente pudieron contactar con él, O'Neal dijo que esperaba que tres miembros de su entorno personal (entre los cuales estaba Jerome Crawford, su eterno guardaespaldas) estuvieran en la nómina de los Lakers. Larry Guest, del *Orlando Sentinel*, escribió: «Bienvenidos al mundo de Shaq, Lakers. Los directivos de los Orlando Magic intercambian sonrisas cómplices». Luego O'Neal mencionó que, quizá, tendría que empezar unos días más tarde de lo habitual el campus de entrenamiento, a no ser que el equipo estuviera dispuesto a pagar un helicóptero que lo recogiera del estudio de rodaje, lo llevara al aeropuerto y lo metiera en un avión privado (costeado por el equipo) hacia Hawái todos los días.

¿Por qué?

Porque el baloncesto tenía que esperar a que acabara de rodar *Steel*.

Sí, *Steel*.

Tres meses antes se había estrenado *Kazaam* en los cines y las reacciones oscilaban entre «es la peor película de la historia» y «por favor, que alguien secuestre a Shaquille O'Neal para que no vuelva a pisar un plató de rodaje». Después de recaudar cinco millones de dólares el fin de semana de estreno, la película cayó en el olvido. Más tarde, admitiría que no había sido su mejor decisión profesional. Contó en la revista *GQ* que él «era un delincuente juvenil de poca monta en Newark que siempre había soñado en hacer una película. Alguien se me acercó y me dijo: "Mira, aquí tienes siete millones de dólares, ven a hacer esta película sobre un genio". ¿Cómo iba a negarme?».

Ahora, sin embargo, Shaq regresaba al circo de Hollywood con el tipo de película que su entorno creía que podía encontrar un lugar en la categoría de héroes de acción, como Stallone o Schwarzenegger. Era ese tipo de largometraje con el que soñaba su agente, Leonard Armato, cuando le recomendó que cambiara Florida por Hollywood.

Estaba rodando *Steel*.

Ups.

El guion giraba alrededor de John Henry Irons, un soldado de gran tamaño que vestía un traje de acero y acababa convirtiéndose en un superhéroe gigante. Esto ocurría siete años después de que Michael Keaton convirtiera a *Batman* en un fenómeno cinematográfico mundial, y Kenny Johnson, el director y guionista de la película, vio en *Steel* una nueva oportunidad para aprovechar ese éxito. Quincy Jones, el productor, contrató a Johnson para el proyecto y le dijo lo que tenía en mente.

—Un superhéroe negro —dijo Jones—. Eso es lo que quiero. Un superhéroe negro.

Johnson quedó prendado de la idea.

—¿A quién ves para el papel principal? —preguntó Johnson, pensando en Denzel Washington, Blair Underwood, Wesley Snipes…

—¡Shaq! —respondió.

¿Shaq?

—He oído decir que es un buen tipo —dijo Johnson—. Pero no es una estrella, Quincy. No puede protagonizar esta película.

Jones no estaba de acuerdo, y O'Neal aceptó el proyecto.[7] El rodaje empezó poco después de que Shaq cerrara su acuer-

---

7. Hasta una semana antes de empezar el rodaje, la Warner Bros. estuvo pensando en descartar a Shaq y reemplazarlo por Wesley Snipes. Cuando Johnson preguntó por qué habían decidido seguir con el jugador, le dijeron: «*Marketing* creía que podíamos vender más muñecos con Shaq que con Wesley Snipes».

do con los Lakers. Durante un mes, el elenco y el personal del proyecto viajaron por todo Los Ángeles, dando forma a una obra maestra que costaría dieciséis millones de dólares y recaudaría (no es un error tipográfico) 870 068 dólares. La coprotagonista de la película, Annabeth Gish, conocida por su trabajo en *Mystic Pizza* y *Wyatt Earpp*, cuenta que Shaq era un «gigante amable» que compensaba su rígida interpretación con su encanto y su calidez. «Estaba lejos de conseguir un Óscar, pero se esforzaba mucho.»

Un día, Venita Ozols-Graham (ayudante de dirección) llevó a su hija de cinco años al rodaje. La niña, Brigitte, le tenía mucho apego a un gecko de seda que llevaba en una caja. Entre toma y toma, O'Neal se acercó a la niña, se agachó y le dijo cariñosamente:

—¿Qué hay en la caja?

—Es mi gecko —susurró la niña.

—¿Es de verdad? —preguntó O'Neal.

—No —respondió Brigitte.

La niña abrió la caja y O'Neal, con unas manos del tamaño de una cesta del pan, acarició al animal.

—Brigitte, ¿te gustaría tener uno de verdad?

Al día siguiente, Ozols-Graham estaba trabajando cuando su hija apareció corriendo.

—¡Mamá! ¡Mamá! —chillaba—. ¡Ven!

Brigitte la agarró del brazo y la arrastró hasta el interior de la caravana de O'Neal. Una vez dentro, encontraron un terrario enorme, repleto de piedras y plantas, donde descansaban un par de geckos de cola gruesa.

—Son tuyos —dijo O'Neal—. La única condición es que uno de los dos debe llamarse Shaq.

Así lo hizo.

«Luego, mi hija regresó al estudio de rodaje con la caja y su gecko de seda. La abrió y le dio el muñeco a Shaquille. Fue un momento muy bonito», recuerda Ozols-Graham.

O'Neal solo puso una condición para firmar el contrato con Warner Bros.: debían habilitarle una instalación móvil de entrenamiento, con un gimnasio y una canasta de baloncesto. Durante el rodaje, levantaba pesas y practicaba sus lanzamientos, pero cuando llegó a Honolulu el 4 de octubre (gracias a un plan de rodaje acelerado), no estaba en buena forma física.

Pero ese no era, en absoluto, el mayor dolor de cabeza de los Lakers.

Tras su fulgurante andadura de cuatro partidos en la liga de verano, Bryant esperaba incorporarse al equipo y emerger como una superestrella. Pero, en lugar de eso, hizo algo realmente estúpido. Era joven y torpe, y el baloncesto era como una droga para él. El 2 de septiembre apareció en las famosas canchas públicas de Venice Beach para jugar algún partido improvisado. Después de saltar para puntear un balón, cayó sobre el pavimento e intentó protegerse del impacto con la muñeca izquierda. Sus noventa kilos cayeron a plomo sobre sus brazos, y un instante después se dio cuenta de que tenía tres pequeños bultos justo debajo de la mano. La muñeca estaba rota. Jerry West no podía creérselo. Recibió la noticia en silencio, estupefacto, devolviéndole la mirada con los ojos en blanco a Gary Vitti, el preparador físico del equipo.

—¿Que estaba haciendo qué? —preguntó West.

—Jugando al baloncesto en Venice —explicó Vitti.

—A ver, un momento —dijo West—. Un momento, un momento. Un momento. ¿Perdona?

Esa sería la última vez que los Lakers no incluían esta cláusula «NO JUGAR PARTIDOS INFORMALES» en el contrato de un *rookie*.

Aunque no fue necesaria la cirugía, Bryant no pudo participar en el *stage* y tiró a la basura un mes y medio de entrenamientos. Lo que más quería en este mundo era ir a Hawái y demostrar lo que valía. Sin embargo, fue a Hawái y solo pudo mirar.

«Algo así es extremadamente perjudicial para un jugador joven —dijo Harris años más tarde—. Especialmente para un muchacho que saltaba del instituto a la NBA.»

La noche antes del primer entrenamiento en el gimnasio de la Universidad de Hawái, Harris convocó una reunión con todo el equipo en la sala de conferencias del Sheraton Waikiki, la sede del campus de los Lakers. Echó un vistazo a los dieciséis jugadores que tenía delante, una extraña mezcla de retazos y recién llegados que habían sido anunciados a bombo y platillo, y algunos jugadores que estaban ahí para hacer bulto. Entonces, empezó a hablar.

Y hablar.

Y hablar.

Y hablar.

Y hablar.

Harris habló de compromiso.

Harris habló de elección de tiro.

Harris habló de su niñez en Indiana.

Harris habló de cuando llevó a los Houston Rockets a la final de la NBA en 1981.

Harris habló de su mujer y sus hijos, de sus amigos y sus compañeros. Habló de las maravillosas playas de Honolulu y de los restaurantes que debían evitar. Habló de la selección de tiro de Nick van Exel, de la tenacidad de Eddie Jones y de los rebotes del ala-pívot Elden Campbell.

No dejaba de hablar.

«Le llamaban *Dull Harris* por algo», dijo Scott Howard-Cooper, el periodista especializado de *Los Angeles Times*.

«Te atrapaba con facilidad —asegura Brad Turner, el redactor de *Riverside Press-Enterprise*—. Los monólogos eran largos.»

Y siguió hablando.

«Era un buen hombre —cuenta Mark Heisler, periodista de *Los Angeles Times*—. Tenía mucho que decir.»

Y seguía hablando.

«Del me gustaba mucho —dijo Van Exel—. Pero esas reuniones…, cortas no eran».

Y seguía hablando.

«A veces era como escuchar a tu abuelo», recuerda O'Neal.

Y seguía hablando.

«Cuando Chuck Daly entrenaba a los Pistons decía una frase… —recuerda Brendan Suhr, el veterano entrenador asistente de la NBA—. Tienes que comunicarte con los jugadores usando pocas palabras. Del podía hablar durante cuarenta y cinco minutos sobre la presión defensiva. Chuck lo hacía en treinta segundos.»

Y…

Hay pocas personas en la historia de la NBA que conozcan los entresijos del baloncesto mejor que Harris, un hombre de pelo plateado que parece más un profesor de economía de la Universidad de Princeton que un entrenador. En verano de 1996 tenía cincuenta y nueve años. Sin embargo, parecía mayor, por su pelo, por su seriedad, por su lentitud y su forma de mascullar cuando hablaba. Había nacido y crecido en Plainfield (Indiana), un pueblo de dos mil quinientos habitantes, y rezumaba la simpleza de los pueblos pequeños. Era como asistir a una feria del condado, como un paseo en poni, como un pícnic en el césped de la iglesia, como una brisa suave o como un vaso de limonada fresca. Harris fue ordenado pastor de la Iglesia Cristiana de Plainfield y, después de graduarse en estudios religiosos el 1959 por la Universidad de Milligan (Tenessee), empezó a entrenar al equipo de baloncesto de primer año de instituto del Johnson County. Luego regresó a casa para entrenar al equipo masculino del instituto Rockadale High, a cuarenta y cinco kilómetros de su pueblo natal. Harris pasó cinco años entrenando en diferentes institutos de Indiana. El gran salto ocurrió en 1965, cuando lo contrataron como entrenador jefe de baloncesto y béisbol en la Universidad Earlham College, una entidad que pertenecía a la asociación NAIA (Asociación Nacional de Deporte Interuniversitario) y era conocida por ser una de las mejores instituciones cuáqueras de Indiana.

Antes de su llegada, es decir, durante sesenta y nueve años de historia, el equipo de baloncesto de Earlham solo había logrado que el balance de victorias y derrotas en una temporada fuera positivo en veinticinco ocasiones. Ostentaba un registro histórico horrible: 445 victorias y 536 derrotas. Sin embargo, durante sus nueve años en el cargo, Harris, que también enseñaba teoría del entrenamiento y educación física en la universidad, llevó a los Quackers a conseguir un registro de 175 victorias y 70 derrotas. Por si fuera poco, durante su tiempo libre, escribió un par de *best sellers* sobre la teoría del baloncesto para la editorial Prentice Hall, y además entrenó durante siete años a un equipo de la liga profesional de verano de Puerto Rico (donde logró conquistar tres títulos consecutivos). Era un personaje interesante para el que jugar; sereno y exigente al mismo tiempo. Su fría mirada iba acompañada de una capacidad asombrosa para la estrategia. «Siempre fue un entrenador muy respetado —dijo Howard Beck, el veterano periodista de baloncesto—. Creo que nunca nadie ha puesto en duda sus capacidades para enseñar el juego.»

Durante su etapa en Puerto Rico conoció a Tom Nissalke, entrenador jefe de los Utah Stars de la American Basketball Association (Asociación Americana de Baloncesto). Un día, por casualidad, Nissalke se dirigió a Harris y le dijo: «¿Por qué no vienes a Utah y me haces de asistente?».

Desde luego era una perspectiva mucho mejor que otro año en Earlham.

«Uno nunca sabe cuándo ni dónde tendrá la oportunidad de dar el salto —dice Harris—. Un día estás entrenando en una liga menor y casi nadie te conoce, y al día siguiente estás en el baloncesto profesional. Es así de sencillo.»

Estuvo un año al lado de Nissalke, y cuando la ABA desapareció, ambos fueron a parar a los Houston Rockets, en la NBA. Harris asumió el puesto de entrenador jefe en 1979 y llevó al equipo a tres *playoffs* y una final, que perdió contra los Boston Celtics, en 1981. Lamentablemente, la temporada 1982-83, los Rockets se autosabotearon cuando los propietarios vendieron a su estrella Moses Malone a los 76ers, y decidieron perder intencionadamente para lograr el primer puesto de elección en el *draft* de 1984. «Querían quedar en último lugar —recuerda Harris—. Fue horrible. ¿Te imaginas cómo es entrenar a un equipo cuando los propietarios quieren que pierdas?»

Con una mala plantilla repleta de viejas glorias y jugadores mediocres, los Rockets de la temporada 1982-83 terminaron con un registro de 14 victorias y 68 derrotas. Harris fue despedido al terminar la temporada, y tuvo que esperar cuatro años hasta que lo llamaron de Milwaukee para ofrecerle una nueva oportunidad. En cuatro temporadas completas con los Bucks, su saldo fue de 183 victorias y 145 derrotas. Sin embargo, al año siguiente, cuando los Bucks empezaron la temporada con un parcial de 8 victorias y 9 derrotas, lo despidieron. Las críticas sobre Del Harris eran las de siempre: era un gran tipo y tenía buenas ideas, pero sus equipos no eran dinámicos, no eran creativos. Todo eran palabras vacías.

«En este mundo hay personas que resultan pesadas —comenta Corie Blount, el veterano ala-pívot de la NBA—. Pero Del Harris juega en otra liga. Todo el mundo lo aprecia, pero lo que quieren los jugadores de baloncesto es jugar. Y Del quería discutir todos y cada uno de los movimientos en la pista, y luego analizarlos otra vez.»

Otro hombre propenso a los diálogos eternos era Jerry West, el vicepresidente ejecutivo de los Lakers, que, en 1994, cuando era director general, se había desesperado con la falta de productividad de su amada franquicia. Desde que Pat Riley se había retirado seis años atrás, los Lakers habían pasado de ser la élite de la NBA a unos tristes segundones. Mike Dunleavy sénior se hizo cargo del equipo durante dos buenas temporadas; luego lo reemplazó Randy Pfund, que obtuvo peores resultados y, más tarde, fue el turno de Magic Johnson (retirado y ansioso) que empeoró los registros (cinco victorias y once derrotas en dieciséis tristes enfrentamientos).

West y Harris mantenían una amistad que se remontaba a la década de los setenta, desde que pasaron una semana juntos trabajando en el campus de baloncesto en la Universidad de Auburn como un favor al entrenador principal, Sonny Smith. «Jugábamos al golf, íbamos de pesca y hablábamos de baloncesto. Conectamos de verdad», cuenta Harris.

En verano de 1994, Harris estuvo a punto de aceptar el cargo de director general de los Sacramento Kings. De hecho, Harris se fue a la capital californiana a negociar el contrato, pero se enredaron en un asunto: el propietario de la franquicia, Jim Thomas, quería que su primera decisión en el cargo fuera despedir a Garry St. Jean, el entrenador de los Kings.

—Jim —le dijo Harris—, no le puedo hacer esto. No lo haré.

En ese momento, West llamó a Harris para preguntarle si ya había firmado con Sacramento.

—No —respondió Harris.

—Pues no lo hagas —le dijo West—. Queremos que entrenes a los Lakers.

Del Harris no se lo pensó dos veces

Pero en ese momento, dos años después, Harris se encontraba en Hawái, hablando. Hablando y hablando sin parar.

El talento de su plantilla le quitaba el aliento. Finalmente, cuando acabó el monólogo, pidió a los jugadores que se levantaran y se presentaran. O'Neal, alegre y risueño, se levantó el primero, saludó con la cabeza y dijo:

—¿Qué tal? Soy Shaq. Vamos a por ello.

Los demás le siguieron uno tras otro.

—Hola, soy Derek Fisher. *Rookie*. De la pequeña y vieja Arkansas. Listo para trabajar.

Siguiente.

—Nick Van Exel. Este es mi cuarto año aquí.

Siguiente.

—Eddie Jones. Soy de Florida. Fui a Temple…

Siguiente.

—Me llamo Trev. Trevor Wilson. Sin ánimo de presumir, el año pasado jugué en Sioux Falls y gané el campeonato de la CBA.

Siguiente.

—Soy Jerome Kersey. Este será mi… ¿decimotercer? año en la liga. Increíble.

Siguiente.

—Soy Ced.

Siguiente.

—Tíos, soy Kobe. Kobe Bryant. Soy de Pensilvania, fui al Lower Merion y fui el mejor en todo. —Hizo una breve pausa—. Solo quiero que sepáis que nadie me va a tomar el pelo. No voy a dejar que nadie en la NBA me tome el pelo. Estáis avisados.

Fue bochornoso.

«Alguien tenía que decirle: "Tío, Kobe, relájate"», recuerda David Booth, que había conseguido una invitación para el campus después de haber hecho una buena actuación en la liga de verano. «Él intentaba hacerse respetar, cosa que entiendo, pero no lo hacía demasiado bien.»

«No fue la mejor forma de empezar —dijo Blount—. Pero todavía era un niño.»

Curiosamente, la lesión de Bryant acabó siendo beneficiosa, tanto para el joven jugador como para el equipo. Aunque las novatadas a las que se les sometía a los *rookies* de la NBA no tenían nada que ver con las que se hacían en la Major League de béisbol o la NFL, también eran una tradición en los Lakers. Junto con Bryant, el equipo contaba con dos novatos más: Fisher, de Little Rock, Arkansas, y un desgarbado pívot de 2,13 y 107 kilos de la Universidad de Connecticut llamado Travis Knight. A Knight lo había elegido Chicago en la primera ronda del *draft*, pero había pasado a ser agente libre después de que los Bulls, con una plantilla extensa y sin interés en retenerlo un mínimo de tres años, renunciaran a sus derechos. «Pude elegir equipo, lo cual fue bastante alucinante —recuerda Knight—. Yo crecí en San Diego y jugué en la AAU (Unión Deportiva Amateur), en Los Ángeles. Mi tierra es el sur de California.»

Al llegar a Hawái, el día antes de que empezara el campus, Knight pasó por un centro comercial para comprarse un bocadillo. Estaba sentado en la zona de restaurantes cuando oyó un fuerte ruido que venía del pasillo. «Levanté la cabeza y vi que era Shaq. Lo seguía un montón de gente, como es lógico. Yo me quedé ahí sentado mirándole, como todos los demás. No quise molestarle.»

En apenas veinticuatro horas, Knight se convirtió en el lazarillo de O'Neal. Es decir, acarreaba sus zapatillas de entrenamiento y se las guardaba en la taquilla después de cada sesión, recibía palmaditas en la nuca cada vez que hacía un tiro normal, en lugar de machacar el aro, etc. «Era genial —cuenta Knight—. Con Shaq nunca nada era demasiado serio.» A Fisher, un tipo de voz dulce y agradable, Van Exel y Jones le asignaron tareas similares: ir a por comida, asegurarse de que las bebidas estuvieran bien frías, etc. Nada descabellado.

A diferencia de sus dos colegas, Bryant era una presa más tentadora. Su presentación del primer día les sentó como una patada a los demás jugadores y, a medida que el campus avanzaba, a los Lakers veteranos les sorprendía cada vez más su petulancia. Cuando Van Exel se unió a los Lakers al dejar Cincinnati en 1993, llegó con una actitud humilde y tranquila. Cuando Jones llegó un año después, lo mismo. Knight era humilde y tranquilo, igual que Fisher.

Bryant no era ninguna de las dos cosas. Pero estaba ahí sentado sin poder jugar y con una muñeca rota. En general, nadie lo consideraba como un blanco para una novatada. «No lo mareamos demasiado —recuerda Cedric Ceballos—. No le pedíamos que fuera a buscar donuts ni que nos llevara las bolsas ni nada de eso. Shaq sí que le pedía algunas cosas ridículas, como por ejemplo que nos cantara un rap *freestyle*. Kobe era distinto. La mayoría de los *rookies* buscan la aprobación de los veteranos. Pero ese nunca fue su caso.»

Si Bryant hubiese participado activamente en el campus, lo habría arruinado. Así lo reconocieron más tarde la mayoría de los veteranos. Tal vez, no lo habría arruinado, pero habría dificultado el aprendizaje de los novatos. Van Exel, Jones y Ceballos, los tres jugadores con responsabilidades ofensivas, necesitaban adaptarse a la presencia dominante de O'Neal en el poste bajo. Un adolescente con actitud de estrella, que se cree mejor que los demás y que monopoliza la pelota, no hubiese sido un buen complemento. Desde la banda o en los ejercicios menos exigentes, a Bryant le gustaba lucir sus bandejas y sus tiros en suspensión. Quería que los demás lo vieran, necesitaba desesperadamente que sus compañeros de equipo entendieran la razón de todo el circo que lo acompañaba. O'Neal empezó a referirse a él como *Showboat* (el «fanfarrón»). Para Bryant, si el mote no era abiertamente ridículo, no era más que un cumplido.

Sin embargo,, lo que más sorprendió a algunos de los Lakers fue que el muchacho imitara a Michael Jordan, el legendario Bull cuyas cintas VHS Bryant veía cuando estaba en Italia. No imitaba solo su baloncesto. Lo imitaba todo. Bryant se mojaba los labios como Jordan, encogía los hombros como Jordan y estructuraba su discurso como Jordan. Una cosa es un homenaje, pero aquello más que un homenaje parecía obsesión enfermiza. «Al principio estaba clarísimo que quería ser como Michael Jordan en todo lo qué hacía», cuenta Knight.

Con Bryant en la banda, el equipo fue cuajando a pasos agigantados. Los Lakers inauguraron la pretemporada la noche del 10 de octubre con un partido contra los Denver Nuggets en el Honolulu Special Events Arena. Si alguien esperaba ver un espectáculo doloroso, no podía estar más equivocado. Con su nuevo uniforme púrpura y dorado con el número 34, y más delgado después de una semana de sudar en el gimnasio, O'Neal jugó 26 minutos, anotó 25 puntos (11 de 13 en tiros de campo) y capturó 12 rebotes. En palabras de Mike Fitzgerald del *Honolulu Star Bulletin*, «hizo varios mates atronadores que podían haber causado alertas de tsunami». Durante una secuencia electrizante en el segundo cuarto, anotó seis puntos en menos de sesenta segundos, además de poner un tapón y hacerse con un rebote que acabó dentro. Los Angeles ganaron 111-101, una victoria intrascendente que, en realidad, era todo menos intrascendente. Ante 10 225 espectadores, Van Exel y Jones se mostraron cómodos desprendiéndose rápido del balón, buscando líneas de pase y dejando que O'Neal marcara el ritmo del partido. Incluso Ceballos, jugador egoísta donde los hubiera, se mantenía fuera de la pintura y le dejaba su espacio al gigante. Después del partido, en un vestuario lleno de alegría, O'Neal hacía alarde de su grandeza:

—¡Nadie surfea mejor que yo! —dijo—. ¡Soy el Gran Kahuna!

Seis días más tarde, después de que los Nuggets y Los Lakers se enfrentaran una vez más antes de regresar al continente, Bryant se convirtió en un jugador activo de la NBA, con dieciocho años y cincuenta y cinco días de edad: el jugador más joven en la historia de la liga. Los Lakers viajaron hasta la encantadora ciudad de Fresno, California, para enfrentarse a los Dallas Mavericks en un partido de exhibición. En la antesala del partido, Bryant parecía un cachorro buscando restos de comida. Se paseaba por el vestuario, por los pasillos… Poco antes de que empezara el *stage* de Honolulu, los Lakers ficharon a Byron Scott como agente libre por unos míseros 247.500 dólares al año. Con treinta y cinco años, y tras una temporada mediocre con una media de 10,2 puntos por partido con los pésimos Vancouver Grizzlies, Scott seguía siendo una pieza importante en la historia de la franquicia. En diez temporadas como escudero de Magic Johnson, anotó una media de 15,9 puntos por partido y ayudó al equipo a conseguir tres campeonatos. Sin ser ya un jugador particularmente rápido ni físico, Scott reaparecía ahora como Laker para, en primer lugar, contar con un buen lanzador en el banquillo y, en segundo lugar, para hacer de canguro y mentor de Kobe Bryant.

Y no necesariamente en este orden de prioridades.

Era la persona perfecta para el puesto. Curtido en las duras calles de Inglewood, Scott se había criado bajo la sombra del Forum; le llegaba el murmullo del interior, pero no podía permitirse pagar unas entradas. Después de ser la estrella en la Universidad Estatal de Arizona durante tres temporadas, fue elegido en el número cuatro del *draft* en 1983, por los San Diego Clippers. Mientras dudaba sobre si incorporarse a la franquicia más triste de la liga, el equipo lo traspasó a los Lakers en un intercambio por Norm Nixon, el talentoso base del equipo. La transacción no fue muy bien recibida en Los Ángeles. ¿Byron Scott? ¿Quién narices era Byron Scott? Hubo abucheos y las dudas se arremolinaban en la cabeza del *rookie*. El salto a la NBA ya era bastante difícil. Pero hacerlo con todos los focos apuntándote suponía un reto mayúsculo.

No obstante, Scott pronto se hizo un lugar como pieza clave de la generación del Showtime. Cuando Los Lakers lo liberaron en 1993, fue desolador.

Y ahora había regresado, para formar, educar y explicarle de primera mano al Laker más joven lo que significaba ser el Laker más joven. Durante el calentamiento antes del salto inicial, Scott estuvo junto a Bryant aconsejándole que se lo tomara con calma, que se relajara y que disfrutara del momento. A Scott le encantaba la pasión y la motivación que demostraba el chico, pero reconocía en él un ansia que le resultaba familiar. «Ya llegará tu momento. Tu momento llegará», decía el mantra habitual.

Harris veía a Bryant como un buen reserva que debería ganarse los minutos en pista. Le dejó entrar en el partido cuando faltaban siete minutos y cuarenta y nueve segundos para terminar el segundo cuarto. Entonces, los 10 274 aficionados del Fresno's Selland Arena empezaron a cantar: «¡Kobe, Ko-be!». La primera vez que tocó el balón estaba nervioso, pareció algo torpe. No dominó el balón. Pero se recuperó e hizo un pase al pívot Sean Rocks, que estaba debajo de la canasta. Este anotó sin dificultad. Momentos más tarde, perdió una de las zapatillas (Adidas EQT Elevation), se la volvió a calzar, torpemente, en su pie derecho y siguió jugando. En las postrimerías del partido, después de anotar su primera canasta de tres puntos, hacer un lanzamiento en suspensión, un mate y un lanzamiento desde casi cinco metros, Bryant conducía la pelota y no la soltó hasta que el moderador Harris le gritó: «¡Oye pasa la pelota! ¡Ya no estás en el instituto!».

En líneas generales, puede decirse que fue un buen debut. Anotó 10 puntos, con 4 de 4 en tiros de campo. En el vestuario de los Lakers, la mayoría de comentarios de sus compañeros fueron elogiosos. Comprendían que la noticia del día era el debut del joven escolta en la NBA. Van Exel dijo que Bryant había lanzado «bastante bien. Es muy activo». Harris añadió que «ha cometido algunos errores, pero también ha hecho cosas bien».

Cuando apareció O'Neal también le pidieron su opinión. Entonces empezó a cantar una melodía de Whitney Houston y con su propia letra: «Creo que Showboat es el *futuuuuro...*».

La temporada sería interesante.

5

Nick, *el Rápido*

Cuando Nick Van Exel era un niño de cinco años y vivía en las casas de protección oficial de Kenosha, Wisconsin, su padre solía llevárselo de paseo con el coche.

Iban juntos a distintos eventos (partidos de baloncesto o torneos de cualquier tipo) en los que la gente aparcaba el coche durante un periodo de tiempo estipulado. Si un partido del equipo de baloncesto del instituto de Kenosha empezaba, por ejemplo, a las siete, padre e hijo aparecían en el aparcamiento a las siete y cuarto.

El ritual siempre era el mismo. Su padre abría la puerta, se acercaba a su hijo y le decía: «Espérate aquí». Luego, desmantelaba los vehículos aparcados. «Se llevaba las radios y cosas así —cuenta Nick—. Yo siempre lo acompañaba. Sentía miedo a pesar de ser tan pequeño.»

Al cabo de dos años, el padre de Nick Van Exel fue detenido y encarcelado. Y así fue cómo desapareció de su vida. Jamás hubo una carta ni una llamada. No hubo visitas ni conversaciones optimistas del tipo «cuando salga…» o «tengo tantas ganas de…».

Nada.

El padre de Nick Van Exel desapareció del mapa.

Y con ello, su hijo se quedó solo. Vivía en un apartamento diminuto con su madre, Joyce, que tenía dos trabajos; entraba a trabajar en la línea de montaje de la fábrica de Chrysler Kenosha Engine a las tres de la tarde para salir a la una de la mañana. Cuando Nick regresaba de la escuela, como mucho, pasaba media hora con su madre y, luego, se quedaba solo en casa con la única compañía del televisor de trece pulgadas. «No tener a nadie en casa me convirtió en una persona solitaria», asegura.

A finales de la década de los ochenta, el padre de Nick salió de la cárcel. Su hijo estaba ilusionado con el regreso de su padre, pero, en lugar de volver a Kenosha, se divorció de Joyce y se mudó a Georgia.

«Realmente, nunca tuve una figura paterna en mi vida, alguien que se sentara frente a mí y me dijera: "No, no puedes hacer esto" o "Sí, eso está bien hecho"», confesaría Nick más tarde. «Jamás tuve nada de eso. Nunca tuve a nadie de quien tomar el relevo.»

El producto de esa mezcla de aislamiento y abandono fue salvaje. Van Exel, de nombre completo Nickey Maxwell Van Exel, y al que todo el mundo llamaba Nickey hasta que llegó a la universidad, era un renacuajo enclenque que nunca cedía ni se echaba atrás. Tanto en la escuela como en casa parecía un niño tranquilo, casi tímido. Pero en la pista de baloncesto era pura rabia. ¿Echaba de menos a su padre? ¿Estaba solo, triste o desolado? Al carajo con todo. «Nick era duro como el acero —asegura Wagner Lester, un antiguo rival de baloncesto en la infancia—. Se mostraba tranquilo, pero no era una tranquilidad apacible. Era más bien del tipo "creo que meterme con este chico no es muy buena idea".»

Para Nick, la vida había sido una patada en los dientes detrás de otra. Un día, su padre apareció por sorpresa y le dijo que le había comprado un billete de avión para que lo visitara en Georgia. El muchacho estaba eufórico. Finalmente, tendría esa relación que tanto ansiaba. Su padre le dijo que fuera al aeropuerto de Milwaukee y se dirigiera al mostrador de Delta Airlines, donde encontraría un billete con su nombre para Atlanta. «Cuando llegué —recuerda Nick—, no tenían nada para mí.»

Gracias a su talento deportivo y las penurias económicas de la familia, Nick recibió una beca para estudiar en la St. Joseph Catholic Academy de Kenosha, una escuela privada en la que prácticamente todos los alumnos eran blancos, vestían impecablemente y conducían un BMW o un Mercedes. «Tenía la sensación de que todos me observaban —dice—. Creía que todos se meterían conmigo.»

Van Exel era un chico comedido, pero afectuoso, que tapaba sus inseguridades con su atrevimiento. Fue uno de los primeros chicos de su escuela en llevar un pendiente de oro, y lo acompañó con una gruesa capa de cadenas de oro colgadas del cuello. Además, también se afeitó dos líneas en diagonal en las cejas. Sobre la pista, era un gigante del baloncesto. Cuando era juvenil, Van Exel lanzó al equipo a la Clase A del campeonato WISAA (Asociación Deportiva Escolar Independiente de Wisconsin); fue el máximo anotador del estado con una media de 29,8 puntos por partido. La gente todavía recuerda el espectacular partido donde anotó cuarenta y dos puntos contra el instituto Marquette High. Sin embargo, como no cumplió con los requisitos académicos mínimos fue ignorado por las dos grandes potencias del baloncesto universitario del estado, Marquette y Wisconsin. Así pues, sin tener un sitio adónde ir, acabó en la Trinity Valley, una escuela de enseñanza superior en mitad de la nada, en Athens, Texas. Se lo aconsejó Jerry Tarkanian, el entrenador corrupto de la Universidad de Nevada, que le aseguró que, de ese modo, lograría jugar con los Runnin' Rebels (el equipo universitario de Las Vegas). Sin embargo, luego se olvidó de él. Athens era un lugar donde nadie en sus cabales querría estar, pero era el sitio donde las futuras promesas con un rendimiento académico nefasto solían ir a parar. Sin ir más lejos, durante su visita, Van Exel fue recibido por Shawn Kemp, el futuro seis veces *All-Star*.

Nick llamó a su madre incontables veces suplicándole que lo dejara volver, que lo sacara de ese lugar al que se refería como «el peor sitio del mundo». Quería que lo rescatara del infierno. «Quería dejarlo y volver a casa —recuerda Joyce—. Yo le decía: "¿Ves cuánto tengo que trabajar? Si vienes a casa, te tocará hacer lo mismo". Yo lo intentaba convencer, hice todo lo posible. Le dije: "Esto no le pasa a todo el mundo. Es tu oportunidad".»

En un par de temporadas, el desgraciado Van Exel obtuvo una media de 19,2 puntos y 6 asistencias por partido. Estos números sirvieron para que las universidades de la División I no se fijaran en sus problemas (se le acusó de haber dejado inconsciente a un compañero de equipo durante una pelea) y recibió las becas de DePaul, Oklahoma, Nebraska, Sur de Alabama, Nuevo México y Cincinnati. Escogió a los Bearcats de Cincinnati, cuyo nuevo programa de baloncesto estaba liderado por Bob Huggins, un entrenador que solía rodearse de renegados y marginados. Van Exel era su tipo de jugador. «Tenías que ganarte su confianza —dice Huggins—. No te la ofrecía gratis. Tenías que ganártela.» Durante los entrenamientos, Huggins solía preguntar a sus jugadores: «Si me quedara un trozo de pastel, solo uno, ¿a quién crees que debería dárselo?».

La respuesta siempre era la misma: al hambriento Van Exel.

En su primer año como Bearcat, Van Exel se graduó en Sociología y obtuvo una media de 12,3 puntos. «Bob Huggins me explicó historias muy tristes sobre Nick —cuenta Tony Dutt, su agente—. Me contaba que volvía a casa el fin de semana desde Cincinnati y la familia no lo dejaba entrar en casa. Entonces volvía al campus.» Una noche, Van Exel estaba en su habitación mirando un programa de televisión sobre niños abandonados, precisamente, uno sobre un hijo reencontrándose con su padre desaparecido. Cuando sonó el teléfono, Nick estaba llorando desconsoladamente con las manos llenas de pañuelos empapados en lágrimas.

—¿Nick? —dijo una voz que no conocía.

—Sí. ¿Quién es?

—Soy tu padre.

—¿Qué?

—Soy tu padre.

Efectivamente, su padre estaba al otro lado del aparato rogando reconciliarse con él. Padre e hijo hablaron a distancia. Nick descubrió que tenía dos hermanas y que su padre se había rehabilitado. Hacia el final de la conversación, Nick invitó a su padre al próximo partido, en el que los Bearcats se enfrentarían a Alabama-Birmingham, al sur del país. Sin embargo, al ver a su padre aparecer en el pabellón, Nick seguía sin estar seguro de sus intenciones. «Tenía la sensación de que había algún motivo oculto —confiesa años después—. Ya sabes, tenía opciones de jugar en la NBA y tener una buena casa o un buen coche. Había algo que no encajaba.»

Esa situación sirvió para alimentar el ímpetu de Van Exel. Huggins era conocido por ser un entrenador intratable que llevaba a sus jugadores hasta la extenuación. Y Nick lo aceptaba. Le gustaba el dolor, la ira, la frustración. Quería que le dieran un puñetazo en la mandíbula para poder contraatacar con el doble de fuerza. En su primer año como Bearcat asumió el puesto de base titular y llevó a la universidad a su primera *Final Four* en veintinueve años. En la siguiente campaña, fue el mejor en anotación (18,3 puntos por partido), asistencias (4,5) y recuperaciones (1,8). También fue elegido en el tercer equipo *All-American* y llevó a los Bearcats a las finales regionales de la División I de la NCAA. «Era el mejor tirador que tuve jamás —decía Huggins—. Si necesitabas a un jugador para hacer el último lanzamiento, uno entre todos los jugadores sobre la faz de la Tierra, ese era Nick Van Exel.»

Los *scouts* de la NBA iban a verle jugar y los informes eran… variables. Aunque oficialmente medía 1,85, en realidad estaba más cerca del 1,80, y su complexión era más huesuda que musculosa. Y aunque no tuviera miedo para hacer el último lanzamiento, ¿sería capaz de robarle el protagonismo a los bases profesionales? Además, tenía mal genio y un carácter inestable, era impredecible e irritable y se comportaba con cierta tendencia al autosabotaje. Al terminar la temporada, Van Exel recibió invitaciones para participar en sesiones de entrenamiento con varias franquicias. En Seattle le pidieron que empezara en la línea de fondo e hiciera un esprint hasta la línea de tiro libre del lado opuesto, seis veces. Con el entrenador de los Sonics, George Karl, observando, Van Exel hizo el primer esprint.

—Nick —le gruñó Karl—, sé que puedes hacerlo mejor.

Van Exel se encogió de hombros, rio y dijo:

—El próximo será para enfriarme.

Él sabía que no faltaban bases en la plantilla de los Sonics, y daba por hecho que el equipo no lo querría.

«Vimos a un jugador individualista», declaró Karl.

Los Sonics no fueron el único equipo decepcionado por la actitud de Van Exel. Faltó dos veces a los entrenamientos con Charlotte. «Empecé a leer en las revistas, en los periódicos, que yo era uno de los mejores bases del país —cuenta Van Exel—. Y me lo creí.»

«Nick es el único cliente que he tenido que se descartó a sí mismo en la primera ronda —asegura Dutt—. Era cuestión de confianza. Él no confiaba en nadie.»

En el *draft* del 30 de junio de 1993, nadie lo eligió en la primera ronda, y unos Lakers sin proyecto lo eligieron en el puesto trigésimo séptimo de la segunda ronda.[8]

A pesar de que, en cierto modo, Van Exel había sellado su propio destino, se tomó los descartes como algo personal. «Te dabas cuenta de que tenía una espina clavada», dice Erik Aldridge, el director adjunto de Relaciones Públicas de los Lakers. «Todo el mundo sabía que pensaba: "Me tenían que haber elegido en primera ronda y ahora voy a demostrarlo". Nick tenía ese aire callejero de chico de barrio. Tenía un corte en la boca que le daba el aspecto de ser peligroso. Era capaz de intimidarte porque nunca sabías por dónde podía salir.» Van Exel se consolidó como base titular de los Lakers en su primer año de *rookie*, logrando una media de 13,6 puntos y 5,8 asistencias. En su segundo año, mejoró sus porcentajes: 16,9 puntos y 8,3 asistencias. Tras la época del *Showtime*, era la única razón para ver los partidos de unos Lakers que no tenían nada más que ofrecer. Jugaba con corazón y sentimiento. Los Lakers se convirtieron en «sus» Lakers. Él era la brújula del equipo.

Sin embargo, ahora todo había cambiado. Shaquille O'Neal era la nueva superestrella y los Lakers eran «su» equipo antes de ni siquiera haber disputado un solo partido. O'Neal aparecía en la portada de la guía para los medios de la temporada 1996-97 junto a las camisetas de Kareem Abdul-Jabbar y Wilt Chamberlain, los dos grandes pívots históricos de Los Ánge-

---

8. Ese año, la junta de los Orlando Magics habló con Shaquille O'Neal durante el *draft*. El equipo tenía el puesto número 26 y le preguntaron a su pívot si le gustaría jugar con Van Exel. «Me importa una mierda», les respondió. Y la organización eligió a Geert Hammink, que solo llegó a jugar cinco partidos con el equipo.

les. Aparecieron vallas publicitarias con su rostro por toda la ciudad. Al unirse a la franquicia se compró un Ferrari de trescientos cincuenta mil dólares y sus paseos en coche por Rodeo Drive eran celebrados con gritos y silbidos.

Van Exel era un jugador de baloncesto. Un jugador de baloncesto excelente, pero solo eso.

O'Neal era una empresa.

Los nuevos Lakers de Shaq abrieron la temporada el 1 de noviembre en el Forum. Se agotaron las entradas, y el pabellón estaba abarrotado con 17 505 espectadores: era el inicio de una nueva era. Los Lakers se enfrentaron a unos mediocres Phoenix Suns y en el primer cuarto ya iban con quince puntos de ventaja. Las estadísticas de O'Neal no fueron abrumadoras (23 puntos y 14 rebotes), pero sí lo fue su presencia. Jamás ningún jugador de ese tamaño había vestido el púrpura y dorado, y, si bien era cierto que su presencia hacía mejores a los Lakers, a la vez, parecían más pequeños.

No habían transcurrido ni tres minutos de juego cuando a Van Exel le pitaron su segunda falta y Del Harris lo sustituyó por Derek Fisher, el *rookie*. El equipo no se resintió. Los Lakers ganaron 96 a 82 y el nombre de Nick van Exel apareció en pocas (o ninguna) de las crónicas de los medios deportivos del país. En cambio, todos hablaban del «debut de Shaq». Dos días después, los Lakers ganaron 91-85 ante Minnesota y, de nuevo, los titulares fueron para O'Neal (35 puntos, 19 rebotes y 3 tapones). La noticia secundaria del día fue el debut en competición oficial de Kobe Bryant, quien, a sus dieciocho años, dos meses y once días superó en precocidad al jugador de Filadelfia Stanley Brown que, en 1947, con dieciocho años y cuatro meses, fue el jugador más joven de la historia en debutar en la NBA. Bryant salió a la cancha cuando quedaban 2 minutos y 58 segundos del primer cuarto, recibió una ovación y amortiguó las suelas a sus Adidas. Nada más entrar se vio acorralado por un grupo de jugadores y cometió pasos. Momentos después, el pívot Cherokee Parks tapono su lanzamiento y la pelota quedó botando sobre la pista. En seis minutos de juego, Bryant anotó cero puntos, logró un rebote, hizo una falta, perdió un balón y recibió un tapón. «Estas cosas pasan», dijo Harris. En lenguaje de entrenador aquello significaba: «Es un niño y todavía no está preparado para este tipo de situaciones».

A pesar de que la campaña acababa de empezar, el equipo ya tenía un patrón de juego: O'Neal era la estrella del equipo; la noticia siempre era él. Luego, había noticias secundarias, como el debut de Bryant, Harris gritando más de lo habitual, Eddie Jones emergiendo con fuerza, Elden Campbell destacando en los rebotes ó Fisher cumpliendo como *rookie* para sorpresa de todos. En este reino, Van Exel también tenía su lugar. Cuando jugaba bien, los medios hablaban de él. Pero su nombre ya no copaba los titulares de la prensa. El 5 de noviembre de 1996, el *New York Times* publicó un artículo titulado «¿Shaq será capaz de conquistar la NBA?», y el *USA Today*, otro bajo el titular «Los aficionados de los Lakers todavía no pierden la cabeza por Shaq», y en el *Newsday* apareció una pieza titulada «Revancha: la llegada de Shaq puede cambiarlo todo». Van Exel no era una persona propensa a expresar su frustración, pero estaba frustrado. Había crecido con la idea de que él era el responsable de dirigir el ataque del equipo. Antes, con Eddie Jones moviéndose a toda velocidad en posición de alero y con un atrevido Van Exel castigando al otro equipo desde cualquier rincón o ángulo, los Lakers eran un equipo enérgico y explosivo. Ahora, en cambio, contaban con un cañón en el poste bajo y la primera directriz era llevar la pelota a la pintura.

«Adoro a Shaq —dijo años más tarde Van Exel—. Pero fue un cambio.»

Durante las primeras tres semanas y media de la temporada, los Lakers fueron irregulares. Bryant jugaba muy poco, Ceballos estaba fuera por una rotura parcial del tendón rotuliano, jugadores mediocres como Travis Knight o Corie Blunt aprovechaban sus minutos, y Harris seguía hablando y hablando. El 12 de noviembre, en las postrimerías de un partido que terminó en victoria después de una doble prórroga en Houston, O'Neal entró en el vestuario, se llevó por delante la puerta del servicio y arrancó un espejo de la pared. Estaba frustrado con el equipo y enfadado por su expulsión. Uno de los trabajadores de los Lakers explicaba que «por el ruido parecía que había destrozado la habitación entera». Cinco días más tarde, en Phoenix, Bryant jugó catorce minutos y anotó 16 puntos (5 de 8 en tiros de campo). Durante un tiempo muerto, O'Neal le recriminó al recién llegado que no soltara nunca la pelota. «No es mi problema —respondió Bryant—. Coge el rebote si fallo, hermano.» A O'Neal le hervía la sangre. El 26 de noviembre, después de la victoria ante el Filadelfia (100-88) que elevó el registro del equipo a 10 victorias y 5 derrotas, Van Exel no pudo contener su ira. Se había pasado todo el último cuarto sentado en el banquillo, a excepción de noventa y tres segundos, viendo cómo Fisher lideraba el ataque. La frustración pudo con él. Cuando Scott Howard-Cooper de *Los Angeles Times* le preguntó si estaba sorprendido por haber jugado solo veintiún minutos, Van Exel estalló:

—Nada me sorprende con el entrenador que tenemos. Nada.

—¿A qué te refieres? —preguntó Howard-Cooper.

—Espera que yo sea el líder sobre la pista, el conductor del juego, y me sienta en el banquillo —respondió Van Exel—. ¿Qué puedo hacer? Él es el entrenador. Nosotros tenemos que respetar sus decisiones.

Los Lakers tenían demasiado talento como para jugar mal. Y no jugaban mal. Simplemente, no impresionaban. Jugaban bien y nada más. El 28 de noviembre, un día después de haber criticado públicamente a Harris, Van Exel organizó una reunión de equipo en la parte trasera del avión que los llevaba de Boston a Detroit. Se juntaron todos al lado del baño, y Van Exel, que tenía solo veinticinco años, pero era el segundo jugador más veterano del equipo, les dijo que tenían que mejorar. La comunicación entre los jugadores brillaba por su ausencia. Las rotaciones de Harris resultaban erráticas. La distribución de los minutos de juego no tenía ningún sentido. Se comentó que Jerome Kersey, un veterano con trece años de NBA a sus espaldas y unas piernas anémicas, podía convertirse en el nuevo escolta titular, lo cual generaba mucha inquietud entre los afectados. «Muchos de los chicos empezaban a sentirse frustrados —cuenta Byron Scott—. Había mucha gente con ganas de expresar su opinión.»

En el deporte profesional, las reuniones que ayudan a mejorar el ambiente siempre funcionan, sin excepciones. En este caso, también funcionó. En palabras de Van Exel, fue como un «catalizador». Al día siguiente, los Lakers derrotaron a Detroit, y ganaron siete de los ocho enfrentamientos posteriores. Aun así, había algo que no acababa de encajar. En una conversación privada con un amigo de su etapa en Orlando, O'Neal admitió que estaba harto de Van Exel y que echaba de menos el compañerismo de Penny Hardaway, el extraordinario base de los Magic. «Ahora entiendo lo que decían todos», dijo de las limitaciones de Van Exel.

El problema era que los jugadores estaban de acuerdo en que Harris no era el entrenador idóneo para ese equipo. Nadie lo odiaba, básicamente porque es imposible odiar a Del Harris. Todos los jugadores pensaban, del primero al último, que era rígido, poco imaginativo y que no transmitía entusiasmo. Las sesiones de entrenamiento no eran más largas que las de las otras franquicias, pero las interminables clases magistrales del entrenador las eternizaban.

Sin embargo, el problema central era que el matrimonio Harris-Van Exel estaba roto. La hostilidad que rodeaba su relación venía de lejos. Después de su último año en Cincinnati, Van Exel participó en un campus en Phoenix, antes del *draft*. Harris estuvo allí como entrenador, y para los partidos eligió a Rex Walters como base titular. A Van Exel le salía humo por las orejas en el banquillo. «Nick tenía muchísimo más talento, pero nunca escuchaba —explica Harris—. Incluso entonces. Le molestó. Sé que nunca lo olvidó.»

Eran dos hombres de mundos totalmente distintos y con una perspectiva muy distinta del baloncesto. «Del lo intentó todo para estar bien con Nick —recuerda Jones—. Pero Nick había sentenciado a Del. Nunca se llevaron bien. Nick jamás le chocó la mano a Del ni mantuvieron ninguna reunión. Lo normal es que un entrenador y el líder de su equipo trabajen juntos, pero ese no era nuestro caso.» Durante un entrenamiento, Harris tuvo la sensación de que su base no se lo estaba tomando en serio, que no se esforzaba en los pases y que hacía movimientos desganados.

—Nick —dijo finalmente Harris—, ¿qué pasa contigo?

Van Exel no pensaba echarse atrás.

—Mira, sé lo que me hago —respondió—. Déjame en paz.

Harris era un pastor graduado en estudios religiosos. Decía tantas palabrotas como veces se pintaba las uñas de los pies.[9]

—¿Qué coño acabas de decir? —gritó el entrenador de los Lakers a su base titular. Entonces, lo empujó por el hombro.

—No vuelvas a ponerme las manos encima, cabrón —respondió Van Exel.

¿Nick Van Exel acababa de llamar cabrón a Del Harris?

—¡Te voy a dar una paliza! —le gritó Harris. —¡Saca tu puto culo del entrenamiento!

Van Exel se dirigió hacia la puerta, la abrió y salió dando un atronador portazo.

Los demás jugadores se quedaron atónitos.

«Quizá Del había estado viendo mucha televisión y tenía ganas de intentar integrarse en la pandilla. Reconozco que fue un buen espectáculo», recuerda O'Neal.

A pesar de los quebraderos de cabeza, los Lakers llegaron al parón del *All-Star* con un balance de 35 victorias y 15 derrotas. Lideraban la División Pacífico por delante de Seattle con el tercer mejor registro nacional. A pesar de ello, muy pocos estaban contentos puertas adentro. Mitch Kupchak, el director general, y el vicepresidente ejecutivo de operaciones Jerry West estaban entusiasmados con el trabajo de Harris. Lo que más admiraban era la gestión de Bryant, cuya impaciencia y soberbia resultaban insufribles.

Por su juventud y sus lamentables habilidades sociales (según Mark Heisler de *Los Angeles Times*, «no sabía cómo relacionarse»), Bryant era incapaz de aguardar su momento, de esperar su turno, de dejar que su juego se impusiera de forma natural. «No estaba preparado —recuerda Eddie Jones—. Sobre todo en defensa. Podía salir y anotar como los mejores, pero para un jugador joven lo más difícil es el jue-

---

9. Del Harris nunca se pintaba las uñas de los pies.

go defensivo. Del no quería que perdiera su confianza y en aquel momento cualquier equipo reservaría a un jugador que no supiera defender. En mi opinión, Del estaba haciendo un buen trabajo con Kobe.»

No solían pasar muchos días sin que Bryant le suplicara a Harris o a alguno de sus asistentes tener más minutos. Estaba jugando unos miserables quince minutos y medio por partido y, desde el banquillo, observaba como jugaban los demás escoltas sabiendo que él tenía más talento. Después de los entrenamientos atosigaba a sus compañeros para que se quedaran un rato más y jugarán contra él. Aquellos partidos eran espectáculos de circo, auténticos desafíos a la gravedad. Pero Bryant seguía sin entender que sus mates en los uno contra uno no tenían nada que ver con lograr buenos resultados en la liga, es decir, en partidos de cinco contra cinco. Cinco años atrás, Miami Heat desperdició su elección en primera ronda del *draft* con un escolta de la USC llamado Harold Miner. Su catálogo de mates lo convirtió momentáneamente en una estrella, pero, cuando llegó a la liga, pensaba que podía elevarse por encima de todos y no desarrolló otras habilidades. Apenas fue un destello en la NBA. Fue titular en cuarenta y siete partidos durante cuatro temporadas. Harris no quería que Bryant acabara del mismo modo. «Kobe creía que él tenía que ser titular, por delante de Eddie o Nick a pesar de ser un *rookie*», cuenta Brad Turner, el periodista especializado de *Riverside Press-Enterprise*. «Estaba muy seguro de sí mismo. Pero Del era una persona firme.»

Bryant suplicaba y Harris lo ignoraba.

Bryant suplicaba aún más y Harris no cedía.

«En una ocasión, siendo *rookie*, le preguntó a Del por qué no podía estar en el poste bajo en lugar de Shaq —dice Heisler—. Kobe no lo comprendía.»

A principios de diciembre, Bryant se quedó sin disputar un minuto en dos encuentros; era una auténtica humillación para el joven jugador. Cada vez que le llegaba el balón, su primer movimiento era siempre el mismo: acercaba la pelota al parqué, fintaba e intentaba penetrar a canasta. Esto le funcionaba de maravilla ante Julian Risco, del equipo del instituto de Devon, o ante Chad Hopenwasser, del instituto de New Hope-Solebury. Pero aquí, en la NBA, no tenía nada de extraordinario. «Recuerdo cuando jugué por primera vez contra Kobe esa temporada. Avanzaba sorteando rivales como un energúmeno —cuenta el alero de los Nets Kendall Gill—. Nick [Van Exel] me miró con los ojos en blanco, como diciendo: "Pues sí, esto es lo que tenemos que aguantar todos los días".» Cuando Bryant gozaba de minutos (muchas veces cuando la victoria estaba asegurada), el espectáculo dejaba mucho que desear. Intentaba superar rivales en situaciones de dos contra uno, pero era incapaz de leer el juego del equipo. Del mismo modo que en la liga de verano, ignoraba reiteradamente a sus compañeros desmarcados y buscaba únicamente su opción de tiro.

«Nunca acabé de caerle bien a Kobe —reconoce Harris—. Creía que le cortaba las alas. Y así era, pero por una buena razón. Quería jugar todos los minutos y nunca quería salir de la pista.» Durante un tramo especialmente complicado de un partido, cuando Bryant empezó a quejarse abiertamente a sus compañeros, Harris sacó al muchacho del partido.

—Escucha —dijo—, tú elegiste no jugar contra niños en la universidad y competir contra hombres. Fue tu decisión. Y me parece perfecto. Pero yo tengo que tratarte como a un hombre. No puedo tratarte como a un niño. Piensa como si fueras un luchador de los pesos pesados. No puedes empatar y esperar que te concedan el cinturón de campeón. Tienes que derribar a tu contrincante. Y ahora mismo no estás preparado.»

La semana del *All-Star*, que tuvo lugar en Cleveland los días 8 y 9 de febrero, supuso una tregua en aquella temporada llena de heridas mal cicatrizadas. Dos Lakers (O'Neal y Eddie Jones, que tenía una media de 17,2 puntos por partido) fueron seleccionados para jugar, pero Bryant, gran amante de los focos, abandonaría el Gund Arena siendo la comidilla del evento.

La noche del sábado, Bryant arrasó en el concurso de mates con un extraordinario despliegue de aptitudes técnicas y atléticas. En su mate ganador hizo un esprint hacia la canasta, levantó el vuelo, se pasó la pelota entre las piernas y remató con un molinillo con la derecha al estilo Dominique Wilkins. Después de aterrizar se dirigió hacia un banco en el que estaban sentados los jugadores que participarían en el partido del *All-Star* al día siguiente, marcó músculos y apretó los labios. Fue un gesto de lo más prepotente y ridículo, pero todo el mundo parecía entusiasmado.

Un par de horas antes, Bryant había participado en el *Rookie Challenge* de la Conferencia Oeste. Era el cuarto año que se celebraba y fue un homenaje a los talentos excepcionales que habían salido del *draft* de 1996. Cuatro de los participantes (Bryant, Allen Iverson de Filadelfia, Ray Allen de Milwaukee y Steve Nash de Phoenix) terminarían en el Salón de la Fama, y los dieciséis jugadores sumarían un total de cincuenta y una participaciones en años siguientes. Para los amantes del pase, la defensa y el juego inteligente, el partido fue un auténtico desastre. Pero para Bryant fue una oportunidad para deslumbrar. Dio rienda suelta a toda la ira y la frustración que había reprimido y acumulado durante seis meses. Con veintiséis minutos, fue el jugador que estuvo más tiempo sobre la pista. Sin embargo, solo tenía un único objetivo en la cabeza: lucirse. Realizó 8 de 17 en tiros de campo, y anotó 13 de 16 en tiros libres. Con 31 puntos, fue el máximo anotador del partido, pero su actuación encarnaba todo lo que Harris detestaba de la naturaleza del *rookie*. A pesar de compartir minutos con el fantástico alero de Vancouver, Shareef Abdur-Rahim, Bryant parecía disfrutar ignorando los reiterados movimientos del Grizzly en el poste bajo, y apostaba por ejecutar disparatados lanzamientos de tres puntos. Sus compañeros de equipo estuvieron de acuerdo en que su comportamiento había sido deplorable. En la retransmisión del partido por la cadena TNT, un exasperado Hubie Brown terminó harto de tanto egoísmo y sentenció que «Kobe Bryant está demostrando muchísima energía, pero creo que debería intentar jugar con los otros cuatro tipos que hay sobre la pista». Bob Neal, su compañero de retransmisión, se lo tomó a broma, pero el veterano entrenador lo decía muy en serio.

Más tarde, Brown añadió que «si no sabes pasar el balón, no te irán bien las cosas a este nivel».

ϒ

La noche del 5 de enero de 1997, en el último cuarto de un partido que su equipo acabó perdiendo 109 a 102 ante Boston, el ala-pívot de los Phoenix Suns Robert Horry arrojó una toalla a la cara a su entrenador.

En la actualidad, este comportamiento tan hostil puede parecer una simple anécdota, pero, dos décadas antes, es decir, en una época donde reinaban la paz, el amor y la armonía, los deportistas profesionales no actuaban de forma tan agresiva. Esto sucedía un año antes de que Latrell Sprewell de los Golden State Warriors estrangulara a su entrenador P. J. Carlesimo y casi siete años antes de que Ron Artest, de Indiana, subiera a las gradas del palacio de Auburn Hills para agredir a unos molestos aficionados de los Detroit Pistons.

Por eso, lanzarle un pedazo de tela rectangular a Danny Ainge era algo que tener en cuenta, sin duda.

No obstante, Horry sentía que tenía sus motivos. Después de haber sido dos veces campeón de la NBA con los Houston Rockets, lo habían traspasado a Phoenix hacia cinco meses, y no estaba en absoluto satisfecho con el cambio. No le gustaba la ciudad, no le gustaba jugar para Ainge, y desde luego no le gustaba haber cambiado una de las mejores franquicias de la liga por un equipo que había empezado la temporada con un balance de 0-13. Horry era conocido por ser un buen anotador cuando el partido estaba caliente, pero ¿de qué sirve esta habilidad si tu equipo nunca está cerca de ganar?

Quedaban 7 minutos y 12 segundos del último cuarto y Boston estaba por delante, 89 a 84. Ainge sustituyó a Horry (que acababa de hacer un lanzamiento de tres puntos horrible, no había rozado el aro) por Rex Chapman. Mientras se dirigía hacia el banquillo, empezó a gritarle a su entrenador una impresionante sarta de groserías. Un grupo de compañeros intentó tranquilizarlo, pero Horry no cesó en su empeño. Ainge, el antiguo escolta de los Celtic conocido por su fuerte carácter, no se mordió la lengua. En palabras del columnista del *Arizona Republic* E. J. Montini, Horry respondió a su entrenador con «un festival de palabrotas». Luego, sin pensarlo dos veces, agarró la toalla que le colgaba del cuello, la lanzó contra el rostro de Ainge y dio media vuelta. «Llevo quince años en la NBA. He visto situaciones mucho peores protagonizadas por jugadores mucho mejores y más reputados que él», aseguró Ainge después del incidente.

El *Arizona Republic* de la mañana siguiente abría la portada con el titular: «Horry se enfrenta a Ainge». Era un poco dramático, pero técnicamente era lo que había sucedido.

Tan pronto como terminó el partido, Horry entró en el vestuario de los Suns y fue increpado por Joe Kleine, un veterano pívot que, durante sus años en Boston, había recibido lecciones de liderazgo de manos de Larry Bird y Kevin McHale. «Voy a ser sincero. No me gustaba la presencia de Rob en Phoenix —cuenta Kleine—. No creo que sea un mal tipo, pero él no quería estar ahí y ponía las cosas difíciles.» Mientras los otros jugadores de los Suns se mantenían al margen, Kleine recriminó a Horry que sus «tonterías de parvulario» no tenían lugar en la NBA. Con sus 2,11 de altura y sus 116 kilos, Kleine no era alguien a quien quisieras tomarle el pelo. Esperando un manotazo, Kleine se quedó mirando fijamente a Horry.

«Pero, en lugar de eso —explica Kleine—, se disculpó.»

De hecho, Horry se disculpó con Kleine, con sus compañeros y con su entrenador. «Me he disculpado con los entrenadores, con todo el cuerpo técnico, con todo el mundo», declaró a los medios. Pero luego, antes de ser sancionado con dos partidos, mintió a los periodistas y aseguró que el entrenador de los Suns también había asumido su parte de responsabilidad en el altercado. «No es cierto —dijo Ainge en su defensa—. Entiendo que Robert esté frustrado. Pero nunca dije nada parecido ni creo tener ninguna responsabilidad en su salida de tono».

Y ahí acabó la trayectoria de Horry en Phoenix. Jerry Colangelo, el director general del equipo, llamó a las otras veintiocho franquicias para intercambiar a su insatisfecho jugador de veintiséis años por uno o dos jugadores de peso. Nadie respondió a la llamada. Incluso cuando no causaba problemas, a Horry no se le consideraba más que una buena pieza del tablero. Pero ¿quién querría fichar a alguien con este tipo de actitud? ¿Quién querría a un tipo incapaz de controlar su ira? Cuatro años atrás, Horry se había ganado el desprecio de todos cuando, durante una trifulca, tiró al suelo de un empujón a Bob

Kloppenburg, un asistente de entrenador de sesenta y seis años de los Seattle. Luego se burló de él llamándole «viejo senil».

Pero es aquí donde aparece Jerry West.

Lejos de rechazar los desafíos, el vicepresidente ejecutivo de operaciones de los Lakers consideró que podía sacar partido de tal situación. Los Phoenix no querían a Horry y los Lakers deseaban deshacerse de Ceballos, que llevaba una media de apenas 10,8 puntos por partido, y cuya reputación en el equipo no se había recuperado desde que, un año antes, había dejado tirados a sus compañeros para hacer esquí acuático. West necesitaba buenos modelos de conducta para los tres *rookies* del equipo (Bryant, Fisher y el pívot Travis Knight) y Ceballos era exactamente todo lo contrario. Además, con la presencia de O'Neal, los Lakers ya no necesitaban aguantar las estupideces egocéntricas de Ceballos, como, por ejemplo, su costumbre de mirar al infinito durante los discursos de Harris o sentarse en el banquillo a cierta distancia de sus compañeros. Una anécdota que describe perfectamente al personaje fue cuando Ceballos le pidió al *speaker* del Forum, Lawrence Tanter, que lo presentara siempre en último lugar. «Participar en el *All-Star* de 1995 cambió su carácter —asegura Erikk Aldridge, el director adjunto de Relaciones Públicas—. Para Ceb, todo empezaba y terminaba en él.»

El 10 de enero, los Lakers y Phoenix intercambiaron cromos: Ceballos y Rumeal se fueron a Phoenix, y Horry y Kleine (el único Sun que se atrevió a criticar públicamente la actitud de su compañero), a Los Ángeles. «Había ido a buscar a mis hijos al colegio cuando me llamó Danny Ainge —cuenta Kleine—. Yo estaba contento en Phoenix. No quería ir a Los Ángeles. Simplemente me metieron en el saco. Era consciente de ello. Robert tenía que empezar de cero, pero yo no.»

En el vestuario de los Lakers, la noticia fue acogida con una euforia moderada. Ceballos era un niñato insoportable que no defendía y que desaparecía de vez en cuando.

Horry, por otro lado, era un buen lanzador exterior de 2,06 (su porcentaje de aciertos en lanzamientos de tres a lo largo de toda su carrera fue del 34 %) y un buen defensor en el poste bajo, dos atributos que los Lakers necesitaban.

Fue un intercambio que no llamaba especialmente la atención.

Pero fue un intercambio que lo cambió todo.

De repente, Horry pasó de ser un indeseable lanzador de toallas sin futuro en un equipo con una marca de 11-24 a una pieza codiciada en un club de primera línea que llevaba diecisiete partidos con un promedio por encima del cincuenta por ciento. En los Rockets, durante sus primeras cuatro temporadas en la NBA, Horry había aprendido a jugar al lado de Hakeem Olajuwon, el pívot nigeriano de 2,13 y 116 kilos. Él sabía que su trabajo era dar de comer al gigante, y que en un partido donde Olajuwon anotara treinta puntos y él, doce, la victoria siempre era para Houston. Ahora, en los Lakers, no tendría problemas para reconocer a O'Neal como centro del universo del baloncesto.

Horry debutó con los Lakers el 14 de enero, anotando 11 puntos en los 26 minutos que jugó como suplente en un partido que ganaron 91-81 ante unos tristísimos Grizzlies. Durante los tres meses siguientes, fue el complemento perfecto para una franquicia que iba en la buena dirección. Consiguió una media de 9,2 puntos y 5,4 rebotes en sus primeros veintiún partidos. Y si alguien esperaba encontrarse un bocazas sediento de lanzar toallas, estaba equivocado. Al mismo tiempo que Ceballos estaba en Phoenix sacando de quicio un vestuario que ya estaba suficientemente nervioso, Horry ponía tapones, defendía a la perfección y ofrecía discretamente algunos sabios consejos a Bryant, Knight y Fisher. De hecho, aquellos que consideraban que Horry era una persona difícil, no se dieron cuenta de que, detrás de los focos, el jugador estaba viviendo una pesadilla.

El 2 de abril de 1994, su mujer, Keva, dio a luz a Ashlyn, la primera hija de la pareja. Ashlyn llegó al mundo con el síndrome de deleción 1p36, una anomalía cromosómica provocada por la falta de una parte del cromosoma 1. Ashlyn nació sin una epiglotis bien formada y, en consecuencia, tenía dificultades para respirar y comer. Se pasó meses ingresada en el Hospital Infantil de Texas; muchas veces, Horry nada más acabar los entrenamientos, iba directo al hospital para estar a su lado.

Después de ganar su primer título de la NBA, mientras el resto del equipo se fue de fiesta, Horry regresó a unidad de cuidados intensivos neonatales donde Ashlyn, de tres meses, estaba conectada al oxígeno.

«Cada vez que surgían problemas, ahí estábamos —cuenta Horry—. Algunos días, lo único que te apetece es dejarlo todo y llorar. Pero otros días piensas: "Bueno, Dios ha hecho esto con algún propósito". Por eso intentas lidiar con ello.»

El cambio de Houston a Phoenix fue duro, tanto por el hecho de pasar de un castillo dorado de la NBA a una letrina portátil como por tener que alejarse casi dos mil kilómetros de su mujer y su hija. La idea de que Horry era simplemente un imbécil malcriado con un ego desmedido resultaba dolorosa. Pero ¿qué podía decir en su defensa? ¿Que echaba de menos a su hija? ¿Que no quería estar ahí? ¿Que no era tan sencillo cambiar de hospital? ¿Que no era un simple traslado?

A diferencia de los Suns, en Los Ángeles enseguida se sintió como en casa. Horry fue acogido por Harris, cuya fe y cuyos valores cristianos podían entender a Horry no como deportista, sino como ser humano. A Ainge, desde el primer día que lo entrenó, le parecía un jugador irascible y distante, pero nunca se preguntó por qué. Harris conocía la verdad; sabía que Horry lo estaba pasando mal.

«Era una grandísima persona —dice Harris—. Uno nunca sabe con qué se encontrará cuando añades a una persona nueva a un grupo formado, pero Robert era profesional, atento..., el tipo de hombre que cualquier equipo necesita. El día en que se convirtió en Laker, la franquicia dio un gran paso hacia el título. Tal era su importancia.»

Tras cinco partidos, Harris incluyó a su nuevo jugador en el equipo titular y la transición fue inesperadamente fácil. Con la llegada de Horry, a mitad de febrero, los Lakers tuvieron una marca de 10 victorias y 4 derrotas. Seguían por delante de Seattle en la División Pacífico.

Sin embargo, entonces, llegó el desastre. Primero vino la lesión de O'Neal, que sufrió una hiperextensión de su rodilla izquierda durante un partido que ganaron 100 a 84 contra los Timberwolves. En aquel momento, Shaq llevaba una media de

26,1 puntos por partido. No había pasado ni una semana cuando Horry se desgarró el ligamento colateral medio de su rodilla izquierda en un partido que perdieron contra Seattle; los mejores pronósticos hablaban de seis semanas de baja. Los Lakers intentaron reforzar su plantilla ofreciendo el pívot Sean Rooks y su puesto de elección en primera ronda del *draft* a Golden State Warriors a cambio de Chris Mullin, el alero *All-Star*, pero el acuerdo no prosperó. Lo máximo que consiguieron fue enviar a un insatisfecho Kleine a Nueva Jersey para poder fichar al alero George McCloud, un veterano en su séptimo año de NBA que no podía creer lo que pasaba el primer día de entrenamiento con los Lakers. «Hasta entonces siempre me habían grabado en los entrenamientos y siempre me ponía las rodilleras —cuenta McCloud—. Entonces, me pongo las rodilleras y Eddie Jones me dice que no, que ellos no entrenan así.» McCloud no lo entendía.

—¿Qué quieres decir? —preguntó McCloud a Jones.

—Nosotros apretamos en los partidos. Los entrenamientos son tranquilos —respondió Jones.

¿Cómo?

«Era un grupo peculiar —recuerda McCloud—. Nick Van Exel era una fiera fuera de control. Shaq era divertido a morir, pero estaba lesionado. Robert también. Eddie tenía talento, pero le faltaba experiencia. Del era un buen tipo pero, quizá, demasiado bueno, demasiado tranquilo. Con un grupo así, uno tiene que ser más duro y exigir responsabilidades. Él era incapaz.»

Para McCloud, el Laker más impenetrable era Bryant, el único miembro del equipo que solía quedarse después del entrenamiento para hacer trabajo extra. «Yo le llamaba el Niño del KO —cuenta McCloud—. Siempre quería destrozarte.» Cuando el equipo perdió a Horry, un resignado Harris decidió meter al chaval de dieciocho años en el equipo titular como escolta (Eddie Jones pasó a ser alero, y Knight, el nuevo pívot). Solo le quedaba cruzar los dedos y observar qué ocurría con la juventud en la pista exhibiendo todo su esplendor. Bryant debutó en el quinteto inicial en un partido en casa el 19 de febrero contra Cleveland. En 23 minutos anotó 10 puntos y estuvo perdido la mayor parte del tiempo. Perdieron 103 a 84.

El periódico de Newark *Star-Ledger* remató el desastre con el titular «Sobrevivir es el nuevo objetivo de los Lakers».

La titularidad de Bryant no fue más allá de ese partido. Terminó siendo el séptimo anotador de los Lakers con 7,6 puntos por partido, y fue reemplazado por el veterano Jerome Kersey. Los Lakers lucharon con uñas y dientes para sobrevivir durante ese movidito tramo final de temporada. Cuando O'Neal regresó el 11 de abril (24 puntos y 11 rebotes en 24 minutos), los Lakers tenían un registro de 52 victorias y 25 derrotas, pero estaban por detrás de Utah en la Conferencia Oeste en el camino hacia los *playoffs*. En la División Pacífico, los Sonics, que siempre habían estado por detrás antes de las lesiones de O'Neal y Horry, habían recuperado el liderato. Si por primera vez en nueve años los Lakers se colaban en los *playoffs* para luchar por el título, sería como cuarto equipo clasificado.

«Yo creía que teníamos opciones —decía el ala-pívot Corie Blount—. Quizá no muchas, pero alguna sí. Solo necesitábamos que todo saliera bien. Teníamos que ser inteligentes.»

Pero ¿qué hacía Kobe ahí?

Esa era la pregunta. ¿Qué hacía Kobe Bryant sobre una pista de baloncesto en Salt Lake City, con la pelota en la mano, jugándose la temporada?

¿Qué hacía Kobe ahí?

Hasta ese momento, los *playoffs* les habían ido fantásticamente bien. Incluso los aficionados más pesimistas empezaban a contemplar la posibilidad de llegar lejos. En la primera ronda, los Lakers se enfrentaron a Portland, un equipo clasificado en quinto lugar y que durante la temporada regular había ganado tres de los cuatro partidos que habían disputado entre ellos. Además, sus jugadores habían manifestado abiertamente su deseo de enfrentarse a O'Neal y compañía.

Así pues, cuando los Lakers se llevaron la eliminatoria por 3-1 prácticamente sin despeinarse, Harris, que solía ser una persona contenida, no pudo evitar dirigirse a los espectadores del Rose Garden Arena de Portland gritando: «¡Adiós, amigos! ¡Un placer!».

A continuación, los Lakers se enfrentaron al primer clasificado, Utah Jazz, que tenía un balance en la temporada regular de 64-18, muy cerca de Chicago que, con 69-13, tenía el mejor registro de la liga. En la temporada anterior, los Jazz llegaron a las finales de la Conferencia Oeste y cayeron ante Seattle en un último y devastador séptimo partido. Ahora, se esperaba de ese mismo equipo, liderado por del ala-pívot Karl Malone y el base John Stockton, y con el banquillo más equilibrado de la liga, que arrollara a los Lakers y optara a su primer título NBA, a pesar de que O'Neal y Horry se habían recuperado.

La eliminatoria al mejor de siete empezó como se esperaba, con Utah ganando sin pestañear el primer partido en casa por 97-77. También ganaron el segundo partido, aunque por un margen mucho más estrecho, 103-101, y después de una personal no pitada de Malone a Van Exel. «Todos éramos conscientes de que éramos los favoritos —decía Adam Keefe, el ala-pívot reserva de los Jazz—. Si nos metíamos en el partido y hacíamos nuestro trabajo, lo lógico era esperar una victoria.» Jerry Sloan, el entrenador de los Jazz, planteó una defensa sencilla, pero muy eficaz: hacerle la vida imposible a O'Neal y permitir los lanzamientos exteriores. El pívot de los Jazz Greg Ostertag era un armario de 2,18 y 127 kilos sin talento, pero sabía que no tenía problemas para usar codos, rodillas o lo que hiciera falta para frenar a Shaq. Cuando él no estaba en la pista, su suplente Greg Foster jugaba con la misma dureza. «Teníamos que movernos por la pista y desgastar a Shaq —cuenta Foster—. Nuestro objetivo era movernos con rapidez por la pista y, en defensa, interceptar todas las pelotas que le llegaban. Se trataba de agotarlo hasta que le costara respirar.»

En ataque, el plan de Sloan era todavía más simple. Con Stockton y Malone, Utah poseía el mejor tándem de *pick and roll* de la historia de la NBA. En cambio, con O'Neal, los Lakers tenían uno de las peores defensas de *pick and roll* de la historia de la NBA. De modo que los Jazz hicieron *pick and roll* tras *pick and roll* hasta que agotaron su propio nombre. «Para defender un *pick and roll* tienes que bloquear o seguir tu marca —cuenta Jones—. Shaq era muy grande y salía de una lesión.

No podía reaccionar tan rápido y los Jazz se aprovecharon de ello. Podríamos haber planteado mejor el partido. Teníamos que haberlo hecho.»

Los Lakers regresaron al Forum para disputar el tercer partido y arrollaron a los Jazz (104-84) frente a sus 17 505 espectadores. Fue una auténtica demostración de talento y juego rápido. Kevin Modesti, de *Los Angeles Daily News*, escribió: «Si uno quiere ver espectáculo, no debe perderse a Shaquille O'Neal, Nick Van Exel, Eddie Jones y Kobe Bryant. Son los Lakers de las penetraciones directas, los mates explosivos y los triples imposibles». En realidad, Harris concedió muchos minutos a Bryant porque creía que su caótica forma de jugar podía confundir el sólido sistema de rotaciones de Utah. Con 19 puntos, 3 de 7 en tiros de campo (anotó 13 de 14 en tiros libres), Bryant fue el líder del equipo. «Tenían mucha energía —recuerda Stockton—. Lo tenían todo. No pudimos con ellos.»

A lo largo de la temporada, Kupchak y West habían presionado a Harris para que diera más minutos a Kobe. En general, estaban encantados con su modo de gestionar al *rookie*, pero también eran conscientes de que un jugador de dieciocho años en el banquillo se impacientaría y podía llegar a deprimirse. «Sin duda, había cierta presión para que ganara más experiencia —contaría más adelante Harris—. Y yo lo entendía. No creo que fuera fácil para Kobe Bryant ser *rookie*, estar en cierto modo aislado y ser mucho más joven que los demás miembros del equipo.» Contra un equipo tan metódico como los Jazz, Bryant era como el conejito de Duracell acelerado. Era mucho más rápido y dinámico.

Los Lakers perdieron el cuarto partido en casa por 110 a 95. Fue un tropiezo desalentador. Para los aficionados de la NBA, era una prueba de que esos Lakers todavía no tenían sangre de campeón. Nada más empezar, cuando apenas habían transcurrido dos minutos del primer cuarto, Harris sustituyó a Van Exel. El base le dio una patada a una silla y empezó a discutir en la banda con su entrenador haciendo aspavientos. Más tarde, Harris explicaría a los medios que había sustituido a Bryant por Van Exel para darle un mensaje a Campbell. Era un argumento ridículo que hizo que Van Exel les preguntara a los periodistas: «¿Vosotros lo creéis? Yo estaba en la pista, oí la bocina y salí. Él es el entrenador. Él es quien toma las buenas decisiones.»

Al cabo de dos días, los Lakers y los Jazz regresaron al Delta Center de Salt Lake City para disputar el quinto partido. Para alcanzar las finales de la Conferencia Oeste, los Lakers no podían perder ninguno de los tres partidos restantes («Es un reto —decía O'Neal—, y me encantan los retos»). Tenían menos probabilidades de éxito que una misión tripulada a los confines del sistema solar. Sencillamente, los Jazz eran superiores, tenían más experiencia, estaban más cohesionados y parecían tener respuestas para todo. Harris lo intentó.

El partido empezó a las siete y media de la tarde. Los Utah lideraron la primera parte con un 53-45, y era lógico suponer que los Lakers se irían desvaneciendo paulatinamente. Pero no fue así. Van Exel, base titular a pesar del drama del partido anterior, jugó a un ritmo frenético. Salió al encuentro de Stockton y logró 26 puntos y 4 asistencias. O'Neal, frustrado por la superioridad física de Ostertag, sumó otros 23 puntos y 13 rebotes. Sin poder contar con Byron Scott por un esguince en la muñeca, Harris recurrió a Bryant para ser el primer suplente del banquillo, con la esperanza de que el *rookie* supiera gestionar la grandeza del momento.

El resultado no fue determinante. Tras una racha de diez puntos en el último cuarto, los Lakers resucitaron e igualaron el marcador cuando quedaban 8 minutos y 1 segundo para finalizar el partido. Sin embargo, a falta de 1 minuto y 46 segundos, O'Neal fue expulsado por acumulación de faltas cuando intentó taponar un lanzamiento de Malone en la pintura. Sin poder contar con Horry, que había sido expulsado mucho antes por una falta con el brazo sobre Jeff Hornacek, Harris tenía que elaborar en poco tiempo una nueva estrategia ofensiva. Tenía varias opciones. Van Exel, rápido como un rayo y letal desde la línea de tres puntos; Eddie Jones, que no estaba jugando especialmente bien, pero tenía uno de los mejores cambios de ritmo de la liga; o Jerome Kersey, a quien le pesaba la edad, pero que había logrado una media de 24,8 puntos por partido en su etapa dorada en Portland. «Teníamos muchísimo talento

—recuerda Jones—. Aún no éramos el mejor equipo, pero no nos faltaban jugadores que supieran meter el balón en el aro.»

Precisamente, por ese motivo, resultó tan desconcertante lo que sucedió a continuación.

Con cuarenta segundos por delante, Stockton estaba marcado por Bryant cerca de la línea de triple. Hacía solo un año que aquel joven, ahora responsable de defender al mejor base de la NBA, asistía a su fiesta de graduación del instituto. ¡Y ni siquiera era el mejor defensor del Lower Merion! Stockton se relamía los labios, dio un pequeño paso, desbordó al *rookie* por la izquierda e hizo una bandeja que igualó el marcador: 89-89. No fue una mala defensa. Simplemente, es que no hubo defensa.

Si Bryant no estaba preparado para ese escenario, su entrenador no era capaz de verlo. Unos meses antes, Harris se había reunido con el *rookie* para preguntarle cómo le iban las cosas. Él se refería a su adaptación a Los Ángeles, al hecho de compartir vida con compañeros mayores que él, a los desplazamientos, etc. Pero a Bryant no le iban ese tipo de conversaciones. Los diálogos cotidianos no eran lo suyo. Sin pensárselo le respondió: «Entrenador, si puedes sacar a Shaq de la zona y darme la pelota a mí, puedo superar a cualquier jugador de la liga en un uno contra uno.» La respuesta estaba fuera de lugar, pero mostraba su extraña confianza en sí mismo.

Los Lakers recuperaron la posesión a 11,3 segundos del final con el marcador igualado. En el tiempo muerto, Harris echó un vistazo a los jugadores disponibles y decidió que el hombre que tendría la responsabilidad de la última posesión sería el poco contrastado, poco merecedor y poco fiable Kobe Bryant. Kobe recibió el pase de banda de Campbell y avanzó con la pelota por la pista, metódicamente. La botó tres veces con su mano derecha y dos con su mano izquierda. Derecha, derecha, derecha. El cronómetro seguía corriendo. Cuando quedaban seis segundos y medio, Bryant cruzaba la línea del medio del campo. Byron Russel, el alero de Utah, se plantó delante de él flexionando las rodillas para anticipar cualquier movimiento. Van Exel, a la izquierda de Bryant, dio dos palmadas. Sin mucho entusiasmo, con indiferencia.

Quedaban 4,2 segundos y Bryant se fue a la derecha conduciendo la pelota hacia la zona, donde le esperaban Russell y un arrollador Hornacek. Van Exel estaba en la línea de tres puntos totalmente solo. Campbell estaba en la línea de fondo totalmente solo. Jones estaba en la línea de tres puntos cerca del banquillo de los Lakers totalmente solo. De hecho, cuando el equipo había planeado la jugada, Harris le había dicho a Bryant que pasara la pelota a Jones. «Esa jugada era para mí —recuerda Jones años después—. Corre el rumor de que nadie quería la pelota, pero no es verdad. Yo estaba preparado para lanzar, quería lanzar. Pero Kobe tenía su propio plan.» Bryant entró en la zona, se detuvo a más de cuatro metros de la canasta e hizo un tiro en suspensión por encima de Russell. La pelota voló, voló y voló… y cayó lejos del aro. *Air ball*.

Malone cogió el rebote y el tiempo se agotó. Habría prórroga.

«Fue un momento muy extraño —comenta Stephen Howard, alero de los Jazz—. Tienes a un chaval salido directamente del instituto y lo apuestas todo a su capacidad para superar a Byron, nuestro mejor defensor. ¿Esa era la jugada?»

La prórroga empezó bien. Sin O'Neal, Campbell se llevó el salto inicial e hizo llegar la pelota a manos de Bryant, quien después de una breve indecisión se la pasó a Van Exel. El base hizo una finta de tiro y superó a Stockton. No se dio cuenta de que Jones estaba solo, se dispuso a lanzar, pero oyó a Bryant, que también estaba solo, pidiendo la pelota detrás de la línea de triple. Van Exel le pasó el balón, Bryant flexionó las rodillas, bajó los hombros y, sin ningún jugador de Utah a menos de un metro, lanzó. La pelota volvió a volar, volar y volar… y cayó lejos del aro.

Air ball. Otra vez.

«¡Culpa mía! ¡Culpa mía!», dijo Bryant en voz alta mientras todo el pabellón se regocijaba cantando: «*Air ball… Air ball*».

Harris, que se paseaba por la banda arriba y abajo dando palmadas, en su mundo, pareció fuera de sí. Igual que los demás Lakers. Una vez más, Jones creía que recibiría la pelota. «Se suponía que yo tenía que recibir el balón —recuerda—. Me hubiese encantado tenerlo para acertar o fallar, pero… Kobe.» Aquello no tenía ningún sentido, incluso para el último hombre del banquillo, el *rookie* Travis Knight, que había jugado algunos grandes partidos en la Universidad de Connecticut. ¿Por qué razón, en un ambiente tan caliente, era Kobe Bryant quien tenía la responsabilidad de lanzar?

«¿Por qué coño tiras?», le preguntó el ala-pívot Corie Blount. «Para mí esa era la cuestión. Tenían que ser Eddie o Nick, no Kobe. Nadie esperaba que Kobe hiciera ese lanzamiento. En un partido se pasa la pelota, se vuelve a pasar y esperas que te la devuelvan. Pero el tío la lanza y pensé: "Mierda, *air ball*". Sabíamos que era difícil controlar su necesidad de hacer las cosas a su manera en el partido, pero joder…, qué cojones.»

«Kobe tenía mucho talento —cuenta Knight—. Pero en ese momento no era muy bueno con los tiros en suspensión. Claramente, no era la persona indicada para asumir aquellos lanzamientos.»

Durante los siguientes tres minutos y nueve segundos, los Jazz consiguieron ponerse por delante 96-93. El reloj marcaba que faltaban cuarenta y cinco segundos cuando Van Exel le volvió a pasar la pelota a Bryant, a medio metro de la línea de tres. «Nosotros estábamos en el banquillo pensando: "Dásela otra vez a Kobe, por favor, dásela otra vez"», recuerda Howard. Si hubiese mirado a su derecha por un solo segundo, Bryant hubiera visto a Van Exel otra vez totalmente solo. En cambio, decidió saltar, extender su brazo derecho y lanzar una pelota que volvió a volar, volar y volar…

Y cayó lejos del aro.

Air ball. De nuevo.

Sean Rooks, el pívot suplente, estaba debajo de la canasta y se giró para dedicarle a Bryant una mirada asesina. Bryant retrocedía para defender, se lamía los labios y miraba al frente. «Cuando uno tira y no toca ni el aro lo único que quiere es esconderse —dice Howard—. Pero él seguía lanzando.»

Esta vez Bryant habría tenido suficiente.

Esta vez habría aprendido la lección.

Los Lakers recuperaron la pelota y tenían una última oportunidad. Iban por detrás en el marcador, 96-93. Quedaban quince segundos. Van Exel avanzó con la pelota hasta que se topó con Stockton y Russell. Botó hacia su izquierda antes de hacerle un pase picado a Bryant. Cuando le preguntaron por qué le seguía pasando la pelota a Kobe, Van Exel dijo: «Es mi compañero de equipo, estaba ahí y estaba solo. ¿Qué podía hacer?» Jones estaba solo en la esquina, esperando un pase que nunca llegó. Con siete segundos por delante y Hornacek acercándose, Bryant decidió lanzar. Una vez más, la pelota voló, voló y voló… y cayó lejos del aro. Balón al aire.

En el banquillo de Utah, Howard estaba estupefacto mientras Foster y Chris Morris chocaban sus manos. Los Jazz se clasificaban y los Lakers se iban a casa.

Y Kobe Bryant… ¿adónde iría?

Cuando los Lakers abandonaban la pista, Bryant notó un brazo enorme sobre los hombros. Era O'Neal, que más tarde diría que la versión de Jones de que quería el último lanzamiento era una farsa. «Se bloqueaba en las situaciones extremas y luego actuaba como si no hubiera pasado nada», escribió una vez. O'Neal había sido la pieza central del equipo de Orlando que fue arrasado por Houston en las Finales de la NBA de 1995, de modo que sabía lo que significaba una humillación pública en el deporte. «Mira a todos los que se burlan de ti —le dijo a Bryant—. Algún día los vamos a vencer. No te preocupes. Algún día todos gritarán tu nombre. Asume lo que ha pasado y aprende de ello.» Aquellas palabras, dichas para aliviar la situación, eran susurros tranquilizadores de un jugador clave del equipo que intentaba actuar como líder. Sin embargo, para el muchacho no tenían mucha relevancia. Bryant no necesitaba consuelo.

Aquella noche, los Lakers regresaron a Los Ángeles para enfrentarse a un largo periodo de reflexión antes de empezar la siguiente temporada.

A la mañana siguiente, Kobe Bryant estaba en el gimnasio.

Practicando tiros en suspensión desde cuatro metros.

6

La llegada de Fox

*T*eniendo en cuenta que los Lakers contaban con uno de los mejores pívots del mundo, un escolta adolescente con muchísimo potencial, un quinteto inicial sin ningún jugador por encima de los veintiocho años y una victoria en la primera ronda de los *playoffs*, la situación del equipo no era muy prometedora tras el desastre del *air ball game* en Utah.

Para empezar, los Lakers habían renunciado a su puesto de elección en la primera ronda del *draft* en favor de New Jersey para cerrar el acuerdo por George McCloud. Esto dejaba a la franquicia con dos elecciones de segunda ronda que servirían para hacerse con Paul Rogers, el pívot de la Universidad Gonzaga, y DeJuan Wheat, el escolta de la Universidad de Louisville. Juntos sumarían un total de cero partidos durante toda la temporada.

En segundo lugar, no estaba claro que la relación entre Nick Van Exel y Del Harris pudiera prolongarse. El base opinaba que su entrenador estaba anticuado, que sus interminables charlas no servían para nada y que tenía dificultades para adaptarse al nuevo estilo de juego. El tiempo que invertía Harris para explicar un ataque, permitía a Van Exel hacer tres videoconferencias, ver la tercera temporada entera de *Sensación de vivir* y comerse media tarta de nueces. En una ocasión, Harris se quedó afónico y proyectó un vídeo de media hora donde él mismo hablaba sobre la defensa. «Las charlas sacaban de quicio a Nick», cuenta Corie Blount. Harris, por su parte, buscaba desesperadamente su aprobación. «Yo quería que me apreciara de verdad —confesó años después—. Pero creo que nunca lo conseguí.» Tenía toda la razón. Van Exel no podía tragar a ese hombre.

En tercer lugar, estaba la salida de Byron Scott. El veterano escolta había aceptado un contrato de dos años con el Panathinaikos para jugar en Grecia. Aunque había registrado una media de solo 6,7 puntos por partido en la temporada 1996-97, Scott había sido el mentor ideal para los jóvenes del equipo. Jerome Kersey, el otro gurú del banquillo, también se marcharía después de fichar como agente libre para Seattle.

En cuarto lugar, estaba Bryant.

En la historia del baloncesto profesional sería muy complicado encontrar a un solo jugador que hubiese lanzado cuatro *air ball* en un partido decisivo de *playoff*. En 1976, el equipo de baloncesto preuniversitario del instituto Rancho Cotate (California) fue machacado por un periódico local por haber lanzado un total de cuatro *air ball* en la segunda mitad de un partido que perdieron contra Casa Grande. El 3 de diciembre de 1982, los New York Knicks lanzaron cuatro *air ball* en un partido que perdieron 105 a 98 contra Washington. Bernard King lanzó dos, Truck Robinson uno y Ernie Grunfeld el otro.

Pero ¿cuatro *air ball* ejecutados por un mismo jugador? Parecía imposible.

Lo que más desconcertaba a los otros miembros de los Lakers era que Bryant, en lugar de mostrarse arrepentido o prudente, lo único que demostraba era arrogancia y resiliencia. Jamás se disculpó ante sus compañeros, jamás asumió la responsabilidad, jamás reconoció que (quizá) podría haber pasado la pelota a Eddie Jones o a Van Exel. Lo máximo que llegó a decir, en una conversación con Kevin Modesti de *Los Angeles Daily News*, fue: «Mi equipo confiaba en mí y yo no estuve a la altura».

Por su juventud y su falta de experiencia, Bryant volvió a participar ese año en la Fila Summer Pro League. Entre sus compañeros de equipo estaban Wheat y Rogers, un escolta *rookie* salido de Tulsa llamado Shea Seals, la antigua estrella de la Georgia Tech James Forrest, y un interesante Jimmy Kingm de la Texas Tech, que cinco años atrás se había ganado cierta fama como uno de los «Fabulosos Cinco» en la Universidad de Michigan, el primer equipo titular formado por cinco jugadores de primer año que compitió en la NCAA.

Sin estar a la altura de Chris Webber, Juwan Howard o Jalen Rose (las tres estrellas de los Wolverines), King tuvo cuatro años muy productivos en Ann Arbor. Logró la mejor media anotadora del equipo con 14,7 puntos por partido, antes de ser seleccionado por Toronto en la segunda ronda del *draft* de 1995. Su carrera en la NBA no prosperó demasiado, sumó una media de 4,5 puntos y 1,8 rebotes en un total de sesenta y cuatro partidos con los Raptors y los Denver Nuggets. El escolta de 1,96 pasó la mayor parte de la temporada 1996-97 en Moline (Illinois) con el equipo Quad City Thunder de la CBA (Asociación Continental de Baloncesto).

Sin embargo, a pesar del paso del tiempo y de su falta de talento, Bryant lo consideraba, ante todo, como uno de los «Fabulosos Cinco». Siempre llevaba la camiseta azul y blanca, pantalones cortos azules y blancos, la cabeza afeitada, y lo acompañaban el respeto de los aficionados y los destellos de los innumerables flases sobre su rostro.

El 12 de julio de 1997, cuando empezaron los entrenamientos del equipo de la liga de verano, Bryant miraba a King y lo veía no como a un jugador de veinticuatro años intentando ganarse una invitación a un campus de entrenamiento, sino como a un rival directo que intentaba quitarle algo que le pertenecía. «Kobe era una bestia», recuerda Forrest.

Fue un desastre. Bryant disfrutaba metiéndose constantemente con King: con su juego, con su hombría, con su historia o con su carrera. Era un cabrón, un cobarde, un idiota. «¡No tienes ni puta idea de lanzar!», gritó Bryant durante un entrenamiento. Aunque fuera cierto (el porcentaje de aciertos de King en su única temporada en la NBA fue del 43 %), resultaba totalmente innecesario. «Todo lo que tenía que ver con Jimmy era como una competición para Kobe», cuenta Ace Custis, antigua estrella de la Virginia Tech que también formaba parte del equipo de la liga de verano. «Kobe iba a por Jimmy, pero la pelea no estaba equilibrada. Las sesiones se convirtieron en un festival de palabrotas. Kobe retaba a Jimmy para lanzar en suspensión. Jimmy fallaba y Kobe lo volvía a retar. No era agradable. Sin embargo, si quieres a alguien competitivo, Kobe es tu hombre.»

«Llegó a decirle: "¡Yo tengo mis propias zapatillas!". Jamás lo olvidaré», recuerda Forrest.

Como era uno de los jugadores más populares del equipo de verano, King no respondió a las provocaciones ni criticó a Bryant fuera de la cancha. King había jugado con Webber en la universidad, y este era conocido por tener la piel muy fina. Reconocía las inseguridades de un jugador de inmediato. De hecho, se quedó perplejo cuando llegó a los Lakers y se percató del trato que recibía Kobe. «Nadie lo saludaba cuando entraba en el vestuario —recuerda King—. Nadie le dirigía la palabra. Nunca. Era desconcertante. Yo veía que carecía de habilidades sociales. Por eso, intentaba hablar con él para que pudiera relacionarse con los demás. Realmente, lo necesitaba.»

Un año antes, el entrenador de la liga de verano de Bryant había sido Larry Drew, técnico ayudante de los Lakers. Pero ese año, en un esfuerzo para trabajar codo con codo con el chico, Del Harris se hizo cargo del equipo. Era una oportunidad para pasar más tiempo con Bryant, pero no acabó de gustarle su actitud. Bryant era arrogante. Bryant era entrañable. Bryant acaparaba la pelota. Bryant era educado («Sí, señor. No, señor —recuerda Harris—. «Era un buen chico»). Bryant estaba desesperado por ser el nuevo Michael Jordan, pero le faltaba su presencia y la capacidad para pasar la pelota. «Era el peor compañero de equipo que podías tener —cuenta Wheat—. Yo era el base. Mi trabajo consistía, literalmente, en hacer de base del equipo. Pero nada más botar la pelota, Kobe empezaba a gritar: "¡Pásamela! ¡Pásamela!". ¿Qué sentido tenía? Él monopolizaba la balón y era difícil demostrar nada.»

A diferencia de sus jugadores, a Harris le encantaba la aparente indiferencia de Bryant respecto a los cuatro *air ball* que lanzó en Salt Lake City. Harris había entrenado a un buen puñado de estrellas de la NBA, desde Sidney Moncrief o Moses Malone a Jack Sikma o Terry Cummings. Si algo tenían en común todos ellos era su memoria selectiva. En la liga de verano, Bryant consiguió una media de 20,9 puntos y 5,6 rebotes en ocho partidos. Aunque seguía acaparando el balón de forma insufrible, su arrogancia venía acompañada de una genuina confianza en sí mismo. En 1996, sus compañeros creían que Bryant utilizaba su fanfarronería para ocultar sus temores. Pero ahora, con una temporada a sus espaldas, los miedos habían desaparecido. «Jamás había visto a nadie de su edad tan seguro de sí mismo —recuerda Seals—. Cuando lanzaba, no tenía ninguna duda de que la pelota entraría. Ninguna.»

Por primera vez desde hacía nueve años, los Lakers no irían a Hawái para su *stage* de pretemporada. En su lugar, se concentrarían en la escuela de formación superior College of the Desert, a doscientos kilómetros, en la ciudad de Palm Desert. Los veinte seleccionados se presentaron el 3 de octubre y fueron recibidos una vez más con una disertación de Harris, que quería explicar a todo el mundo esto y aquello con todo detalle.

«Me salieron dos abdominales de más durante la charla —contó O'Neal—. Cuando empezó a hablar, yo estaba haciendo abdominales. Cuando llegué a las mil repeticiones, él seguía hablando.» O'Neal se lo tomaba a broma. «Creo que muchos deportistas tienen TDA, como yo —cuenta—. Necesitamos acción, movimiento. Del no era así.»

Cuando Harris no estaba hablando, era capaz de apreciar el equipo que habían conseguido reunir Jerry West y Mitch Kupchak. O'Neal estaba recuperado, Bryant había madurado un poco, Van Exel estaba sorprendentemente más animado, y Elden Campbell se encontraba en el mejor momento de su carrera. Horry, que ya se había recuperado del esguince en la rodilla izquierda, era quizás el mejor lanzador exterior de la liga, y Jon Barry, un escolta veterano con cinco años de experiencia en la NBA, había conseguido una media de 4,9 puntos por partido siendo suplente en Atlanta. Era el recambio perfecto para darle descanso a Jones.

En una de las primeras sesiones de entrenamiento, O'Neal estaba haciendo el ganso por la pista y Bryant se le acercó para robarle el balón. Las dos estrellas chocaron: sus cuerpos se estrellaron el uno contra el otro y salieron disparados en direcciones opuestas.

—¿Y esto no es falta? —gritó O'Neal.

—Pasa la puta pelota —respondió Bryan—. Tú no eres escolta.

Sus compañeros de equipo estaban entusiasmados con el espectáculo. La intensidad era evidente.

«Las expectativas eran muy altas, el objetivo era el título —recuerda Barry—. Nunca había estado en un equipo con tanto ruido a su alrededor. En mi opinión, todas las piezas estaban a punto.»

Sobre todo, con el fichaje más inverosímil de todos.

A priori no era un jugador para los Lakers.

¿Para los Knicks? Seguro.

¿Para los Pacers? Por qué no.

¿Para los Pistons, los Sonics, los Kings, los Warriors o los Bucks? Todos podían ser una opción.

Pero ¿Ulrich Alexander, *Rick*, Fox un Laker?

De ninguna manera.

Desde que Boston lo eligió en el puesto número veinticuatro del *draft* de 1991, Fox parecía estar hecho para jugar con los Celtics. Era luchador, atrevido y nunca tuvo miedo de golpear con el codo una barbilla. Cuando aterrizó en Boston, todavía era la franquicia de Larry Bird y Kevin McHale, y Fox se empapó de sus tradiciones y costumbres. «Larry era el tío más increíble de todos los tiempos —reconoce Fox—. No le importaba el físico que tenía. Superó todas sus limitaciones. Las bloqueaba mentalmente. Yo quería hacer lo mismo.» Fox se veía a sí mismo como su sucesor, el guardián de una dinastía que había llegado cinco veces a las finales de la NBA en los años ochenta.

Sin embargo, al mismo tiempo que esas dos superestrellas se desvanecían en el abismo (Bird se retiró después de la temporada de *rookie* de Fox, y McHale un año después), los sueños de gloria con los Celtics también desaparecieron. La salida de sus dos estrellas coincidió con malas elecciones en el *draft* (¿qué fue de Gerald Paddio?) y la ineptitud del cuerpo técnico. El equipo se vino abajo y acabó la temporada 1996-97 con 15 victorias y 67 derrotas, el peor registro de la franquicia en sus cincuenta y un años de historia. La parte positiva fue que Fox se convirtió en capitán del equipo y fue el alero titular en setenta y cinco partidos, logrando la mejor media de su carrera con 15,4 puntos por partido. La parte negativa era todo lo demás.

«Dios, éramos malísimos —dijo Fox—. Era el capitán del Titanic, y el barco se estaba hundiendo. Durante todo el año, nuestro entrenador y director general [Michael Leon Carr] nos había machacado en los entrenamientos. No tenía sentido. Estábamos agotados. Quizás intentaba bajar nuestro rendimiento para lograr el primer puesto de elección en el siguiente *draft*. Hacía jugar a los mejores durante los tres primeros cuartos y luego nos sacaba del partido cuando teníamos opciones. Era absolutamente desconcertante. "¿Por qué jugamos así?". Luego caí en la cuenta de que era el mismo año en el que Tim Duncan abandonaba la Universidad de Wake Forest. Su objetivo era conseguir a Tim.»

A pesar de todo, Fox era un Celtic. Cuando Boston reemplazó a Carr por Rick Pitino, el anterior entrenador de la Universidad de Kentucky, se emocionó cuando su nuevo líder le dijo: «Rick, tú eres un Celtic. Quiero construir este equipo a tu alrededor».

Esto sucedió un lunes. Dos días más tarde, Pitino (que también ejercía de director general) y Fox se pusieron de acuerdo con un contrato de seis años por treinta y tres millones de dólares. Para un chico que había crecido en las Bahamas y anhelaba cumplir el sueño americano, aquello era mucho más de lo que jamás hubiera podido imaginar. Rick Fox viviría como un Celtic cobrando un generosísimo sueldo bajo las órdenes del entrenador supuestamente más codiciado del baloncesto.

O no.

Aunque Boston terminó la temporada 1996-97 con el peor resultado de la NBA, la lotería del *draft* asignó el primer puesto de elección a San Antonio. Así pues, en lugar de hacerse con Duncan, uno de los jugadores de poste bajo con mayor proyección de las últimas tres décadas, los Celtics usaron su tercer puesto para seleccionar a Chauncey Billups de la Universidad de Colorado, un base de 1,91 con ganas de trabajar. Pitino pensaba que la franquicia necesitaba, por encima de todo, más presencia en el poste bajo. Así que justo después de acordar con Fox que los treinta y tres millones serían para él, voló hasta California para reunirse con Travis Knight, el *rookie* de los Lakers que tenía una media de 4,8 puntos y 4,5 rebotes como suplente de O'Neal. Boston le ofreció a Knight un contrato de siete años por veintidós millones de dólares que no pudo rechazar. «Me encantaba ser un Laker, pero con Shaq tenían muy poco margen por el límite salarial —comenta Knight—. Opté por la opción más segura.»

Sin ningún escrúpulo, Pitino le pidió a Knight que mantuviera el contrato en secreto durante algunos días hasta que pudiera firmar con Fox y retocar los números del límite salarial. Sin embargo, la noticia se filtró a la prensa («Knight se va a los Celtics», rezaba el titular de *Los Angeles Daily* el 8 de julio) y Pitino recibió una llamada de David Stern, el comisionado de la NBA, para advertirle de que debía elegir entre Fox o Knight, y cesar en el empeño de burlar las normas de la liga.

Ajeno a los problemas financieros, Fox se despertó el lunes por la mañana y se dirigió al barbero para cortarse el pelo. Luego tenía previsto dirigirse al Boston Garden para la rueda de prensa en la que se anunciaría su renovación. Pero entonces recibió una llamada de su agente, Bill Strickland.

—Rick, soy Bill.

—Hola, Bill. Estoy impaciente por lo de hoy. ¿Qué tal estás?

—Podría estar mejor.

—¿Por qué?

Silencio.

—Rick —dijo Strickland—. Boston ha renunciado a tus derechos.

—¿Qué?

—Has perdido tus Derechos Bird.

—¿Mis qué?

Los «Derechos Bird», llamados así por Larry Bird, y conocidos también como la «excepción de agente libre para veteranos cualificados», que permitían a un equipo superar el límite salarial de 26,9 millones de dólares para retener a un jugador que hubiese jugado con la franquicia durante al menos tres años. Sin embargo, para poder fichar a otros agentes libres (como, por ejemplo, Travis Knight), era necesario que la franquicia renunciara a los Derechos Bird de sus propios jugadores.

Y esto es lo que hicieron los Celtics sin molestarse en comunicárselo a su propio jugador.

«Estaba furioso —admite Fox—. Era muy tarde y los equipos no disponían de dinero para fichar a agentes libres. De modo que, en lugar de treinta y tres millones, quedé disponible por aproximadamente un millón de dólares. Eso me convirtió en el agente libre más codiciado del mercado.»

Fox, que recibió ofertas de quince equipos, pronto hizo una gira relámpago para visitar a los Knicks, los Hawks, los Rockets y los Lakers. Igual que O'Neal, él también había participado en algún rodaje. Le habían ofrecido un papel en la serie de la HBO *Oz* y también había aparecido en la película de Whoopi Goldberg *Eddie*, como destacado jugador de baloncesto. Poseía una belleza hollywoodiense y tenía suficiente carisma para pasearse por la alfombra roja. La idea de mudarse a Los Ángeles resultaba atractiva.

«Llamé a mi agente y le dije que había elegido los Lakers —recuerda Fox—. Ganaría solo un millón de dólares, pero era un equipo con posibilidades y la ciudad era increíble.»

Strickland pidió a su cliente que recapacitara. Los Cleveland Cavaliers habían llamado en el último minuto. Necesitaban un alero titular y podían ofrecerle veinte millones por cuatro años.

—Pero Cleveland es una mierda —dijo Fox, refiriéndose tanto al equipo (que había terminado la temporada 1996-97 con un balance de 42 victorias y 40 derrotas) como a la ciudad (que según la CBS ocupaba un lugar destacado entre las ciudades más peligrosas de Estados Unidos).

—Es mucho dinero —respondió Strickland.

—Bill —dijo Fox—, si me pagan cuarenta y dos millones me iré a Cleveland. Si no, me quedo con los Lakers.

Y se quedó con los Lakers.

Hay personas que encajan bien y personas que encajan perfectamente. Desde el primer día, Rick Fox encajó a la perfección. Oficialmente, firmó su contrato el 26 de agosto, y se presentó al *stage* de pretemporada al cabo de una semana. La diferencia de talento entre los Celtics y los Lakers era tan exagerada como el tamaño de la mansión de O'Neal en Orlando (3250 metros cuadrados). Fox estaba encantado de unirse a una franquicia que lo consideraba, en palabras de Jerry West, «la pieza que faltaba».

«No puedo explicar con palabras lo mucho que creemos que nos aportará la versatilidad de Rick. Creo que tenemos todas las piezas en su sitio», dijo West.

Desde el principio, lo mejor de Fox fue su esfuerzo noble y sincero, no solo para entender a Bryant, sino para echarle una mano. Si el *stage* de 1996 en Hawái había sido un momento duro para el *rookie* por culpa de la lesión en la muñeca, el de 1997 en el College of the Desert fue una especie de revancha de cine hecha realidad: *Kobe Bryant: el Imperio contraataca*. Kobe se había pasado el verano entrenando. Únicamente, entrenando. Antes de su debut en la NBA había contratado a Joe Carbone, un antiguo levantador de pesas profesional que lo acompañó de Nueva York a Los Ángeles para ser su entrenador personal. Al terminar la temporada, Bryant se puso manos a la obra. Sin días de descanso. Sin pausas para tomarse un helado o un café. Seguía una dieta estricta, un patrón de sueño estricto y, en general, un estilo de vida severo. «Diseñé unas rutinas de levantamiento de pesas de primera categoría —recuerda Carbone—. En primer lugar, las rutinas de pesas. Luego, lanzamientos durante un par de horas. Y más tarde, corría y hacía ejercicios de agilidad. Al día siguiente siempre regresaba con energía para seguir la misma rutina.»

En esta época fue cuando Bryant empezó a crear lo que acabaría siendo su legendaria ética de trabajo. Se encerraba durante todo el día en el gimnasio para machacarse. «Si me levantaba temprano, podía entrenar más todos los días —dijo—. Si empezaba las rutinas a las once, entrenaba algunas horas, luego, descansaba cuatro horas más y, por la tarde, regresaba al gimnasio de cinco a siete. Pero si empezaba las rutinas de entrenamiento a las cinco de la mañana, podía volver a entrenar de once a dos y, por la tarde, de seis a ocho. Al empezar antes, podía hacer una sesión más de ejercicios cada día. Durante todo el verano, supuso muchas más horas de gimnasio.» Cuando Bryant abandonó la pista después del descalabro contra Utah, medía 1,98 y pesaba 91 kilos. Cuando acabó el verano, medía dos centímetros más y había ganado cuatro kilos y medio. Era todo músculo.

A Fox le gustaba su mentalidad. De hecho, estaba encantado. En Boston, muchos jugadores estaban más preocupados por el dinero y las fiestas que por los resultados deportivos. Había un Celtic en particular que fumaba marihuana a diario, tanto antes como después de los partidos. La naturaleza competitiva de Fox no toleraba tal indiferencia. Podía gestionar una derrota, pero ¿ese tipo de indolencia? Nunca.

Aunque Bryant y Eddie Jones tenían vínculos en común y algo parecido a una amistad (Jones intentaba animar al *rookie*, cosa que no podían decir los demás compañeros de equipo), Bryant, que había cumplido los diecinueve, lo consideraba un obstáculo para entrar en el equipo titular. Desde los días en que se enfrentó a Jones en la Universidad de Temple, Bryant se consideraba mejor jugador. Pero ahora, después de que Jones desapareciera en los momentos decisivos de la serie ante los Utah, Bryant «estaba convencido de ello». «Eddie siempre miraba a Kobe por encima del hombro —recuerda O'Neal—. Él lo sabía, yo lo sabía y Kobe lo sabía». Cada día, durante la pretemporada, Bryant buscaba a Jones con una intensidad que pocos habían visto antes. Jugaban un uno contra uno y Bryant lo castigaba con decisión. Jugaban un partido entre ellos, y Bryant lo castigaba de nuevo. Jimmy King no logró una invitación para el campus, pero no hacía falta. Para Bryant, Jones era el nuevo Jimmy King. Fue implacable. «Cuando elegí a los Lakers, ni siquiera pensé en Bryant —reconoce Fox—. Pero, ¡Dios!, parecía que quería abrirse camino a bofetadas. Desde el principio, dejó claro que su intención era echar a Eddie a patadas del quinteto titular y ocupar su puesto. Me encantaba.»

Fox hizo una pausa.

«¿Estaba preparado para ser titular? No. En absoluto. Era un buen anotador, pero no sabía leer los partidos. Su concentración era muy limitada, y esto no da buenos resultados en la NBA.»

Su padre era bahameño, y su madre, canadiense de origen italiano y escocés, con lo cual Fox se sentía próximo a Bryant por el idioma (ambos hablaban italiano) y la cultura. Había nacido en Toronto, se había criado en Nassau y había sido la estrella del instituto en Warsaw, Indiana. Él también sabía qué significaba no encajar en ningún lugar. Ser un extraño en todas partes. «Lo que puedo decir como inmigrante es que nadie te regala nada —cuenta Fox—. Si llegas a este país y no sabes aprovecharlo, no puedes culpar a nadie más que a ti. Kobe acudía a los entrenamientos todos los días. Consideraba que era su tierra prometida. Una oportunidad para demostrar que merecía jugar. Y no solo quería jugar. Quería ser grande.»

Bryant entendía el campus de pretemporada como una oportunidad para convencer a Harris de que tenía que formar parte del equipo titular. Pero Harris no compartía la misma opinión. Sería su sexto hombre, pero no estaba preparado para ser su escolta.

Además, había problemas más importantes que resolver. En una de las primeras sesiones de entrenamiento, O'Neal recibió un pase en un tres contra dos, desplazó su brazo derecho hacia atrás y se preparó para machacar el aro a lo Vince Carter (según sus propias palabras) por encima de Campbell. Pero estaba demasiado lejos de la canasta, se estiró demasiado y sufrió una distensión abdominal que lo dejó fuera de la convocatoria para el primer partido de la temporada, que tuvo lugar el 31 de octubre en el Great Western Forum contra los Utah Jazz, nada menos. Era una noticia desalentadora para los Lakers. Estaban obligados a meter en el cinco inicial a Sean Rooks, el sustituto de O'Neal.

Nada de esto era positivo para el estado de ánimo de Shaq. Aunque no era un jugador que se mostrara vengativo en público, se había pasado gran parte del verano irritado por la eliminatoria perdida en cinco partidos contra los Jazz, particularmente por la sensación de que Greg Ostertag, el pívot de Utah, le había pasado la mano por la cara. Estadísticamente hablando, no había debate: O'Neal obtuvo una media de 22 puntos y 11,6 rebotes, mientras que la media de su rival fue solo de 3 puntos y 6,2 rebotes. Pero, con su tamaño (2,18 y 127 kilos) y su robustez, Ostertag destacó en defensa.

Durante el verano, O'Neal repasó mentalmente los partidos contra Utah. Concretamente, reproducía en su cabeza los gestos y la insolencia de Ostertag. Para O'Neal se había comportado como un héroe conquistador. Había aniquilado a Shaq. El hombre que destrozó a Shaq Diesel. «Nadie cree que haya hecho nada extraordinario este año, especialmente Shaq —dijo Ostertag después del triunfo en las series—. Pero supongo que por eso él está jugando al golf en estos momentos y yo estoy en las finales de la Conferencia Oeste». Esa frase: «por eso él está jugando al golf en estos momentos» fue como un puñetazo en el estómago para Shaq. Le tocó el orgullo. Además, muchos periodistas, como, por ejemplo, el columnista Rick Bozich del *Louisville Courier-Journal*, escribían cosas como: «O'Neal ha promocionado refrescos, comida rápida y zapatillas. Lo único que no ha sabido promocionar ha sido el ataque de los Lakers. Los Lakers no lograron llegar a las finales de conferencia y, sí, Greg Ostertag puso nueve tapones mientras que Shaq solo colocó uno».

Eso le dolió.

El nuevo enfrentamiento entre los Jazz y los Lakers tendría lugar el 31 de octubre. Ese mismo día, después de comer, ambos equipos llevaron a cabo sesiones de lanzamientos en el Forum. Los Lakers acudieron en primer lugar, luego fue el turno de Utah. Los equipos se cruzaron brevemente en la salida de unos y la llegada de otros. Intercambiaron algunos comentarios cordiales y chocaron algunos puños. O'Neal y Fox estaban en el túnel cerca de la pista. Fox en camiseta y pantalón corto, y O'Neal en ropa de calle. «Estábamos hablando —recuerda Fox—. Solo hablando.»

De repente, O'Neal vio a Ostertag. El gorila andaba solo, dirigiéndose hacia la pista.

—Rick —dijo O'Neal con una sonrisa torcida—, presta atención.

Tres días atrás, O'Neal había sido elegido capitán. En aquel momento, sin previo aviso, la superestrella de los Lakers decidió abordar al poco relevante pívot de los Jazz.

—Oye —dijo—, deja de hablar mal de mí. Tengo un hijo y lee lo que tú dices. Es totalmente innecesario.

Ostertag miró a O'Neal y le soltó:

—Tío, que te jodan.

—¿Que me jodan? —respondió Shaq—. Vale.

O'Neal echó hacia atrás la mano izquierda y…, ¡bam!, le cruzó la cara con la palma de la mano. El impacto se pudo oír en todo el recinto, un pedazo de carne golpeando otro pedazo de carne.

—Hostia —dijo Fox—. Joder.

Apenas un mes antes, Lennox Lewis, el campeón mundial de los pesos pesados, había dejado fuera de combate a Andrew Golota a los noventa y cinco segundos de empezar el combate en Atlantic City. Pero esto era mucho más dramático. Ostertag se desplomó al suelo como un saco de carne y se encogió para protegerse. A pesar de su tamaño (el periodista Michael C. Lewis dijo que Ostertag se presentó al campus de pretemporada «como si hubiese pasado el verano en un restaurante de comida rápida») y de sus habilidades físicas, no era un gran amante del baloncesto, tampoco lo necesitaba. Ostertag estaba ahí porque el trabajo estaba bien pagado y era mejor que cualquier otro empleo. «Para Greg, el baloncesto no era una pasión —cuenta Stephen Howard, alero de los Jazz—. Recuerdo varias veces en las que tenían que mandar a uno de los entrenadores a buscar a Greg cuando estábamos haciendo pesas. Se escondía en el baño.»

Ahora no se escondía. Se arrastraba por el suelo.

—¿Dónde está mi lentilla? —gritaba Ostertag, a cuatro patas por debajo de O'Neal—. ¿Alguien ha visto mi lentilla?

No intervino ningún miembro de los Jazz. Nadie se abalanzó sobre O'Neal y nadie le echó una mano a Ostertag. Se levantó del suelo sin ayuda, miró a un O'Neal sonriente, vio como los otros jugadores de los Jazz arrastraban sus pies hacia la pista, encajó las carcajadas de los jugadores de los Lakers y se marchó.

«Greg no estaba en posición de defenderse —asegura Adam Keefe, el ala-pívot de los Jazz—. Shaq hizo lo que creía que tenía que hacer y ahí terminó todo. Creo que no volví a pensar en ello.»

No se podía decir lo mismo del equipo de Los Ángeles, que estaba a punto de empezar la temporada. Aquella noche, los 16 234 asistentes que no llenaron el viejo pabellón fueron testigos de la venganza de Harris: los Lakers apalizaron a los Jazz (104-87).

Pero Harris no estaba especialmente contento con las payasadas de O'Neal. «Lógicamente, prefiero las aguas plácidas —dijo Harris con el ceño fruncido antes del comienzo del partido—. Pero apoyaré a Shaquille, aunque no estemos contentos con lo que ha pasado.» West estaba todavía más furioso: «¡No pienso tolerar este tipo de comportamiento de patio de colegio! Te has puesto en evidencia a ti, a tu equipo, a tus padres y a esta franquicia. Si vuelves a hacer algo así, ¡te traspaso!», le dijo gritando a medio palmo del pívot.

Rooks hizo un buen partido sustituyendo a O'Neal (12 puntos y 7 rebotes), y Van Exel estuvo enchufado, anotando seis triples de ocho intentos y logrando un total de 22 puntos. Fox encajó a la perfección, sumó 8 puntos en veintiséis minutos sin preocuparse de sus números. No obstante, la estrella fue Bryant. En su debut como sexto hombre terminó el partido con 23 puntos, 5 asistencias, 3 rebotes y 1 recuperación.

«Kobe estaba verde todavía. Pero tenía destellos de calidad.»

Cuatro noches después, los Lakers sumaron una nueva victoria superando a los Kings 101 a 98. O'Neal quería jugar, pero derribar de un golpe a un jugador rival (aunque fuera con la mano abierta) tiene un precio. Lo suspendieron por un partido (eso suponía perder 156 794 dólares) y lo sancionaron con diez mil dólares más. Además, la franquicia le exigió que emitiera una nota de arrepentimiento. «Me disculpo ante Greg. Espero que acepte mis disculpas y que seamos capaces de dejar atrás nuestras diferencias», escribió.

Fue de risa. O'Neal no se arrepentía de nada. Le dijeron que tenía que hacer un comunicado escrito y así lo hizo, aunque en realidad lo redactó John Black, el jefe de Relaciones Públicas del equipo. «Que le den. Se lo merecía», diría años después.

O'Neal debutó finalmente el 7 de noviembre, anotando 17 puntos y cogiendo 8 rebotes en la tercera victoria consecutiva de su equipo. Ganaron 99-94 contra Patrick Ewing y los Knicks. Si había dudas sobre su estado físico, se disiparon en el cuarto partido, en el que consiguió 27 puntos y 19 rebotes en la paliza, 132-97, a los Golden State, que todavía no habían ganado ningún partido. «Es el jugador más determinante de la liga —dijo Olden Polynice, un pívot trabajador—. Con ese peso, ese tamaño, esa fuerza, esas manos increíbles, esa rapidez... ¿qué se podía hacer?»

Muy pronto, los Lakers se convirtieron en la élite de la NBA. Ganaron sus primeros once partidos; en la División Pacífico, iban dos partidos por delante de los igualmente talentosos Supersonics. O'Neal estaba a su nivel, Van Exel conducía el ataque como un director de orquesta, Fox estaba totalmente integrado y Horry se sentía contento y feliz esperando su oportunidad detrás de la línea de tres puntos. Es cierto que los jugadores de los Lakers no estaban entusiasmados con Harris, cuyo ataque seguía siendo aburrido y rígido, y cuyas pesadísimas charlas eran peores que tomarse un Orfidal. Pero las victorias lo curan todo. Y los Lakers no dejaban de acumular victorias.

Solo había un problema.

A medida que Kobe Bryant se convertía en una pieza clave del equipo (anotó 25 puntos en veinticuatro minutos contra los Warriors y 11 puntos en dieciséis minutos contra Vancouver), Jones se fue volviendo cada vez... ¿Cuál sería la palabra? ¿Insignificante? ¿Anodino? ¿Invisible? Ya desde su época como estrella preuniversitaria en el instituto Blanche Ely (Florida), uno, fácilmente, podía subestimar a Jones, cuya delgada constitución y cuyo lenguaje corporal recordaban más a la delicadeza de una flor que al instinto asesino de un tiburón. «Tenía cierto atrevimiento, pero debías fijarte bien para darte cuenta», recuerda Dean Demopoulos, un entrenador asistente que había reclutado a Jones para la Universidad de Temple. «Era como si pudiera moldearse para meterse en cualquier grieta o hendidura. Era algo sutil. Había que observarlo de cerca para darse cuenta de lo fenomenal que era.» En la universidad, Jones formó parte de una generación de los Owls que contaba también con otros dos futuros jugadores de la NBA, el base Rick Brunson y el escolta Aaron McKie. Aunque él era el jugador con más talento, ese talento solía disolverse en el ataque diseñado por el entrenador John Chaney. Además, había muy poca (si es que la había) grandeza en Eddie Jones. Jugaba, jugaba con empeño y luego se iba a su casa. No se entretenía en conversaciones de pasillo. Cuando Los Angeles Lakers usaron su décimo puesto en el *draft* de 1994 para hacerse con él, la reacción de los aficionados fue parecida a la que provoca una visita de madrugada a una biblioteca pública. El juego de Jones era vibrante. Su personalidad, todo lo contrario.

No obstante, resultaba desconcertante la cantidad de aficionados que preferían a Kobe, porque Eddie, con tres años en la NBA a sus espaldas, estaba jugando el mejor baloncesto de su carrera. Pero Bryant estaba más cerca de la grandeza, una grandeza que, a pesar del talento, Jones no alcanzaría jamás. Incluso cuando anotó 25 puntos contra los Raptors y 32 contra los Clippers, Eddie pasaba desapercibido. «Eddie era increíble —decía Shea Seals, el base *rookie*—. Pero Kobe era el ser humano más competitivo sobre la faz de la Tierra. Eso, sumado a sus capacidades físicas, lo elevaban a otro lugar.»

Las conversaciones para su traspaso empezaron a principios de noviembre. Los periódicos sacaron a la luz las negociaciones de Jerry West con Sacramento para intercambiarlo con Mitch Richmond. «Sé que Kobe se sentía limitado y quería demostrar todo su potencial —recuerda Richmond, que en ese momento llevaba ocho años en la NBA y había participado en el *All-Star* en cinco ocasiones—. Creo que pensaban que él y Eddie tenían un juego demasiado parecido.»

Todos los días surgía un nuevo rumor. El del cambio de Jones por Richmond persistió, pero aparecieron otros como el posible traspaso de Jones por Scottie Pippen de Chicago, por Glen Rice de Charlotte o Detlef Schrempf de Seattle. Entre bambalinas, O'Neal se posicionó abiertamente a favor del intercambio. Cuando veía a Jones, pensaba inmediatamente en

Nick Anderson, su antiguo compañero de Orlando que desaparecía cuando los focos se centraban en él. O'Neal veía lo mismo en Jones. Podía anotar y defender como el que más durante ochenta y dos partidos, pero cuando llegaban los *playoffs* surgían las dudas.

Como Jones era callado y reacio a manifestarse ante los medios de comunicación, rara vez hacía declaraciones. Sin embargo, esos rumores lo devoraban por dentro. «Estoy jugando mejor que nunca, y vosotros no dejáis de hablar de traspasarme —comentó—. ¿Cómo os sentiríais vosotros?» Cuando Jones habló con la prensa, lo hizo con honestidad. Él quería quedarse en Los Ángeles. Odiaba la incertidumbre. Le resultaba difícil jugar con tanto murmullo. Chaney, su entrenador en la universidad, decía que Jones era incapaz de mentir y recordó una entrevista de radio que le hicieron después de una derrota de Temple en 1991. «El presentador le preguntó qué les había dicho en el vestuario —cuenta Chaney—. Y en directo (¡en directo!) Eddie dijo: "El entrenador nos ha dicho que éramos una panda de maricas". Dios mío, mi mujer estaba cabreadísima conmigo cuando llegué a casa esa noche. Pero Eddie Jones era así, sincero y genuino.»

El 25 de noviembre, Pippen, que llevaba once años en Chicago, declaró al *Daily Herald* de Arlington Heights (Illinois) que quería que lo traspasaran a Phoenix o a los Lakers. El siete veces *All-Star* estaba harto de la racanería de los Bulls y le gustaba la idea de unirse a O'Neal y Van Exel para dar lugar a una nueva dinastía. Su deseo tuvo una gran repercusión y el intercambio de Jones por Pippen empezó a parecer inevitable.

Lo que sucedía era que los Lakers seguían ganando.

Y ganando.

Y volviendo a ganar.

Los grandes traspasos suelen ser difíciles cuando a un equipo no le van bien las cosas. Pero cuando tu equipo está en racha y todo se mueve a una velocidad vertiginosa, ¿quién sería tan insensato como para tocar alguna pieza? Los Bulls querían deshacerse del dolor de cabeza que era Scottie Pippen. Los Lakers querían deshacerse de Jones, un jugador marginado a quien O'Neal ponía a parir por estar «siempre enfadado».

Pero los Bulls estaban en un momento espléndido, los Lakers estaban en un momento espléndido y West, finalmente, decidió no apretar el gatillo.

«Echando la vista atrás, ojalá lo hubiera hecho. Porque los rumores sobre mi traspaso nunca cesaron», admite Jones.

Era una temporada extraña.

No la más extraña de todas, que vendría después.

Pero, al fin y al cabo, extraña.

Incluso cuando West repitió hasta hartarse que Jones no sería traspasado, los medios se negaron a dejar morir el tema. O'Neal, que seguía de baja por su distensión abdominal, sufrió una pequeña fisura en la muñeca derecha golpeando un saco pesado de boxeo durante un entrenamiento. Harris, perplejo, llegó a preguntar públicamente por qué un gran jugador propenso a las lesiones tenía la necesidad de golpear nada. Mario Bennett, pívot suplente con el físico de Hakeem Olajuwon, las habilidades de Spencer Dunkley y la inteligencia de una ameba, no pudo acompañar al equipo a Vancouver porque no tenía la documentación necesaria para entrar en Canadá (a pesar de que los empleados de la franquicia le habían advertido unas ochocientas veces de que necesitaba un pasaporte). Lo sancionaron. O'Neal celebró la noticia riéndose y diciendo en voz alta: «¿Veintisiete años y no tiene pasaporte? Hay que ser idiota. I-D-I-O-T-A». Tres días después, O'Neal llegó al Forum a las 18.45 para jugar como titular en un partido que empezaba a las 19.30; dijo que se había encontrado con mucho tráfico. No lo sancionaron, y Bennett tampoco dijo nada cuando se enteró de la noticia. Los medios especularon en múltiples ocasiones sobre el posible despido de Harris. Había motivos para ello. West y Kupchak se preguntaron durante toda la temporada si Harris había perdido la confianza de sus jugadores, especialmente durante un par de malas rachas en las que acumularon tres derrotas consecutivas.

Los esfuerzos de Harris por conectar con el equipo y seguir siendo importante para ellos eran al mismo tiempo admirables («¿Cómo puedo ganarme a Nick?», solía preguntar a los demás jugadores) y patéticos. A instancias de su mujer, Ann, contrató a un diseñador para que creara www.delharris. com, donde ofrecía una suscripción anual por veinte dólares que incluía, según indicaba la página de inicio, «estos increíbles beneficios»: una fotografía firmada, un carné oficial del «Club de Del», un boletín trimestral y una felicitación de aniversario.

Se suscribieron menos de cien personas.

El 17 de diciembre, los Lakers viajaron a Chicago para enfrentarse a los Bulls sin O'Neal, que seguía lesionado. Era una batalla entre dos equipos en la cumbre y que querían ganar el título. Para Eddie Jones era la oportunidad de demostrar sus cualidades a cualquier posible interesado. Acabó el partido con tres puntos (1 de 11 en tiros de campo). Para Kobe Bryant era mucho más importante.

Durante su infancia en Italia, Bryant había dedicado gran parte de su vida a mirar, estudiar e imitar los movimientos de Michael Jordan, la mítica estrella de los Chicago Bulls que ahora se encontraba en su decimotercera (y supuestamente última) temporada. Como *rookie*, Bryant se enfrentó a su ídolo en dos ocasiones, pero solo tuvo diez minutos en un partido y trece en el otro. En cambio, esta vez sería el sexto hombre de los Lakers y se sentía ansioso por salir a jugar.

No fue bien.

Chicago apalizó a los Lakers 104-83, y Jordan le recordó a todo el mundo, incluido a Bryant, que había una enorme diferencia entre la grandeza y el camino para llegar a ella. Los Lakers empezaron liderando el partido 5-0, entonces, la estrella de los Bulls cogió la pelota y miró a sus compañeros. «Podías verlo —dijo Van Exel—. Miró a todo el mundo y pidió calma y tranquilidad con la mirada y con sus gestos.» Después de esto vino un parcial de 32-15 que ayudó al equipo local a llegar al descanso con una ventaja de dieciséis puntos. El partido fue una victoria fácil y no especialmente interesante. Jordan consiguió 36 puntos (12 de 22 en tiros de campo) y dejó en evidencia a Jones, que parecía atrapado en el barro. «Esta noche ha sido solo un ejemplo de lo que los Bulls pueden hacer», dijo Van Exel.

La derrota fue terrible. Pero la actuación de Bryant fue todavía peor. Más minutos suponían más confianza, y más confianza generaba todavía más arrogancia. Sus compañeros en los Lakers sabían que ansiaba una oportunidad para lucirse ante su héroe. Y sabían lo que iba a suceder. Chicago iba ampliando su ventaja en el partido, y para Bryant aquella noche era como la audición para la versión teatral de la película *Una pandilla de altura*. Durante toda su vida, había esperado la ocasión de plantarse frente al número 23 de los Bulls, y ahora esa ocasión había llegado. En la biografía de Bryant, Roland Lazenby escribió: «En el tercer cuarto, Bryant encontró la ocasión que tanto anhelaba. Jordan era su defensor. Cortó desde el lado izquierdo hasta la línea de fondo, por la derecha, donde recibió la pelota. Inmediatamente, ejecutó el movimiento característico de Jordan delante del propio maestro. Con Jordan a su espalda, Bryant hizo una finta rápida hacia la izquierda como si quisiera acercarse a la línea de fondo, pivotó bruscamente hacia la derecha y se elevó para realizar un lanzamiento de seis metros en la cara del propio Jordan. Fue un instante que alimentó tanto la confianza de Bryant como la idea de que la próxima estrella había llegado».

Efectivamente, el público estaba encendido. Pero el banquillo de los Lakers también mostraba cierta agitación. O'Neal había defendido a Bryant después de los cuatro *air ball* contra Utah en un gesto de protección entre compañeros. Cuando lo llamaba *Showboat*, era una forma de resaltar sus ganas de exhibirse constantemente. Pero lo decía con humor, sin mala fe. Pero ver cómo Bryant buscaba constantemente a Jordan, mientras el equipo recibía una paliza, no fue bien recibido por el vestuario. Sí, los movimientos de Bryant eran maravillas atléticas. Sí, eran una mezcla entre el bailarín Baryshnikov y Terence Stansbury, un jugador que se hizo famoso en los concursos de mates del *All-Star*. Pero eran tan inútiles como egoístas. Fox, su mayor defensor entre los jugadores veteranos, sentía debilidad por la valentía de Bryant, pero «aquello» era demasiado. «A veces resultaba necesario domesticar a la bestia —cuenta Fox—. Yo adoraba al chico, de verdad. Pero, en ocasiones, como cuando fue a por Michael, sentía que debía explicárselo: "Vale, Kobe, quieres ser el más grande. Lo entendemos. Pero no puedes pasar por encima de todo el equipo. Tienes que comprenderlo".» Hacia el final del partido, Kobe incluso llegó a pedirle consejo a Jordan sobre cómo postear. ¡Le pidió consejo! «Fue bastante chocante», recuerda Jordan. Y no solo para él. La leyenda de los Bulls se había pasado la noche menospreciando a Jones dedicándole una auténtica retahíla de palabras malsonantes, y luego Bryant (que terminó el partido con 33 puntos) se dirige a él como si se tratara de un familiar que hace tiempo que no ve. Fue muy molesto para todos los que llevaban el uniforme de los Lakers.

Los Lakers llegaron el 6 de febrero al parón del *All-Star* con un balance de 34 victorias y 11 derrotas, dos partidos por detrás de Seattle en la División Pacífico. Bryant fue votado por los aficionados (junto con O'Neal) para ser titular en la Conferencia Oeste, gracias, en gran medida, a los destacados que pasaban en bucle en el programa *SportsCenter* de la cadena ESPN comparándolo con Jordan. Incluso el periódico *USA Today* dedicó un espacio a preguntar a sus lectores: «¿Quién tiene la mejor sonrisa? ¿Michael o Kobe?». Con Jones (18,4 puntos de media) y Van Exel (15,3 puntos) seleccionados también como suplentes, los Lakers podían presumir de ser el equipo de la liga con más representación en el *All-Star*.

El partido del *All-Star*, que se celebró en el Madison Square Garden de Manhattan, fue como una bendición para Bryant. Fue el máximo anotador de su equipo con 18 puntos, aunque el equipo del Oeste perdió 135-114. Detrás de los focos, sin embargo, fue una auténtica pesadilla. Los equipos se hospedaban en el Grand Hyatt de Nueva York, y un día Bryant coincidió en el ascensor con, atención al trío, el ala-pívot de los Knicks Charles Oakley, el ala-pívot de los Nets Jayson Williams y un hombre de negocios de Manhattan llamado Donald Trump, el propietario del hotel.

—¿Qué pasa, Kobe? —dijo Williams—. ¿Cómo va?

Bryant estaba escuchando música con su walkman y, aunque oyó perfectamente el saludo, se limitó a hacer un gesto con los hombros y mascullar:

—Qué pasa, grandote.

No se dignó ni a levantar la mirada.

Williams era un veterano de 2,06 m y 109 kilos con poca paciencia y mucho orgullo. Desde la distancia, nunca le gustó la actitud de Bryant, y pensó que le estaba faltando al respeto.

—¿De qué vas? —dijo.

Entonces se abalanzó sobre Bryant y le propinó un puñetazo en el rostro.

Al instante., Donald Trump agarró a Williams y le dijo a Bryant:

—Sal de aquí, ¡rápido!

Kobe salió del ascensor.

«Kobe era engreído con todo el mundo —cuenta Williams—. Con todo el mundo. Michael Jordan era arrogante, pero siempre llevaba una sonrisa por delante. Kobe era simplemente un capullo. No me gustaba nada.»

En muchos aspectos, la celebración del *All-Star* supuso unos días de distracción para una franquicia que empezaba a desmoronarse por dentro. Van Exel hacía tiempo que había renunciado a entenderse con Harris y O'Neal también estaba harto de tanta palabrería. Lo peor de todo era que Harris parecía poco dispuesto o incapaz de comunicarse con Bryant. En parte, era una cuestión de edad, pero también de orgullo. Siempre que Harris le exigía a Bryant que pasara la pelota, la respuesta que recibía era una mirada en blanco y un gesto de indiferencia. Nada de lo que le decía funcionaba. Nada de lo que le enseñaba tenía algún efecto. Bryant quería anotar en cada posesión y su entrenador no compartía esa forma de entender el baloncesto. Muchas veces no se dirigían la palabra. «A veces le decía a Del que tenía que explicarle a Kobe por qué lo sacaba de los partidos —reconoce Kurt Rambis, el entrenador asistente—. Era fácil ver que, con ese talento, el chico terminaría siendo la estrella del equipo. Pero Del no hablaba con él. Le dije textualmente: "Kobe Bryant estará aquí muchísimo más tiempo que nosotros. Tienes que conseguir que se implique en el proyecto". Pero no funcionó.»

Desde la distancia, la gente daba por hecho que O'Neal, como era enorme, talentoso y rico, era el líder del equipo. Y más o menos así era. Cuando el pívot estaba de buen humor, la felicidad reinaba en el equipo, y el vestuario se llenaba de risas y bromas. En una ocasión tuvo la ocurrencia de instalar un acuario en su Ferrari, pero las altas temperaturas del vehículo acabaron con cualquier rastro de vida piscícola. Los chistes y las burlas que desató (Fox se desternillaba: «¿Pensaste que poner pececitos en un Ferrari era una buena idea?») fueron como un bálsamo para el equipo. En otra ocasión, durante un vuelo a Nueva York, O'Neal hizo sonar *La Macarena* en su radiocasete, se puso de pie y, mientras cantaba una versión para adultos de la melodía, encabezó una conga por el pasillo del avión. Para los periodistas era una bendición; era listo, ocurrente y siempre salía con algún juego de palabras o un apodo nuevo. Y aquel gigante tenía un corazón enorme. Por ejemplo, cuando llegó a los Lakers, se indignó al saber que Rudy Garciduenas, el veterano utillero de los Lakers, no disponía de un vehículo de empresa. «Quería comprarme un camión —cuenta Garciduenas—, así que llegamos a un acuerdo de arrendamiento con un concesionario local para una pequeña camioneta, que pagó él.» En muchas ocasiones, O'Neal le pedía a Garciduenas que le diera una vuelta en la camioneta; se sentaba en una silla de playa en la parte de atrás. «Aquello se convertía en un desfile. Los coches nos seguían solo para verlo —cuenta Garciduenas—. Jamás he conocido a nadie igual.»

Pero la frustración de O'Neal con Harris también era un hecho. «Los jugadores no lo soportaban —decía—. Y si no respetas a alguien, no puedes darlo todo por él.» Michael Uhlenkamp, el director adjunto de Relaciones Públicas, decía: «En general, adoro a Shaq. Pero a veces podía llegar a ser muy arisco». O'Neal era famoso por sus bromas. Sin embargo, a menudo, eran groseras. Incluso crueles. Una vez, Sean Rooks, el pívot suplente, iba a calzarse una de sus zapatillas y descubrió que contenían papel higiénico manchado por las heces de O'Neal. En otra ocasión, Shea Seals, el *rookie* de Tulsa, se negó a traerle un Gatorade cuando O'Neal le dijo:

—Novato, tráeme un refresco.

Seals, que era orgulloso, negó con la cabeza.

—¿Eso es un no? —contestó O'Neal con mala cara.

—Es un no —respondió Seals.

Al cabo de unas horas, Seals salía de la ducha, y al regresar a su taquilla, se dio cuenta de que su traje había desaparecido.

—¿Dónde está mi ropa? —preguntó a Garciduenas.

Rudy encogió los hombros.

Buscó por todo el vestuario y, finalmente, encontró el traje en en fondo de una taquilla fuera de uso junto a un montón de zapatos usados. Estaba sucio, arrugado y olía fatal.

Cuando O'Neal volvió a ver a Seals le dijo:

—Haz lo que te digo.

Y se marchó.

«Aprendí a no meterme con Shaq —confesó—. Siempre acababa perdiendo.»

Cuando él y Kobe Bryant aparecieron en escena en 1996, O'Neal creía que se crearía una especie de relación fraternal. Él sería el hermano mayor. Le gustaba que lo necesitaran, que lo admiraran y que acudieran a él en busca de consejo y sabiduría. Pero Bryant no estaba por la labor. A medida que la temporada avanzaba y el escolta de segundo año se sentía cada vez más seguro de sí mismo, O'Neal arrojó la toalla. Durante el *All-Star*, en el que quizá fue el momento más infame de la carrera de Bryant, Karl Malone, el pívot estrella de Utah, le pasó el balón a Bryant e hizo un bloqueo para que penetrara a canasta. Pero el escolta de segundo año ignoró completamente el esfuerzo del veterano ala-pívot, un jugador con trece años de trayectoria en la NBA. Después de aquello, algunos miembros del equipo de la Conferencia Oeste (O'Neal incluido) criticaron la osadía del chaval y sintieron vergüenza ajena cuando el comentario que hizo Bryant sobre el enfado de Malone («ha sido divertido», dijo) empezó a circular por toda la NBA.

Básicamente, Bryant se negaba a formar parte de nada. En los vuelos, mientras los otros Lakers jugaban a las cartas y se metían los unos con los otros, se mantenía al margen, con los auriculares firmemente colocados en sus oídos. «Recuerdo que un día Bryant estaba viendo con entusiasmo *Los diez mandamientos* —recuerda un compañero—. No era un tipo normal.» Muchas veces se le veía bolígrafo en mano garabateando letras para sus futuros éxitos de *hiphop* en una libreta sobre la bandeja extensible. Cuando jugaban fuera, siempre había seis, siete u ocho Lakers que salían a cenar juntos. Kobe nunca estaba entre ellos.

«Era una persona solitaria —cuenta Jon Barry—. Quería ser el más grande y no tenía tiempo para nada más. Hay que recordar que tenía diecinueve años. Nosotros éramos adultos, teníamos una familia. Aun así, a nadie le gustaba su actitud.»

Según Uhlenkamp, muchos jugadores pensaban lo mismo: «Este tío es más joven que yo. ¿Por qué es tan capullo? ¿Quién se ha creído que es?».

La primera vez que O'Neal lanzó públicamente una pulla contra Bryant, lo hizo cuando los medios le preguntaron por la hiriente derrota del 2 de marzo contra Washington: «Tenemos a muchos aspirantes a Rex Chapman —dijo refiriéndose al mítico lanzador de triples de Phoenix—. Las estrellas fugaces que lanzan desde la línea de tres puntos sobre una sola pierna no nos ayudarán a ganar la liga».

No se refería a Mario Bennett.

Cuando llegaron los *playoffs*, los Lakers eran el mejor peor equipo de la NBA. Su récord de victorias (61 victorias y 21 derrotas) invitaba a gritar: «¡Somos aspirantes al título!». Sus cuatro seleccionados para el *All-Star* invitaban a gritar: «¡Somos aspirantes al título!». Y la media de puntos de O'Neal (el segundo máximo anotador de la NBA por detrás de Jordan) y de otros cinco jugadores alcanzaba los dos dígitos (Jones, Bryant, Van Exel, Fox y Elden Campbell). Su talento invitaba a gritar: «¡Somos aspirantes al título!».

«Pero no estábamos preparados. Éramos inmaduros y pensábamos que estábamos preparados. Pero no era así», recuerda Fox.

El equipo de los Lakers se clasificó para los *playoffs* en tercer lugar, y demostró su temple en una convincente serie contra Portland donde lograron un 3-1. Su siguiente rival sería Seattle, y todo lo que Del Harris quería (todo lo que siempre había deseado) era un pequeño esfuerzo para trabajar en equipo. Quería que fueran profesionales. Que el equipo saliera a la pista y se pusiera a trabajar...

Pero no era tan sencillo.

La eliminatoria empezaba el 4 de mayo. Un día antes, O'Neal y otros seis jugadores del equipo fueron vistos en Rick's, un local de alterne de Seattle conocido por ser un foco de prostitución. Los jugadores llegaron a gastarse dos mil dólares. Al Hansen, un empleado del local, aseguró a Jean Godden del *Seattle Times* que varios «tíos de dos metros, que parecían jugadores de baloncesto» habían acudido al establecimiento. Dominique Weitzel, un vendedor del concesionario de Dodge situado cerca del club, también estuvo en Rick's. Los jugadores de los Lakers le firmaron varios autógrafos.

«No quiero decir ningún nombre», dijo cuando Godden le pidió que identificara a los jugadores.

Godden escribió: «Seguramente no quería perjudicar la imagen de Shaq. La estrella del baloncesto acababa de firmar un contrato con Scholastic Inc., una importante editorial de libros infantiles, para crear una colección de cuentos de hadas llamada *Shaq y las judías mágicas, y otros seis cuentos muy altos*».

Harris estaba furioso. Y avergonzado. Su pívot estrella era posiblemente el deportista más conocido del planeta. ¿Por qué demonios se le ocurriría ir a un local de alterne ubicado a trece kilómetros del lugar donde tenía que disputar un partido al día siguiente?

Los Sonics se llevaron el primer partido con una victoria 106-92. Además, Bryant estaba de baja por gripe y O'Neal se enzarzó en una estúpida guerra dialéctica con el entrenador de Seattle, porque creía que George Karl se había quejado demasiado a los árbitros. «A veces parece una mujer. Imagino que lo que pretende es manipular a ciertas personas, pero conmigo no funciona —dijo O'Neal—. Es como una mujer que no para de llorar y pretende dirigir a un equipo. Pero a mí no me engaña. Es un llorón.»

Como el incidente de la noche anterior, estas declaraciones no sentaron bien. Harris empezaba a ver que su equipo estaba desconcentrado y poco preparado. Y tenía razón. Por fortuna, las flaquezas de los Sonics eran más decisivas que una gripe o una salida inoportuna a un local de striptease. Los Sonics estaban viejos.

Salvo Gary Payton, el base de veintinueve años, y Vin Baker, el ala-pívot de veintiséis, las rotaciones del equipo estaban protagonizadas por ancianos como Detlef Schrempf (35), Sam Perkins (36) o Dale Ellis (37). Aquel equipo obtuvo buenos resultados durante la mayor parte de la temporada regular porque los jugadores podían descansar entre partido y partido. Pero contra los Lakers, donde el jugador más veterano era Elden Campbell, los Sonics parecían lentos y endebles. Estaban completamente desbordados. Antes de la temporada 1996-97, pagaron treinta y cinco millones de dólares para fichar a Jim McIlvaine, un pívot de 2,16 m y 109 kilos, con la idea de frenar a O'Neal. Pero no dio resultado. O'Neal se las arregló para lograr una media de 30,6 puntos y 9,6 rebotes. «Necesitamos a un tío grande», dijo Ellis después de la eliminación.

Tenía toda la razón.

Los Lakers ganaron los cuatro últimos partidos, aplastando a unos agotados Sonics, y llegaron a la final de la Conferencia Oeste, donde se enfrentarían de nuevo a los Jazz, el equipo que había acabado con sus esperanzas el año anterior. Pero esta vez estaban convencidos de que las cosas serían distintas. O'Neal se sentía mejor que nunca. Fox aportaba experiencia al equipo. Y Bryant era mucho más maduro. Sin embargo, debajo de tantos quilates, se escondía una duda. El bochorno de los cuatro *air ball* atormentaba a los Lakers como un fantasma del pasado. Además, Utah, que tenía el mejor registro de la liga con 62 victorias, también había reforzado su plantilla.

«Somos muy buenos... cuando damos la cara. Si seguimos así, podemos llegar tan lejos como queramos», dijo Van Exel.

Pero no fue el caso. El 16 de mayo, los Jazz aplastaron a los Lakers en el Delta Center por 112-77. Y los treinta y cinco puntos de diferencia no representaron la magnitud de la tragedia. Solo dos jugadores lograron dobles dígitos: O'Neal con 19 puntos y Fox con 15. Fox fue quien anotó el único tiro de campo de los Lakers durante los primeros nueve minutos. «Ahora mismo no somos un equipo que sepa gestionar bien el éxito —dijo Fox—. Como equipo no somos tan buenos como pensamos.»

Bryant, repitiendo una de sus actuaciones bochornosas de joven pretencioso, anotó solo 4 de los 14 tiros de campo que intentó. J. A. Adande de *Los Angeles Times* escribió: «En cuanto al resto de los Lakers, que crucen los dedos para que nadie los acuse de haber cometido un crimen la tarde del sábado. Nunca podrán alegar que estaban jugando al baloncesto en el Delta Center».

El segundo partido fue otra victoria de Utah. Esta vez, más disputada. El marcadoracabó 99-95. Pero, el tercer encuentro, que terminó en una nueva victoria de los Jazz en Los Ángeles por 98-109, fulminó todas las aspiraciones de los Lakers. «Tendríamos que estar avergonzados. Deberíamos tener algo de orgullo», dijo O'Neal.

Hubo un día de descanso entre el tercer y el cuarto partido de la serie, y Harris decidió programar una sesión de entrenamiento relativamente breve el sábado por la mañana. En aquel momento era lógico pensar que los Lakers no ganarían la eliminatoria. Es un pensamiento que los aficionados y la prensa pueden dar por hecho. Sin embargo, que un deportista admita públicamente que su equipo no tiene ninguna opción viola todas las leyes no escritas del deporte competitivo.

Por eso lo que sucedió en ese entrenamiento causó tanta indignación.

Tradicionalmente, cuando los jugadores hacían un corrillo al terminar los entrenamientos, colocaban las manos en el centro y gritaban al unísono: «Uno, dos, tres, ¡Lakers!».

Esta vez, en cambio, Van Exel gritó: «Uno, dos, tres, ¡Cancún!».

El gimnasio quedó en absoluto silencio. Bryant miró a su compañero como si fuera un apestado. Fox, igual de molesto, le susurró a O'Neal: «¿Te lo puedes creer?». Incluso Jones, amigo de Van Exel, se quedó de piedra. «¿Por qué coño has dicho eso?», dijo. Chick Heran, el legendario *speaker* de los Lakers, estaba furioso: «Si yo hubiese sido el entrenador, le hubiera echado la bronca ahí mismo».

Van Exel aseguró que se trataba de una broma. El año anterior, después de la derrota ante los Jazz, Blount y él pasaron una semana en Cancún bebiendo cócteles, relajándose en la playa y yendo a discotecas. Era una broma, claro. Para divertirse. «Todos los que estaban en aquel vestuario conmigo saben que jamás he tirado la toalla. Todo el mundo lo sabe», dijo Van Exel.

O'Neal se fue directamente al despacho de West para comunicarle el incidente. El veterano directivo respondió sin tapujos: «Cuando todo esto termine, Van Exel está fuera del equipo».

Al día siguiente, en Salt Lake City, los Jazz culminaron la paliza con un partido que terminó 96-92. Todos menos O'Neal, que anotó 38 puntos, y Jones, con 19, parecían haberse tomado la noche libre. West los observaba desde arriba con indignación. Cuando empezó la temporada creía que el equipo era un serio aspirante al título. Ahora, abrumado por la derrota, dudaba de su entrenador, de su veterano base, de su escolta… y de sí mismo. Quizás era el momento de retirarse.

«Tenemos un par de jugadores que deberían estar avergonzados. Jugadores que deberían estar a la altura de las circunstancias. Hemos jugado sin confianza. Hemos desperdiciado algunos tiros fáciles. No tiene ningún sentido. Ha sido un auténtico despropósito», declaró West.

Tenía toda la razón.

Eran necesarios algunos cambios drásticos.

7

Comida para los gusanos

$\mathcal{D}$urante las semanas y meses que siguieron a aquel final de temporada decepcionante, la NBA decretó un cierre patronal (*lockout*). Se produjo después de que las negociaciones entre los propietarios y la Asociación de Jugadores no llegaran a buen puerto. La patronal quería hacer cambios en el sistema de cupos salariales, y establecer un tope máximo en los salarios individuales. Los jugadores, por su parte, estaban en contra de todas las propuestas de los propietarios y, además, reclamaban un incremento de sueldo para aquellos jugadores que cobraban el salario mínimo de la NBA.

El 1 de julio de 1998, las negociaciones llegaron a un callejón sin salida y la NBA prohibió a los equipos traspasar a jugadores, fichar a agentes libres e, incluso, entrenarse. Los partidos de exhibición se anularon, los campus de entrenamiento se pospusieron y los titulares que antes celebraban mates y victorias ahora se dedicaban a hablar de comunicados y acusaciones cruzadas. Los aficionados al baloncesto no estaban especialmente interesados en los matices de las negociaciones. Lo único que veían era a unos millonarios enfrentándose a otros millonarios por un dinero que ninguna de las dos partes merecía.

A diferencia de, por ejemplo, Milwaukee o Cleveland, la vida en Los Ángeles sin la NBA no era muy distinta. Nadie estaba contento con el cierre, pero había otras distracciones y, respecto a los Lakers, las noticias menores mantenían el imperecedero interés por la vida de las celebridades. Por ejemplo, Magic Johnson, vicepresidente del equipo y una leyenda del baloncesto, fue contratado por la cadena 20th Television para presentar un programa de entrevistas llamado *The Magic Hour.*

El programa contaba con una serie de humoristas, un grupo musical liderado por Sheila E. y un talento innato para aburrir a la audiencia. Si Johnson no era el peor presentador de la historia de la televisión es porque Gabrielle Carteris se encargó de ello. El programa duró ocho semanas, y cuando lo cancelaron, el país entero respiró tranquilo y volvió a ver las reposiciones de *Vacaciones en el mar.*

Fue vergonzoso, pero por lo menos el bochorno de Johnson estaba fuera del ámbito deportivo. No se podía decir lo mismo de Shaquille O'Neal. Al mismo tiempo que Magic conseguía esa gran entrevista con Vanessa Marcil, O'Neal se enfrentaba a un rechazo público muy doloroso. Tras seis años promocionando zapatillas de Reebok, la marca decidió prescindir del pívot. Dave Fogelson, el portavoz de la compañía, comunicó que Reebok y O'Neal habían acordado «mutuamente» no renovar su acuerdo de patrocinio por cinco años y quince millones de dólares. Fue una mentira piadosa. La colaboración con el gigante no había dado resultado, y la empresa se dio cuenta de que los compradores no se identificaban con un gigante de 2,16 y 147 kilos. Cuando la revista *Sports Marketing Newsletter* publicó los diez deportistas que obtendrían más ingresos publicitarios durante la temporada 1998-99, O'Neal no aparecía por ninguna parte. Su momento había pasado. O, sencillamente, el consumidor medio no se identificaba con él.

Así estaban las cosas para O'Neal, que además había sido acusado de sujetar a una mujer por el cuello mientras esperaba a las puertas de una discoteca en el complejo de Disney World. Los cargos se retiraron rápidamente, pero tuvo repercusión en los medios. Además, entre sus compañeros tampoco estaba haciendo muchos amigos con su actitud de «soy rico y me da igual el *lockout*». Sus declaraciones para la Associated Press fueron: «No sé exactamente por qué discuten. Yo gano mucho dinero y estoy feliz con mi vida».

Todo esto contribuyó a que O'Neal estuviera de un mal humor poco frecuente. Tampoco ayudó que, en mitad del cierre patronal, la revista *Los Angeles Magazine* publicara un artículo de 4646 palabras titulado: «Kobe Bryant: El príncipe de la ciudad». El artículo, escrito por Mark Rowland, era un elogio superlativo de un hombre al que la publicación señalaba como ni más ni menos el próximo Michael Jordan. Decía:

> En este momento, según los parámetros de la NBA, Bryant es un buen jugador de baloncesto. En relación con el *marketing* y el entretenimiento, es una superestrella mundial, el activo más popular de la liga después de Michael Jordan. Su rostro está por todas partes, promocionando Adidas, Spalding, Sprite, su propio juego de Nintendo y quién sabe qué más.
>
> La historia de Bryant ya es carne de mito, la prueba bíblica de que, incluso después de Jordan, el plan divino de Dios para su liga deportiva favorita sigue su curso.

Por aquel entonces, O'Neal ya no era especialmente fan de Bryant. Se había cansado de su egoísmo y de su firme propósito de no prestar atención a ningún otro jugador que no se llamara Kobe Bryant. Peter Vecsey, el gurú del baloncesto del *New York Post*, no se equivocaba cuando escribió que «el esplendor de Kobe es incuestionable en todos los aspectos, y, evidentemente, está dispuesto a trabajar más que nadie para mejorar. Pero es tan bueno que es imposible jugar con él porque siempre piensa que puede superar al rival que tiene delante. Lo único que hacen los demás es mirar cómo busca lanzamientos inesperados, arriesgados e inverosímiles. Sin duda, no es una buena estrategia si tienes a Shaq, el más grande entre los grandes, en el poste bajo esperando entrar en juego impacientemente».

O'Neal quería ser el rey de la pista y gobernar a sus leales súbditos. «Es lo que quería Jerry West y lo que quería Shaq —escribió J. A. Adande—. Pero a Kobe eso lo enfurecía. Él no era el hermano pequeño de nadie.»

«Hay que dejar que cada uno sea como es —dijo O'Neal años después—. No todo el mundo se las arregla igual. Él quería ser el Will Smith de la NBA. Quería entrenar siete, ocho o nueve horas al día. Ningún problema, así era él. Yo quería una relación en la que él no estaba interesado. Puedo entenderlo.» El rencor crecía. No por parte de Bryant, que tenía cosas más importantes en la cabeza de las que preocuparse, pero sí por parte de O'Neal, a quien le sentaban mal los desaires de su compañero. Unos meses antes, la revista *People* había incluido a Bryant en un número dedicado a las personas más atractivas del mundo. Al joven jugador le sentó de maravilla. «Se estaba convirtiendo rápidamente en uno de los mejores activos de *marketing* de la NBA — cuenta Fox—. Y esto quería decir que otras personas no lo eran.» Desde su temporada de *rookie* en Orlando, nadie rechazaba a Shaquille O'Neal. Si se ofrecía a comprar un traje nuevo a un *rookie* del equipo, este lo aceptaba sin rechistar. Si quería que asistieras a una fiesta en su mansión, ibas a la fiesta. «Donde iba Shaq, íbamos todos —cuenta Fox—. Era su espectáculo. Pero a Kobe le daba lo mismo. Absolutamente lo mismo.»

En muchos sentidos, el cierre patronal era una batalla entre agentes. Leonard Armato, el representante de O'Neal, se movía entre bambalinas para negociar un acuerdo. Incluso llegó a convocar una reunión privada con David Stern, el comisionado de la NBA, y Billy Hunter, de la Asociación de Jugadores. Arn Tellem, el agente de Bryant, no estaba de acuerdo con la estrategia de Armato. Pensaba que solo velaba por los intereses de su cliente y no por los demás jugadores de la liga. Los periódicos y las cadenas de televisión empezaron a hablar de «Shaq contra Kobe» o «del agente de Shaq contra el agente de Kobe».

Al no haber partidos de NBA, los jugadores de todo el país pasaban gran parte de su tiempo jugando encuentros amistosos de alto nivel en gimnasios y clubs deportivos. En Nueva York hay registros de partidos entre los Knicks y los Nets disputados en el 92Y de la calle 92. Y en Los Ángeles, hogar de los Lakers y los Clippers, el lugar más concurrido fue el Southwest College, una escuela de 8200 estudiantes con un gimnasio que solía estar disponible.

Uno nunca sabía quién se presentaría de un día para otro. En algunas ocasiones, acudían jugadores de la UCLA y la USC, o de las universidades UC Irvine o la estatal de Long Beach. En otras, se presentaban jugadores de los Clippers, los Lakers y algunos veteranos de la NBA que residían en Los Ángeles cuando no se encontraban en Denver o Miami con sus equipos. Fueran quienes fueran, eran partidos altamente competitivos que rebosaban de ego.

Un día en particular, O'Neal y Bryant se presentaron en el Southwest College dispuestos a jugar. Era la primera semana de enero, poco después de que se publicara el artículo en *Los Angeles Magazine* que proclamaba a Kobe como el sucesor de Jordan. También asistieron otros Lakers, así como Olden Polynice, el veterano pívot que había jugado las últimas cuatro temporadas y media con Sacramento. Esperaba que los Lakers lo ficharan como agente libre y le habían dicho que estaba previsto que ese día apareciera Mitch Kupchak, el director general del equipo. Aunque se habían enfrentado durante muchos años, Polynice y O'Neal mantenían una buena relación de amistad. «Lo que más deseaba era ir a Los Ángeles y jugar con Shaq —recuerda Polynice—. Los Lakers eran mi equipo favorito cuando era pequeño. Para mí habría sido cumplir un sueño. Quería demostrarle a Mitch que iba en serio.»

Los jugadores se repartieron por la pista, calentaron e hicieron estiramientos y algunos tiros. A continuación, se organizaron en dos equipos, de forma más o menos aleatoria. O'Neal y Polynice, ambos de más de 2,13, jugaron en lados opuestos. «Kobe estaba en mi equipo —recuerda Polynice—. Se enfrentaba a Shaq.»

Se trataba de un partido como cualquier otro hasta que dejó de serlo. Como de costumbre, O'Neal reclamaba dudosas faltas cada vez que fallaba un tiro. Fallaba un tiro y... ¡Falta! Volvía a fallar y... ¡Falta!

—Estoy harto de tus gilipolleces —le dijo finalmente Bryant—. Juega y punto.

—Otro comentario como este y te reviento a patadas —respondió O'Neal.

Unas pocas posesiones más tarde, Bryant condujo hacia el aro, se acercó a O'Neal y encestó por debajo de su brazo. Fue un movimiento bonito, pero nada del otro mundo.

—¡Que te den! —le gritó a O'Neal—. ¡Este es mi equipo! ¡Mi puto equipo!

Parecía una provocación. Todo el mundo se quedó inmóvil. «No estaba hablando de ese partido. Hablaba de los Lakers.»

O'Neal no iba a tragar con eso.

—¡No, hijo de puta! —gritó—. ¡Este es mi equipo!

—¡Que te jodan! —respondió Bryant—. En serio, ¡que te jodan! No eres un líder. ¡No eres nada!

¿Qué había dicho?

—Voy a conseguir que te traspasen —dijo O'Neal—. Así de fácil.

Varios jugadores intervinieron para separarlos y el partido siguió adelante. Pero había dejado de ser un partido amistoso. «Hicimos un par de jugadas más, y Kobe se acercó a la canasta, encestó y le gritó otra vez a Shaq», cuenta Polynice.

—¡Ahí lo tienes, cabrón! ¡Con esas mierdas no me detendrás!

O'Neal cogió la pelota para parar el partido.

—Abre otra vez la puta boca —dijo, mirando a Bryant directamente.

—Que te jodan —respondió Bryant— No sabes...

¡Plas!

O'Neal le cruzó la cara con una bofetada. Sin miramientos.

«Tiene las manos enormes —afirma Corie Blount—. Fue un buen bofetón.»

Este es el recuerdo de Polynice: «Entonces Shaq golpea de nuevo a Kobe, pero falla. ¡Mierda! Corro y sujeto a Shaq, porque soy lo suficientemente grande para hacerlo. Shaq intenta golpearlo de nuevo, pero no acierta porque lo sujeto por los brazos. Me agarro a Shaq, como si me fuera la vida en ello y grito: "¡Que alguien sujete a Kobe! En serio. ¡Que alguien lo sujete!". Porque, mientras estoy agarrando a Shaq, Kobe está golpeándolo. En un momento dado, Shaq consigue soltar un brazo y me golpea en la cabeza. En serio, ninguna buena acción queda sin castigo. Si Shaq se hubiera liberado por completo, habría matado a Kobe Bryant. No estoy exagerando. Lo quería matar ahí mismo. Quería acabar con la vida de Kobe en ese momento».

Bryant no se arredró.

—¡Eres un blando! —gritaba—. ¿Eso es todo lo que sabes hacer? ¡Eres un blando!

Blount le suplicaba a Bryant que cerrara la boca.

—No estás ayudando —decía Blount—. Cállate de una vez.

El altercado terminó cuando Jerome Crawford, el guardaespaldas de O'Neal, bajó a la pista y calmó a su amigo. O'Neal estaba furioso. «A Kobe no podías ni tocarle en los entrenamientos —dijo más tarde—. Se comportaba como Jordan. Muchos jugadores pensaban que no podían tocar a Mike. Cada vez que recibía un golpe, pedía falta. Al cabo de un tiempo, acabas hartándote.» Al marcharse, Polynice miró a un alterado Kupchak y le dijo para que se oyera:

—Solo por esto, deberías ficharme.

Pero no lo hizo. Olden Polynice jugó la temporada 1998-99 en Seattle.

«Eran dos machos alfa que no podían convivir —dijo más adelante el propio Polynice—. Shaq pensaba: este es mi equipo. Y Kobe pensaba: nadie me va a pasar por encima. No puedes tener a dos machos alfa. Nunca funciona. —Hizo una pausa, acordándose de aquella locura—. Nunca funciona. Incluso cuando todo va bien.»

Finalmente, a principios de enero, los propietarios y los jugadores ratificaron un convenio colectivo, y el cierre patronal llegó a su findespués de ciento noventa y un días. La temporada reducida de cincuenta partidos empezaría el 5 de febrero. Eso quería decir que los Lakers no tenían mucho margen de maniobra.

Nada estaba en su sitio.

Para empezar, como consecuencia de su (por decirlo suavemente) «malinterpretada» ocurrencia sobre Cancún, los Lakers transfirieron a Van Excel a Denver, y concluyeron una pedregosa relación de cinco años que había generado muchísimos más dolores de cabeza que momentos de euforia. Jerry West organizó, negoció y cerró el trato, y aunque lo que recibió a cambio estaba muy por debajo del valor de mercado de un líder en la pista y un *All-Star* de veintiséis años (los Lakers adquirieron al ala-pívot Tony Battie y al base Tyronn Lue, recientemente elegido en el puesto vigésimo tercero del *draft*), consideraba que deshacerse del mayor incordio de la franquicia era un buen trato.

«Me encantaba Nick —recuerda West años después—. Era uno de mis competidores favoritos. Pero no podía seguir en el equipo.»

El traspaso tuvo lugar el miércoles 24 de junio. West llamó a Van Exel para comunicárselo y darle las gracias por su contribución al equipo. Van Exel no quiso atender la llamada. Ni el miércoles, ni el jueves, ni el viernes, ni el sábado, ni el domingo. Nunca. «Que le den a Jerry West —le dijo a su agente, James Bryant—. Nadie me trata así».[10]

Los Lakers sin Van Exel tuvieron una sesión de entrenamiento voluntaria a principios de febrero en el Southwest College. Solo se presentaron O'Neal, Eddie Jones, Sean Rooks, Derek Fisher y Lue. «El equipo tiene buen aspecto —dijo Jones a los veinte periodistas que tenía enfrente—. Estoy listo.».

Desde hacía tiempo, a West se le consideraba el mejor gestor de talento del baloncesto moderno. Sin embargo, los Lakers afrontaban aquella temporada con una plantilla sin frescura. Rick Fox decidió quedarse excepcionalmente un año más por 1,75 millones de dólares, y Derek Harper fue el agente libre encargado de sustituir a Van Exel. Era un veterano con dieciséis años de trayectoria que, a sus treinta y siete años, sería más importante como líder del vestuario que anotando o repartiendo asistencias. Travis Knight, el pívot suplente que había jugado extraordinariamente bien en la temporada 1996-97 como *rookie*, regresó a Los Ángeles a cambio de Battie, provocando así el grito de alegría más largo de la historia de los gritos de alegría humanos. «Era el hombre más feliz del mundo —recuerda Knight—. Boston era horrible. Jugar para Pitino era terrible. Trataba a los jugadores como ganado. Cuando me preguntaron

---

10. «Estoy muy decepcionado. Me gustaría pensar que he contribuido a su desarrollo personal», declaró West.

si aceptaría un traspaso a los Lakers, no tardé ni un segundo en responder. ¡Sí! ¡Traspasadme! ¡Ahora mismo!»

Con Bryant dispuesto a estar en el equipo titular, la presión por deshacerse de Eddie Jones cada vez era mayor. Se retomaron las negociaciones con Scottie Pippen, pero se acabaron cuando los Bulls pidieron a cambio a Bryant, no a Jones. Kupchak respondió con una gran carcajada a la propuesta de Chicago. Antes del partido inaugural contra Houston, los Lakers estuvieron a punto de cerrar un acuerdo con Minnesota por un intercambio entre Jones y Tom Gugliotta. «Mi agente estaba en contacto permanente con los Lakers, y le pidieron que no se impacientara, que estaban a punto de hacer una oferta que los Wolves no podrían rechazar. Estaba muy ilusionado», recuerda Gugliotta, uno de los mejores ala-pívots de la liga. Pero esa negociación tampoco llegó a buen puerto.

Cuando por fin empezó la temporada, el 5 de febrero, con la visita de los Rockets al Great Western Forum, los Lakers no tenían ni pies ni cabeza. La Associated Press afirmaba que Bryant estaba a punto de firmar una extensión de contrato por seis años y setenta y un millones de dólares, lo cual irritó a muchos miembros de la plantilla. O'Neal despotricaba sobre una nueva encuesta del *USA Today* que situaba al equipo de Los Ángeles como el cuarto mejor equipo de la Conferencia Oeste. Jones se sentía traicionado por los constantes rumores de traspaso, a Robert Horry le diagnosticaron una arritmia cardiaca, el inconstante Derek Fisher volvía a ser el base titular, y la tensión por la pelea entre la superestrella consolidada (Shaq) y la superestrella emergente (Kobe) no se había disipado por completo.

Además, se suponía que esa iba a ser una temporada mágica. Tras treinta y dos años, los Lakers jugarían su última campaña en el Great Western Forum, antes de trasladarse al centro de la ciudad, al Staples Center, que todavía estaba construyéndose. El nuevo pabellón prometía ser todo lo que la NBA moderna ofrecía a los aficionados: *suites* en abundancia, un sinfín de ventajas y precios por las nubes. Los Lakers compartirían el edificio con los Clippers y los Kings de la NHL. El dinero caería del cielo.

Así pues, la temporada 1998-99 era una despedida largamente planificada de un hogar que había levantado seis banderas de campeón, así como de una cancha que había traído al sur de California a Magic y Kareem, Shaq y Kobe.

«Fue muy triste. Era como despedirse para siempre de tu mejor amigo», dijo Jeannie Buss.

Los Lakers inauguraron la temporada con una victoria por 99-91 contra los Rockets y Harris quedó absolutamente encantado. O'Neal dominó el partido con 30 puntos y 14 rebotes, y Bryant, que salió de titular en el partido inaugural por las lesiones de Fox y Horry, tuvo un peso similar con 25 puntos y 10 rebotes. Houston presentó un equipo titular renovado tras la reciente adquisición de la leyenda de los Bulls Scottie Pippen. Había mucho entusiasmo en sus filas. «La historia fue que Kobe salió de titular y se enfrentó a Scottie Pippen. Creo que nueve de cada diez personas habrían pensado que Houston, en ese caso, partía con ventaja. Pero Kobe jugó con cabeza durante todo el partido. Sabemos que es un jugador excepcional», dijo Harris.

Sin embargo, por aquel entonces, aunque Harris llegara a un entrenamiento y dijera a sus jugadores «os doy diez millones a cada uno y mis fotos de Halle Berry desnuda», ellos habrían escuchado: «Bla, bla, bla, bla, Halle Berry, bla, bla, bla». En su quinta temporada en el banquillo de los Lakers, cualquiera de las virtudes que había tenido se habían desvanecido. Los aficionados estaban cansados del viejo y aburrido Del Harris. Los jugadores estaban cansados del viejo y charlatán Del Harris. O'Neal odiaba la forma en que Harris mimaba a Bryant. Bryant odiaba que Harris le cortara las alas. «Del sabía mucho de baloncesto —dice Harper—. Pero esperaba que los jugadores se autorregularan. Era un equipo joven. Muchos eran casi niños, eran inmaduros. Kobe y Shaq estaban demasiado ocupados peleándose entre ellos y él no era el entrenador adecuado para gestionarlo.»

«Kobe no respetaba a Del y eso era un problema —recuerda Fox—. Kobe no lo escuchaba. Y Shaq tampoco. Básicamente, porque quería que Del fuese más duro con Kobe.»

El resplandor de la victoria inaugural desapareció después de que el equipo perdiera dos noches más tarde en Utah, ganara en San Antonio y Denver, y perdiera dos partidos consecutivos contra Minnesota e Indiana. Se buscaron las excusas oportunas: una campaña tan corta, tantas lesiones en la plantilla, problemas de química, etc. Echando la vista atrás, Harris creía que el equipo estaba a punto de encontrarse a sí mismo: «Teníamos todas las piezas —dijo—. Solo necesitaba un poco más de tiempo.»

El primer síntoma de la auténtica locura en la que estaba a punto de sumirse la franquicia apareció el 13 de febrero de 1999, cuando los suscriptores de *Los Angeles Times* abrieron el periódico por la portada de la sección de deportes y leyeron el titular «Rodman, listo para unirse a los Lakers».[11]

El artículo de Mark Heisler decía así:

> Dennis Rodman, líder en rebotes de la liga y su activo más excéntrico, ha decidido unirse a los Lakers, según fuentes a las que tuvo acceso el *Times* este viernes.
>
> El equipo ha estado negociando con el agente de Rodman, Steve Chasman, de la empresa International Creative Management, durante casi dos semanas, en las que el propietario Jerry Buss le hizo llegar una invitación personal para que jugara con ellos.
>
> La negociación se aparcó durante una semana mientras Chasman hablaba con la Fox, que tiene una opción de comprar el diez por ciento de la participación de los Lakers, por un posible contrato cinematográfico.
>
> Rodman estuvo descansando en su casa de Newport Beach sin querer hablar con representantes de los Lakers hasta que finalmente accedió a reunirse con ellos este jueves. Según ha trascendido, el jugador ha aceptado el mínimo de un millón de dólares como veterano, reducido a seiscientos mil dólares porque la temporada es más corta, además de otros tres millones que obtendría por un contrato publicitario con Converse.

11. Una nota del autor. Estamos a 13 de mayo de 2019 y, mientras estoy escribiendo esto, acaba de aparecer una alerta en mi pantalla: «Dennis Rodman, acusado de robar 180 kilos de cristal de un estudio de yoga». Ya pueden seguir con la lectura.

Era una locura. Más que una locura. Dennis Rodman, el ala-pívot de treinta y siete años aficionado al travestismo, a los cigarrillos, a los tatuajes que cubrían su cuerpo entero y conocido por llegar puntual una vez cada tres años, había liderado las estadísticas de rebotes de la NBA durante los últimos siete años. Pero después de haber ayudado a los Chicago Bulls a conseguir su tercer título consecutivo en 1998, ahora era un agente libre al que, comprensiblemente, no quería ninguna de las veintinueve franquicias de la liga. Por extraño que parezca, en un deporte que depende de la responsabilidad compartida, un pájaro loco no resulta demasiado atractivo.

El único y mayor defecto de Rodman era, básicamente, todo, a excepción de su proximidad geográfica (vivía en un dúplex en Newport Beach) y su capacidad innata para capturar las pelotas de baloncesto que rebotan en un cilindro metálico. En una ocasión fue sancionado por darle un cabezazo a un árbitro. En otra, por utilizar lenguaje malsonante en directo en un programa de televisión. En las últimas siete temporadas había recibido un total de catorce sanciones, sin contar los catorce partidos que estuvo cobrando sin jugar con los San Antonio Spurs.

Dicho esto, Jerry Buss, el propietario de los Lakers, estaba entusiasmado con Rodman. Por su habilidad reboteadora, por supuesto. Pero también por el *show* que lo acompañaba. Para lo bueno y para lo malo, Rodman captaba la atención, y Los Ángeles era un paraíso para este tipo de personajes. «Dennis es un talento sobre la pista —dijo Buss antes del partido inaugural de la temporada—. Por lo que puedo ver en el público, ellos quieren ganar tanto como yo. Tienen hambre de títulos. Hace ya demasiado tiempo.»

Todo empezó por casualidad. Poco después de que empezara la liga, Rodman entró en una guerra sin cuartel con su agente de toda la vida, Dwight Manley. En palabras de Manley: «No podía más con aquel circo, así que dejé de trabajar con él». Entonces Rodman contrató a otro representante, Steve Chasman, de la empresa ICM, que le ayudaba con contratos de televisión, cine y libros. Sin embargo, no tenía experiencia como agente deportivo y nunca le había interesado entrar en ese ámbito.

«Una noche estaba hablando con Dennis sobre su carrera y quedamos para cenar —cuenta Chasman—. Había hecho una reserva para las siete de la tarde.» El agente llegó al restaurante Palm de Hollywood exactamente a las siete. Pasó media hora, y nada. Dieron las ocho, y nada. Pasó media hora más y... «Dennis apareció una hora y media tarde. Venía con una mujer hermosa cogida del brazo. No tenía ni idea de quién era, pero era espectacular», recuerda Chasman.

Una vez sentados, Chasman le dijo a Rodman que si quería tener negocios en distintos medios tenía que seguir jugando al baloncesto.

—Llama a Dwight —dijo Chasman—. Dile que...

—Que le jodan —respondió Rodman—. No quiero hablar con ese gilipollas.

Sin saberlo ninguno de los dos, apenas unas mesas más atrás estaba sentado Jerry Buss, acompañado por tres veinteañeras ligeras de ropa. El propietario de los Lakers tenía sesenta y seis años. Se acercó a Rodman, le extendió la mano y dijo:

—Dennis, yo tengo dos prioridades: quiero mi pabellón lleno y ganar la NBA. En este orden. Por eso, quiero que seas un Laker.

Rodman sonrió y asintió con la cabeza mirando a Chasman.

—Señor Buss —dijo—, tiene usted que hablar con mi agente, Steve Chasman.

Mmm..., ¿qué?

Al cabo de cuarenta y ocho horas, Chasman estaba reunido con Jerry Buss en un restaurante de Marina del Rey, para luego dirigirse a casa de Jerry West en Bel Air. Era como un viaje psicotrópico, más extraño, si cabe, por el hecho de que Rodman no había tocado una pelota de baloncesto durante casi medio año. «No sabía si estaba en forma o no. Pero siempre podría coger rebotes», recuerda Chasman.

Para sorpresa de casi todo el mundo, Harris estuvo de acuerdo con la idea de incorporar a Rodman a la plantilla. Había observado cómo lo había gestionado Phil Jackson en Chicago, y creía que él también sería capaz de sacar el máximo potencial del Gusano (su apodo se remonta a la infancia, cuando su madre se dio cuenta de que se arrastraba por todos lados mientras jugaba al *pinball*). Pero dos días después del artículo de *Los Angeles Times* sobre la inminente adquisición de Rodman, el jugador se encontraba en paradero desconocido. Nadie, absolutamente nadie, sabía dónde estaba. Finalmente, un par de turistas lo localizaron en Las Vegas jugando a los dados, bebiendo cerveza y viviendo la vida. Jerry West se puso nervioso y empezó a despotricar delante de Lacy J. Banks del *Chicago Sun-Times*: «¡Esto no es forma de hacer negocios!».

Los jugadores de los Lakers estaban desconcertados. Por ejemplo, Derek Harper, el veterano base, creía que Rodman era una distracción. En cambio, O'Neal lo celebró exclamando: «¡Quiero a un delincuente!». Van Exel, desde Denver, no se lo podía creer. ¿Él era un problema y Dennis Rodman una solución? «Si llega con todas sus fantochadas y pensando solo en el *show* de Dennis Rodman, se cargará al equipo», dijo.

«Era una apuesta a ciegas —afirma Corie Blount—. Al menos, eso es lo que parecía. En plan, tenemos problemas y tengo una idea que podría funcionar. Lo más probable es que no funcione, pero quién sabe. Fichemos a ese lunático a ver qué ocurre.»

Al mismo tiempo que Lakers se aseguraban de que Rodman no yacía muerto en una cuneta con tres prostitutas y una aguja sobresaliendo de su pezón izquierdo, las posibilidades de que Harris siguiera en el cargo disminuían. El 19 de febrero, Peter Vecsey, del *New York Post*, publicó que los Lakers despedirían a su entrenador en cuestión de días, sino horas. Escribió: «Por lo que me cuentan, prácticamente todos los jugadores están cansados de pasarse los entrenamientos escuchando sus charlas. Y, puesto que los jugadores repiten los mismos errores constantemente, tienen que escuchar la misma charla una y otra vez».

El domingo 21 de febrero, los Lakers perdieron por 92-89 ante unos mediocres Sonics. Polynice, el pívot de Seattle, oyó a los jugadores discutiendo entre sí durante el partido. También perdieron el siguiente partido, esta vez en la prórroga, contra los Nuggets de Van Exel que llevaban una victoria y ocho derrotas.

Fue un partido extraño en el que el escolta del equipo de Denver, Eric Washington, un jugador del que pocos Lakers habían oído hablar, anotó 16 puntos en cuarenta y ocho minutos de juego. Pero aquella derrota inusual quedó eclipsada por el espectáculo que estaba sucediendo en Los Ángeles, donde Dennis Rodman (sano y salvo) había convocado una rueda de prensa en el Planet Hollywood para anunciar... absolutamente nada.

De verdad. «Nada.»

Asistieron unos treinta medios de comunicación, pensando que los Lakers estaban a punto de anunciar a su nuevo ala-pívot. Rodman llegó cuarenta minutos tarde a su propio evento, acompañado por Chasman, la modelo Carmen Electra (que llevaba un vestido plateado del tamaño de una tirita) y su hermana, Debra, que sujetaba una caja con cuatro de los cinco anillos de campeón de la NBA. Él llevaba una camiseta blanca, gafas de sol, múltiples *piercings* en la nariz y una gorra inspirada en la ópera *rock* de Andrew Lloyd Webber y Time Rice *José el soñador*. Es posible que estuviera borracho, colocado o, simplemente, que no hubiese descansado lo suficiente. Probablemente, estaba borracho y colocado.

«Tienen que pasar muchas cosas antes de que ponga un pie en la pista», empezó Rodman, hablando ante un micrófono del Planet Hollywood. Y, a partir de ahí, todo fue una locura. Sin venir al caso, Rodman criticó a los jugadores jóvenes de los Lakers argumentando que «todos ellos quieren ser superestrellas del baloncesto, pero todo el mundo tiene que representar su papel». Luego, otra vez sin venir al caso, añadió que ganar no suponía ninguna motivación para él. «Lo que me ha hecho salir del agujero es el aburrimiento —dijo—. Estoy cansado de no hacer nada.»

Divagaba. Era un hombre aburrido con un micrófono en la mano y demasiado tiempo libre. Todo el mundo llegó a la conclusión de que no había ningún motivo para estar allí. Era un circo organizado por un P. T. Barnum moderno, sin tigres ni elefantes.

Finalmente, una de los representantes de los medios de comunicación se hartó. Había pasado una hora, y para Lisa

Guerrero todo aquello había sido una pérdida de tiempo. La habían contratado recientemente como reportera de deportes para la KCBS-TV. Era conocida por su época de animadora del equipo de fútbol americano Los Angeles Rams, y por ser una de las protagonistas de la serie de Aaron Spelling *Sunset Beach*, que no estuvo mucho tiempo en antena. Guerrero llegó pronto con ganas de impresionar a sus nuevos jefes. Les aseguró que conectaría en directo cuando Rodman confirmara que había firmado el contrato. Pero a medida que pasaban los minutos y el Planet Hollywood se iba llenando, Guerrero empezó a perder la paciencia. «Ninguno de los otros reporteros sabían quién era. No dejaban de mirarme —recuerda—. Alguien llegó a decir: "¿Le han dado un micro a una modelo?". Y otro tío empezó a hablar de mis pechos. Fue muy incómodo. Gracias a Dios que Rodman se presentó.»

Ella esperaba alguna noticia, pero todo lo que pudo escuchar fueron unas declaraciones sin sentido. «Rodman olía a noche de fiesta —cuenta Guerrero—. Esa combinación de sudor, alcohol y tabaco.» Rodman habló del increíble sexo que practicaba con Electra y compartió reflexiones a salto de mata sobre las relaciones sexuales. Luego dijo algo que lo cambiaría todo: «He convocado esta rueda de prensa solo para ver si vendríais. Y habéis venido». Guerrero añade: «Se reía sin parar, como si aquello tuviera algo de divertido. Pero para mí ya era suficiente».

Mientras los demás reporteros tragaban alegremente con aquella humillación, Guerrero se levantó, miró fijamente a Rodman y dijo:

—Esto es intolerable. Nos has hecho perder el tiempo. ¿Nos estás diciendo que hemos venido para nada? Es lo más egoísta que he visto en mi vida.

Silencio.

—¿Me lo dices en serio, cariño? —respondió Rodman—. ¿Me estás llamando egoísta? Siempre he sido un jugador de equipo, cariño. He sido un jugador de equipo durante trece años, he ganado cinco campeonatos, siete premios como mejor reboteador, he disputado diez finales… Si dices algo así, tienes algún problema. Cuando Michael Jordan se retiró, no fue egoísta. Cuando Michael Jordan regresó, todos le lamíais el... Y ahora, de repente, yo hago esto y soy egoísta.

Luego sucedió algo totalmente inesperado. Dennis Rodman empezó a sollozar.

—Nunca voy a salirme con la mía —dijo entre lágrimas—. No importa lo que haga por esta liga, por el baloncesto. Nadie me entiende.

Abrió un papel doblado y leyó lo que estaba escrito.

—Aquí tengo una lista de diez entidades sociales a las que voy a donar diez mil dólares. ¿Acaso soy egoísta?

Lo que tenía en la mano era un menú de comida para llevar.

«Al día siguiente, la noticia no era que Rodman había llegado a un acuerdo con los Lakers. La noticia era que había roto a llorar por mi culpa», recuerda Guerrero.

Pronto hubo más llantos, de tristeza o de alegría, según el punto de vista. En las cuarenta y ocho horas más extrañas de la historia de la humanidad, los Lakers ficharon finalmente a Rodman, que aceptó el salario mínimo de un millón de dólares (rebajado a seiscientos mil por la temporada reducida). Aquella noche, los Lakers sufrieron un nuevo revés, y perdieron 93-83 contra un inofensivo Vancouver. Su balance era de 6 victorias y 6 derrotas. «Nunca había pertenecido a un equipo con un registro de 6-6 —confesó un O'Neal completamente abatido—. Cada uno tiene que mirarse al espejo y analizar su rendimiento, en lugar de señalar con el dedo a los demás.»

Justo al terminar el partido, Fox y Horry comunicaron a Harris que celebrarían una reunión de jugadores en el vestuario del General Motors Place. Sin entrenadores. Fue una situación desagradable. Tom Savage, el director adjunto de Relaciones públicas, seguía en el vestuario, y Harper, el veterano base, le gritó: «¡A la puta calle!». Savage se sintió humillado. O'Neal le dio una palmada en el hombro y dijo: «Seas o no seas jugador de baloncesto, nunca dejes que nadie te hable así. Nunca». Una vez iniciada la reunión, la mayoría de los jugadores culparon directamente a su locuaz entrenador por plantear un ritmo de partido tan lento en una competición donde cada vez se jugaba más rápido. En una época donde destacaban jugadores como Allen Iverson, Vince Carter y Kobe Bryant, los

Lakers parecían jugar al ralentí, como si participaran en una caminata solidaria. La reunión sirvió para que los jugadores pudieran expresarse con libertad, sin miedo a incomodar a su entrenador. «No pude decir nada —recuerda Harris—. Claro que sabía que algunos jugadores no estaban contentos. Lo que no me imaginaba es que me despedirían.»

A la mañana siguiente, West le pidió a Harris que acudiera a las oficinas del equipo y le comunicó la rescisión de su contrato. West estaba anonadado. Adoraba a Harris. «No estábamos jugando a nuestro máximo nivel y necesitábamos un cambio —recuerda—. Pero esto no quiere decir que Del no sea un hombre fantástico. Lo era. Como hombre y como entrenador. Pero a veces es necesario un cambio de perspectiva.»

Aunque Harris estaba sorprendido y decepcionado, no fue en absoluto el peor momento de su vida. Sus padres, Ed y Wilma, habían fallecido hacía unos meses, su padre por una enfermedad cardiaca, y su madre tras cinco agónicos años padeciendo demencia. Apenas se acordaba de su propio nombre. «Hacía tiempo que no me reconocía —recuerda Harris—. ¿Qué importancia tiene el baloncesto en comparación con esto?»

No le faltaba razón.

El 4 de febrero de 1999 se celebraron dos ruedas de prensa sucesivas: el adiós de Harris, y la llegada de Rodman. La combinación era sorprendente. Ángel y demonio. Santo y pecador. Sin embargo, el que abandonaba la franquicia era el santo, mientras que el hombre que llevaba el tatuaje de una serpiente rodeando un crucifijo era ovacionado como un salvador. A Harris le dijeron que no tenía por qué salir ante los medios de comunicación. Pero quiso dar la cara. «¿Quién asiste a su propio funeral? —se preguntaba Howard Beck, periodista de *Los Angeles Daily News*—. Pero así era Del. Había dedicado la temporada a sus padres y quería ganar el campeonato por ellos. Lo echan y sale a hablar con nosotros. Siempre actuó con responsabilidad y dignidad.»

«Y luego —cuenta Beck— entra por la puerta el rey del circo.»

Detrás de los focos, West estaba a punto de sufrir un infarto. Desde que entró a formar parte de los Lakers como segunda elección en el *draft* de 1960, procedente de la Universidad de West Virginia, siempre se había comportado como un devoto recluta. Durante las catorce temporadas que disputó como escolta, jamás se tomó un partido a la ligera. A finales de los setenta, como entrenador se dejó la piel en cada enfrentamiento. Como director general (1982- 1994), recorrió el mundo entero en busca de cualquier oportunidad o cualquier talento por descubrir que pudiera ayudar a la franquicia. Y ahora, como vicepresidente ejecutivo, todo lo que deseaba era volver a situar a los Lakers en la cima del baloncesto. Por eso hizo todo lo necesario para fichar a O'Neal. Por eso dejó escapar a uno de sus jugadores favoritos, Vlade Divac, para conseguir a Kobe Bryant. Por eso sorteó todos los obstáculos para poder fichar a Fox, para conseguir a Robert Horry o a Eddie Jones en el *draft*.

Pero aquello era demasiado.

Jerry Buss exigió que el equipo fichara a Rodman, y así fue. El propietario del equipo consideraba que era un jugador dinámico y con un talento innato para los rebotes. Pero West veía a Rodman como lo que era: un cáncer de equipo sin lealtades ni talento poseído por un narcisismo desmesurado. En público, West hacía todo lo posible para no perjudicar a la franquicia. «La inteligencia de Rodman en la pista es asombrosa», declaró. Era una mentira gordísima. West estaba totalmente en contra de aquel acuerdo. J. A. Adande, el columnista de *Los Angeles Times*, escribió un artículo en el que solicitaba que el equipo ignorara a Rodman. Aquella misma tarde, West se acercó a Adande durante el entrenamiento y le dijo: «Una gran columna. Sigue así».

«Jerry perdió la cabeza cuando Rodman firmó con ellos —cuenta Tim Kawakami, el periodista especializado del *Times*—. Después del fichaje, desapareció del mapa porque no quería tener nada que ver con eso.»

En su excelente autobiografía titulada *West by West*, comparte una carta que su mujer, Karen, le escribió a Jerry Buss el 17 de abril de 1999. En un fragmento decía:

> Estoy segura de que usted sabe que mi marido es una persona que sufre mucho. En los últimos años, su mayor fuente de sufri-

miento han sido los Lakers. Seguro que también es consciente de ello. Pero parecía haber superado ese sufrimiento el verano pasado después de arreglar las cosas con usted. Le hice prometer que sería feliz quedándose en los Lakers antes de que firmara la prórroga de su contrato. Me dijo que había recuperado la ilusión y que sabía que la decisión correcta era quedarse.

Pues bien, todo se ha ido al traste. Si Jerry tuviera tendencias suicidas ya se habría ido. El hecho de que se hayan tomado decisiones tan importantes sin su aprobación, y que su equipo, que una vez fue el más respetado, sea ahora el hazmerreír de la liga, según sus palabras, lo ha sumido en una espiral negativa casi tan autodestructiva como la que tiene Rodman.

Así de mal estaban las cosas.

Con Harris en la calle, los Lakers necesitaban un sustituto. El 25 de febrero derrotaron a los Clippers por 115-100 en Anaheim con el veterano asistente Bill Bertka al frente del equipo y con Rodman en el banquillo. Al día siguiente, West anunció que Kurt Rambis, el ex ala-pívot de cuarenta y un años que había ganado cuatro títulos como jugador en la década de los ochenta, sería el nuevo entrenador. Fue una elección curiosa porque Larry Drew, exbase de los Kings, era el primer asistente de Harris, y Rambis, el segundo. Aunque era algo extravagante e inconstante, a los jugadores les gustaba. Sin embargo, para la mayoría, no era un entrenador contrastado ni el tipo de persona que se hace escuchar. «Kurt era muy inteligente —cuenta Howard Beck—. Pero en aquel momento no creo que tuviera suficiente autoridad para dirigir a Shaq o a Kobe. Era un puesto exigente. Probablemente, no estaba preparado.»

La primera sesión de entrenamiento del equipo con su nuevo entrenador tuvo lugar en el Southwest College, la mañana del viernes 26 de febrero. Uno de los primeros jugadores en saludarlo fue Rodman. Su primera conversación fue así:

—Hola, Kurt, ¿cómo te va?

—Hola, Dennis. Bien. ¿Tú cómo estás?

—Bien —le respondió Rodman—. Necesito un par de semanas de descanso. Quiero ir a Las Vegas a aclararme la cabeza.

—¿Qué?

—Sí —dijo Rodman—. Necesito ir para centrarme y estar a punto.

Rambis no sabía si reír o llorar. ¿Estaba hablando en serio? No podía saberlo. Rambis le pidió a Corie Blount, el ala-pívot suplente, que orientara a Rodman en ataque, paso a paso. «El tío era de lo más raro. No estaba nada cómodo a su lado. No me iba su rollo», confiesa Blount.

Esa noche, los Lakers y los Clippers volvían a enfrentarse. Esta vez en el Forum, a las siete y media de la tarde. La convocatoria para los jugadores era a las seis. El reloj marcaba las seis y ocho… ¡y Rodman apareció!

Adande escribió: «Finalmente, Rodman se presentó. Llegó rodeado de su gente e iluminado por los focos de varias minicámaras. Puso rumbo al vestuario y desapareció por la puerta trasera de una habitación […] El Rodman de siempre. No llegó demasiado tarde, pero fue suficiente para demostrar que era un inconformista. Con Rodman las infracciones empiezan siendo pequeñas hasta que descubre cómo puede salirse con la suya».

Con Jerry Buss observando desde su localidad habitual, el espectáculo parecía el guion de una secuela cinematográfica: *El retorno del Gusano*. Rambis, que cuando era jugador parecía una servilleta usada, lucía un aspecto brillante, con su traje entallado de color azul oscuro y su corbata gris y blanca. Los 17 505 aficionados del pabellón lo recibieron con una gran ovación, seguramente porque representaba la gloria del *Showtime* y, seguramente, porque «no era» Del Harris.

Los Clippers fueron la víctima perfecta. El otro equipo de la ciudad, que llevaba un balance de 0 victorias y 11 derrotas, no era rival para los Lakers. Contaban con el base Sherman Douglas, pasado de peso, y con Michael Olowokandi, que, según Neil Greenberg, del *Washington Post*, era uno de los peores jugadores de la historia del *draft*. Rodman llegó al Forum con el pelo teñido de negro, amarillo y morado. Parecía una ameba mezclada con puré de plátano. Carmen Electra mascaba chicle mientras firmaba autógrafos en su localidad, cuatro filas por detrás de la pista. Lucía un vestido de color crema que dejaba su abdomen al descubierto. Todo recordaba los años dorados del *Showtime*. Cuando quedaban seis minutos y tres segundos para finalizar el primer cuarto, y los Lakers iban por delante 12-11, Rodman se levantó del banquillo para sustituir a Travis Knight. Un rugido atronador inundó la cancha.

Al cabo de pocos segundos, recuperó una pelota y asistió a O'Neal, que aceptó el regalo y machacó el aro. En su segunda intervención, Rodman se apuntó el primer rebote, cedió la pelota a O'Neal, y este anotó de nuevo. Poco después interceptó un pase en defensa. Los Lakers llevaban un parcial de 7-0; en los veintiséis minutos que Rodman estuvo sobre la pista, el parcial fue de 59-37. Las estadísticas del Gusano estaban acorde con las de su carrera: 0 puntos, 11 rebotes, 3 faltas personales, y quemaduras y arañazos en los codos y las rodillas. Los Lakers ganaron 99-83. Parecía que habían recibido un regalo caído del cielo. «Definitivamente, es un jugador muy especial —dijo Harper elogiando a Rodman—. Esta noche nos ha transmitido su energía. Nada más entrar en el partido han empezado a ocurrir cosas positivas.»

—Entonces, ¿crees que saldrá todo bien? —preguntó Tim Kawakami del *Times*.

Harper sonrió.

—Por ahora, todo va bien —dijo—. Pero hay que esperar. Ya lo veremos.

La espera no fue muy larga.

Dennis Rodman debutó un viernes. Dos días después, llegó media hora tarde a su primera sesión de entrenamiento con todo el equipo. Se excusó diciendo que había encontrado tráfico en la interestatal 405. «Es un librepensador —le dijo Rambis a los medios—. Si él quiere hacer las cosas de otro modo, yo no tengo ningún problema.»

Debutar como entrenador de los Lakers es un auténtico reto. Pero hacerlo con un lunático en la plantilla, es una auténtica quimera. Rodman no asistió a varios entrenamientos. Llegó apestando a alcohol y tabaco en múltiples ocasiones. «En una ocasión, teníamos una sesión de entrenamiento antes de subir a un vuelo, y Dennis no se presentó a la hora», cuenta Tom Savage, director adjunto de relaciones públicas. «Dejé entrar a los periodistas diez minutos antes de terminar la sesión y, justo en ese momento, Dennis aparece por la puerta lateral. La coreografía era perfecta. Iba en pijama y llevaba las zapatillas colgando del hombro.»

Bajo la dirección de Rambis, y con Rodman en la pista, los Lakers ganaron diez partidos consecutivos, y lograron un parcial de 16 victorias y 6 derrotas. Sin embargo, la situación era insostenible. O'Neal había sido el mayor defensor del fichaje de Rodman, pero no lo comprendía. Rodman asistía a los entrenamientos y, a mitad de la sesión, se tumbaba sobre la pista para echar una siesta. Se duchaba antes de los partidos, no después. Sean Rooks, un pívot suplente, se saltó un entrenamiento y se excusó diciendo: «Si Dennis puede ir y venir cuando quiere, ¿por qué no puedo hacerlo yo?». Un periodista del londinense *The Times* sacó la noticia de que Rodman había sido infiel a Carmen Electra en la habitación 821 del hotel Four Seasons de Beverly Hills. «Qué más da la habitación —dijo Rodman—. Me lo pasé en grande.» En una ocasión, en el vestuario, Rodman se quitó el uniforme y se enfundó un vestido de mujer. «¿Este tío se acaba de poner un vestido?», recuerda que se preguntó Aldridge. Rodman no hablaba con nadie, ni con O'Neal ni con Bryant ni con Rambis. Decidió que solo atendería a los medios de comunicación cuando realizara una larga sesión de levantamiento de pesas. Es decir, nunca hablaba con la prensa. «Un día que llovía, estábamos subiendo al autobús y me dijo: "Oye, Tom, ten cuidado. Los escalones resbalan". Me quedé estupefacto», cuenta Savage.

El 12 de marzo, después de haber jugado solo ocho minutos en un partido que ganaron contra los Warriors, a Rodman le concedieron una excedencia indefinida. Cuando le preguntaron a Rambis cuándo regresaría, se limitó a encogerse de hombros y respondió: «Me hacéis preguntas para las que no tengo respuesta». Ciertos rumores decían que Rodman había contraído una deuda de juego de seiscientos mil dólares y necesitaba saldarla cuanto antes. Otros, que él y Carmen Electra (que se habían casado mientras Rodman estaba intoxicado) se estaban divorciando. Y también se contaban historias que aseguraban que Carmen Electra había engañado a Rodman con Tommy Lee, el baterista de Mötley Crüe.

«Era un auténtico desastre. A veces se presentaba, otras, no. Era más un dolor de cabeza que cualquier otra cosa», asegura Harper.

El 16 de abril, cuando todo estaba dicho y hecho, los Lakers liberaron a Rodman. Cuando ya estaba todo dicho, Dennis, que declaró a la revista *Newsweek* que el equipo dependía de él para mantenerse a flote, había disputado veintitrés partidos con los Lakers con una media de 2,1 puntos, 11,2 rebotes y un total de 13 faltas técnicas, además de un número infinito de titulares enigmáticos. «¿Soy un genio? —se preguntó durante una entrevista—. ¿Puedo obrar milagros? ¿Soy un dios? No. Pero tengo un don.»

Kurt Rambis no estaba preparado para todo esto.

Así lo reconoció dos décadas más tarde: «Simplemente, creo que no estaba preparado para ser entrenador —dijo—. La preparación, la gestión de los jugadores, hallar un sistema que encajara tanto ofensiva como defensivamente… Todos pensamos que sabemos entrenar cuando te encuentras en el cargo. Además, esa no fue una temporada normal».

El apretado calendario no permitió llevar a cabo una buena preparación. Las excentricidades de Rodman impedían que la normalidad se instaurara en el equipo. Y, luego, el 10 de marzo, se hizo efectivo el acuerdo.

El gran acuerdo.

Después de soportar el millar de rumores que afirmaban que Eddie Jones se iba a tal o cual equipo, los Lakers finalmente lo traspasaron a Charlotte junto a Elden Campbell, a cambio del alero Glen Rice, del ala-pívot J. R. Reid y del base B. J. Armstrong, al que finalmente renunciaron. Hacía dos días que Jerry Buss se había acercado a Jones en el vestuario y le había asegurado: «No te vamos a traspasar».

—¿De verdad? —dijo Jones—. Porque he oído que…

—Eddie —contestó Buss—, tienes mi palabra.

Cuarenta y ocho horas después, Jones estaba hablando por teléfono con Jerry West. Jerry le deseó mucha suerte y le informó de toda la logística de su traspaso. Mientras tanto, en Charlotte, Rice tenía sentimientos encontrados. Por un lado, él era de Jacksonville, Arkansas, una pequeña ciudad con una población de 28 364 habitantes. Era un chico de pueblo. Los focos y el ruido de Hollywood no eran lo suyo. Por otro lado, Rice deseaba renovar su contrato, pero los Hornets no tenían la intención de mejorar su contrato de catorce millones de dólares. «Charlotte me encantaba, pero no estábamos en posición de luchar por el título —recuerda—. Con los Lakers, me incorporé a un equipo que tenía todas las piezas.».

El tres veces *All-Star* y elegido en su momento en primera ronda del *draft*, procedente de Michigan, se presentó en Los Ángeles sin haber disputado un solo partido en toda la temporada porque estaba recuperándose de una operación para eliminar las partículas sueltas de su codo derecho. Aun así, lo ficharon pensando que era la pieza que faltaba. La extraña argumentación que los ejecutivos del equipo y, más tarde, la prensa local, repitió hasta la saciedad aseguraba que Jones y Bryant eran demasiado parecidos. Que, en realidad, nunca jugaron bien juntos. «Para mí, eso no tenía ningún sentido —reconoció Jones años después—. Era simplemente falso.» Rice, en cambio, era un buen lanzador exterior que podría abrir la pista y causar estragos en la defensa rival. «Aportará una dinámica ofensiva que hace tiempo que echábamos en falta —dijo West elogiando a su nuevo jugador—. Muchas personas de la NBA creen que hemos obrado bien.»

A Rambis le repitieron por activa y por pasiva las impresionantes cualidades de su nuevo jugador. Dave Wohl, un entrenador asistente, había trabajado con Rice cuando ambos coincidieron en los Miami Heat y elogiaba abiertamente su capacidad de tiro. Además, los ojeadores de los Lakers también aseguraron que Rice estaba en muy buena forma. «Yo sabía que tenía mucho talento, pero me preocupaba cómo integrar a un tercer jugador ofensivo en nuestro planteamiento —recuerda Rambis—. Estaba ocupado pensando cómo encajar las piezas, cuando, de repente, Glen se presentó a un entrenamiento.»

Rambis se encontraba de pie junto a Bill Bertka, su asistente.

—Ostras —dijo—, Glen está pasado de peso.

—¿Cómo lo sabes? —respondió Bertka.

—Porque se le ven los michelines por fuera de la camiseta —respondió Rambis.

Rice medía dos metros y su peso ideal estaba alrededor de los 98 kilos. Por aquel entonces, según el propio Rice, pesaba 110 kilos. Debutó contra Golden State, saliendo del banquillo para anotar 21 puntos en un partido que ganaron 89-78. «He tenido muy buenas sensaciones. Van a pasar muchas cosas buenas con este equipo», dijo Rice después del encuentro.

El optimismo era genuino. Pero la realidad era muy distinta. «Glen llegó con el ego por las nubes —dijo Kevin Ding, periodista especializado del *Orange County Register*—. Tenía unas expectativas que no se alcanzaron.» La racha de diez victorias consecutivas se desvaneció cuando el equipo perdió cinco de los ocho partidos siguientes. La adaptación de Rice fue de todo menos tranquila. En sus tres años con los Hornets, había logrado una media de 23,5 puntos por partido. Ahora con los Lakers tenía una media de solo 17,5 puntos. Sus compañeros de equipo estaban perplejos con su poca capacidad para crear juego o para retener las ideas básicas del ataque. «Glen solo destacaba en un ámbito del juego —reconoce Harper—. Era un gran tirador. Pero cuando no lanzaba, no aportaba nada al equipo. No sabía defender y no mejoraba el rendimiento de sus compañeros. Eddie era exactamente lo contrario: defendía, anotaba desde el exterior y generaba oportunidades para los demás. Yo insistí en que era un mal intercambio. Pero nadie me escuchó.»

Rambis echaba de menos al ágil y elegante Jones, que, en ese momento, estaba ocupado consolidándose como la nueva estrella de Charlotte. «Algunas veces, cuando me encontraba en la banda, Glen recibía la pelota justo delante de mí —recuerda Rambis—. Siempre intentaba tiros abiertos, pero, tan pronto como la pelota abandonaba sus manos, podía verse que no tenía ninguna probabilidad de entrar en el aro. Yo le decía a Dave: "¿Qué narices le pasa? ¿Qué es esto?"».

Wohl se limitaba a sacudir la cabeza y respondía: «Lo sé. Nunca había visto nada igual. No sé qué decirte. No es el mismo jugador».

En los siguientes cuatro partidos, un lento, gordo y malhumorado Rice logró un patético registro en tiros de campo: 26 de 65. «Era muy malo. No era el jugador que me había imaginado», cuenta Rambis.

No obstante, el equipo se enfrentaba a un problema que estaba fuera del alcance de su nuevo entrenador: la química del equipo era explosiva. «Muchos periodistas conocieron a Kurt en su época de jugador. Era ocurrente y divertido —explica Kawakami—. Pero cuando lo nombraron entrenador se transformó. No tenía sentido del humor, se enfadaba y se tomaba las cosas de forma personal.» La ausencia de una pretemporada habitual anuló las posibilidades de generar vínculos entre los jugadores. Pero el cese de un entrenador y el fichaje de un reboteador lunático y un lanzador exterior con sobrepeso eran demasiado para él. Además, el culebrón del «chico maravilla» (el nuevo apodo de Bryant) y O'Neal parecía no tener fin. Cuando Rambis era el asistente de Harris, muchas veces se sentaba en el banquillo con Bryant para explicarle qué era el baloncesto profesional a ese nuevo fenómeno de Los Ángeles. Creía que Harris, a pesar de todas sus virtudes, no le dedicaba el tiempo necesario a Bryant, así que él intentó llenar ese vacío. Pero ahora, como líder del equipo, seguía susurrándole a Bryant palabras dulces al oído, y se negaba a amonestarlo por su juego egoísta o sus malas decisiones. «Dejaba que Kobe hiciera cuanto deseaba —recuerda O'Neal—. Nunca lo cuestionaba. Kurt defendía todo lo que hacía, en vez de actuar como un hombre y decir: "Mira, si queremos ganar, esto es lo que tienes que hacer". La realidad era que nadie quería jugar con Kobe.»

Aunque J. R. Reid era un veterano con diez años de trayectoria que se encontraba en el ocaso de su carrera deportiva y había sido un elemento decorativo en el intercambio de Jones por Rice, a West le gustaba cómo se relacionaba con el resto de sus compañeros. Por eso, apenas un día después de su llegada, apartó a un lado al ala-pívot y le pidió un favor.

—He visto que te llevas genial con Derek Harper, Shaq, Rick Fox y Travis Knight. ¿Podrás hacerme el favor de intentar enseñarle a Kobe lo mismo? —dijo West.

—¿A qué te refieres? —respondió Reid.

—Intenta que entienda que este deporte no se trata de un jugador contra todo el mundo —contestó West—. Enséñale cómo ser un buen compañero de equipo.

No sabía lo que le pedía. Habría sido más fácil enseñarle húngaro. El escolta de tercer año llevaba una media de 19,9 puntos en los cincuenta partidos que había jugado con los Lakers. Sin embargo, los 26,3 puntos por partido de O'Neal eran mucho más productivos para todo el equipo. Bryant era una bomba de relojería que, cuando implosionaba, ignoraba a sus compañeros en su afán por romper las defensas y abrirse paso hacia canasta. Cuando jugaba bien, era espectacular. Bryant arrolló a los Magic el 21 de marzo anotando 38 puntos (15 de 24 tiros de campo). Pero muchas veces los números eran distintos: 4 de 14 contra los Clippers, 5 de 15 contra Golden State, 8 de 21 contra Seattle. Si se hubiese hecho un vídeo resumen de una hora de duración de los mejores momentos de Glen Rice en 1999, cincuenta y siete minutos estarían dedicados a los aspavientos que realizaba fuera de la línea de tres puntos esperando los pases que nunca llegarían. Rambis pedía a los jugadores más veteranos que animaran a Bryant a pasar la pelota. Pero este respondía con miradas de desprecio o se encogía de hombros mostrando desinterés. «Todos decían que lo intentaban, pero que él no escuchaba —cuenta Rambis—. Y yo pensaba: "Lo has intentado una vez. Una. ¿Qué tal si lo pruebas dos o tres veces?".» Rambis había llegado a los Lakers en la era del *Showtime*, y para él lo normal era ver cómo Magic Johnson arropaba a Vlade Divac bajo su ala o como Michael Cooper apadrinaba a Byron Scott. Pero eran hombres distintos en una época distinta. Tom Savage, el director adjunto de Relaciones Públicas, se acuerda de cómo un nervioso O'Neal solía preguntarle: «¿Qué piensas del número 8? ¿No crees que debería pasar más la pelota?».

Antes de un partido que jugaron en abril contra Sacramento, Shaquille convocó una reunión solo para jugadores en el vestuario visitante del Arco Arena. Uno tras otro, todos se levantaron para reiterar que estaban hartos de que el «chico de oro» (nuevo mote ideado por O'Neal) recibiera un trato especial. «Kobe se limitó a quedarse sentado. No dijo nada», recuerda O'Neal.

Fue una oportunidad para que los jugadores pudieran expresar su frustración.

—Shaq, Kobe, tengo una idea —dijo Harper—. ¿Por qué no os rompéis la cara en medio de la pista? No paráis de discutir sobre a quién le pertenece el equipo, pero está claro que no os importamos una mierda. Solo somos los que pasamos la puta pelota. O sea, que, vamos, que empiece la pelea.

La idea fue recibida con risas incómodas. Pero Rambis, que estaba escuchando detrás de la puerta, entró en mitad de la reunión y gritó:

—¡A ver chicos, todos habéis sido jóvenes y egoístas alguna vez!

No sentó nada bien. «Tras las palabras de Kurt, todos los veteranos sabíamos que no llegaríamos a ninguna parte con ese entrenador», recuerda O'Neal.

Si Bryant hubiera sido conciliador fuera de la pista, quizá se le habría disculpado su egoísmo sobre el parqué. Sin embargo, muchos de sus compañeros de equipo llevaban tres años siendo testigos de su arrogancia, y estaban más que hartos. Bryant seguía declinando todas y cada una de las invitaciones que recibía para participar en actividades que podían ayudar a cohesionar al grupo, fiestas organizadas por los jugadores, celebraciones de cumpleaños o salidas a la bolera. En Miami, O'Neal invitó a toda la plantilla a una marisquería. Bryant fue el único que no asistió; cuando llevaban media hora cenando, entró en el restaurante y se sentó solo, en su propia mesa, con un libro.

Supuestamente, Derek Fisher era su mejor amigo en el vestuario, pero ni siquiera había estado en su casa. Una vez, en un desplazamiento del equipo, Bryant se encontró a Rick Fox y Robert Horry cenando juntos en un restaurante. Los Lakers tenían partido al día siguiente y Horry tenía una cerveza en la mano.

—¿Cómo puedes beber antes de un partido? —preguntó Bryant—. ¿No quieres estar al cien por cien?

Horry se rio y poco más.

—Estaré bien, jovencito —le dijo—. Preocúpate por ti.

«Dios sabe que lo intenté todo con Kobe —recuerda Reid—. Cuando íbamos en avión, siempre lo invitaba a echar una partida de cartas, jugar a los dados o, simplemente, hablar. Pero la respuesta siempre era la misma: no. Siempre estaba solo, leyendo *El arte de la guerra* o intentando aprender cómo castigar a sus rivales. No era la mejor manera de ser un jugador de equipo.» Sus compañeros no sabían que Bryant, en ocasiones, iba al cercano campus de la Universidad de California y se sentaba en el centro de estudiantes. Fingía ser uno de ellos. «Creo que estaba triste —afirma Harper—. Era muy solitario.»

El único compañero en el que Bryant confiaba mínimamente era Harper. A sus ojos, Harper era más una especie de tío que un compañero de equipo. Tras dieciséis años en la NBA, Harper quería desesperadamente ganar un título, y entendía el apetito competitivo de Bryant. Aquel joven era el primer compañero de equipo que se ponía las vendas antes de entrenar, y luego, al terminar, cuando todo el mundo abandonaba el gimnasio, se las cambiaba para hacer una segunda sesión de ejercicios. Era impresionante.

«Salíamos a comer —recuerda Harper—. Nos sentábamos, comíamos algo y hablábamos. No era fácil conocer a Kobe. Siempre mantenía las distancias. A veces miraba a través de mí, como si no estuviera ahí. Pero, otras, lográbamos entendernos.»

Un día, O'Neal se acercó a Harper en el vestuario con una expresión de desconcierto en el rostro.

—Tío —dijo—, ¿adónde vais tú y Kobe?

—A comer —respondió Harper.

O'Neal sacudió la cabeza.

—Bueno —dijo—, es bueno saber que habla con alguien.

Cuando terminó la temporada regular, los Lakers tenían un balance de 31 victorias y 19 derrotas, para lograr un decepcionante cuarto puesto en la Conferencia Oeste. Les había faltado la intensidad de Eddie Jones y el músculo debajo de la canasta de Elden Campbell. Rodman se había esfumado, Rice tenía sobrepeso, Bryant estaba fuera de control y los tres *rookies* (Sam

Jacobson, Tyronn Lue y Ruben Patterson) apenas habían participado. O'Neal era el mejor hombre grande de la liga, pero, cuando no estaba en la pista, los Lakers sufrían.

Después de deshacerse de Houston en la primera ronda del *playoff*, el equipo de Los Ángeles se dejó apabullar por San Antonio, un conjunto mucho más cohesionado que contaba con David Robinson y Tim Duncan en el juego interior. «Eran mejores. Mucho mejores», reconoció Harper. El último partido de la serie, que perdieron 118-107, fue el último que jugaron en el Great Western Forum. Aquel pabellón había sido el hogar de algunos de los mejores equipos de la historia de la NBA, y ahora se despedía con un triste y patético final. Las banderas que colgaban de los travesaños parecían burlarse de los jugadores mientras abandonaban la pista: no sois suficientemente buenos...

Muchos de los 17 505 espectadores que habían llenado la cancha abandonaron sus localidades cuando todavía quedaban cinco minutos de partido y los Lakers (calificados en un acertado artículo del *Newsday* de «incompetentes» e «ineptos») iban trece puntos por debajo.

De nuevo, el equipo angelino tenía la sensación de haber tocado fondo.

8

En manos de Phil

*T*enía que pasar.

Todo el mundo en Los Ángeles lo sabía.

Todo el mundo en Los Ángeles lo sentía.

Todo el mundo en Los Ángeles lo quería.

Un momento…

Todo el mundo quizá no.

Casi todo el mundo.

Después de aquella nueva decepción en los *playoffs*, era cada vez más evidente que los Lakers necesitaban un cambio drástico para salir del agujero negro de la mediocridad. Con Shaquille O'Neal y Kobe Bryant, el equipo podía presumir de tener a dos piezas fundamentales por debajo de la treintena. Los otros jugadores tampoco iban escasos de talento: desde Rick Fox o Robert Horry hasta Glen Rice o Derek Fisher. Además, esa temporada inauguraban un nuevo pabellón en el centro de Los Ángeles, el Staples Arena, y Jerry Buss, el propietario del equipo, se había propuesto lograr el campeonato sin escatimar gastos.

Solo había un minúsculo e insignificante problema: el entrenador.

Si algo habían aprendido los Lakers tras la marcha de Pat Riley con sus cuatro anillos, era la importancia de tener un buen líder. Es cierto que los equipos de la era *Showtime*, con Magic Johnson, Kareem Abdul-Jabbar y James Worthy, tenían muchísimo talento. Pero, sin un buen entrenador, un equipo con talento es un equipo sin rumbo. Mike Dunleavy, el primer sustituto de Riley, a pesar de contar con una plantilla esplendida, llevó a la franquicia a las finales, pero poco más, y el mayor logro de su sucesor, Randy Pfund, fue tener una «P» delante de una «F» en su apellido. Magic Johnson tomó el relevo durante dieciséis partidos que fueron una pesadilla. Luego, llegó Harris, y, finalmente, Rambis. Algunos entrenadores eran terribles, otros eran buenos, y otros (concretamente Harris) más que buenos. Pero uno tras otro, siempre sucumbían a la misma maldición: el equipo podía ganar perfectamente el campeonato con cualquier entrenador, pero, precisamente, nunca lo ganaría por su culpa.

Así pues, no había otra, y todo el mundo en Los Ángeles lo sabía.

En realidad, Philip Douglas Jackson no era el primer candidato para la nueva temporada porque había algunos impedimentos. En primer lugar, Jerry West, el vicepresidente ejecutivo de baloncesto, creía que Rambis podía convertirse en un gran entrenador. Sabía que había algunos problemas entre el entrenador y algunos jugadores, pero estaba convencido de que era el hombre ideal para que Bryant alcanzara su máximo potencial. West y Rambis no solo eran amigos y colegas. Eran Lakers que supuraban púrpura y dorado. Para West esto tenía un gran valor.

En segundo lugar, Jackson era un hombre codiciado. Traerlo al sur de California no sería tan fácil como hacer un mate sin oposición. Nueva York estaba interesado. Nueva Jersey también. «Tenía que ser el primer nombre de muchas listas —comenta Ray Chambers, el responsable de buscar entrenador para los Nets—. Algunos entrenadores personifican el éxito. Phil Jackson era uno de ellos.»

En tercer lugar, resultaría muy costoso. En 1999, el sueldo medio de un entrenador de la NBA era de 2,6 millones de dólares. Jackson exigiría, como mínimo, cinco millones de dólares por temporada.

Y por último... ¿Por dónde empezar? Por lo común, la NBA no es una competición extravagante llena de hombres complicados. Evidentemente, todo el mundo tiene un pasado que normalmente remite a una infancia pobre, un patio de recreo local, una pelota deteriorada, un renacimiento en el instituto, un campus universitario y un traje elegante en la noche del *draft*. Pero el esfuerzo y la dedicación que supone perseguir el sueño de llegar a la NBA, normalmente, permite que los jugadores encajen a la perfección. Son aquello que uno espera encontrar, lo cual resulta muy cómodo para los encargados de tomar decisiones, como Jerry West.

Pero esta fórmula no podía aplicarse con Phil Jackson.

En aquel momento, Phil era conocido por sus éxitos más recientes: seis títulos de la NBA con los Chicago Bulls de Michael Jordan y Scottie Pippen. Incluso sus mayores detractores lo consideraban un genio como entrenador. Un sabio capaz de comprender a sus jugadores y entender cómo funcionaban. Era exigente sin ser arrogante, y transmitía sus conocimientos sin llenar de palabrería su discurso. Obsequiaba a sus jugadores con clásicos de la literatura que encajaban con su personalidad y, además, realmente creía que los leerían. Usaba la meditación y el yoga en sus sesiones, para cultivar el desarrollo personal de sus jugadores fuera de la pista. Cuando los Bulls ficharon a Dennis Rodman en 1995, después de nueve tumultuosos años con los Pistons y los Spurs, sus detractores dijeron que era como invitar a un cerdo salvaje a una sala de lectura. Jackson logró sacar su máximo rendimiento durante tres años, donde consiguieron sendos anillos.

Sin embargo, Phil Jackson tenía un pasado peculiar. Nació en el pequeño pueblo de Deer Lodge, Montana, hijo de un matrimonio de dos pastores de las Asambleas de Dios. Se crio viendo a su madre, Elisabeth y a su padre, Charles, predicar todos los domingos. En casa de los Jackson, construida por su padre, no había televisor. Phil fue alumno del instituto Williston de Dakota del Norte, y no vio su primera película hasta un año antes de asistir a la facultad. Bailó por primera vez en la Universidad de Dakota del Norte. «Una de las primeras cosas que me preguntaban mis padres cuando les hablaba de algún amigo nuevo era si era cristiano —recuerda Jackson—. Nos enseñaron a despreciar cualquier otra religión.» El tabaco era cosa del diablo. También lo era el alcohol y, por supuesto, el sexo prematrimonial. Una vez escribió: «Sentía curiosidad por el cuerpo femenino, pero no tenía la menor idea de cómo eran las mujeres.» Empezó a conducir a los doce años porque su familia vivía en mitad de la nada y alguien tenía que hacerlo. Su principal actividad durante muchos años fue recoger cerezas con su tía Katherine en Missoula, y regresar a casa para que su madre las envasara y las vendiera. «Sé que parece una infancia privada de muchas cosas, pero yo no lo viví de ese modo —decía Jackson—. Mi padre fue realmente un gran ejemplo. Una vez tuvo que despedir a un pastor que había tenido una relación extramatrimonial con una persona de la congregación. Lo hizo de forma muy delicada. Fue honorable.»

Cuando Jackson tenía trece años, su padre dedicaba gran parte de su tiempo a aconsejar a un parroquiano que había provocado un terrible accidente de tráfico con su remolque. El hombre llegaba a casa de los Jackson con los hombros caídos y el rostro cubierto de lágrimas. Charles siempre hablaba con él en el estudio. «Un día sonó el teléfono —cuenta Jackson—. Yo apenas era un niño, pero descolgué el aparato porque mi padre estaba ocupado. Era la mujer de aquel hombre. Dijo que su marido se había suicidado en el baño. Jamás lo he olvidado.»

El aislamiento, la espiritualidad y la introspección hicieron de él un hombre inusual. El joven Phil estaba interesado en las relaciones humanas, estaba atento a cómo las personas interactuaban con sus padres. Aprendió cómo funcionaban las relaciones sociales, sin apenas enterarse.

Además, resultó ser un deportista realmente extraordinario. En su segundo año de instituto, con 1,85 de altura y solo 68 kilos (sus compañeros lo llamaban «Bones», parecía una percha del revés), Jackson formaba parte del equipo de béisbol, de fútbol americano, de atletismo y de baloncesto. Sobresalía en todos ellos. Le encantaba la notoriedad que le ofrecía el deporte y la adrenalina del cuerpo en movimiento. Sin embargo, sus padres no estaban convencidos. Ese mismo año bautizaron a Jackson en el río. Se suponía que después del bautizo tenía que consagrar su vida a Dios. Pero, en lugar de eso, y según cuenta él mismo, salió del camino estipulado fingiendo una devoción inexistente. Ni siquiera estaba convencido de la existencia de Dios. Las enseñanzas de Jesús eran estupendas, pero podían esperar.

En su último año de instituto, Jackson era probablemente el mejor deportista preuniversitario de Dakota del Norte. Cada día llegaban al despacho del director cartas de entrenadores de todo el país para reclutarlo. Jackson eligió la Universidad de Dakota del Norte, donde jugaría para un prometedor entrenador llamado Bill Fitch. En aquel momento, medía 2,03 y tenía la envergadura de un pterodáctilo. Gracias a la intensidad y a sus capacidades atléticas, los Fighting Sioux ejecutaban su presión en toda la pista. En sus cuatro años de universidad fue nombrado dos veces *All-American* de la División II y, lo apodaron «The Mop» (La Mopa) por su tendencia a tirarse al suelo para recuperar pelotas perdidas.

Para Jackson, la universidad también fue un lugar donde aprendió a abrir su mente a nuevas ideas. Después de haber crecido en una cárcel cultural, se consideraba a sí mismo muy conservador, tanto social como políticamente. En la universidad entró en contacto con otras perspectivas y combinó asignaturas como la psicología, la religión o la filosofía. También descubrió el budismo y se sumergió en *La última tentación de Cristo*, de Nikos Kazantzakis.

En 1967 fue elegido por los New York Knicks en la segunda ronda del *draft* de la NBA. Nunca había pisado la Gran Manzana, y en su primera visita lo recibieron Red Holzman, el ojeador del equipo, y su mujer, Selma. Durante el viaje hacia la ciudad por la autovía de Long Island, Jackson, cuyos brazos se extendían desde Tulsa hasta Praga, les deleitó con su número preferido: bajar a la vez las dos ventanas traseras del automóvil. Luego, de repente, alguien arrojó una piedra contra el parabrisas. Para un muchacho cuyas aficiones no eran más turbulentas que la pesca con mosca o navegar en canoa, fue una bienvenida inesperada. «No es nada», le dijo Holzman al sorprendido *rookie*.

El entrenador de los Knicks era Dick McGuire, pero fue despedido ese mismo diciembre. La franquicia contrató a Holzman como sustituto. Holzman adoraba a Jackson. Le encantaba su interés por la literatura, la fluidez de su juego, su apego por Woodstock y su bigote que, en palabras de Vic Ziegel, del *New York Daily News*, más bien parecía «un borrador de una pizarra». Liderados por el juego de sus superestrellas, Willis Reed, Bill Bradley y Walt Frazier, los Knicks se proclamaron campeones de la NBA en 1970 y 1973, y Holzman se consolidó como uno de los grandes entrenadores de la historia. Jackson estuvo en ambos equipos, pero estaba lejos de ser un jugador imprescindible. Tenía una media de 6,8 puntos por partido. No obstante, su amistad con Holzman acabaría siendo determinante.

Jackson era el jugador de la plantilla que más atención prestaba a todas las jugadas. Se perdió la temporada 1969-70 por una grave lesión en la espalda y una operación en la columna vertebral, pero pudo compensar la frustración de no formar parte del equipo que logró ganar el campeonato (los Knicks vencieron a los Lakers en la final) porque Holzman le pidió que fuera su asistente. Jackson se sentaba junto a su modelo y se empapaba de toda la información que podía. Preguntaba sin parar. «Siempre recordaré el primer entrenamiento —rememora Jackson—. Red sostenía unos papeles en la mano, tres hojas de papel con doce jugadas. Entonces, dijo: "Podéis limpiaros el culo con esto". Y arrojó los papeles a la papelera. "Vamos a jugar presionando en toda la pista. Hoy, y el resto de los partidos".» También le sorprendió su forma de abordar los asuntos extradeportivos. En otros equipos, los jugadores temían las sanciones y las multas disciplinarias que imponían los entrenadores o propietarios. En los Knicks, las normas eran muy sencillas: podías ir donde quisieras y salir hasta que el cuerpo aguantara, pero nunca podías interrumpir el whisky que se tomaba Holzman todas las noches ni presentarte en malas condiciones. En una ocasión, tras una derrota importante, le preguntaron qué hubiese hecho si los Knicks hubieran ganado. Respondió: «Irme a casa, tomarme mi copa de whisky y comerme la deliciosa cena que estará preparando Selma». Entonces le preguntaron qué haría después de esa derrota. Holzman respondió lo mismo.

«Me di cuenta de que solía tomarse una aspirina antes de cada partido —cuenta Jackson—. Tenía un gran sentido del humor. Siempre decía que el baloncesto no era como una ingeniería. En realidad, era muy básico. En defensa tienes que colocarte delante de tu hombre, y en ataque busca al jugador desmarcado. Pero tenía un gran sentido común cuando trataba con las personas. Creo que eso es de lo que más aprendí.»

Al terminar la temporada 1978, Jackson fue traspasado a los Nets, donde Kevin Loughery, el entrenador jefe, consideraba que era un jugador veterano que podría transmitir sus valores a los más jóvenes del equipo. Jackson estuvo de acuerdo. Durante la temporada 1978-79, el irascible Loughery acabó expulsado en catorce ocasiones, y Jackson tomó las riendas del equipo sin problemas. Al año siguiente, hubo un momento en el que Loughery amenazó con dimitir y recomendó a Jackson como sustituto. «Me quedé un poco sorprendido cuando me lo dijeron —recuerda Jackson—. Pero fue un detalle que alguien de la categoría de Kevin pensara que podía hacer su trabajo.»

Jugó su último partido como jugador de la NBA el 30 de marzo de 1980: anotó cuatro puntos en una derrota intrascendente de los Nets contra Washington. Después empezó una fascinante y exitosa carrera por su cuenta como entrenador. Entre 1982 y 1987, se hizo cargo de los Albany Patroons de la Continental Basketball Association. Cobraba veinticinco mil dólares por entrenar a jugadores olvidados, como David Ancrum y Abdur-Rahiim Al-Matiin. Aparte de diseñar la estrategia y dirigir las rotaciones, Jackson también conducía el autobús del equipo. Para poder ajustarse al presupuesto, los Patroons solo viajaban con nueve jugadores. Después de ganar el campeonato en 1984, Jackson solicitó un aumento: tres dólares más al día por gastos de desplazamiento. La directiva aceptó. «Cuando le pregunté por qué no conducía un jugador, me contestó que el asiento del conductor era más espacioso», explica Jim Coyne, el propietario del equipo de Albany. «La CBA era una competición complicada, no podías permitirte ningún lujo. Fue una dura experiencia de aprendizaje. Aprendió a valorar lo que tenía a su alcance.» Nada más acabar la temporada, Jackson voló a Puerto Rico para ganar otros veinte mil dólares como entrenador de los Piratas de Quebradillas (1984 y 1987) y de los Gallitos de Isabela (1984-1986) de la Liga de Baloncesto Superior Nacional. «Todas esas experiencias convirtieron a Phil en el entrenador que llegaría a ser —dice Lowes Moore, un jugador de los Patroons—. En Albany, teníamos una plantilla complicada Había jugadores con un temperamento y una inteligencia muy dispares. No era fácil entrenarnos. Pero Phil lo consiguió. Por aquel entonces, ya comprendía la mecánica de la naturaleza humana.»

Cuando Jackson acababa su tercera temporada en Puerto Rico, los Chicago Bulls nombraron a un nuevo director general: Jerry Krause. Krause había trabajado muchos años como ojeador para cuatro franquicias distintas de la NBA, y los Bulls lo contrataron para dar un nuevo rumbo a una franquicia devastada por las adicciones, la indiferencia y las derrotas. La primera vez que se entrevistó con Jackson fue en 1985, coincidiendo precisamente con el despido de Loughery. El puesto finalmente fue para Stan Albeck, que duró en el cargo un año hasta que lo reemplazó Doug Collis, el enérgico exescolta de los Philadelphia 76ers. Al cabo de dos años, Krause volvió a contactar con Jackson por una vacante de entrenador asistente. La noticia de su contratación ni siquiera fue noticia. Bajo un minúsculo titular «Phil Jackson ficha como asistente para los Bulls», el *Chicago Tribune* le dedicaba seis párrafos en la séptima página de su sección de deportes. Para todo el mundo, Jackson no era más que otro exjugador retirado que habían contratado para estudiar a los equipos rivales y fingir estar más ocupado de lo que realmente estaba.

Sin embargo, Collins y Krause acabaron siendo enemigos declarados. El director general quería involucrarse demasiado en la rutina de los Bulls. Collins, que «estaba más tenso que la cuerda de un piano», en palabras de Sam Smith del *Chicago Tribune*, deseaba que Jerry Krause desapareciera de su vista.

El 6 de julio de 1989, Collins fue despedido y lo sustituyó Jackson, a sus cuarenta y tres años. Le ofrecieron un contrato de cuatro años por 1,2 millones de dólares, y su trabajo consistiría en gestionar una plantilla liderada por Michael Jordan, una superestrella narcisista en su sexto año en la NBA. Inmediatamente, logró pacificar esa enloquecida atmósfera. Regaló un libro a cada jugador (el primero que le ofreció a Jordan fue *Canción de Salomón*, de Toni Morrison), rebajó las expectativas, disminuyó la intensidad de Collins y permitió a los jugadores expresarse como individuos. También hizo algo que, en aquel momento, parecía relativamente insignificante, pero que acabó cambiando el baloncesto.

Uno de los otros asistentes de Collins era Tex Winter, un hombre de sesenta y siete años fanático del baloncesto. Era el artífice de un sistema conocido como «el triángulo ofensivo». Según la teoría (perfeccionada a lo largo de cuatro décadas de experiencia), el ataque de los Bulls se convertiría en un sistema más equilibrado y sofisticado. Básicamente, era un sistema que pretendía dominar la pista y buscar los espacios libres. Winter había intentado que Collins aplicara su sistema, pero, en lugar de hacerle caso, lo apartó y lo sentó al lado de los refrescos.

A Jackson, en cambio, le pareció una buena idea. A pesar de que Jordan lo llamaba irónicamente «el ataque de la igualdad de oportunidades», el nuevo entrenador lo convenció para que lo intentara. Se trataba de anotar menos puntos y distribuir mejor el juego. Quería que los Bulls fueran una máquina ofensiva que fluyera libremente, donde las defensas no se impusieran realizando un marcaje doble al mejor jugador de la liga. «Lo importante —le dijo— es dejar que todos los jugadores participen en el juego para que no crean que son simples espectadores. No puedes derrotar a una buena defensa con un solo hombre. Tienes que trabajar en equipo.»

Durante los nueve años que estuvo al frente de los Bulls, Jackson logró seis anillos de campeón. En parte, fue el resultado de aplicar el triángulo ofensivo, entender a Jordan y a su fiel escudero (el impredecible Scottie Pippen), y mantener la mente abierta y una curiosidad permanente. «Había algo en Phil que hacía que aceptaras sus propuestas —cuenta Corie Blount, que jugó en los Bulls de 1993 a 1995—. Nada parecía una mala idea. Tenía un plan para todo.»

La magia se acabó en 1998, después de lograr su sexto campeonato con Chicago. El éxito de los Bulls se desvaneció por culpa del resentimiento de Krause hacia Jackson, la retirada de Michael Jordan y las rarezas de Dennis Rodman. Pippen fue traspasado a Houston, Jackson se retiró con su mujer June a su nueva casa de Woodstock (Nueva York), y las otras veintiocho franquicias de la NBA estuvieron encantadas de que aquella dinastía llegara a su fin. Por primera vez en casi veinte años, Jackson podría disfrutar de un año libre para pescar, leer y dar largos paseos…

Pero se aburría.

Se aburría mucho.

Su matrimonio con June, que había durado veinticuatro años, acabó en divorcio.

Intentó dar conferencias.

Fue voluntario para la frustrada campaña presidencial de Bill Bradley.

Regresó a su casa de Montana.

«Buscaba algo. Pero no sabía exactamente qué», recuerda Jackson.

Cuando los Lakers llamaron, no fue una sorpresa.

A lo largo de la decepcionante temporada 1998-99, el nombre de Jackson apareció constantemente en la prensa de Los Ángeles. Primero como posible sustituto de Del Harris. Luego, como posible sustituto de Kurt Rambis. En la primavera de 1998, Jackson había enfurecido a muchos miembros de la junta de los Lakers cuando la revista *ESPN The Magazine* publicó algunos extractos de su diario. En uno de los pasajes se preguntaba sobre la posibilidad de entrenar a los Lakers y la capacidad de O'Neal para adaptarse al sistema del triángulo ofensivo.

A Harris le sentó especialmente mal. Como entrenador profesional, hay cosas que puedes hacer y otras que no. «No puedes hacer campaña para quitarle el trabajo a un compañero. Lo que hizo Phil fue indigno. No estuvo bien», dijo años más tarde.

Jackson no lo veía del mismo modo. Simplemente, estaba planteando una hipótesis: «¿Cómo encajaría O'Neal en el sistema?». West también estaba molesto. Él y Krause eran amigos desde que coincidieron en los Lakers en la década de los setenta. Además, durante la dinastía de los Bulls, Krause solía llamar a su homólogo de Los Ángeles para quejarse sobre la soberbia, el desdén y la mala educación de Jackson. «[Jerry] me dijo claramente que Phil me causaría problemas —recuerda

West—. Que nos mantuviéramos alejados de él.» Krause no solo pensaba que Jackson era una persona manipuladora, sino que creía sinceramente que era una mala persona.

West lo tenía claro, conocía a Jackson y no necesitaba que se lo dijeran dos veces. En las finales de 1972, donde los Knicks se enfrentaron a los Lakers, al término de un partido, mientras abandonaba la pista, el codo de Jackson impactó en su rostro. «Phil… le rompió la nariz», recuerda Walt Frazier, el base del equipo de Nueva York.

Además, Jackson había criticado recientemente la gestión de Rodman. Pensaba que los Lakers no le habían dado ni una oportunidad a su antigua estrella, y lo manifestó públicamente. «Parece que no sabemos hacer las cosas», respondió West.

Así pues, cuando le preguntaron a West sobre la posibilidad de contratar a Jackson tras caer contra San Antonio en el *playoff*, dijo: «Que le den a Phil Jackson».

Exacto. Que le den.

Sin embargo, había una realidad que ni West ni Jerry Buss podían ignorar. Bryant había dejado claro que quería jugar para Phil Jackson. Rice había dejado claro que quería jugar para Phil Jackson. O'Neal había dejado claro que quería jugar para Phil Jackson, y llegó a presentar a su agente, Leonard Armato, una lista de entrenadores que consideraba óptimos para el puesto. Uno de ellos era Chuck Daly. Otro, Bob Hill. El tercero, y el más deseado, era Jackson. «No podía seguir con Kurt —recuerda O'Neal—. Era un buen tipo, pero protegía demasiado a Kobe.» A una semana del fin de la temporada 1998-99, O'Neal le hizo una petición a Armato. Lo llamó y le dijo: «Escucha, dile [a West] que no pienso jugar para Kurt. Nadie quiere jugar para Kurt. Si Kurt sigue siendo entrenador el año que viene, yo no jugaré».

Los Lakers no debían ser una franquicia que formara entrenadores y les brindaba tiempo para aprender el oficio. No, aquel equipo, con once banderas de campeón y nueve camisetas colgando de los travesaños de su pabellón, buscaba la excelencia. Además, el Staples Center se inauguraría el 17 de octubre de 1999. Todo estaba preparado para obtener resultados inmediatos. «Absolutamente» todo.

En junio de 1999, West se tragó el orgullo (y su compromiso con Rambis) y voló hasta Chicago para reunirse con Todd Musburger, el representante de Jackson. Esa misma semana llamó a Jackson por teléfono y tuvieron la primera conversación significativa de su vida. Lo que empezó siendo una situación incómoda y forzada acabó convirtiéndose en una situación incómoda y forzada. Pero fue provechosa. «Tenemos talento —dijo West—, pero nos falta liderazgo y madurez. Seguramente no es muy distinto de lo que te encontraste cuando llegaste a los Bulls. Este equipo está preparado.»

Jackson le dijo a West que nunca se había sentido valorado en Chicago, y que aquella llamada significaba mucho para él. Le comentó que había estado observando a los Lakers y que también creía que tenían madera de campeones.

Al cabo de varias semanas, un amigo de Jackson llamado Mark Bilski lo invitó a él y a sus hijos, Ben y Charlie, a Alaska para ir de pesca al lago Iliamna. La trucha arcoíris y el lucio del norte no mordían el anzuelo, así que guardaron sus cañas de pescar y remontaron el río hacia las espectaculares cataratas Petrof. Al cabo de unas horas, cuando regresaron al pueblo, los tres Jackson se vieron rodeados por un grupo de jóvenes.

—¿Eres Phil Jackson? —preguntó un chico.

—Sí —respondió—. ¿Por qué?

—He oído que los Lakers te han contratado —dijo el joven.

—¿Qué? —dijo Jackson—. ¿Cómo lo sabes?

—Lo han dicho las noticias —respondió—. Sale en la ESPN. Vaya.

La rueda de prensa de presentación tuvo lugar el 16 de junio de 1999 en el Beverly Hilton. En una sala atestada de cámaras y periodistas (además de los cinco hijos de Jackson), West se acercó al micrófono y le pidió al nuevo entrenador de los Lakers que se aproximara. Cobraría seis millones de dólares por temporada durante cinco años, además de un bono de dos millones por cada título de la NBA que consiguiera.

El entusiasmo era general. Bryant, que antes de la rueda de prensa se había presentado por sorpresa en la habitación del hotel de Jackson para que le firmara un ejemplar de su libro *Canastas sagradas*, jugaría para el entrenador que hizo de su héroe, Michael Jordan, una máquina de acumular anillos de la NBA. Rice jugaría para el entrenador que entendía el valor de aprovechar los espacios y ampliar los recursos en ataque. Rick Fox jugaría para el entrenador que usaba a los aleros como auxiliares en ataque. En su casa de Newport Beach, Dennis Rodman, que había sido tres veces campeón con los Bulls bajo las órdenes de Jackson, estaba convencido de que su teléfono sonaría en cualquier momento. «No van a ganar con lo que tienen —le dijo a un periodista—. Sé lo que va a pasar. Esperarán hasta el último minuto y luego me llamarán.» No fue así. Nadie estaba más eufórico que O'Neal, que en sus siete años de NBA había tenido cinco entrenadores distintos, ninguno especialmente destacado. Jackson y su nuevo pívot hablaron por teléfono poco después de la rueda de prensa, pero no se conocieron en persona hasta varias semanas después. Fue cuando O'Neal estuvo en Kalispell, Montana, haciendo un concierto para promocionar su cuarto álbum de estudio, *Respect*. Decidió acercarse a casa de Jackson en Flathead Lake, que quedaba a dieciséis kilómetros. En su autobiografía *Shaq Talks Back*, O'Neal explica que él y su guardaespaldas, Jerome Crawford, llegaron a casa del entrenador sin previo aviso. Jackson dijo que no era verdad. «Yo sabía que vendría —dijo—. Me avisaron y pensé que sería genial. Quería conocerle.»

O'Neal llegó antes de lo previsto y Jackson no estaba en casa. Pero sí que estaban Ben y Charlie, dos de sus hijos. O'Neal se pasó los siguientes veinticinco minutos saltando con ellos sobre una cama elástica enorme. «Entré en su casa y vi todos esos libros zen, todas las pelotas de las finales y los anillos», recuerda O'Neal. «Luego… decidí que me apetecía un baño. [June] me dejó unos pantalones cortos y me metí en el lago. Estaba congelado, así que empecé a saltar haciendo volteretas desde el muelle. Se reían de mí porque no hacía volteretas enteras y caía sobre mi espalda como un cabeza hueca en la piscina municipal.» No tardaron en aparecer docenas de barcas que se congregaron cerca de la casa de los Jackson. Los vecinos estaban atónitos porque Kazaam estaba dando vueltas en el aire.

Cuando Jackson llegó, se encontró a O'Neal contemplando los trofeos de campeón. Fue como la escena de una película de deportes presuntuosa: la estrella que todavía no había conocido la gloria contemplando una vitrina de trofeos mientras el reflejo de la luz del sol creaba un halo sagrado.

—Podrás conseguir un trofeo como estos si me escuchas —dijo Jackson.

—Te creo —contestó O'Neal.

—Pero, antes de que empecemos a trabajar —dijo Jackson—, necesito tu ayuda con una cosa.

—De acuerdo, entrenador —dijo O'Neal—. Pídeme lo que quieras.

Caminó junto a su nuevo pívot hasta el límite de su propiedad, que recorría el lago. Había caído un árbol enorme en la orilla y Jackson necesitaba moverlo de ahí. Ató una cuerda al árbol, y el otro extremo a la barca. «Él empezó a tirar con la barca —recuerda O'Neal—, yo empujaba el árbol.»

Jackson le pidió a O'Neal que no soltara el árbol, y así lo hizo, mientras la barca seguía avanzando, alejándose de la orilla. «Tuve que volver nadando desde aquella maldita isla —cuenta O'Neal—. Estaba lejos, no sé a qué distancia, pero estaba lejos. ¿Sabes lo que me pasó por la cabeza? Que me estaba poniendo a prueba.»

Más tarde, Jackson observó a ese gigante de 160 kilos que tenía delante. Con la frustración de haber perdido una temporada tras otra, O'Neal se había pasado el verano levantando pesas, cuidando su alimentación y tomando suplementos alimenticios. «Estaba enorme. Pura fibra», asegura O'Neal.

—¿Cuánto pesas? —preguntó Jackson.

—No lo sé —respondió O'Neal.

—Quiero que pierdas unos siete kilos —dijo Jackson—. Cuanto más grande eres, más sufren las rodillas. Y quiero que juegues cuarenta minutos por partido.

—Hecho —respondió O'Neal.

Después de aquella conversación, Shaquille O'Neal abandonó la finca y puso rumbo a Los Ángeles para deshacerse de algunos kilos y prepararse para lo que creía que iba a ser la temporada de su vida. Además del fichaje de Jackson, aquel verano los Lakers se reinventaron; el nombre de Del Harris parecía un fantasma del pasado. Lo que más preocupaba a Jackson era la terrible falta de cohesión del equipo. Sí, no había duda, Rick Fox era alguien que sabía dar la cara y la profesionalidad de Horry era innegable («Rob medía siempre sus palabras. Era su forma de ser», recuerda Fox). Pero a pesar del talento y la chispa de O'Neal, Bryant y Rice, ninguno de ellos era un gran líder. Simplemente, eran estrellas. «Eran estrellas que necesitaban brillar. Ser importantes para el equipo, indispensables. Sin embargo, no eran líderes.» Durante los nueve años que Jackson estuvo en los Bulls, tuvo la suerte de encontrarse con algo excepcional. Su mejor jugador era además el mejor líder de la NBA. Pero criaturas como Michael Jordan aparecen una vez cada cien años. No había ningún Michael Jordan en Los Ángeles.

El equipo sufrió una importante renovación. Ficharon como agente libre a Ron Harper, un escolta de treinta y seis años que había compartido las últimas cinco temporadas con Jackson en Chicago. «Tenía una rodilla mala, su técnica de tiro era terrible y le pesaban los años —recuerda Travis Knight—. Pero fue muy importante para poder ganar.» Los Lakers también incorporaron a la plantilla a A. C. Green, con treinta y seis años. A cambio traspasaron a Sean Rooks y cedieron un puesto de elección en el *draft* a Dallas. Sus mejores años habían pasado (su media con los Mavericks era de 4,9 puntos por partido), pero jugaba con pasión y nunca dudaba en lanzarse al suelo para hacerse con una pelota perdida. Brian Shaw, un base de 1,98 con una trayectoria de diez años (y seis equipos) en la NBA, llegó como agente libre para hacer el papel de mentor de Bryant y guardián del vestuario.

«Incorporamos a algunos jugadores a los que yo veía cuando tenía cuatro años», dijo Bryant con una carcajada.

El duelo más fascinante del campus de pretemporada (muy parecido al espectáculo que arman dos ancianos peleándose por una partida de bingo) lo protagonizaron Benoit Benjamin, número tres del *draft* en 1985, y John Salley, un jugador clave de la dinastía de los Bad Boys de los Detroit Pistons en la década de los ochenta. Jackson quería que su último hombre del banquillo desempeñara el papel de veterano en el vestuario. Y aunque el currículo de Benjamin podría encajar en ese perfil (era un veterano con catorce años de experiencia que había jugado en ocho equipos diferentes con unos respetables 11,4 puntos por partido), era un jugador particularmente perezoso que una vez llevó dos zapatillas izquierdas en un partido y que, en su anterior etapa en los Lakers, se perdió los *playoffs* por un desgarro en una uña del pie. Salley, por otro lado, era un auténtico misterio. La última vez que había jugado en la NBA había sido en 1996, como veterano condenado al banquillo en la derrota de los Bulls de Jackson contra Seattle que les proporcionó el título. Tras esa victoria, Salley se retiró, pero se reincorporó al cabo de seis meses al aceptar un contrato de un año por dos millones de dólares para jugar con el Panathinaikos, en la liga griega. «Pensé, ¿por qué no? Podía ser una gran experiencia. Ver mundo, conocer otra cultura, otra gastronomía...», recuerda Salley.

Al llegar a Grecia, Salley se reunió con Božidar Malijović, el entrenador del Panathinaikos. Malijović le estrechó la mano, pronunció un par de frases amables y luego dijo que Michael Jordan era un jugador vulgar que en Europa tendría una media de dieciséis puntos por partido. «En ese momento, supe que no duraría mucho tiempo», confiesa Salley.

Duró siete semanas.

Los siguientes dos años y medio fueron una mezcla de todo. Salley probó suerte como locutor de radio, actor, vegano y se ocupó de criar a sus dos hijas. Se mudó a Los Ángeles y lo dio todo para convertirse en una estrella. Se puso en contacto con varios equipos de la NBA, pero el mercado de reboteadores treintañeros que no habían tenido éxito en Grecia no estaba al alza. «Sufrí una depresión severa —recuerda—. Creía que había arruinado mi vida y la de mi familia. Me había marchado de Europa y era incapaz de encontrar un equipo donde jugar. No sabía quién era.»

Poco después de los *playoffs* de la NBA de 1999, Salley recuperó el número de teléfono de su antiguo entrenador. Jackson respondió con su clásico y áspero tono de voz.

—Soy John —dijo Salley—. ¿Has visto la eliminatoria de los Lakers? Ha sido un desastre.

—¿Con quién has hablado? —respondió Jackson.

—¿Qué quieres decir? —preguntó Salley.

—Creo que me ofrecerán el puesto de entrenador en los Lakers —dijo—. Pero no hay nada cerrado.

Salley se quedó atónito.

—Es imposible que Shaq y Kobe no ganen nada juntos —dijo—. Es un hecho.

Luego hizo una pausa dramática para añadir énfasis.

—¿Sabes qué?, vivo a cinco casas de Shaq.

—¿En serio? —respondió Jackson.

—Sí —dijo Salley—. Creo que necesitas que alguien le explique cómo funciona el triángulo ofensivo…

Aunque Jackson llegaba a Los Ángeles con dos de sus asistentes en Chicago (Tex Winter y Jim Cleamons), enseñar el sistema de los Bulls no era una empresa fácil. De modo que le dijo a Salley que sería bienvenido en el campus de entrenamiento, pero que tendría que disputarse el puesto con Benoit Benjamin. Jackson escuchó como Salley resoplaba, literalmente.

—¿Benoit Benjamin? —respondió—. ¿Por qué no me retas con algo más interesante, como derrotar a una silla plegable?

Salley acabó formando parte del equipo, pero enseñar el triángulo de Winter era mucho más sencillo que lidiar con las dos superestrellas de los Lakers. Cuando Jackson y él estaban en los Bulls, Jordan y Scottie Pippen convivían en armonía. Había un capitán y un segundo de a bordo que jamás aspiró a ocupar su lugar. En cambio, lo que pasaba en los Lakers era a la vez confuso, incómodo y desesperante. «Parecía que los jugadores de ese equipo no se apreciaban demasiado —dijo Cleamons, el entrenador asistente—. Había mucho talento, pero nunca había estado en un buen equipo donde los jugadores no mantuvieran una buena relación. Y en Los Ángeles no había compañerismo. El ambiente era muy tenso.»

El campus de pretemporada tuvo lugar en la Universidad de California, en Santa Bárbara. Durante los días previos, Jackson se marcó como prioridad celebrar una reunión con O'Neal y Bryant, con Harper como mediador. Jackson había oído (West, Rambis y varios miembros de la plantilla así lo habían dicho) que las dos estrellas del equipo eran como el agua y el aceite. Jackson quería cambiar esa dinámica. «En todos los grandes equipos hay una rivalidad entre el número uno y el número dos —dijo Jackson—. Este es tu equipo, Shaq. Y Kobe, tú serás nuestro líder sobre la pista. Si no os gusta, decídmelo y seréis traspasados. Vais a hacer que hacer lo que yo diga o no formaréis parte de este equipo.»

O'Neal estaba encantado. Bryant no tanto. El pívot consideraba que el escolta era un jugador que todavía no estaba preparado y que se creía superior a los demás. Durante sus primeras tres temporadas, O'Neal había intentado hacer las paces con Bryant en innumerables ocasiones. Sin embargo, uno tras otro, todos sus intentos fueron en balde. Bryant creía que O'Neal era un aspirante a estrella pasado de peso que no metía un tiro libre, aunque le fuera la vida en ello. «Nunca había visto nada igual —cuenta Devean George, un jugador seleccionado en la primera ronda del *draft* procedente de la Universidad de Augsburg—. En la pista tenían los mismos objetivos y jugaban bien juntos. Pero su relación era complicada.»

«Todo el mundo aceptaba que Shaq fuera nuestro hombre clave —asegura Knight—. Todos excepto Kobe. Simplemente, no quería aceptarlo. Y eso tiene que ver con su personalidad, y su inquebrantable convicción de que él era el mejor. Lo cual está bien, supongo. Pero es evidente que su actitud generaba hostilidad.»

«¿Cómo se convence a una persona talentosa, egocéntrica y segura de sí misma para que se una al grupo? —se preguntaba Jackson años después—. Es un misterio.»

Excepto para los jugadores que habían coincidido con Jackson en Chicago, entender el triángulo de Winter era como intentar comprender las tramas ocultas de *Los hermanos Karamazov*. Cleamons, que había sido asistente de Jackson durante siete años en Chicago, lo sabía mejor que nadie tras su aventura en Dallas como entrenador. Los Mavericks tenían la suerte de contar con tres jóvenes estrellas (Jason Kidd, Jim Jackson y Jamal Mashburn), pero ninguno de ellos estuvo dispuesto a adaptar su juego al nuevo sistema. ¿Por qué? «Porque los jugadores se sienten cómodos haciendo lo que saben hacer», asegura Cleamons, que fue cesado después de lograr un balance de 28 victorias y 70 derrotas. «Los cambios son incómodos.» Salley y Harper conocían el sistema, pero, por aquel entonces, la mayoría de los Lakers habían pasado la mayor parte de su vida deportiva como estrellas o, como mínimo, siendo jugadores destacados. Incluso Knight, el jugador menos dotado de la plantilla, había sido nombrado jugador Gatorade durante su etapa de instituto y, en la universidad, alcanzó tres veces consecutivas las Sweet Sixteens, las semifinales regionales de la División I de la NCAA. Pero, en aquel momento, sin apenas tiempo ni recursos, Winter tenía que enseñar un nuevo sistema de ataque a un grupo de hombres ricos y testarudos. Con su pelo gris y sus ojos muy abiertos parecía un profesor chiflado pronunciando palabras que aquellos jugadores no habían oído nunca.

Esto es lo que escribió Frederik C. Klein en el *Wall Street Journal*:

La disposición básica del triángulo ofensivo consiste en colocar a tres jugadores en el mismo lado de la zona: uno cerca de la banda, uno cerca del semicírculo de la botella y uno en el poste bajo, cerca de la canasta. El jugador que tiene la pelota puede conducir hacia canasta, lanzar si tiene la posibilidad o pasar la pelota a uno de sus compañeros del triángulo. Una vez hecho el pase, puede moverse hacia canasta para recibir un pase de vuelta o hacia un espacio libre que encuentre en la pista. En este último caso, el triángulo se vuelve a formar alrededor del nuevo poseedor de la pelota, que podrá elegir, de nuevo, una de las tres opciones anteriores. La sobrecarga de uno de los lados de la pista es clave para la eficacia del sistema.

A Shaq le convenció desde el principio: «¿Un ataque en el que todo el mundo está implicado? Estupendo», dijo. Knight también estaba muy ilusionado. Era un sistema estimulante y dinámico. «En realidad, se trata de aprovechar los espacios. Los jugadores se desmarcan, y cuando alguien se mueve, otro ocupa su lugar. No es difícil», declaró.

No obstante, no todos los jugadores se sentían tan entusiasmados. En realidad, la pretemporada de los Lakers fue un festival de despropósitos. «Chocábamos los unos con los otros —recuerda O'Neal—. Perdíamos muchas pelotas. Hacíamos el ridículo.» George, el jugador elegido por los Lakers ese año en la primera ronda del *draft*, procedente de Augsburg (un equipo de la División III), tuvo su primera experiencia con el triángulo durante la liga de verano con los Lakers. En la universidad, su vida se reducía a sortear rivales, coger rebotes, lanzar y crear juego. Pero, ahora, ya no se trataba de eso. «Dejas de dominar el partido y tienes que competir con tus compañeros —recuerda—. La transición no fue fluida. Recuerdo que, una vez, Jerry West entró hecho una furia en el vestuario, durante un partido. Me dijo que era una vergüenza, que era su primera elección en *draft*. La cuestión no era que me faltara talento o no tuviera las condiciones necesarias. Era el triángulo. Era un nuevo lenguaje que teníamos que aprender.»

Glen Rice era tan importante para el triángulo ofensivo como lo son unas nueces para una lámpara de escritorio. Siempre parecía estar en el lugar equivocado. Cuando llegó a los Lakers, estaba en buena forma, pero Jackson enseguida comprendió que no encajaría en el sistema. Rice quería la pelota y lanzar. El triángulo ofensivo requería que pasara la pelota y renunciara a su estilo de juego.

Nada más firmar su contrato, Jackson pidió a Mitch Kupchak y Jerry West que buscaran la manera de traspasar a Rice y fichar a Scottie Pippen, que estaba en el mercado después de una desafortunada temporada en Houston. Pippen había sido una pieza fundamental para el triángulo en Chicago (era un alero de 2,03 capaz de dirigir el ataque). Jackson y Winter soñaban con la idea de vestirlo de púrpura y dorado. Pippen podría subir el balón, Bryant se ubicaría fuera del perímetro y O'Neal se colocaría en el poste bajo. Los Lakers ofrecieron a Rice y a Robert Horry, pero los Rockets rechazaron la oferta. «Los rumores sobre Pippen me molestaron mucho —cuenta Rice—. No paraba de oír: "Jackson quiere a Scottie Pippen. Jackson quiere a Scottie Pippen". Si quieres a Scottie Pippen, arrastra su culo hasta aquí. Adoro a Scottie. Es amigo mío y era un fenómeno. Pero si no lo vas a traer, con perdón, cierra la puta boca. Escuchar la misma mierda cada día no era divertido.» Luego, los Lakers intentaron negociar con los Knicks un intercambio para que traspasaran a Latrell Sprewel, un jugador parecido a Pippen, tanto por sus habilidades como por su carácter. Sin embargo, el equipo de Nueva York no mostró ningún tipo de interés.

De todos modos, el jugador que tuvo más dificultades con el nuevo sistema fue Bryant. Se negaba a entender que el nuevo ataque de los Lakers pasaba por el pívot, y que se colapsaba cada vez que decidía sortear rivales por su cuenta para encontrar una opción de tiro. Bill Plaschke de *Los Angeles Times* se preguntaba si Bryant tenía «el ritmo necesario para poder adaptar sus magníficas habilidades al triángulo ofensivo». Era una buena pregunta. Las sesiones de entrenamiento eran decepcionantes. Solo se oían suspiros de desesperación, los murmullos de O'Neal y los gritos de Winter preguntándole a Bryant en qué estaba pensando cuando decidía lanzar desde nueve metros, cuando Fox estaba totalmente desmarcado, Horry estaba totalmente desmarcado y Fisher estaba totalmente desmarcado.

—Había superado a mi marcador —decía Bryant—. ¿Qué se supone que debía hacer?

—¡Maldita sea! —solía responderle Winter—. No es tan difícil.

«Kobe quería tener la pelota —cuenta Cleamons—. El triángulo consiste en dominar el espacio y mover la pelota. No tienes que dominar la pelota o perseguirla. Tienes que ser paciente. Pero Kobe era incapaz de entenderlo. Parecía Keyshawn Johnson: "Venga dame la pelota. Dame la pelota. Pon la pelota en mis manos".»

La frustración era real. Hasta el punto de que O'Neal y sus compañeros de equipo inventaron una señal (un movimiento rápido del pulgar hacia abajo) que significaba que a partir de ese momento no le pasarían la pelota a Bryant. El chico nunca se dio cuenta.

El 13 de octubre, el equipo (y Winter) recibió un regalo inesperado cuando los Lakers y los Washington Wizards se desplazaron a Kansas City, Misuri, para inaugurar la temporada de exhibición. Al intentar coger un rebote en el primer cuarto, la mano derecha de Bryant impactó contra un rival. Bryant no le dio más importancia, anotó 18 puntos y no lamentó excesivamente la derrota por 88-84. Sin embargo, luego resultó que tenía la mano rota y tendría que estar entre cuatro y seis semanas de baja. Era una mala noticia, hasta cierto punto. Con el escolta fuera de juego, los otros jugadores pudieron practicar un sistema que no era sencillo, y Bryant pudo observar cómo los demás lo ponían en práctica sin él. «Intento mantener mi ansiedad bajo control —confesó en *Los Angeles Times* el 29 de octubre—. Pero sí, estoy cada vez más ansioso. Estoy listo para salir de la jaula.»

El 2 de noviembre de 1999, los Lakers de Jackson dieron el pistoletazo de salida a la temporada regular con una visita a Utah, donde el equipo, sin Bryant, empezó dominando el primer cuarto por 18-25 y acabó llevándose el partido por 84-91. No fue un partido especialmente bonito (los Lakers perdieron la pelota en dieciséis ocasiones y tuvieron un porcentaje de aciertos en tiros de campo del 43,4 %). Pero el equipo estuvo bien en rebotes, O'Neal anotó 23 puntos y se hizo con 13 rebotes, y Rice, que recibió mucha más atención sin Bryant en la pista, lideró la victoria con 28 puntos (5 de 6 en triples). «Creo que supimos abrir el ataque», dijo Jackson después del partido. Pero también resaltó que el equipo estaba todavía algo «oxidado».

Al día siguiente, el Staples Center, que había costado 375 millones de dólares, se estrenó como pabellón oficial de los Lakers. Los 18 997 asistentes llegaron a pagar hasta mil dólares por una entrada (el precio medio de las entradas había subido de 51,11 a 81,89 dólares). A cambio de ese montón de dinero recibieron el extraño y valioso regalo de ver cómo los Vancouver Grizzlies (que venían de una temporada con un balance de 8 victorias y 42 derrotas) intentaban jugar al baloncesto. Las primeras críticas del nuevo edificio fueron variopintas. Era un pabellón más grande con tiendas y restaurantes, ubicado en el corazón de un revitalizado centro de Los Ángeles. Pero era frío e impersonal. Carecía del encanto y la calidez del Great Western Forum. Los empleados del equipo (incluida Jeanie Buss, la hija del propietario y vicepresidenta ejecutiva de los Lakers) no querían o no podían ocultar la realidad: no era su hogar. Bill Plaschke, el columnista de

Los Angeles Times, dijo que parecía un centro comercial. Los Lakers habían conseguido seis títulos jugando en Inglewood, y ahora compartirían cancha con los Clippers. ¡Los Clippers! Era antinatural. «La energía fue muy extraña durante la primera mitad. Todo era muy raro», declaró O'Neal.

«Con todas las sesiones de entrenamiento que hemos realizado en este lugar, creo que los chicos entienden lo que significa jugar en este recinto —dijo Jackson—; es decir, la importancia, el tamaño y la magnitud del contexto que en absoluto juegan a nuestro favor.»

Los Lakers ganaron 103-88. O'Neal marcó el ritmo del partido con 28 puntos y 10 rebotes. Luego ganaron nueve de los trece partidos que disputaron. El 1 de diciembre, cuando Bryant volvió contra Golden State, el equipo encabezaba la División Pacífico con un balance de 11 victorias y 4 derrotas. Jackson aseguraba que estaba contento de recuperar a Bryant. Lo mismo aseguraba O'Neal. Sin embargo, aunque Bryant realizó un buen partido y se impusieron a los Warriors por 93-75 (y Bryant sumó 19 puntos, 6 rebotes y 3 asistencias), su presencia causaba cierto resquemor. Rice volvía a ser una pieza secundaria que esperaba pases que nunca llegaban, y O'Neal, después de dejarse la piel para ganar la posición en el poste bajo, se quedaba observando cómo Bryant penetraba hacia el aro. ¿Jugaban mejor sin lesionados? Sí. Con Bryant recuperado, los Lakers ganaron cuatro partidos seguidos, perdieron uno en Sacramento, y luego encadenaron una racha de dieciséis victorias consecutivas que los consolidó como el mejor equipo de la NBA.

Pero, aun así, nunca hubo un equipo tan infeliz con un balance de 31 victorias y 5 derrotas. A O'Neal lo multaron con diez mil dólares por agredir verbalmente a unos árbitros. Rice le dijo a su agente que le buscara un nuevo destino. Los New York Knicks y los Miami Heat parecían interesados (el agente de Rice estaba tan desesperado que les decía a las otras franquicias que si adquirían a Rice tendrían más opciones para contratar a sus otros representados). En un partido contra los Nets, Jackson indicó una jugada para Horry, pero no salió bien. Tras el partido, Horry se excusó con Jackson y le dijo que no lo había oído. Jackson respondió: «Las ovejas conocen la voz de su amo. Es importante que reconozcan la voz de su amo y respondan a su llamada». El uso de la palabra «amo» no sentó bien entre los jugadores afroamericanos del equipo, y a Jackson, que lo había dicho en sentido bíblico, le supo muy mal.

Jerry West tampoco estaba satisfecho con el ambiente que se respiraba. Parecía que una nube negra se hubiera instalado sobre su cabeza. Estuviera de buen o mal humor, cuando llegaba a las oficinas siempre, pasara lo que pasara, saludaba a todos los empleados con un «¡Buenos días!» y un par de preguntas sobre sus vidas. Era su forma de ser. Había que tratar a la gente con cordialidad, amabilidad y humildad. Jackson, en cambio, pertenecía a otra especie. «Uno de mis problemas con Phil era este —recuerda West—. Su oficina estaba muy cerca de la mía, pero cuando llegaba por la mañana, pasaba por delante de mi despacho y nunca se molestaba en saludar con la mano o asomar la cabeza para saludarme. […] Phil y yo no teníamos ninguna relación. Ninguna. No me quería cerca y no sentía ningún respeto hacia mí. De eso no tengo ninguna duda.»

En una ocasión, después de una derrota en casa, West entró en el vestuario para hablar con sus jugadores. Era algo que solía hacer para mantener el contacto con el equipo que había formado. Sin embargo, Jackson todavía no había terminado su charla y se puso furioso. «¡Jerry, haz el puto favor de salir de aquí! —gritó—. ¿Qué coño haces aquí?»

West, que era talentoso y sensible a partes iguales (según Jackson, «dejaba que las cosas se enquistaran»), abandonó rápidamente la estancia. Estaba herido y humillado. Desde un buen principio, había tenido sus dudas a la hora de contratar a Jackson, y ahora tenía la sensación de que la franquicia se le escapaba de las manos. «Lo que no entendía era que yo venía de una franquicia [Chicago] en la que no permitía que nadie entrara en el vestuario —argumenta Jackson—. El vestuario es un santuario. Llegué a echar a Jesse Jackson y a varias estrellas de cine.» Pero West no lo entendía. Aquellos eran los jugadores que él había conseguido. Era la franquicia por la que se desvivía. Era un hombre cuya falta de ego era sorprendente. Nunca buscaba reconocimiento ni atención mediática. Lo único que quería era que el equipo ganara. «No interfiero en el trabajo de los entrenadores —decía—. Siempre intentaba traer a los jugadores que encajarían mejor con nuestro planteamiento. Jamás quise pasar por encima de nadie ni entrometerme.»

Tampoco fue de gran ayuda que Jackson empezara a salir con Jeanie Buss, la hija del propietario y vicepresidenta ejecutiva del equipo. La relación había cogido a West por sorpresa desde el principio. Jeanie había apostado por quedarse con Kurt Rambis. «Me opuse activamente a la contratación de Phil», decía ella. Se habían conocido en septiembre esperando un vuelo de regreso en el Aeropuerto Internacional de Vancouver después de asistir a unas conferencias relacionadas con la liga. Jackson se quedó atónito e impresionado porque Jeanie viajara en clase turista. Unas semanas más tarde, el 26 de septiembre, la chica recibió una tarta de cumpleaños en su despacho, e hizo que le entregaran un trozo a Jackson. Aquella misma tarde, Jackson le propuso salir a cenar. «Estábamos comiendo y puse las cartas sobre la mesa —recuerda Buss—. Me gustaba mucho. Tenía chispa en los ojos. Pero le dije: "Mira, no voy a tener una aventura contigo. No voy a hacer nada que tenga que esconder. Porque pondría en riesgo la franquicia. Cuando intentas mantener algo en secreto, estás vendido. Es decir, si vamos a salir, tiene que ser público."» Jerry Buss no tenía ningún problema con la relación. Jerry West sí. «Hay un puto millón de mujeres en esta ciudad —le dijo a Jackson—. ¿Por qué tienes que salir con Jeanie?»

Jerry West no entendía esa nueva relación. ¿Dónde quedaba la separación de poderes? ¿Y si Jackson no era el entrenador indicado para el equipo? ¿Y si lo tenían que sancionar o despedir? A West le preocupaba el negocio. Los Lakers eran los Lakers. La familia siempre se quedaba al margen de todo. Así es como tenía que ser. «No quería competir con el entrenador —cuenta West—. Yo no era así. Incluso cuando quizá tendría que haberlo sido.»

Mientras tanto, sobre la pista, Bryant hacía lo que quería (27 puntos contra Sacramento y 30 contra Atlanta). Pero cada vez que lanzaba a canasta sus compañeros lo vivían como una bofetada en la cara. Los jugadores de los Lakers pensaban que, sin Bryant, el ataque era fluido, eficiente y relativamente equilibrado. «[Cuando Kobe volvió], el ataque no era tan fluido como antes —apunta Jackson—. A Kobe le costaba mucho respetar el triángulo ofensivo. Muchas veces iba por libre, y eso molestaba al resto de la plantilla.» Justo después del partido que jugaron el 19 de enero contra Cleveland, en el que Bryant metió 6 de 15 en tiros de campo durante 41 minutos de juego, O'Neal entró en el vestuario y le dijo a su compañero de equipo que «creciera de una puta vez y pasara la puta pelota».

—¡Que te jodan! —respondió Bryant—. Mete algún puto tiro libre.

En ese partido, O'Neal había metido 5 de 13 en tiros libres, y llevaba un porcentaje de acierto del 52 % esa temporada. No era un tema del que le gustara hablar.

—¿Hablas conmigo, gilipollas? —dijo O'Neal—. ¿Estás hablando conmigo?

Bryant lo dejó estar.

«[O'Neal] albergaba mucho odio en su corazón —dijo Winter más tarde—. Increpaba a Kobe sin parar. Pero Kobe encajaba todas las críticas y seguía a lo suyo.»

Al cabo de unos días, varios miembros del equipo pidieron a Jackson hablar un rato a solas. Él sabía qué tema querían abordar antes de que empezaran a hablar. Rice se sentía olvidado en el perímetro, Fox se preguntaba qué hacía esperando fuera de la zona y O'Neal sentía que luchaba en el poste bajo para nada. Todos querían desesperadamente que Bryant pasara la pelota o que desapareciera del mapa. Jackson había vivido una situación similar cuando entrenaba a un joven Michael Jordan en los Bulls. «Pero Michael era receptivo con las críticas —cuenta Jackson—. No siempre estaba de acuerdo, pero te escuchaba. Kobe no era así. Yo había estudiado el narcisismo juvenil y sabía que los jóvenes narcisistas son los peores porque creen que se merecen lo mejor. Quieren ser los líderes. No aceptan asesoramiento ni consejos. No puedes criticarlos. Kobe era un joven narcisista.» Por aquella época, Bryant le pidió una reunión a West para preguntarle cómo habían conseguido él y Elgin Baylor, en la temporada 1961-62, una media de treinta puntos por partido con los Lakers. West se lo comentó a Jackson, que se mostró irritado. ¿Por qué siempre lo más importante eran los puntos? ¿Por qué no el aprendizaje? ¿O ganar? En una ocasión, Michael Jordan asistió a un partido de los Lakers contra los Bulls en Chicago. Después del partido, Jackson llevó a Bryant a una sala trasera para que pudiera hablar con su ídolo. «Michael estaba al fondo fumando un puro —recuerda Jackson—. Y nada más entrar Kobe le dice: "Puedo ganarte en un uno contra uno". No estaba bromeando. Michael respondió: "Probablemente. Tú tienes veintidós años y yo tengo treinta y seis". Fue muy raro.»

Una tarde de finales de enero, Jackson convocó una reunión en la sala de vídeo del Southwest College, el gimnasio donde solía entrenar el equipo. Los entrenadores colocaron cuatro filas de sillas para los jugadores. En la primera fila se sentaron O'Neal, Fox, Fisher, Harper y Shaw. Bryant estaba solo en la última fila, con la capucha de su sudadera cubriéndole los ojos. Jackson volvió a explicar una vez más que el triángulo se basaba en la solidaridad y en buscar a los jugadores desmarcados. «Para que este sistema funcione, no puedes ser un jugador egoísta —dijo—. No hay otra.»

Cuando terminó, Jackson abrió una tanda de preguntas o comentarios. Hubo unos segundos de silencio. Un silencio incómodo, pero silencio, al fin y al cabo. Entonces, O'Neal, que se había quejado de Bryant en muchas ocasiones, se aclaró la garganta.

—Creo que Kobe juega de forma demasiado egoísta. De esta forma no podemos ganar. Estoy harto.

Y se abrió la caja de los truenos.

—¿Cuántas veces lo hemos hablado? —añadió Fox.

—Los mejores equipos en los que he estado —dijo Shaw— eran equipos que pasaban la pelota. Uno no puede ganar contra todo el mundo. Es imposible.

Fue desagradable. Años más tarde, Jackson confesó que, si el destino de Kobe hubiera estado en manos de sus compañeros (es decir, si traspasarlo dependiera de ellos), el muchacho habría salido del equipo sin pensarlo dos veces. No solo se negaba a adaptarse al nuevo sistema, sino que, además, en su cuarta temporada en la NBA y con veintiún años, todavía no había madurado ni entendido que los Lakers no le pertenecían. Él era una pieza más del grupo. Una pieza importante, sí. Pero nada más que eso.

Jackson le preguntó a Bryant si quería añadir algo. «Kobe, finalmente, se dirigió al grupo —recuerda Jackson— y, con una voz calmada y tranquila, dijo que apreciaba a todo el mundo y quería formar parte de un equipo ganador.»

Salley, el veterano ala-pívot, se entregó en cuerpo y alma para ayudar a Bryant a entender qué significaba ser un compañero de equipo. Años después admitió que había sido una tarea hercúlea. Durante la temporada, invitó al joven escolta a una fiesta en South Beach, Miami. Bryant lo acompañó a regañadientes, y Salley quedó entusiasmado con los murmullos y las sonrisas que los recibían en los distintos locales. «Por fin —pensó— Kobe se está divirtiendo.» Pero se equivocaba. Al cabo de una hora, Bryant lo agarró por el hombro y le pidió salir del local para poder hablar lejos del estridente ruido. Eran las diez y media de la noche. «Tengo que irme», dijo. *¿Cómo?* «Tengo que entrenar mañana por la mañana.» Salley, desesperado, fue a buscar el coche y acompañó a Bryant de vuelta al Ritz-Carlton South Beach. «Solo tenía una cosa en la cabeza. Había que entenderlo», explicó Salley.

Pero pocos Lakers lo entendían. Después de la reunión que Jackson había convocado con toda la plantilla en enero, el equipo perdió cuatro de los cinco partidos posteriores, incluida una frustrante derrota ante Utah (en una doble prórroga que terminó 105-101) y la paliza que recibieron a manos de San Antonio por una diferencia de veinticuatro puntos. Tras haber empezado la temporada con una racha de 33 victorias y 5 derrotas, el 1 de febrero los Lakers tenían un balance de 34-11. Jackson empezaba a pensar que aquel equipo hecho para triunfar se estaba desmoronando y no tenía solución.

La gloria y los anillos parecían inalcanzables.

9

Cambian las tornas

*E*n el momento en que el equipo de Los Ángeles empezaba a desmoronarse y la crisis amenazaba con imponerse al talento, Jerry West y Mitch Kupchak estaban trabajando desesperadamente en los despachos para encontrar la manera de deshacerse de la peor adquisición de los Lakers de los últimos años.

En lo que a estadísticas se refiere, ciertamente, Glen Rice era un Laker como cualquier otro. Llevaba una media nada reprochable de 16,7 puntos por partido. Aun así, todo el mundo, desde West o Kupchak hasta Jackson o Winter, se daban cuenta de que era el jugador equivocado para el equipo y el sistema equivocados. En Charlotte, Eddie Jones promediaba 20,1 puntos por partido y era el líder de su equipo. «Creo que nadie sabía lo verdaderamente valiosoe que era Eddie Jones —recuerda Rick Bonnell, el periodista del *Charlotte Observer*—. Glen no le llegaba ni a la suela de los zapatos.» En cambio, el jugador por el que lo habían traspasado era lento, previsible, intratable y poco efectivo. Había sido una superestrella con los Heat. Había sido una superestrella con los Hornets. Y se creía una superestrella en Los Ángeles. «Tenía un ego enorme. Se consideraba un jugador de primera fila —asegura Kevin Ding, el periodista del *Orange County Register*—. Pero su juego decía todo lo contrario.» Rice había sido la tercera opción de los Lakers. Una opción poco acertada en todos los sentidos: no sabía lanzar sin botar primero, su defensa era mediocre, tenía una mano izquierda sorprendentemente mala y había envejecido de la noche a la mañana.

Además, no encajaba con sus compañeros y el cuerpo técnico, y no aceptaba las críticas. «David Falk [el agente de Rice] me llamó una noche y empezó a quejarse del equipo y de lo mal que trataban a Glen —recuerda J. A. Adande, el periodista de *Los Angeles Times*—. Le pregunté a Mitch Kupchak sobre el asunto y me dijo que, simplemente, eran excusas para justificar su mal rendimiento.»

El intercambio de Jones por Rice fue un error, pero los Lakers querían remediarlo. Después de trabajar en los despachos durante días, se llegó a un acuerdo a tres bandas que enviaría a Rice a los Philadelphia 76ers. A cambio, los Lakers conseguirían a Larry Hughes, el explosivo escolta de los Sixers, y lo que le quedaba de contrato de Bison Dele. Desde luego, Hughes no sería el próximo Iverson. En muchos aspectos, el enérgico jugador de veintiún años era una versión desmejorada de Eddie Jones. Pero perder el talento de Rice mejoraría el rendimiento del equipo porque Fox o Horry tendrían más protagonismo.

Pero antes debían disputar un partido.

Tres días antes, los Lakers habían sufrido una devastadora derrota a manos de los vigentes campeones, los Spurs. Tim Duncan los castigó con 29 puntos y 18 rebotes. Rice anotó 5 míseros puntos. Tim Kawakami de *Los Angeles Times* escribió: «la recesión de los Lakers de 2000 todavía continúa». El equipo de Los Ángeles recibía a los Jazz, su bestia negra de la última media década. Como siempre, Utah formaba parte de la élite de la NBA, y John Stockton y Karl Malone seguían siendo los adalides de la perfección ofensiva. Una semana y media antes, los Jazz habían dejado tocados a los Lakers con su victoria por 105-101 tras dos prórrogas. Un recordatorio más de que O'Neal, Bryant y compañía tenían que perfeccionar la defensa del *pick and roll*.

Así pues, los Jazz llegaban al Staples Center en el momento perfecto para golpear con un bate de béisbol las rodillas de una franquicia que se tambaleaba. Jackson no estaba satisfecho con Bryant. Bryant no estaba satisfecho con O'Neal. Nadie estaba satisfecho con Rice, que tenía un pie y medio fuera del equipo. «Estábamos en nuestro peor momento —recuerda Fox—. Durante una temporada hay veces en las que uno duda y piensa que las cosas no saldrán bien. Estábamos en ese punto.»

Pero, entonces, todo cambió.

Los Jazz empezaron el partido metiendo un solo tiro de catorce intentos (lanzaron una piedra detrás de otra). En parte, podía atribuirse a la fatiga (los Jazz había jugado contra Milwaukee la noche anterior), pero, por otro lado, los Lakers realizaron la defensa asfixiante que Jackson había estado predicando durante toda la temporada. Bryant, que solía aparecer en ataque y acaparar la pelota, estaba en todas partes. O'Neal, que detestaba la simple presencia de Greg Ostertag, taponó violentamente cinco de sus lanzamientos. El equipo de Los Ángeles forzó catorce pérdidas en la primera mitad que se acabaron transformando en veintiún puntos. En el primer cuarto, los Lakers iban por delante 33-14. En el segundo, el marcador indicaba 56-21. «Básicamente hemos hecho lo que teníamos que hacer y hemos salido con mucha energía. Necesitábamos un partido así», dijo O'Neal después del encuentro.

Según los locutores deportivos, el resultado final de 113-67 parecía un error tipográfico. ¿No serán 87 o 77? «Es solo un partido. Siempre aprendes algo de ti mismo después de algo así», dijo Stockton tras anotar solo un par puntos en catorce minutos sobre la cancha.

En efecto.

Tres noches después, los Lakers volvieron a ganar. Esta vez, ante Denver, 106-98. En el siguiente partido se impusieron a Minnesota por 114-81. Luego vencieron a Chicago y, más tarde, a los Hornets: Rice anotó 21 puntos y Jones 18. El siguiente partido fue otra victoria, 107-99 contra Orlando. En poco tiempo, la misma franquicia que había estado al borde del colapso logró acumular una impresionante racha de diecinueve victorias consecutivas. Las negociaciones para el traspaso de Rice se enfriaron. La crisis quedó atrás. Los Lakers eran el equipo del que todo el mundo hablaba. Habían dado la vuelta a la situación. El talento se imponía a las discordias internas y, cómo no, O'Neal era el hombre más dominante en el poste bajo.

Durante sus siete años de trayectoria en la NBA, O'Neal había sido el jugador más admirado y el más injustamente criticado. ¿No debería tener un anillo de campeón? ¿Al menos uno? Era una potencia invencible. Pero era un terrible lanzador de tiros libres. Hacía mejores a sus compañeros de equipo. Los medios lo adoraban. Pero era un terrible lanzador de tiros libres. En la temporada 1992-93, con Orlando, su porcentaje de acierto desde la línea de tiros libres fue del 59 %. Era de esperar que mejorara con el tiempo. No fue así. Se buscaron todo tipo de excusas, como que sus manos eran demasiado grandes, la fatiga, los nervios, la ansiedad, el trauma de un accidente en su infancia en el que se rompió la muñeca... Todos los años se esperaba que llegara un nuevo experto en tiros libres para cambiar las cosas. Una vez, un profesor de política exterior americana de la Universidad del Sur de Florida-St. Petersburg le envió a Kupchak una serie de artículos que había escrito sobre los problemas de O'Neal con los tiros libres. «Un día recibí un correo electrónico de Mitch diciéndome que había hecho llegar mis escritos a Phil y a Shaq —recuerda Hans—. Mejoró un poco y me sentí orgulloso. Pero el cambio no fue duradero.» En otra ocasión, los Lakers contrataron a un entrenador especializado, Ed Palubinskas, que concluyó que O'Neal estaba demasiado rígido y se sentía intimidado por el aro. Rick Barry, un exjugador cuyo nombre aparecía en el Salón de la Fama del Baloncesto y lanzaba los tiros libres de cuchara con un porcentaje de acierto del 89 %, le sugirió a O'Neal que los lanzara igual que él, pero el gigante no se atrevió.

El único diagnóstico certero lo emitió Derek Harper, el veterano base que jugó con los Lakers la temporada 1998-99: «No practicaba lo suficiente. Así de simple. Cualquier persona que practique los tiros libres puede convertirse en un buen lanzador de tiros libres. Shaq era uno de los mejores jugadores de la historia del baloncesto. Pero no dedicaba el tiempo necesario a su carencia principal. Lo suyo era la fuerza y la potencia, no los tiros libres».

Dos décadas más tarde, Harper recordaba un partido de 1999 contra Seattle que estuvo muy igualado. En un tiempo muerto del último cuarto, Kurt Rambis diseñó una jugada para O'Neal. «Cuando regresamos a la pista Shaq dijo: "¿Qué se supone que tengo que hacer? ¿Para quién era esa jugada?"

—cuenta Harper—. Me di cuenta de que no quería la pelota para que no le hicieran falta. Le dije que me pasara el balón enseguida, que yo tomaría la responsabilidad. Es increíble que alguien de su categoría salga de un tiempo muerto sin querer el balón.»

Había una preocupación creciente de que, en los partidos igualados, los entrenadores rivales ordenaban hacer faltas sobre O'Neal para ponerlo en la línea de tiro libre. Para Jackson era siempre una amenaza. Y también para Bryant, que simplemente no podía entender (y se lo preguntaba en voz alta) cómo era posible que un hombre con tantas habilidades no pudiera meter seis de cada diez lanzamientos. No obstante, durante la racha ganadora los Lakers encontraron una solución provisional: machacar a los equipos rivales para que no tuvieran ningún motivo para colocar a O'Neal en la línea de tiro libre. En aquellos diecinueve partidos, ganaron por una media de 14,1 puntos. Los partidos más igualados no fueron en realidad muy igualados. El resultado solía maquillarse en el último cuarto, cuando Jackson daba descanso a los titulares.

El 6 de marzo, O'Neal celebró su vigesimoctavo cumpleaños arrasando a los Clippers con 61 puntos y 23 rebotes. Los Lakers vencieron por 123-103. Tres horas antes del partido, cuando apareció en el Staples Center, el personal de los Clippers le comunicó que habían denegado su petición de localidades extra para sus familiares. Si quería que sus parientes vieran el partido, tendría que pagar las entradas como todos los demás. O'Neal no se lo podía creer. Ese era su pabellón. Su casa. «Nunca me hagais volver a pagar por las entradas —dijo—. Nunca.» Justo antes del comienzo del partido, le preguntó a Derek Fisher:

—¿Un hermano puede lograr sesenta puntos el día de su cumpleaños?

Traducción: «Pásame la pelota. Pásamela todo el rato».

Fisher asintió.

—Por supuesto —dijo—. Hagámoslo.

O'Neal jugó diecinueve temporadas en la NBA, pero nunca logró alcanzar el nivel de la temporada 1999-2000. Ese año promedió 29,7 puntos, 13,6 rebotes, 3 tapones, y alcanzó la media de asistencias más alta de su carrera: 3,8. Nunca estuvo en mejor forma que ese año, desesperado por complacer a su nuevo y laureado entrenador. «Shaq está en muy buena forma —dijo Brian Shaw al finalizar la temporada—. Rebotea y tapona como nunca. Jugué con él tres años en Orlando y no tenía esta intensidad en defensa.»

Finalmente, los Lakers cayeron derrotados el 16 de marzo. Perdieron 109-102 contra Washington en un trepidante partido. Pero, dos encuentros más tarde, ocurrió algo que complació a Jackson y, además, consolidó a los Lakers —estos Lakers— como una estirpe distinta. El 19 de marzo, el equipo regresó a California para recibir a los Knicks, un legítimo aspirante al título. Su entrenador, Jeff van Gundy, no podía decir ni pensar nada bueno de su homólogo en Los Ángeles. Antes de aceptar el cargo en los Lakers, Jackson había iniciado conversaciones con los Knicks, y Van Gundy creía, con razón, que había cruzado una línea roja. Como Del Harris había señalado en varias ocasiones, uno no compite por un trabajo que ocupa un compañero.

Incluso sin ninguna cuenta pendiente, era mejor no meterse con los Knicks. Su plantilla era una colección de matones de la NBA. Larry Johnson, el ala-pívot de 1,98 y 113 kilos, arrojaba al suelo a sus rivales asiduamente. Lastrell Sprewell, el atlético alero, era famoso por haber casi estrangulado a su entrenador P. J. Carlesimo dos años antes. El ala-pívot suplente, Kurt Thomas, tenía el físico más imponente de la liga (después de Shaq) y Patrick Ewing, el pívot con quince años de trayectoria profesional, seguía dedicando miradas asesinas que podían congelar el alma. Sin embargo, el integrante más rudo de la plantilla era el más pequeño, Chris Childs, el base de 1,91 y 88 kilos.

Producto de la Universidad Estatal de Boise, Childs terminó la universidad en 1989 sin ser elegido en el *draft*. Su sólida media anotadora (13,6 puntos por partido) y su rapidez extraordinaria quedaron eclipsadas por su vida privada. Era un alcohólico empedernido. Estuvo deambulando por las ligas menores hasta que el 26 de junio de 1993 decidió tomar su último trago. Al cabo de un año, Childs pasó a formar parte de los

New Jersey Nets. Su juego convincente le proporcionó un contrato de seis años por veinticuatro millones de dólares, y pronto se convirtió en base titular de una de las mejores franquicias de la NBA. «Chris nunca se escondía. Era pequeño, pero jugaba como un gigante», cuenta Jayson Williams, un compañero de los Nets.

Lo único para lo que Childs no tenía paciencia era la arrogancia. Y Kobe Bryant era el arquetipo de la arrogancia. No había nada que le gustara de ese chaval. No soportaba sus aires de superioridad ni su forma de jugar creyéndose mejor que todos los demás.

Por eso, en el tercer cuarto del partido, Childs se mostró especialmente molesto cuando Bryant le propinó dos codazos en la cabeza mientras retrocedía en defensa.

«¿Lo has visto? —dijo Childs a Ted Bernhardt, el árbitro—. ¿Vas a hacer algo con este cabrón y sus mierdas?»

Bernhardt sacudió la cabeza.

«Está bien —dijo Childs—. Ningún problema». Entonces, se acercó a Bryant y dijo:

—Puedes darme con el codo de cuello para abajo, no me importa. Pero si me vuelves a tocar la cabeza verás lo que es bueno.

Bryant esbozó una sonrisa.

—No vas a hacer nada —respondió.

El Laker medía 1,98 y pesaba 95 kilos. Era más alto y fuerte. Puro músculo. Pero pocos jugadores de la liga consideraban que Bryant era un jugador agresivo. Al cabo de unos segundos, Bryant volvió a golpear con el codo a Childs. Fue poca cosa, pero fue la gota que colmó el vaso.

«Me dio con su alita de pollo —dijo Childs—. Yo le regalé un dos por uno y una galleta como premio.»

Childs se echó encima de Bryant y refregó su rostro contra el del Laker. Bryant se quedó perplejo y lo apartó con un tímido golpe de antebrazo. Childs soltó un derechazo y un golpe cruzado que alcanzaron la mejilla de Bryant. Finalmente, Bernhardt intervino cuando Bryant intentaba devolverle los puñetazos a Childs sin éxito. Mientras Jim Cleamons, el entrenador asistente, lo separaba de la pelea, Bryant seguía moviendo los brazos y vociferando: «¡Que te jodan!». «¡Que te den, mamón!» Momentos después, en el túnel de vestuarios, Bryant intentó golpear nuevamente sin éxito a Childs. Cuando Marc Berman del *New York Post* le preguntó sobre el incidente, Childs le contestó: «Dile que estoy en el Four Seasons. En la habitación 906».

Ambos jugadores fueron expulsados del partido, que terminó con una victoria de los Lakers por 106-82. Sin embargo, lo más importante ocurrió después. Rick Fox increpó a Childs cuando abandonaba la pista. O'Neal le dio un empujón a Ewing. Jackson le dedicó una mirada de reproche a Van Gundy. En el vestuario, todos los Lakers se acercaron a Bryant para decirle que estaban con él. «Es nuestro hermano pequeño —dijo Fox—. Como hermanos mayores no podemos dejar que nadie se meta con nuestro hermano pequeño.»

«Todo el mundo sabe que Kobe es un tío íntegro —añadió O'Neal—. Pero el otro empezó a darle puñetazos en la cara, tenía que defenderse. Yo solo intenté proteger a mi hermano pequeño. Si hubiese pasado algo gordo, también lo hubiera defendido…, pero Kobe es un tipo duro, supo defenderse a sí mismo.»

El titular de la mañana siguiente del *Miami Herald* decía: «Una pelea estropea la victoria de los Lakers ante los Knicks». No obstante, para el equipo de Los Ángeles aquella pelea no estropeó nada. Desde que Bryant había llegado a la liga hacía cuatro años, los entrenadores y directivos de los Lakers lo habían intentado todo para que se sintiera parte del equipo. Pero no habían logrado nada. Sin embargo, enfrentarse a uno de los jugadores más duros de la liga supuso un auténtico cambio. Bryant fue sancionado con un partido y una multa de cinco mil dólares, pero, definitivamente, valió la pena. Nunca llegaría a integrarse por completo, su naturaleza no lo permitía. Pero, por lo menos, los Lakers afrontaban los *playoffs* como un equipo unido.

«Gracias a mí. A mí y a mi estúpido temperamento», diría Childs años más tarde.

Los Lakers acabaron la temporada regular con un balance de 67 victorias y 15 derrotas, el mejor de la liga. Aunque los protagonistas eran O'Neal, con 29,7 puntos por partido, Bryant, con 22,5, y Rice, con 15,9, la clave del éxito era Jackson. De algún modo, el veterano entrenador supo mantener unido a aquel equipo lleno de egos y que desbordaba arrogancia. Supo convencer a O'Neal para que ignorara la chulería de Bryant. Supo convencer a Bryant para que aceptara vivir a la sombra del más grande entre los grandes. Utilizó a Rice de forma inteligente, y confió en la veteranía de John Salley y Ron Harper para mantener la armonía en el vestuario. También puso fin a las novatadas. «De todas las que conozco, es la persona que entiende mejor las relaciones humanas —reconoce Salley—. Sabía exactamente qué botón tenía que apretar.» Además, hizo otra cosa que, décadas más tarde, sigue siendo una de las estrategias más sorprendentes de la historia moderna de la gestión de equipos: Jackson incluyó en el cuerpo técnico a Kurt Rambis, su predecesor. Seguramente no hay muchos otros casos donde un entrenador nuevo se atreve a contratar a su predecesor. Pero Jackson logró que funcionara. «Al principio no fue fácil —dijo Rambis—. De algún modo, sentía que me había quitado el puesto. Pero llegué a apreciar a Phil y él llegó a apreciarme a mí. Confiábamos el uno en el otro.»

Los Lakers inauguraron los *playoffs* eliminando a los Kings, clasificados en octavo lugar, en cinco partidos. A continuación, se enfrentaron a los Suns, que se vieron completamente superados, y como era de esperar cayeron por cuatro partidos a uno. Pero durante la serie contra Phoenix aparecieron dos distracciones que provocaron que Jackson se cuestionara la concentración del equipo.

La primera ocurrió el 9 de mayo, cuando O'Neal fue nombrado MVP de la NBA. No había discusión: era mejor jugador de la liga y lideraba la NBA tanto en puntos como en porcentaje de aciertos en tiros de campo. Aunque la primera reacción de O'Neal fue mostrar una alegría incontenible («Lo primero que hice fue llamar a mis padres. Mi padre empezó a llorar», dijo), todo cambió cuando supo que había obtenido 120 de los 121 votos en la elección del MVP. Eso significaba un 99,2 % de los votos, el porcentaje más alto de la historia de la liga. Los 1207 puntos anotados por O'Neal eclipsaban los 408 puntos del segundo mejor anotador, Kevin Garnett, de Minnesota. ¿Cómo era posible que alguien hubiera decidido elegir a otro?

En cuestión de horas, se violó la confidencialidad de la votación, y el mundo supo que Fred Hickman, el veterano presentador de la cadena *CNN / Sports Illustrated*, había votado por Allen Iverson en primer lugar. Las reacciones fueron duras, desde los jugadores de los Lakers («He oído que un tipo de la *CNN* no lo votó. ¿Este tío ha jugado alguna vez?»)[12] o Jerry West («Lo siento por el tipo que no lo votó») hasta los medios de comunicación (Marques Johnson de la cadena *Fox* dijo: «¿Qué ha pasado? ¿Acaso los amigos de Allen Iverson secuestraron a su hija en un sótano de Brooklyn y lo chantajearon?»).

«Fue terrible —recuerda Hickman—. Hoy en día todavía no sé cómo salió a la luz mi nombre, porque el voto era supuestamente anónimo. Me convertí en Steve Bartman antes de ser Steve Bartman. Las reacciones fueron muy intensas. La gente estaba enfadada. Recibí amenazas por primera vez en mi vida. ¡Amenazas! Solo por pensar que Allen Iverson era más importante para su equipo que Shaq para el suyo.»

O'Neal se mordió la lengua y no hizo declaraciones. Sin embargo, años después admitió que estaba realmente molesto: «¿Que si siento algún rencor por ello? La verdad es que sí. Un maldito idiota impidió que fuera el primer MVP de forma unánime. Un gilipollas que no tiene ni puta idea de nada le da su voto a Iverson y mancha mi nombre. Jamás lo olvidaré».

El escándalo quedó atrás, pero, al cabo de unos días, estalló una auténtica bomba informativa en el Staples Center: Kobe Bryant estaba comprometido.

Iba a casarse.

Con otra persona.

De carne y hueso.

De verdad.

La Associated Press fue la encargada de publicar la exclusiva y pocos Lakers la creyeron. Durante cuatro años, Bryant

---

12. Hickman estudió en el Coe College, en Iowa, donde no practicó ningún deporte universitario.

había sido inaccesible en su vida personal. Otros miembros del equipo eran conocidos fiesteros y mujeriegos. Salían de fiesta y regresaban al hotel con una grupi que seguía el mismo patrón: pechos grandes y pelo largo. Aunque no estaban en los ochenta, la época donde las mujeres hacían cola en la entrada del hotel cada vez que Magic, Worthy y compañía visitaban una ciudad, los jugadores de los Lakers no tenían problemas para regresar acompañados a sus habitaciones.

Sin embargo, la vida privada de Bryant era un auténtico misterio. La última vez que se le había conocido una cita había sido en verano de 1996, cuando la cantante y actriz Brandy Norwood lo acompañó al baile de graduación del instituto Lower Merion. Pero la verdad es que ni siquiera se conocían.

Aquello fue un montaje orquestado por Michael Harris, un promotor deportivo local que pensó que podía causar un gran revuelo si lograba que el futuro jugador de NBA se presentara al evento con una superestrella. La noche del 25 de mayo de 1996, con docenas de cámaras y entre una lluvia de flases, Bryant («con un esmoquin, una camisa con cuello de banda y sin corbata», escribió Jennifer Weiner del *Philadelphia Inquirer*) y Norwood («con un Moschino color champán, maquillada de forma impecable y con unas trenzas rozándole los hombros») subieron juntos las escaleras de mármol del hotel Bellevue de Filadelfia. Había cientos de espectadores mirando desde la acera y algunos les pedían autógrafos.

«Fue muy interesante —recuerda Weiner—. Fue lo más parecido a unos Grammys o unos Oscar que jamás se haya celebrado en Filadelfia. La revista *People* y todo tipo de gente curiosa se acercaron al evento. Pero no era real. Era un montaje.»

Efectivamente, al acabar la velada, Bryant no recibió más que un beso en la mejilla y un buen revuelo mediático. A medida que pasaron los años, nunca surgió otro rumor sobre la vida amorosa de Bryant. Los *paparazzi* nunca acamparon fuera de la casa de Madonna esperando captar una imagen de Kobe. Tampoco hubo visitas al Men's Club de Dallas junto a los jugadores de los Dallas Cowboys. Fox, el veterano alero, tan famoso por su atractivo, estaba casado con la actriz y cantante Vanessa Williams, y sus vidas eran carne de cañón de las revistas del corazón y de los *paparazzi* escondidos en los arbustos. Pero ese no era el caso de Kobe Bryant. Todo el mundo daba por hecho que se pasaba los días encerrado en su casa de Pacific Palisades sentado en el sofá con un bol de Fritos y una novela de Candace Bushnell. Había gente del equipo que se preguntaba si era virgen. Si uno lo piensa, si Bryant era tan torpe con las mujeres como con sus compañeros de equipo...

Pero, ahora, gracias a la *Associated Press* la noticia fue recibida como un bombazo. No solo estaba a punto de casarse, sino que lo haría con una chica de dieciocho años llamada Vanessa Urbieta Cornejo Laine que todavía iba al instituto de Garden Grove, California. Se filtró que era bailarina. Una seductora bailarina. Una seductora bailarina que había aparecido como extra en varios vídeos musicales.

Sin embargo, se trataba de una adolescente corriente de clase media con una cara bonita que sabía moverse bien. El 15 de agosto de 1999, cuando asistió al festival 92.3 Beat Summer Jam en Irvine, California, se le acercó un hombre y le dijo que estaba buscando a «chicas guapas» para incluir en sus vídeos musicales. En un par de meses apareció ligera de ropa y con el cuerpo untado de aceite en un vídeo de Krazyie Bone, y luego en el videoclip de la canción *G'd up*, de Tha Eastsidaz con Snoop Dogg. Kobe quedó impresionado y la contrató para el vídeo que preparaba para su debut, vídeo que finalmente nunca se proyectó. Quedó locamente enamorado de ella.

Consiguió su número de teléfono y la llamaba constantemente. Se acercaba a su instituto con su Mercedes negro y se ofrecía a llevarla a casa. En una ocasión, en un ataque de romanticismo, Bryant encargó docenas de rosas y las mandó a las oficinas del instituto. A Laine le comunicaron por megafonía que fuera a recogerlas. Totalmente excitada, explicó a sus compañeros de clase que eran de Kobe.

«Todo el rato hablaba de Kobe —recuerda una compañera suya—. Durante una época fue de lo único que hablábamos.»

La presencia de Bryant en el instituto causaba tanto revuelo que la dirección del centro recomendó a Laine que acabara su formación en casa. Ni la familia de Kobe ni la de Vanessa sabían qué pensar. Los padres de Laine se preguntaban si era normal que un adulto se interesara por una chica de instituto de aquella forma. ¿Acaso era ético? «Él era un hombre adulto y ella apenas tenía diecisiete años —recuerda Stephen Laine, el padrastro de Vanessa—. No estábamos seguros de lo que estaba pasando…»

Joe y Pam Bryant también tenían sus reparos. Desde que Kobe llegó a la NBA en 1996, sus padres habían estado literalmente a su lado. Joe Bryant había jugado ocho temporadas en la NBA y conocía las presiones y los problemas que supone ser jugador profesional. Quería alejar a su hijo de cualquier tipo de problema. Por tal motivo, se trasladaron desde la Costa Este: para supervisar su vida, gestionar sus asuntos, mantener la casa en orden y asegurarse de que nadie se aprovechara de él. Al principio vivían en la casa de Bryant, que contaba con seis dormitorios. Luego se mudaron a una mucho más grande en la misma calle. El aislamiento de Bryant se debía, en gran medida, a los repetidos sermones de sus padres: «Piensa por ti mismo. Deja tu propia huella. No sigas al rebaño».

Para los Bryant, Vanessa Urbieta Cornejo Laine representaba todo aquello contra lo que habían prevenido a su hijo. Era una *grupi*. «Tenía que serlo.» Ella sola se delataba: pechos grandes, demasiado perfume, ropa tres tallas más pequeñas y aparecía en vídeos de rap.

Además, seguramente consideraba que su hijo era un cajero automático andante que escupía dinero sin descanso. Kobe ganaba nueve millones de dólares y casi el doble en contratos publicitarios. Vanessa vivía bajo el mismo techo que su madre, Sofia, y su padrastro, Stephen, que estaban abrumados por las deudas de las tarjetas de crédito y los préstamos. A Sofia la habían despedido de su empleo en una empresa de transportes, y padecía una lesión de espalda que le impedía trabajar. A pesar de que para explicar la historia de Kobe se solía recurrir a la influencia de su padre y su pedigrí, en realidad, era su madre quien se ocupaba de que todo estuviera en orden detrás de los focos. Era hija de un soldado del ejército estadounidense y se había graduado en la Universidad de Villanova. Era dura de roer y no estaba dispuesta a aguantar las tonterías de nadie. «Pam dirige la familia, como siempre ha hecho —asegura

John Smallwood, el veterano periodista del *Philadelphia Daily News*—. Si Pam no hubiera sido quien era, y no hubiera cogido las riendas de la familia, asegurándose de que todo funcionara como era debido, Kobe no sería nada.»

Igual que su marido, Pam no quería ni oír hablar de que una adolescente pobre terminara formando parte de su imperio. Tampoco les gustaba que Vanessa fuera latina y no afroamericana. Por eso, en primer lugar, pidieron a su hijo que recapacitara. Luego, paciencia. Y finalmente le pidieron (suplicaron) que firmara un acuerdo prematrimonial. «De ninguna manera. Eso no va a suceder nunca», respondió Kobe.

Nadie en los Lakers daba crédito a lo que estaba pasando. Nunca lo habían visto con ninguna chica. ¿Y ahora estaba comprometido? «Bryant siempre me ha sorprendido por lo maduro que era para su edad —escribió Dana Parsons en *Los Angeles Times*—. Renunciar a las grupis a los veintiún años es algo loable. Solo cabe esperar que acierte en la elección de esposa como lo hace con los lanzamientos decisivos.»

La relación se consumó el 18 de abril de 2001 en la iglesia católica de San Eduardo Confesor, en Dana Point, y creó un conflicto tanto en la familia Bryant (ninguno de sus familiares asistió a la boda) como en la plantilla de los Lakers (invitaron a la boda a un total de cero jugadores y entrenadores).

Pero eso aún quedaba lejos.

Primero, el equipo tenía que superar el mayor reto del año.

De cara a las finales de la Conferencia Oeste, a los Portland Trail Blazers les importaba una mierda el voto de Fred Hickman para el MVP, y les traía sin cuidado la futura boda de Kobe Bryant. Tampoco estaban interesados en las enseñanzas zen de Phil Jackson, en los rumores de traspaso de Glen Rice, en el matrimonio de Rick Fox o en el tiro exterior de Robert Horry.

No.

A los Portland Trail Blazers lo único que les importaba era acabar con los Lakers.

Era una cuestión personal.

Durante demasiado tiempo, los Blazers no fueron más que simples mosquitos para los Lakers. Eran dos equipos separados por mil quinientos kilómetros y competían en la División Pacífico. Ambos podían presumir de grandes nombres y días de gloria. Sin embargo, siempre se repetía la historia: los Lakers superaban cualquier éxito de los Blazers. El mejor pívot de todos los tiempos de los Blazers había sido Bill Walton, la leyenda de UCLA. Su equivalente en los Lakers era Kareem Abdul-Jabbar, también icono de UCLA. La superestrella de los ochenta de los Blazers fue Clyde Drexler, un jugador extraordinario. La de los Lakers, Magic Johnson, un jugador trascendente. En la cancha de los Blazers colgaba con orgullo la bandera de campeones de la NBA de 1977. En el de los Lakers, colgaban las banderas de 1972, 1980, 1982, 1985, 1987 y 1988.

Por eso, como siempre, todo el mundo creía que los Lakers ganarían la eliminatoria. Eran los primeros clasificados y se enfrentaban a unos Blazers que fueron terceros en la fase regular, con ocho victorias menos que los angelinos. Además, su plantilla no tenía ningún jugador de la categoría física de O'Neal. Sin embargo, a diferencia de los Lakers, los Blazers tenían una plantilla mucho más profunda. El veterano Mike Dunleavy solía utilizar a nueve de sus jugadores, y con el ala-pívot Rasheed Wallace, el alero Scottie Pippen y el pívot Arvydas Sabonis tenía a su disposición el mejor ataque de la liga.

«Teníamos mejor equipo —recuerda Antonio Harvey, ala-pívot de los Blazers—. Es cierto que ellos tenían a Shaq y a Kobe, que eran inmejorables. Pero nosotros teníamos mucha más calidad en conjunto. Estaba convencido de que íbamos a ganar.»

La serie empezó el 20 de mayo en Los Ángeles y los Lakers destrozaron a los Blazers, consiguiendo una ventaja de veintiún puntos en la primera mitad y ganando el partido 109-94. El partido no fue una gran exhibición. En realidad, fue un aburrimiento para los 18 997 aficionados que llenaron el Staples Center. Cuando faltaban cinco minutos y veintinueve segundos para el final del partido, y los Blazers perdían por trece puntos, Dunleavy indicó a sus hombres que llevaran a cabo el infame *Hack-a-Shaq*, que consistía en hacerle falta a O'Neal cada vez que tocaba la pelota y esperar que fallara los tiros libres.

La estrategia no funcionó. O'Neal convirtió 12 de los 25 tiros libres que intentó y superó de largo el récord de tiros libres lanzados en un solo cuarto. Acabó el partido con un total de 41 puntos, y los jugadores de Portland miraban a su entrenador con desesperación. «Cualquier cosa que funcione me parece bien —dijo Pippen con un suspiro—. Shaq hizo lo que tenía que hacer. Ha salido ahí y los ha metido, cosa que ha hecho que nuestro planteamiento pareciera estúpido.».

Dos días después fue Portland quien destrozó a los Lakers: 106-77. Acababa de empezar una de las series de *playoff* más recordadas de todos los tiempos. Sabonis, el pívot de los Blazers, tenía treinta y cinco años y hacía tiempo que había dejado atrás su mejor momento. Hacía una década y media, cuando el lituano nacido en Kaunas era una estrella en Europa y en la selección nacional soviética, la mayoría de los expertos lo situaban a la altura de gigantes como Patrick Ewing, Hakeem Olajuwon o Ralph Sampson. Era rápido y fuerte. Sin embargo, cuando llegó a la NBA en la temporada 1995-96, padecía artritis en las rodillas y sangraba por otras heridas de guerra. «Tenía muchísimo talento —decía Kerry Eggers, que cubría a los Blazers para el *Oregonian*—. No podía correr, pero era uno de los pocos jugadores de la NBA que podía competir en fuerza con Shaq.»

En el tercer partido, en Portland, Dunleavy mantuvo a Sabonis sobre la pista durante treinta y cinco minutos, esperando (rezando) que consiguiera desgastar el físico irreductible de O'Neal. Durante un tiempo, la estrategia funcionó. El pívot de los Lakers acabó el primer cuarto sin anotar ni capturar ningún rebote. Los Blazers lograron una ventaja de catorce puntos en el segundo cuarto y de diez en la media parte. Sabonis no dejó escapar ninguna oportunidad para atizar con el codo las costillas o el pecho de O'Neal. Dentro del vestuario, un furioso Jackson apartó a su estrella a un lado y le dijo sin tapujos: «Estás jugando fatal».

«Me dijo que no estaba siendo agresivo. Y tenía razón», cuenta O'Neal.

A diferencia de Bryant, que no necesitaba la cólera de ningún entrenador para motivarse, O'Neal podía ser como un Porsche sin motor. Necesitaba un enemigo. Un rival. Alguien que le sacara de quicio. Durante años, estuvo diciendo que Ewing se había comportado como un capullo con él, que Alonzo Mourning lo odiaba y que David Robinson, el magnífico pívot de los Spurs, se había negado a firmarle un autógrafo cuando era un adolescente.

Esta vez, mientras se lamía las heridas de la reprimenda de Jackson, se convenció a sí mismo de que Sabonis era un llorón que les comía la oreja a los árbitros. «Me resulta incluso divertido —dijo más tarde— que un tío de 2,21 que pesa casi tanto como yo les llore a los árbitros.»

O'Neal fue el protagonista de la segunda mitad. Anotó 18 de sus 26 puntos y capturó 12 rebotes. Pero lo mejor es que pasó por encima de Sabonis. O'Neal castigó a su rival como solía hacerlo con sus rivales: con fuerza bruta y ventaja de peso. Cuando quedaban trece segundos y los Lakers ganaban por 93-91, el base de Portland Damon Stoudamire condujo la pelota por la zona, superó a Bryant y pasó el balón a Sabonis, que estaba justo en la línea de tres puntos. El pívot de Portland hizo una finta, O'Neal picó. El lituano botó lentamente hacia canasta. Cuando tiró, Bryant, que medía veinte centímetros menos que él, pegó un salto y desvió la pelota.

En ese momento, el tiempo se agotó y los jugadores de los Lakers rodearon a Bryant para felicitarle. Eran una piña. Los Lakers regresaban a Los Ángeles con una ventaja de dos partidos a uno. En el vestuario, todos creían los Blazers estaban a punto de rendirse. «Ahora la presión la tiene Portland —dijo Jackson—. Si sumamos una nueva victoria el domingo, estarán al borde del abismo, y lo saben.»

Se lo dijo a Chuck Culpepper del *Oregonian*. Pero en realidad se dirigía a los Blazers, un grupo de jugadores extraordinariamente talentosos que, a excepción de Pippen, tenían más experiencia atragantándose con los títulos que celebrándolos. Debe de ser agotador oír que tienes mucho talento, pero ser incapaz de sacarle partido. Steve Smith, el escolta de Portland, tenía cero anillos. Stoudamire, su base, también. Igual que Detlef Schrempf (siempre entre los máximos anotadores de la liga), Sabonis (el gigante con guante de seda), Wallace (conflictivo, pero productivo) o el mismo Dunleavy, el entrenador jefe que llevaba nueve años entrenando en la NBA sin haber ganado un solo título. «Necesitas alguna recompensa que justifique tu esfuerzo. Si no, no sirve para nada», asegura Fox.

Sin embargo, «estos» Blazers no eran «ese» tipo de Blazers. Después de perder el cuarto partido por 103-91, sorprendentemente, reaccionaron en el quinto encuentro y ganaron en Los Ángeles 88-96. Tres días más tarde, de nuevo en casa, en el Rose Garden, Portland volvió a ganar: 103-93 y serie igualada. O'Neal parecía el fantasma del jugador que había ganado el MVP. Anotó tan solo 17 puntos arrastrándose por la pista y solo encestó tres míseros tiros libres de los diez que lanzó. Por segundo partido consecutivo, apenas apareció en el último cuarto. Anotó cuatro puntos con un solo tiro de campo, un gancho a menos de metro y medio de la canasta. En los últimos cinco minutos y medio del partido no hizo más que observar cómo los demás jugadores pasaban zumbando por su lado. Después del partido, cuando le preguntaron a Bryant por la actuación de su compañero, apenas pudo esconder su irritación. «Ha habido muchos golpes y empujones —dijo—. Pero Shaq es un tío grande y fuerte. Estará listo para jugar el domingo.»

Jackson no lo tenía tan claro.

Una vez finalizado el partido y cuando la prensa ya se había ido, se reunió con sus asistentes preguntándose seriamente si la eliminatoria estaba perdida. En todos sus años en Chicago, Jackson siempre tuvo la seguridad de que, cuando llegara el momento crítico, Jordan estaría ahí para liderar al equipo.

Pero ahora se preguntaba si eso, de algún modo, era posible.

¿Los Lakers tenían lo que se necesita para sobrevivir?

El 7 de abril de 2001, casi un año después de la eliminatoria Lakers-Blazers, Shaquille O'Neal publicó un libro bajo el título *Shaq Talks Back*. Tuvo bastante éxito y permaneció varias semanas en la lista de *bestsellers* del *New York Times*. Sin embargo, no estaba a la altura de los clásicos como *Ball Four*, del jugador de béisbol Jim Bouton, o *A False Spring* de Pat Jordan. Como muchos otros libros, se publicó y acabó vendiéndose en Amazon por menos de dos dólares.

Fue una lástima porque a lo largo de doscientas setenta y seis páginas, O'Neal —que trabajó con Mike Wise del *Washington Post*— desnudó su alma de manera inusual y sorprendente.

O'Neal escribió detalladamente sobre su desprecio por Bryant y su desconfianza en Del Harris. Habló sobre inseguridades, miedos, lacras y penas. En todas y cada una de las páginas del libro, se muestra sincero y confiesa su relato de una forma muy poco habitual entre los deportistas.

Casi dos décadas después de su publicación, O'Neal le confesó a un reportero[13] que el libro había sido un error. Había contado demasiado y lo que le pagaron por él no compensó la repercusión que tuvo. «Ni siquiera lo leí —admitió—. Pero no me gustaron las reacciones que provocó.»

O'Neal quizá se refiriera particularmente a la página 229, en la que admitía que, después de la derrota en el sexto partido contra Portland, estaba seguro de que los Lakers se desmoronarían. En palabras de O'Neal: «Al abandonar la pista después del sexto partido tenía muy malas sensaciones [...] Me acordaba de toda la gente que no paraba de decirme que los Lakers no tenían instinto asesino. Por mucho que me doliera admitirlo, tenían razón. Era una realidad. No supimos cerrar la eliminatoria».

En determinados momentos de su vida, O'Neal disfrutaba exagerando su vida para dar espectáculo o titulares. Tenía un circo montado a su alrededor en el que los discos de rap, las películas de serie B, las camisetas, las gorras, los anuncios y los apodos creados por él mismo (Shaq Fu, Shaq Diesel, the Real Deal, the Big Daddy, the Big Aristotle, the Big Galactus, alcalde McShaq, Wilt Chamberneezy, M. D. E. (*Most Dominant Ever*) formaban parte del espectáculo. «Solía decir que tenía cincuenta y dos trucos en la chistera», dice Andy Bernstein, el fotógrafo de los Lakers.

En esta ocasión, sin embargo, no estaba representando ningún personaje. Estaba realmente preocupado porque su currículo en la NBA estaba a punto de incluir esta desgarradora actualización: «ocho temporadas y ningún campeonato».

---

13. Un periodista llamado Jeff Perlman.

Lo cierto era que, después de la derrota por 103-93, las dudas asolaban a todos y cada uno de los Lakers.

«¿Estaba convencido de que íbamos a ganar el séptimo partido? —se preguntaba décadas después John Salley, el duodécimo hombre de la plantilla—. Sinceramente, no».

Rice también reconoció que la eliminatoria no pintaba demasiado bien.

Los Portland Trail Blazers entraron en el edificio decididos a enviar a los Lakers a casa. Históricamente, los séptimos partidos solían ganarlos los equipos con plantillas más largas, lo que tiene todo el sentido: los jugadores llegan desanimados, agotados, con piernas de gelatina, pies como brasas y mentes hechas puré. Si tienes a dos o tres (¡o cuatro!) jugadores que pueden salir frescos del banquillo y hacer daño, las probabilidades caen de tu lado. Esta es la razón por la que, hacía solo trece años, los Lakers cerraron un trato en febrero con San Antonio para añadir a sus filas al ala-pívot Mychal Thompson (que, por cierto, había jugado muchos años en Portland). ¿El resultado? Un título de la NBA.

La plantilla actual de los Blazers era muy completa. Quizá por eso, cuando le preguntaron a Dunleavy por el séptimo partido, dijo ante los medios: «El equipo que compita los cuarenta y ocho minutos enteros se llevará la victoria».

Sus palabras fueron proféticas.

18 997 personas abarrotaron el Staples Center. Se habían agotado las entradas y su precio en la reventa llegó hasta los mil doscientos dólares. La última vez que los Lakers habían llegado a una final de la NBA fue en 1991. Para la mayoría de las franquicias no era una época tan lejana, pero para una ciudad mal acostumbrada a los éxitos parecía una eternidad. Cuando se anunciaron los nombres del quinteto inicial (Bryant, Harper, A. C. Green, Rice y O'Neal), el alboroto fue ensordecedor. El Staples Center no tenía la misma acústica que el desmantelado Forum, y el ruido solía disiparse en las alturas. Pero, en aquel momento, era todo lo ruidoso y explosivo que un pabellón podía ser.

Era el regreso del *Showtime*.

El inicio de una nueva dinastía.

El regreso al dominio de la NBA.

El… horror.

El salto inicial se lo llevó Portland y, al cabo de unos segundos, Wallace lanzó un tiro en suspensión por encima de A. C. Green, que se quedó anclado en el suelo. Harper respondió enseguida con otro lanzamiento en suspensión, y cuando aterrizó en el suelo asintió con la cabeza mientras reculaba. Ese gesto podría leerse de dos formas distintas:

A. ¡Sí, estamos listos!
B. ¡Venga, chicos! ¡Despertad!

Sin duda, era la segunda opción.

El equipo de Los Ángeles tenía que despertar. Portland empezó con una ventaja de 16-23 y llegó al descanso por delante 39-42. Aunque eran solo tres puntos, parecían más bien treinta. Los Lakers estaban jugando bien (Bryant llevaba 12 puntos y O'Neal 9), pero seguían a la zaga. Fox, el líder emocional del equipo, estalló en el vestuario. «Otra vez lo mismo —dijo en el centro—. Todos tenéis la mirada perdida. ¿Vamos a hacer algo al respecto? ¿Vamos a dejar que los árbitros marquen las condiciones del partido? ¿Vamos a ser pasivos y dejar que nos liquiden otra vez? ¿O vamos a valernos por nosotros mismos? ¿Vamos a apoyarnos los unos a los otros?»

Tex Winter, que estaba ahí junto a Jackson, le dijo:

—Phil, tendrías que decirle que se calle.

—No —respondió el entrenador—. Alguien tiene que decir estas cosas.

En una película, los Lakers hubieran vuelto a la carga sobre la pista y hubieran cogido las riendas del partido, con la música de John Williams, Bryant volando hacia la canasta y O'Neal metiendo un lanzamiento tras otro.

Pero aquello no era ninguna película.

Cuando el equipo de Portland salió del vestuario, parecían los Chicago Bulls de 1995-96. Gracias a diez puntos de Steve Smith y seis de Wallace, lograron un parcial de 4-21. Se empezaban a oír los primeros abucheos. Horry, el veterano con dos anillos en su bolsillo, parecía aletargado. «¿Qué demonios está pasando? —pensaba Fox—. ¿Qué estamos haciendo?» Wallace estaba especialmente acertado, y cada vez que se acercaba al aro superaba a O'Neal, que no anotó ningún punto en el tercer periodo. «Rasheed Wallace se está esforzando más que Shaquille O'Neal para ganar la posición —dijo Bill Walton en la locución del partido para la NBC—. Sabe que conseguirá la pelota. Shaq se esfuerza y no la consigue. Rasheed, sí.»

Cuando quedaban veinte segundos para acabar el tercer cuarto, Pippen metió un triple por encima de Shaw, que saltó en vano para intentar taponar el lanzamiento. Los Blazers lograban la máxima ventaja de todo el partido. El marcador indicaba 55-71. El público del pabellón lanzó un gemido colectivo, y Walton, extrañamente serio, dijo: «Los Lakers necesitan hacer algo grande para intentar animar a la multitud de cara al último cuarto».

Pocos instantes después de pronunciar aquellas palabras, Bryant estaba fuera de la botella, Bonzi Wells lo marcaba a cierta distancia y Pippen se acercaba por la derecha. Todo el mundo pensaba que el chico lanzaría; su historial no dejaba lugar a dudas.

Pero intentó superar a sus rivales.

A un lado estaba el más insignificante de los Lakers. Con 1,98 y 86 kilos, ojos soñolientos y cuello largo, Brian Shaw no destacaba ni dentro ni fuera de la pista. La única razón por la que formaba parte del equipo era que, tres días después de que Houston adquiriera sus derechos en un intercambio, el 2 de octubre de 1999 con Portland, lo dejaron libre. Los Lakers lo ficharon por 510 000 dólares, calderilla para un suplente con un largo historial de buen juego que siempre había puesto el equipo por delante. «Ha demostrado su calidad durante varios años —dijo Jackson en su momento—. Ha tenido un par de años con menos rendimiento, pero es una oportunidad para hacernos con un jugador que puede jugar de base.»

«Brian siempre había querido ser un Laker —dijo Jerome Stanley, su agente—. Se había criado en California y adoraba al equipo. Cuando mostraron interés, me pidió que cerrara el trato. Y lo hicimos.»

Shaw disputó setenta y cuatro partidos con los Lakers con una media de 4,1 puntos y desempeñó un papel importante como pacificador del equipo e intermediario entre O'Neal y Bryant. En un vestuario repleto de estrellas y veteranos consolidados, su voz era una de las más respetadas. En parte, se debía a la autoridad que le otorgaban sus diez temporadas en la NBA. Stanley se refería a su cliente como «el espíritu de la NBA de los noventa: jugó con Shaq en Orlando, con Larry Bird en Boston, estaba en los Warriors cuando Sprewell estranguló al entrenador y en los Celtics cuando murió Reggie Lewis». Pero también tenía algo que ver con su condición de superviviente. Siete años antes, el 26 de junio de 1993, cuando Shaw jugaba para los Miami Heat, estaba en su casa de Oakland preparando una barbacoa cuando sonó el teléfono. Lo cogió y la oficina forense de Nevada le comunicó de la forma más directa posible que su madre, su padre y su hermana habían muerto en un accidente de coche viajando desde el norte de California hacia las Vegas. La única superviviente fue su sobrina Brianna, de once meses.

Shaw colgó y llamó inmediatamente a Stanley.

—¡Están todos muertos! —dijo llorando.

—¿Quién está muerto? —dijo Stanley.

—¡Todos! —respondió—. Toda mi familia ha muerto. En un accidente de coche.

Silencio.

Shaw logró salir adelante. Él y su mujer adoptaron a Brianna. Cuando la niña tuvo edad suficiente para preguntar sobre la tragedia, Shaw le dijo: «Tu mamá se fue a vivir con Dios y te dejó aquí para que yo te cuidara».

Después de aquello, Shaw era un hombre sin miedo a nada. ¿Un mal pase? Pues vaya. ¿Un momento de pereza defensiva? Pues vale. ¿Que debes meter una canasta decisiva cuando quedan cuatro segundos y tu equipo está perdiendo por dieciséis puntos contra los Portland Trail Blazers en el séptimo partido de la final de la Conferencia Oeste?

No hay problema.

Bryant botó una vez más en dirección a canasta y pasó el balón a Shaw. Este plantó los pies, acomodó su cuerpo y anotó un triple por encima de los brazos extendidos de Wells.

No era un lanzamiento decisivo, pero *a posteriori* se consideró como un punto de inflexión. Antes de empezar el último cuarto, con los jugadores apiñados en la banda, Jackson quiso decirles algo importante: «¿Sabéis qué? —dijo malhumorado—, nos están apalizando. Nos están dando una tunda en toda regla. No sé qué es lo que nos pasa, pero terminemos de una vez con esto. Nos veremos el año que viene. A la mierda con este partido».

O'Neal negó con la cabeza. «Y una mierda. Y una mierda», dijo.

Lo que sucedió a continuación es historia de la NBA. O, dicho de otro modo, los ambiciosos, dinámicos y confiados Portland Trail Blazers fueron atropellados por una apisonadora. Jackson les dijo a sus jugadores (de hecho, lo suplicó) que lanzaran a canasta. Dunleavy ordenó un marcaje doble a O'Neal, y los pases que llegaban cerca de la canasta eran interceptados con demasiada frecuencia. «Kobe, simplemente, tira a canasta», dijo Jackson. «Brian, tú también. Cuando estés desmarcado, lanza.»

«Éramos auténticos luchadores —recuerda Rice—. Nuestro equipo estaba formado por supervivientes que nunca arrojaban la toalla.»

Los Blazers empezaron el último cuarto con una incontestable penetración a canasta de Steve Smith. De nuevo, se oyeron abucheos. Desde la cabina, Walton dijo: «Doce minutos para hacer algo con tu vida. Son los momentos en los que uno tiene que superar todo el dolor y creer que si lo da todo…».

Con diez minutos y seis segundos por delante, Shaq recibió un pase de Horry cerca del aro y encestó una bandeja por encima de Sabonis. El marcador indicaba 62-75 para los Blazers.

Todo seguía igual.

En la siguiente posesión de Portland, Bryant impidió con un movimiento exagerado un lanzamiento de Bonzi Wells, se hizo con la pelota y cruzó la pista. Shaw, que estaba solo en la esquina, recibió un pase de Horry y anotó el triple. Los Blazers seguían por delante 65-75.

Todo seguía igual.

Portland pidió tiempo muerto. El micrófono de la NBC captó las instrucciones de Jackson en la banda. «Buscad posiciones de tiro —decía—. Y lanzad correctamente. Olvidaos de Shaq. Si está desmarcado, se la pasáis. Pero si no, no lo busquéis. Soltaos un poco.»

Los Blazers tenían otra posesión, pero Pippen falló un triple. La pelota acabó en manos de Bryant, que saltó hacia canasta y recibió una falta de Wells. Bryant se lamió los labios, como Michael Jordan, y se dirigió hacia la línea de tiros libres. Falló el primero y anotó el segundo: 66-75.

Quedaban nueve minutos.

Todo seguía igual. Nada había cambiado.

«Tenemos una buena ventaja —dijo Elston Turner, asistente de Portland—. Nuestros veteranos tienen mucha experiencia en este tipo de partidos.»

Los Blazers volvían a tener la posesión. Wallace lanzó un tiro en suspensión y no encestó. Wells capturó el rebote y le devolvió la pelota a Wallace, que erró otro tiro en suspensión. Shaw se hizo con el rebote. Subió la pelota, se la pasó a O'Neal, que estaba cerca de la canasta; recibió un codazo de Sabonis. Era su quinta falta personal, y abandonó la pista entre quejas y lamentos. Fue una bendición para los Lakers. El pívot de Portland era como una piedra en el zapato, pero ahora estaba en el banquillo. Lo reemplazó Brian Grant («que ha demostrado ser totalmente inefectivo», dijo Walton durante la retransmisión).

Fox lanzó un triple y no acertó, pero el rebote lo recuperó un liberado O'Neal, que intentó lanzar a canasta y recibió una falta de Wallace. Falló el primer tiro libre y metió el segundo. Ahora el marcador estaba 67-75.

Todo seguía igual.

Sin embargo, la sensación era distinta. El público animaba al equipo y los jugadores de Portland parecían agarrotados. «No estábamos tan preparados como creíamos —confiesa Antonio Harvey, suplente de Portland—. El único jugador de la plantilla que estaba preparado para este tipo de situaciones era Scottie. Pero no era el Scottie de los Chicago Bulls, un jugador preparado para soportar este tipo de presión cuando jugaba con Michael Jordan. Rasheed era el mejor jugador del equipo, pero en aquel momento no estoy seguro de que tuviera la capacidad de asumir esa responsabilidad. Steve Smith también era un gran jugador, pero físicamente ya no era lo que había sido. Teníamos muchas antiguas estrellas, pero ninguna estaba preparada para echarse el equipo a la espalda.»

Luego, ambos equipos alternaron errores en sus respectivas posesiones. A falta de siete minutos y medio, Shaw subió el balón tranquilamente por la pista y se lo pasó a Horry. Este se lo pasó a Fox, y de nuevo acabó en manos de Shaw. Dobló las rodillas y lanzó un triple. De alguna manera, Horry capturó el rebote, superó a sus rivales por detrás de la línea de tres puntos y, en un descuido de Wallace, lanzó un tiro muy abierto que flotó en el aire antes de atravesar la red. Dunleavy recorría sin cesar el área técnica y se mordía los labios. Estaba nervioso. El luminoso indicaba un 70-75. Quedaban poco más de siete minutos por delante.

«Era como estar sufriendo un alud —cuenta Joe Kleine, el pívot reserva de Portland—. Era una sensación terrible.»

Era necesario tomar medidas. Un tiempo muerto. Una sustitución. Darle un respiro al agotado Wallace y sacar a Stoudamire o ganar tiempo para que su lanzador más certero como Schrempf recuperara el aliento. Algo. Lo que fuera.

No obstante, el entrenador de Portland se quedó paralizado. Pippen volvió a fallar un tiro y Shaw le quitó el rebote de las manos a Grant. Cuando los árbitros pitaron falta a Horry, fue una bendición para Portland. Un momento de pausa. Los Lakers llevaban un parcial de 10-0 y los Blazers solo un acierto de siete intentos en ese último cuarto. Era un descanso necesario para que los Blazers se recuperaran y encontraran la forma de cambiar la dinámica de ese último cuarto...

Pero no lo lograron.

Wallace volvió a fallar otro tiro en suspensión que acabó en las manos de O'Neal. Luego, Bryant entró en la zona y anotó. Quedaban cinco minutos y cuarenta segundos y el resultado era 72-75. Todo iba por buen camino para el equipo de Los Ángeles. «Atacábamos desde todos los ángulos», recuerda Jackson.

Durante los once años que jugó con los Bulls, Pippen estuvo considerado como uno de los cinco o seis mejores jugadores de la NBA. Era una superestrella versátil cuyo nombre terminaría inevitablemente en el Salón de la Fama. Pero en aquel partido, en aquel momento, se mostraba inseguro con la pelota. Después de haber trabajado con él durante nueve años, Jackson conocía los puntos débiles de su antiguo pupilo. Desesperado por escapar del fantasma de Jordan, Pippen había perdido el rumbo. La responsabilidad era una carga demasiado grande para él. Lo agarrotaba. En ese momento, cuando los Blazers necesitaban un héroe, confiaron en él, pero Pippen no apareció. Dejó pasar varias opciones de tiro y, cuando faltaban cinco minutos y ocho segundos para acabar el partido, le pasó de nuevo la pelota a Wallace, que volvió a fallar.

Los Lakers no se hicieron con el rebote y, mientras Pippen botaba la pelota, Walton no pudo reprimir su indignación desde su cabina de comentarista: «¡Lanza a canasta, si eres Scottie Pippen!», gritaba. «¡Olvídate de los *fadeaways*! ¡Olvídate de fintar antes de lanzar!» Pippen no lo oía y le pasó la pelota a Grant, que estaba cerca del aro. O'Neal taponó el tiro y la pelota fue a parar a Wallace, que volvió a fallar un tiro en suspensión. En aquel momento quedó bastante claro que Scottie Pippen no quería tener la responsabilidad del partido en sus manos.

Los Lakers consiguieron empatar 75-75 con un triple de Shaw y el pabellón estalló de júbilo como jamás se había visto. En pocos instantes, los decibelios se multiplicaron por mil.

El equipo local iba por delante 83-79, quedaban cincuenta y seis segundos de partido y Scottie Pippen falló un triple. O'Neal capturó el rebote y Bryant recibió la pelota. Escoltado por un agotado Pippen, entró en la zona sin que ninguno de los cinco Blazers pudiera detenerlo y luego: ¡bam!

Sin mirar, lanzó la pelota hacia el aro, O'Neal saltó y la metió dentro con una mano por encima de un impotente Wallace. Fue una jugada hábil, explosiva, extrema. O'Neal se lanzó a correr por la pista con la boca abierta, señaló al banquillo y se fue disparado hacia Bryant, su tan odiado/amado compañero de equipo. «Fue nuestro momento clave —recuerda O'Neal—. Para Shaq y Kobe, para ambos. Cuando hizo aquello, todo lo malo desapareció. Fue jodidamente mágico.»

Dunleavy pidió tiempo muerto, pero era ya demasiado tarde. El modesto resultado final, 89-84, no explicaba bien cómo había sido una de las noches más eufóricas de la historia de la franquicia.

Los Ángeles Lakers estaban a punto de llegar a las finales de la NBA.

Glen Rice es una buena persona.

Es necesario decirlo porque, al relatar un periodo concreto de esta historia, es posible que le aparezcan unos rasgos de personalidad que, en realidad, fueron temporales.

Repitamos, pues, que Glen Rice es una buena persona. Un padre atento, un amigo cercano, una persona que ha ayudado a quienes lo necesitaban mucho más de lo que quizá le correspondía. «Era divertido cubrir a Glen —cuenta Rick Bonnell, el periodista especializado en los Hornets del *Charlotte Observer* cuando Rice jugaba allí—. Era imposible que no te gustara.»

Dicho esto, no podemos olvidar que, en el camino de los Lakers hacia las finales de la NBA, Glen Rice fue un enorme dolor de muelas para el equipo.

Evidentemente, estaba contento con que su franquicia superara a Portland, y feliz de recibir la correspondiente prima por los éxitos fuera de la temporada regular. Pero ¿dónde estaba su toque de calidad? ¿Sus lanzamientos? ¿Su concentración? En la eliminatoria contra Portland, consiguió una discreta media de 11 puntos y unos míseros 8,9 lanzamientos por partido. Cuando Rice llegó de Charlotte la temporada anterior, era consciente de que O'Neal y Bryant eran las opciones ofensivas A y B. Pero creía que él también podía ser una opción B.

No fue el caso.

«Yo no necesitaba ser la estrella en los Lakers. De verdad que no —admite Rice—. Pero siempre había tenido mentalidad anotadora, y a diferencia de otros equipos, los Lakers no querían eso de mí. Por lo tanto, mi experiencia fue… distinta.»

Al contrario que los Blazers, cuya plantilla estaba llena de estrellas, el campeón de la Conferencia Este, los Indiana Pacers, era un equipo básicamente formado por jugadores de oficio, hecho a imagen y semejanza de su entrenador, el legendario Larry Bird. Su alero, Reggie Miller, era un jugador dinámico y locuaz que promediaba 18,1 puntos por partido. Jalen Rose, el escolta conocido por haber formado parte de los «Fabulosos Cinco», de la Universidad de Michigan, mantenía una media de 18,2 puntos, y había emergido como uno de los jugadores más destacados de la NBA. Aparte de estos dos jugadores, la plantilla de Indiana era tan discreta como el uniforme azul y dorado del equipo. Su pívot, Rik Smits, un poste de 2,24 m y 120 kilos, era un jugador básicamente regular. Mark Jackson, el base en su decimotercera temporada como jugador NBA, era un jugador básicamente regular. Así mismo ocurría con Dale David, un ala-pívot fuerte y, cómo no, regular. Esa temporada, el equipo acabó con 56 victorias, pero muy pocos jugadores de los Lakers estaban especialmente preocupados.

«Enfrentarnos a los Pacers en la final de la NBA no fue heroico —recuerda O'Neal—. Era un equipo luchador…, pero nosotros, simplemente, éramos mejores.»

El primer partido de la serie tuvo lugar en Los Ángeles. Y, si existen los presagios, la imagen de uno de los autobuses de los Pacers atascado en plena hora punta durante el trayecto desde el hotel en Santa Monica hasta el pabellón era reveladora. Cuando el vehículo finalmente llegó al Staples Center, con Bird, Miller, Rose, Jackson y el base Travis Best en el interior, quedaba menos de una hora para el inicio del partido. «Reggie era un auténtico animal de costumbres —recuerda Best—. Necesitaba llegar a los pabellones pronto y practicar sus tiros. Muchas veces se esperaba en el vestuario mientras el resto calentábamos porque él ya había hecho sus ejercicios. Como tenía que ser.»

Aquel día, después de entrar corriendo por el túnel hacia el vestuario, ponerse el uniforme, los vendajes y hacer los estiramientos, Miller solo tuvo cinco minutos para practicar. «Sin duda, eso no fue de gran ayuda», dijo Best.

La masacre que vino a continuación no sorprendió a nadie en los Pacers. Miller, uno de los grandes artilleros de la historia de la NBA, metió solo un tiro de campo en sus dieciséis intentos. Su equipo fue siempre por detrás en el marcador, excepto durante un minuto y cuarenta y un segundos. Acabaron perdiendo por 104-87. El mayor dolor de cabeza de Bird fue O'Neal, que logró un total de 43 puntos y 19 rebotes destruyendo metódicamente a Smits, David y Derrick McKey. Cuando le preguntaron después del partido cómo se defendería a sí mismo, O'Neal sonrió y dijo: «No lo haría. Me iría a mi casa. Fingiría alguna lesión o algo parecido».

Dos días después volvieron a enfrentarse, y aunque el marcador estuvo más apretado (111-104), los Lakers volvieron a aprovecharse del exagerado desequilibrio entre ambos equipos. Esta vez O'Neal consiguió «solo» 40 puntos y 24 rebotes. Todo lo que pudieron hacer los Pacers fue observar el espectáculo y preguntarse qué opciones tenían para darle la vuelta a la eliminatoria. «Lo intentamos todo con Shaq, pero nada dio resultado —cuenta David—. Era imposible alejarlo de la canasta. Compara su tamaño con el mío. Era como intentar mover una montaña.»

El único atisbo de esperanza para el conjunto de Bird llegó cuando quedaban 3 minutos y 26 segundos para terminar el primer cuarto. Bryant, desde el lado derecho, encestó desde los cinco metros y se cayó al suelo tras pisar el pie de Rose. No fue un accidente. El escolta de Indiana intentó lesionar a propósito a su pesadilla. «No me siento orgulloso —dijo Rose más tarde—, y no creo que esté bien ni que sea bonito admitirlo. Pero no se lesionó accidentalmente.» El tobillo de Bryant se dobló de forma grotesca y los 18 997 espectadores quedaron en silencio. Ayudaron a Bryant a abandonar la pista y no la volvió a pisar.

Afortunadamente, Rice dio un paso adelante y anotó 21 puntos: su máxima anotación en la eliminatoria. «Mucha gente dice que soy la tercera opción —dijo después del partido—. Pero solo necesitaba recibir la atención del resto del equipo. Después de meter un par de canastas me he sentido mucho más seguro.»

Rice parecía optimista y comprometido. Sin embargo, dos días más tarde, la victoria cayó del lado de Indiana. Los Lakers sin Bryant perdieron 100-91. Cuando estaba bajo los focos para sacar las castañas del fuego, a Rice se le veía incómodo, confundido, y no lograba más que un rendimiento mediocre.

En veintisiete minutos, hizo 3 de 9 en tiros de campo, y vio con disgusto cómo Harper, Shaw, Fox y Horry disfrutaban de más tiempo en la pista que él. En el segundo cuarto jugó solo cuatro minutos, durante los cuales Indiana se puso por delante en el marcador. «Nunca llegué a integrarme en el juego de ataque —dijo más tarde—. Una vez me mandaban al banquillo, ya no volvía a salir.» Durante gran parte de la temporada, Rice se había ido cociendo en el caldo de la autocompasión. Él quería ser un triplista. Pero cuando llegaba el momento y el destino lo llamaba, los Lakers no le daban ni una oportunidad.

La mañana después de la derrota, Jackson convocó al equipo para entrenar; después de la sesión, los jugadores se pusieron a disposición de los medios. Rice, que solía ser bastante anodino y cuyas declaraciones no se alejaban de los tópicos, tenía muchas ganas de decir lo que pensaba. Estaba harto, muy harto, de que no lo aprovecharan y pensaba que, si Jackson quería conservar la ventaja en la eliminatoria, haría bien en confiar en el tres veces *All-Star* y dejarle hacer lo que sabía hacer. «Estoy convencido de que hubiésemos tenido más opciones de ganar conmigo sobre la pista —dijo Rice—. Pienso de verdad que tengo que estar ahí para que las cosas salgan bien… Intento ser todo lo positivo que puedo. No quiero ser negativo ni que me consideren la manzana podrida del grupo. Solo pido un poco más de protagonismo.»

Cuando le preguntaron si hablaría con su entrenador, Rice negó con la cabeza. «No voy a discutirlo con él —respondió—. Él hará lo que tenga que hacer.»

No fueron palabras positivas. Pero las que se pronunciaron a 3300 kilómetros, en el sur de California, fueron mucho peores. Bill Plaschke, el columnista de *Los Angeles Times*, habló con Cristina Fernández Rice, la mujer de Glen, sobre lo que pensaba acerca de lo que estaba sucediendo. La relevancia de sus opiniones quizás era cuestionable. ¿Acaso merecía un artículo de setecientas palabras? Es difícil entenderlo. Pero la señora Rice no se mordió la lengua:

> Jackson nunca ha querido a Glen, siempre ha querido a alguien como Scottie Pippen, y es su forma de responder a la dirección del

equipo por no dejarle hacer el traspaso. Es la forma que tiene Jackson de demostrarle a la gente quién manda. Es de locos.

Glen demostró su talento, y Jackson tuvo que esconderlo. Se trata de un juego psicológico. Es un tema de jerarquía. Jackson no pudo convencer al director general o al propietario para traspasar a Glen, y ¿quién lo paga? Glen. Con la lesión de Kobe, Glen tenía la oportunidad de dar un paso adelante y contribuir más al equipo, pero Jackson no dejó que pasara.

En Indianápolis, Rice quería desaparecer. Él pensaba todo lo que su mujer había dicho, pero... ¿era necesario que lo dijera? La relación entre el jugador y el entrenador se volvió todavía más incómoda. «Le dije a Cristina que podía pensar ese tipo de cosas, pero que no las podía decir —admite Rice—. Especialmente, a un periodista.»

El entrenador y el jugador no arreglaron sus diferencias ni hablaron de las declaraciones. Cuando los Lakers y los Pacers reanudaron la eliminatoria el 14 de junio en el Conseco Fieldhouse, Rice seguía en el quinteto titular junto a O'Neal, Green, Harper y un resucitado Bryant, que había contado con la ayuda de Gary Vitti, el fisioterapeuta de los Lakers, para recuperarse de la lesión de tobillo mucho antes de lo previsto.

Era la oportunidad de Rice para demostrarle a su entrenador que se equivocaba. O'Neal estaba cansado. Bryant lesionado. El equipo venía de una derrota y necesitaba un revulsivo. Los aficionados de Indiana (nada más y nada menos que 18 345) eran los más escandalosos de la liga. Jackson, que sabía aprovechar la psicología de los jugadores, entendía que Rice estaba motivado.

Jugó treinta y nueve minutos. Fue el jugador con más minutos del equipo.

Anotó 11 puntos.

Para aquellos que estaban preocupados por la situación de Rice, ese partido fue la patética constatación de la caída en picado de una estrella. Sin embargo, para aquellos que estaban preocupados por los Lakers, por el equipo, fue una noche de éxtasis. El regreso de Bryant resultó deslumbrante. Cojeando ligeramente sobre la pista, anotó 28 puntos (14 de 27 en tiros de campo). Cuando se agotó el tiempo, el marcador indicaba empate: 104-104. Entonces, Bryant subió una marcha más. O, como escribió Peter May en el *Boston Globe*, «Este partido podría recordarse perfectamente como *La noche en la que Kobe Bryant se destapó*».

Cuando quedaban dos minutos y treinta y tres segundos de la prórroga, los Lakers iban por delante 109-112. A O'Neal le pitaron su sexta falta personal y abandonó la pista entre vítores eufóricos. Fue sustituido por Salley, el suplente de suplentes, un tipo de treinta y seis años que podía convertirse en el primer jugador en ganar un título con tres franquicias distintas. «Este partido acaba de ponerse mucho más interesante», pensó Bryant. Salley tenía una media de 1,6 puntos. Su participación fue anecdótica durante la temporada regular. En aquel momento, su misión era muy sencilla: con sus oxidadas rodillas, sus pies sensibles y su mínima verticalidad, lo único que tenía que hacer era marcar lo mejor que pudiera a Smits y no entorpecer a Kobe.

Tres segundos más tarde, Smits lanzó un gancho fácil por encima de la cabeza de Salley. La ventaja se redujo a un solo punto.

El reloj se acercaba a los dos minutos. Bryant tenía que ocuparse de todo. Subió la pelota por la pista marcado de cerca por Miller. El público animaba la defensa. Horry salió de la zona para hacer un *pick and roll*. Cualquier base que se precie le hubiese pasado la pelota a Horry, que estaba desmarcado y libre. Pero Bryant no miró en su dirección. Ni por un instante. Superó a un rival tras otro como siempre había soñado, hizo un quiebro ante Miller y luego un tiro en suspensión dentro de la línea de triple. La pelota se alzó y atravesó el aro, situando a los Lakers a tres puntos.

Los Pacers cruzaron la pista y, una vez más, Smits encestó por encima de Salley, totalmente superado. Solo era capaz de mirar desesperadamente a O'Neal en el banquillo. Quedaba un minuto y treinta y cuatro segundos y estaban 113-114. Los Pacers necesitaban una pausa.

Bryant tenía la pelota y esta vez le marcaba un viejo y lento Mark Jackson, un tipo ya con sobrepeso. A Horry le gustó aquel desequilibrio y se acercó otra vez para hacer *un pick and roll*. Lo ejecutó a la perfección y se quedó completamente desmarcado, solo como un enfermo de hepatitis C cuando empieza a toser descontroladamente. Bryant solo tenía que pasarle la pelota. Era un pase sencillo y Horry anotaría. Pero no. Bryant se levantó del suelo e hizo otro tiro en suspensión que terminó en canasta. «¡Qué bueno es este chaval!», se maravillaba Bob Costas ante los espectadores de la NBC.

Dos tiros libres de Miller volvieron a reducir la ventaja a un punto: 115-116. En el siguiente ataque, Smits le hizo un tapón a Bryant y la pelota salió. Un segundo después, la bola estaba en manos de Rice que, increíblemente, lanzó una pelota al aire que Shaw atrapó para anotar.

Después vinieron dos tiros libres más de Smits. El reloj indicaba que faltaban veintiocho segundos. No tenían que complicarse la vida. Bryant tendría la pelota y el partido a su disposición. Shaw recorrió la pista con Jackson enfrente e intentó pasarle la pelota a la estrella del momento. No pudo. Bryant tenía a Miller encima sin ninguna intención de dejar que se escapara. Así pues, con seis segundos restantes, Shaw lanzó a canasta. La pelota rebotó en el aro y…

¡Zas!

Apareció Bryant y, con un salto, la metió dentro, de espaldas.

Cuando el intento de triple de Miller pegó en el aro y salió, los Lakers tenían en sus manos la victoria por 118-120 y una ventaja en la eliminatoria de 3-1. O'Neal y Bryant se abrazaron en la pista después de que sonara la bocina, en un gesto de agradecimiento del grande al pequeño por haberle salvado la papeleta. Cuando después del partido le preguntaron a Bryant por la importancia de la victoria, Kobe, que había anotado ocho puntos en la prórroga y apenas podía disimular el dolor de su palpitante tobillo izquierdo, fue muy claro. «Mentalmente, para nosotros es como si hubiéramos ganado el título», dijo.

Y no se equivocaba.

Los Pacers ganaron el siguiente partido en Indianápolis por 120-87. Fue un golpe de suerte. Algunos miembros del equipo local vieron, antes del partido, cómo traían botellas de

Durante los primeros días de la dinastía de los Lakers, Shaquille O'Neal se consideraba un hermano mayor para sus compañeros de equipo. Aunque la mayoría no tenía ningún problema con ello, un joven Kobe Bryant no lo veía del mismo modo. AP Photo / Victoria Arocho

AP Photo / Chris Carlson

Ambos seleccionados en la primera
ronda del *draft* de la NBA de 1996,
Derek Fisher (arriba a la izquierda)
y Kobe Bryant (a la derecha)
compartieron una amistad que
se prolongó a lo largo de toda
su carrera. Sin embargo, cuando
Bryant compareció ante el tribunal
acusado de violación, Fisher
no pudo hacer nada para ayudar
a su compañero de equipo.

AP Photo / Karl Gehring / *The Denver Post*

Nick Van Exel (arriba a la izquierda) y Eddie Jones (arriba a la derecha) fueron considerados los pilares de los Lakers de mediados de la década de los 90. Sin embargo, con la llegada de Shaquille O'Neal y Kobe Bryant, su protagonismo llegó a su fin. Rick Fox (abajo en el centro), luchando con Doug Christie de los Sacramento (segundo por la derecha), aportó la dureza que necesitaban los Lakers.

Los jugadores importantes de los Lakers tenían una gran variedad de estilos, tamaños y caracteres. Glen Rice (arriba a la izquierda) fue una adquisición de peso, pero llegó fuera de forma y carente de actitud. Mike Penberthy (abajo a la izquierda), un escolta de la Master's College, se hizo pasar por Allen Iverson para preparar a los Lakers para el choque por el título de la NBA de 2001 contra Filadelfia. Robert Horry (abajo a la derecha) fue persona non grata en Phoenix porque arrojó una toalla a la cara de su entrenador. Sin embargo, sus tiros en los momentos decisivos fueron un recurso muy valioso.

AP Photo / Icon Sportswire / Matt A. Brown

AP Photo / Mark J. Terrill

Las capacidades atléticas y el talento anotador de J. R. Rider (arriba a la izquierda) lo convirtieron en una interesante adquisición en el 2000, pero sus excentricidades e incoherencias lo condenaron a la marginalidad. Dennis Rodman (arriba a la derecha), jugador de los Lakers durante veintitrés partidos en 1999, era el único jugador que se duchaba antes de los encuentros. Cedric Ceballos (izquierda), un talentoso anotador con un enorme ego. Se apodó desafortunadamente a sí mismo «Chise» (abreviatura de «Franchise»).

Del Harris (arriba) era un entrenador y un hombre maravilloso admirado por los jugadores. Sin embargo, sus monólogos aletargaban a los Lakers. La llegada de Phil Jackson (abajo en el centro) aportó inmediatamente seriedad y profesionalidad a la franquicia.

Las extraordinarias cualidades atléticas de Kobe Bryant (izquierda) causaron innumerables comparaciones con el legendario Michael Jordan. Shaquille O'Neal (abajo, haciendo un mate) fue el jugador más determinante físicamente de su generación, y quizá de cualquier otra.

Aunque discutían, se criticaban e incluso pelaban, en la cancha, Shaquille O'Neal y Kobe Bryant formaban un dúo artístico devastador. Getty Images / Andrew D. Bernstein

champán al vestuario de los Lakers. Mark Jackson dijo al respecto: «Fue una falta de consideración hacia nosotros y hacia el carácter de este equipo de baloncesto». Pero los Lakers no iban a dejar que Indiana viajara a Los Ángeles y lograra dos victorias consecutivas.

El 19 de junio de 2000, los Lakers consiguieron el título de campeones de la NBA tras una victoria por 116-111 liderada por O'Neal, con 41 puntos y doce rebotes, y Bryant con 26 puntos y diez rebotes. En el último cuarto del que fue un partido disputado, las dos estrellas unieron fuerzas para lograr 21 puntos y siete rebotes. Cuando por fin terminó el encuentro, O'Neal, que estaba abatido, agotado y necesitaba un buen descanso, se detuvo en medio de la pista del Staples Center, rodeado por sus compañeros de equipo y algunos aficionados, y gritó: «Es una emoción contenida durante once años. Tres años de universidad, ocho años en la liga; siempre he soñado con ganar la NBA. Esta es la razón por la que quería jugar en la NBA. Y al fin ha sucedido».

Al cabo de unos instantes, O'Neal sostenía el trofeo Larry O'Brien en su regazo. Apoyó su cabeza afeitada en la pelota dorada. Era un hombre en paz consigo mismo. Fue nombrado MVP de la final, lo cual fue maravilloso.

Pero no se trataba solo de un logro individual.

Era una cuestión de legado.

10

¿Quién mató a J. R.?

*T*ras el desfile de celebración del campeonato que tuvo lugar el 21 de junio, Phil Jackson y compañía enseguida se pusieron a trabajar para mantener el nivel del equipo. Se avecinaban grandes cambios, empezando por la marcha de Jerry West, el vicepresidente ejecutivo de operaciones, que pondría fin a sus treinta y cinco años en la franquicia. West ponía buena cara y decía a los periodistas que simplemente había llegado el momento de irse. Estaba cansado. Necesitaba alejarse un tiempo del baloncesto. «Me iba a dormir y todos mis sueños estaban relacionados con los Lakers —dijo—. Era bastante triste.»

Pero la verdad era que, sencillamente, West no podía coexistir por más tiempo con Jackson y su profunda soberbia. Eran polos opuestos, y West se cansó de que un recién llegado al que habían fichado para revolucionar al equipo hiriera constantemente sus sentimientos. El gran embajador de la franquicia ya no se sentía como en casa. Tuvo que marcharse. Al cabo de unos dos años, lo contrataron los Memphis Grizzlies como director general.

«No era agradable estar al lado de alguien que no me quería allí —dijo West más tarde sobre Jackson—. No soportaba la idea de que él se sintiera incómodo a mi lado. Detestaba ser un incordio. Mi sueño era terminar mi carrera en los Lakers, pero no pudo ser. Y no pasa nada. Los cambios pueden ser positivos.»

Hubo otros cambios. John Salley se retiró. A. C. Green fichó por Miami. Glen Rice y Travis Knight fueron traspasados a Nueva York a cambio de Horace Grant, el veterano ala-pívot. El equipo estuvo a punto de fichar a Kendall Gill, el polivalente jugador de New Jersey, con un contrato de dos años como agente libre por 4,5 millones de dólares. Incluso llegaron a regalarle la camiseta con el número doce que llevaría en la rueda de prensa que ya estaba programada. Pero, en el último segundo, los Nets le ofrecieron 7 millones por un año, y Gill decidió quedarse. «Visto en perspectiva, fue un gran error», reconoce Gill. En realidad, hubiera sido un clásico y común reajuste fuera de temporada, si los Lakers no hubieran realizado uno de los fichajes más estrambóticos y sorprendentes en toda la historia de la franquicia.

O, como describiría Rick Fox a la perfección en seis palabras, «algo loco, loco, loco de verdad».

Hablamos de Isaiah (J. R.) Rider.

A priori parecía una buena idea. O, mejor dicho, no parecía una mala idea. O, por lo menos, no parecía una idea horrible. Hasta cierto punto. En cierto modo. A Jackson, un reconocido excéntrico que, durante su década como jugador, experimentó todos los estilos posibles con su vello facial y mostró su interés en la experimentación recreativa de los setenta, le encantaba la idea de hacer encajar a un inadaptado en el equipo. Lo cierto era que, si su gran logro profesional habían sido los seis títulos conseguidos con los Bulls, su gran pequeño logro fue transformar al Dennis Rodman repudiado, alcohólico, drogadicto, maloliente, adicto a los *piercings* y aficionado al travestismo en una pieza clave de aquella dinastía de Chicago.

Así pues, cuando el ala-pívot de veintinueve años con un promedio de 18,1 puntos por partido y unas capacidades físicas similares a las de Kobe quedó libre, Jackson y Micth Kupchak sopesaron los pros y contras.

En cuanto a los pros, Rider poseía un talento extraordinario y, por 736 000 dólares por temporada, era un jugador barato.

En cuanto a los contras…, no sabría por dónde empezar.

A lo largo de sus siete temporadas en la NBA (tres en Minnesota, tres con los Blazers y una en Atlanta), Rider había llegado tarde a docenas de entrenamientos, reuniones de equipo, actividades conjuntas, citas con la prensa, citas personales y partidos. Tras ser elegido en quinta posición en el *draft* del 1993, procedente de la Universidad de Las Vegas, llegó casi dos horas tarde a su rueda de prensa de presentación con los Timberwolves. «Al principio nos dijeron que serían solo unos minutos, luego, que tardaría un poco más —recuerda Steve Aschburner, el periodista que cubría el evento para el *Minneapolis Star Tribune*—. Más tarde, nos dijeron que tenía que coger el avión en San Francisco y que el tráfico en el Puente de la Bahía estaba fatal. Finalmente, nos comunicaron que tomaría el siguiente vuelo.»

Aquella temporada, Rider dejó boquiabiertos a todos los aficionados con sus espectaculares jugadas. Giros. Piruetas. Improvisaciones. Ganó el concurso de mates del *All-Star* con un mate que bautizó como el «*funk* del este de la Bahía» y obtuvo una media de 16,6 puntos y 2,6 asistencias para una franquicia que necesitaba desesperadamente un poco de chispa. Dicho esto, era una auténtica pesadilla fuera de la cancha. Sus excusas por llegar tarde parecían sacadas de una serie de los ochenta (tuberías congeladas, una rueda pinchada, un taxi que nunca llega, etc.). En una ocasión, después de que un periodista llamado Ray Richardson del *St. Paul Pioneer Press* le hiciera una pregunta poco halagadora, Rider dijo: «No necesito hablar más contigo». Y cuando Richardson se marchaba, Rider añadió: «Conozco a gente que puede hacer que te echen».

Aquellas palabras hubieran sido graciosas si no fueran verdad. Pero, efectivamente, conocía a gente que podía echar a Richardson.

Nacido y criado en Oakland, el joven J. R. solo tenía doce años cuando su padre abandonó a la familia y dejó a su madre, Donna Rider, sola con cuatro hijos. Salieron de la casa donde vivían y se mudaron a Parrot Village, unas viviendas de protección oficial en Alameda. En menos de un año, Rider ya había fumado marihuana por primera vez. Le encantó su sabor.

Cuando era alumno del instituto Encinal, sus profesores estaban impresionados con sus altas capacidades intelectuales y enfadados por su desidia. Asistía a una clase, se saltaba dos, asistía a tres, se saltaba dos más. Algunos de sus mejores amigos eran miembros de bandas juveniles. Estaba considerado uno de los mejores jugadores de baloncesto de instituto de la historia de

Oakland, y aceptó una beca de la Universidad Estatal de Kansas, donde el entrenador Lon Kruger estaba ansioso por incorporar a un jugador con tanto talento. Sin embargo, Rider se vio obligado a perderse su último año de instituto en el equipo de baloncesto por sus múltiples suspensos. Después de superar el examen para conseguir el certificado académico, Kruger logró que entrara de forma encubierta a la escuela superior Allen Community College de Iola (Kansas). Ahí suspendió quince asignaturas y fue acusado de hurto por robarle joyas a un compañero deportista llamado Anthony Shaw. «Lo vi llevando mi anillo y me encaré con él —recuerda Shaw—. J. R. me sonrió, se sacó el anillo del dedo, se lo guardó en el bolsillo y dijo: "No llevo ningún anillo".» La Universidad Estatal de Kansas no quiso saber nada más de él y su siguiente destino fue el Antelope Valley College en Lancaster (California). Ahí jugó para un entrenador, Newton Chelette, que lo veía como algo más que una ficha de póker. Rider fue el máximo anotador de todo el país con 33,6 puntos por partido y se esforzó lo suficiente en sus estudios como para conseguir una codiciada beca de la Universidad de Las Vegas.

Aunque, de hecho, Las Vegas era todo lo que un joven de la ralea de Rider no necesitaba. «Siempre se metía en líos —recuerda Paul Gutierrez, el editor de deportes de la revista estudiantil *Rebel Yell*—, y siempre llegaba tarde.» El entrenador Jerry Tarkanian dirigía un programa en el que no había ni ética ni disciplina. A lo largo de la temporada 1992-93, su recluta estrella se peleó con un policía, le tiró un batido de fresa en la cara a un cajero de la cadena de comida rápida Jack in the Box y entregó un trabajo sobre la «Prevención y gestión del síndrome premenstrual» que había escrito otro estudiante (lo delató el hecho de que su nombre de pila estaba mal escrito). Aquella falta supuso una grave sanción, pero poco le importaba al segundo máximo anotador de la nación con una media de 29,2 puntos con los Rebels. Sabía que la NBA lo estaba esperando.

Rider y la profesionalidad no casaban bien. El entrenador de los Timberwolves era Sidney Lowe, un devoto del baloncesto que creía en la forma correcta de enfocar el juego. A Rider, que tenía un contrato de siete años por 25,5 millones de dólares, no le importaba lo más mínimo. Ignoraba las instrucciones e indicaciones de Lowe. En una ocasión, escupió en el suelo cuando abandonaba la pista. Aquello enfureció a su entrenador. «J. R. pasó justo delante de él. No tenía ningún respeto por la autoridad», recuerda Richardson.

Los Wolves toleraban a Rider, pero nunca fue fácil. Un día del verano que siguió a su primer año en la NBA, lo atracaron a punta de pistola en el este de Oakland. Su asaltante se llevó su pieza más preciada: un colgante de oro con el número 34 que colgaba de su cuello. Rider y un amigo suyo cogieron el coche y se fueron a un narcopiso de la zona donde sospechaban que podría estar el ladrón. El jugador insignia de los Timberwolves entró en el edificio con una pistola y salió con el colgante.

En 1996, el director general de Minnesota, Kevin McHale, supo que había llegado el momento de hacer un cambio. A Rider lo habían detenido en múltiples ocasiones con cargos distintos, entre los cuales haber drogado y violado a una mujer, conducir ilegalmente con vidrios tintados y por posesión de teléfonos robados. Los Blazers lo compraron a cambio de dos jugadores irrelevantes y un mal puesto de elección en la primera ronda del *draft*. En Portland siguió siendo uno de los escoltas más valorados de la NBA. También se convirtió en la cara visible de un equipo anárquico.

Bob Whitsitt, el director general del equipo, había acabado con una plantilla llena de jugadores con talento que, ya fuera por drogas u otros asuntos, se habían ganado a pulso abandonar la franquicia. Rider era el que se llevaba la palma. Cuando no llegaba tarde, a veces ni aparecía. Cuando no era agresivo, era un maleducado. Solía jugar duro, aunque no siempre. Lo detuvieron por fumar marihuana en una lata de Coca-Cola. Ignoraba las directrices del entrenador Mike Dunleavy y, en una ocasión, se negó a jugar un partido.

En su excelente libro *Jail Blazers: How the Portland Trail Blazers became the bad boys of basketball*, Kerry Eggers recuerda los peores momentos:

> El 5 de marzo, Rider perdió el vuelo chárter a Phoenix por unos quince minutos. Culpó a los trabajadores de Flightcraft y los amenazó para que le proporcionaran otro avión. Según el atestado po-

licial, cuando se lo negaron, Rider se puso furioso y agresivo, y se enfrentó a cuatro trabajadores. Contaron que les gritaba obscenidades, se les ponía enfrente, se comportaba de forma amenazante, y le escupió a un hombre en la cara desde una distancia de entre metro o metro y medio. Escupió a otro trabajador que se giró para evitar que le diera. Luego Rider cogió el teléfono móvil de un tercero y lo hizo añicos sobre la calzada.

En sus tres temporadas con los Blazers, Rider consiguió una media de 16,9 puntos por partido, y ayudó al equipo a llegar a la final de la Conferencia Oeste. Pero Portland ya había tenido suficiente; cuando Atlanta ofreció al escolta Steve Smith a cambio de Rider, los Blazers no dejaron escapar la oportunidad.

Pete Babcock, el director general de los Hawks, estaba horrorizado con el intercambio, que había propuesto el propietario del equipo. «En privado, les decía a los periodistas que estábamos traspasando al doctor Jekyll por *mister* Hyde —recuerda Babcock—. J. R. era un tipo simpático, de hecho. Pero tenía un carácter muy voluble y me cansé de tener que sancionarlo constantemente.»

Rider jugó sesenta partidos para unos horribles Hawks y promedió 19,3 puntos. Sin embargo, con sus astracanadas ponía en evidencia constantemente tanto la franquicia como a él. No dejaba de ser desconcertante. Por ejemplo, le pagó un máster a su hermana en la Universidad Northwestern. También financió la construcción de dos centros lúdicos en los barrios más pobres de Oakland con el entonces alcalde Jerry Brown. Solía mostrar su gran corazón. «Podías ver su bondad. De verdad que sí», cuenta Babcock.

El viernes 17 de marzo de 2000, Rider llegó con diez minutos de retraso al partido que los Hawks jugaban en casa contra Boston. Cuando empezaba a cambiarse, Babcock se le acercó.

—J. R. —dijo—, hoy no te cambies.

—¿Por qué? —le preguntó Rider.

—Hablaremos después del partido.

Rider vio el partido desde una sala contigua. Quiso hablar con Babcock durante el primer cuarto.

—Pete —dijo—, lo siento mucho. No volverá a ocurrir.

Babcock asintió con la cabeza y se excusó.

Rider quiso volver a hablar con Babcock durante el último cuarto.

—Pete —gritó—, ¡a la mierda con todo! ¡Échame de aquí de una vez! Odio este maldito equipo y tú eres un puto gilipollas.

Rescindieron su contrato ese mismo viernes y se quedó sin jugar el resto de la temporada 1999-2000.

Luego, llamaron los Lakers.

Shaquille O'Neal no podía creerlo. Kobe Bryant tampoco. No es que estuvieran molestos o muy decepcionados. A petición de los Lakers, O'Neal había contactado con Rider para pedirle (con todas sus dudas) que se uniera al espectáculo. Pero después de haber sobrevivido al fiasco de Dennis Rodman, cuando el fichaje se hizo realidad fue una sorpresa. A pesar de sus rarezas, Rodman, por lo menos, poseía tres anillos de la NBA. Rider nunca había ganado nada.

Cuando inauguraron el campus de pretemporada el 3 de octubre en El Segundo, todas las miradas estaban puestas sobre Rider. Todos se preguntaban cómo podría encajar, si sería capaz de comportarse…

¡Puuuaaajjj!

Vomitó.

«Quizás era la primera o segunda sesión de trabajo y el gimnasio era una caldera —recuerda Rudy Garciduenas, el utillero del equipo—. Lo habíamos limpiado para los entrenamientos y para que estuviera impecable, pero cuando el calor se hacía insoportable y subía la humedad era una auténtica sauna. Estábamos en plena sesión, eché un vistazo por todo el gimnasio y no veía a J. R. por ningún lado. A continuación, mis ayudantes se acercaron muy nerviosos. Les pregunté qué sucedía. ¡Es J. R! ¡Está fuera vomitando en la alcantarilla!»

Tras siete años en la NBA, Rider creía haber comprendido lo que era la competitividad. Pero jamás había experimentado nada semejante. Aunque en general las pretemporadas de los Lakers solían ser relativamente tranquilas con Jackson, Bryant veía a Rider como una amenaza directa. Era un veterano con el mismo físico, habilidades similares, campeón del concurso de mates del *All-Star* (Bryant lo había ganado en 1997) y había estado tres temporadas con los odiosos Blazers.

«Quería arrancarme el corazón y luego comérselo», asegura Rider.

No se conocían, pero, nada más llegar, Bryant empezó a suplicarle/implorarle/provocarle para que jugara con él un uno contra uno. Era una conversación recurrente que tenía lugar dos o tres veces al día. Más o menos iba así:

—Venga, tío, juega contra mí —decía Bryant.

—Cuando esté en mejor forma—respondía Rider.

—Venga en serio, vamos —insistía Bryant.

—Cuando esté en mejor forma —respondía de nuevo Rider.

«Era evidente que para Kobe era una cuestión personal. Me lo pedía incesantemente. Al final, un día lo miré y pensé: venga, hagámoslo», dice Rider.

J. R. Rider y Kobe Bryant disputaron finalmente ese uno contra uno.

Fue después de un entrenamiento, y algunos Lakers se quedaron para ver el espectáculo, ansiosos por ver qué sucedía cuando el hombre más competitivo del mundo se enfrentaba al mayor desastre del baloncesto actual. Cuenta la leyenda (compuesta por recuerdos nublados y la clásica exageración de un momento de gran revuelo) que aquello terminó con una masacre de proporciones épicas. Bryant no se limitó a derrotar a Rider. Lo puso en evidencia, lo ridiculizó, lo humilló delante de todos. Dieciséis años más tarde, algunos veteranos de los Lakers escribieron sobre aquel enfrentamiento para la plataforma The Players' Tribune. Este es solo un fragmento:

> Brian Shaw: Jugaron a diez puntos. Kobe acabó con él.
>
> Ron Harper: Kobe lo destrozó.
>
> Brian Shaw: Kobe tenía veintidós años, era extremadamente atlético y tenía una energía ilimitada. O sea, que le dio una paliza. Sacó todos los trucos del sombrero. Mates, fintas de gancho, tiros en suspensión, cambios de mano...
>
> Devean George: *Fadeaways*, lanzamientos con la izquierda, con la derecha. Le pasó por encima.

Brian Shaw: Nosotros estábamos en la banda echándole gasolina. La gente se reía, gritando: «J. R., ten cuidado con lo que deseas».

Pero no era cierto. En absoluto. Bryant y Rider hicieron dos partidos a cinco puntos. Se metían el uno con el otro constantemente, pero no se caldeó el ambiente y ninguna de las dos batallas fue una paliza. «Creo que algunas de las personas que han hablado de ello ni siquiera estaba allí —asegura Mike Penberthy, un base *rookie*—. Yo estaba presente y estuvo bastante igualado. J. R. no era simplemente buen jugador. Era extraordinario. A veces exageramos las cosas, es lo que pasó aquí. Kobe ganó, pero no fue una humillación.»

«De hecho, me molesta bastante —dice Rider—. La historia de que yo le soltaba mis frases de Oakland para meterme con él, de que jugamos delante de todo el equipo, de que fue tan espectacular… Nada. Jugamos, él ganó y terminamos bien. Eso fue todo.»

Lo más triste para Rider es que su enfrentamiento con Kobe (malditas sean las exageraciones) fue quizá su momento estelar de la temporada. Los Lakers creían en la futura redención de Rider, porque lo hicieron posar junto a O'Neal, Bryant y Jackson en las fotos promocionales de octubre. Pero era demasiado tarde para salvarlo. «En una ocasión estábamos en mi despacho y se desmoronó, empezó a llorar —cuenta Jackson—. Yo le estaba diciendo que no estaba jugando con todo su potencial y se emocionó. Fue… algo fuera de lo común. Cuando tienes a un jugador con TDAH que necesita fumar porros para mantener los pies sobre la tierra, tienes un problema.»

Jugó sesenta y siete partidos con los Lakers en los que obtuvo las peores medias de su carrera: dieciocho minutos por partido y un promedio anotador de 7,6 puntos. Además, fuera de la cancha seguía metiendo la pata sin cesar. Una vez llegó tarde al entrenamiento, Penberthy oyó a alguien golpeando con fuerza en la puerta trasera del gimnasio (¡Pam! ¡Pam! ¡Pam!). Era J. R. «Llevaba zapatillas de andar por casa y un chándal. Se puso la camiseta por encima del chándal y entrenó en zapatillas», recuerda Penberthy.

En otra ocasión, en San Antonio, llegó veinte minutos tarde al entrenamiento; trajo una nota del recepcionista del hotel que decía: «Apreciado entrenador Jackson, ha sido nuestra culpa no haber despertado a J. R. No le culpe a él. Atentamente, Charles Oubina, Marriott».

Hubo también una vez en la que… Mejor que lo explique Shaq: «No es ninguna broma. Él vivía en el hotel del equipo, que estaba aquí. La puerta trasera del gimnasio estaba aquí, delante del hotel, a pocos metros de distancia. El cabrón se saltó tres entrenamientos seguidos por una rueda pinchada».

Un día sucedió que un periodista de *Los Angeles Times* llamado Tim Brown pilló a Rider y a Kupchak gritándose el uno al otro y tuvo la audacia (¡sorpresa!) de escribir sobre ello. Cuando salió publicado, Rider se acercó al coche de Brown después del entrenamiento en el aparcamiento.

—¿Tú has escrito esa maldita noticia? —preguntó a Brown.

—Sí, he sido yo.

—¿Por qué narices lo has hecho? —dijo.

—Porque era cierta —respondió Brown.

—¿Sabes qué? —contestó Rider—, sé dónde vive tu familia. Sé dónde vives.

Brown se marchó con el coche.

Pero la mejor anécdota de todos los tiempos sucedió cuando los Lakers tenían que volar desde Toronto tras un partido contra los Raptors. Los jugadores y los entrenadores tenían que pasar por la aduana del Aeropuerto Internacional Pearson; cuando se aproximaban al puesto de control, el pastor alemán de uno de los agentes empezó a ladrar agresivamente a Rider.

«J. R. decidió acariciar al perro —recuerda Rick Fox—. Y el agente le dice: "Señor, por favor, no acaricie al perro". Al perro solo le faltó señalar a J. R. y decir: "Este cabrón lleva drogas y tendrías que registrarlo ahora mismo".»

El guardia le ordenó a Rider que lo acompañara a una de las salas de interrogatorio, donde fue retenido mientras los Lakers embarcaban en su chárter. Jerome Crawford, el guardaespaldas y eterno compañero de O'Neal, bajó del avión al cabo de media hora para ver qué estaba pasando. Regresó con un sonriente Rider que se reía diciendo: «¡Estoy limpio! ¡Les he dicho a esos cabrones que estoy limpio!».

Sin que Rider pudiera oírlo, Fox le preguntó a Crawford qué había sucedido realmente. «Había fumado tanta marihuana que su chándal estaba completamente impregnado —explicó Crawford—. Por eso lo detuvieron.»

Años más tarde, Fox todavía se reía a carcajadas con aquella anécdota. «Literalmente, lo apartaron porque su ropa apestaba a marihuana —dijo—. Era el chándal que había llevado durante todo el viaje, y J. R. no hizo nada más que quedarse en su habitación del hotel y fumar sin parar.»

Cuando en 2019 le preguntaron si la versión de Fox era correcta, Rider se rio. «Bueno —dijo—, sí que me gustaba fumar.»

Ganar un título de la NBA cambia las cosas.

Siempre cambia las cosas.

En la NBA, fuera de la temporada regular, los jugadores llegan y se van, los entrenadores cambian de banquillo y se contratan nuevos directivos, se despiden o se retiran.

Pero cuando has conseguido un título de la NBA, la cosa es distinta. Es como ver a un boxeador cuando pasa de estar entre los diez primeros a ser el campeón mundial de los pesos pesados. Empieza a andar con chulería. Las promesas se convierten en estrellas. Pareces el mismo, pero eres otro. Para siempre.

El cambio más importante sucedió con las dos grandes estrellas del equipo. Sin el peso de una mano sin anillos y consolidado como la mayor potencia de la NBA con el galardón MVP de la temporada regular y de la final, O'Neal se consideraba, más que nunca, el líder inequívoco de los Lakers. Era su equipo y su ciudad, lo que significaba que sus compañeros de equipo eran soldados bajo su liderazgo.

En octubre, poco después de firmar una prórroga de su contrato de tres años por 88,5 millones de dólares, O'Neal se acercó hasta Beverly Hills y se gastó ciento cincuenta mil dólares en relojes Rolex que pagó con su American Express para regalárselos a dieciocho compañeros de equipo y cuatro trabajadores de la plantilla. El mensaje no era tanto «Soy rico», sino «Soy rico y cuidaré de vosotros». Venía de un lugar muy sincero. «Cuando yo era joven, en Orlando nadie se preocupaba realmente por mí —reconoció O'Neal—. Nadie me cuidaba. Y eso no está bien. Vengo de unos padres muy respetuosos que siempre han tratado a todo el mundo con amor. Independientemente de la raza, la religión, la cultura… Eres una persona y mereces que te respeten. Yo estaba en una posición en la que podía hacer que los demás se sintieran bien, se sintieran bienvenidos y queridos. ¿Por qué no iba a hacerlo?»

O'Neal se portaba bien con compañeros como Fox, Robert Horry o Derek Fisher, veteranos consolidados con dinero y seguridad laboral. Pero era extraordinario con aquellos que necesitaban más afecto. La plantilla del equipo de Los Ángeles era en gran medida un quién es quién de grandes nombres de la NBA, hombres que habían asistido a universidades de prestigio y que habían nacido para ser profesionales. Pero entre las estrellas había jugadores como los dos nuevos *rookies*, Mark Madsen, el ala-pívot de 2,06 m de la Universidad de Stanford, que era duro y resistente, pero menos atlético que un jarrón, y Mike Penberthy, el base de 1,91 m y 84 kilos de un sitio llamado Master's College.

Sí, Master's College.

Desde que llegó a Los Ángeles, Madsen se ganó el favor de O'Neal. Los Lakers recibieron muchas críticas por malgastar su vigésimo noveno puesto de elección del *draft* en un jugador mediocre como Madsen, y el pívot estrella se lo tomó como algo personal. Primero se llevó al *rookie* de compras. «Me llevó a comprar ¡un coche! —recuerda Madsen—. Me dijo textualmente: "Te pago la entrada del coche que quieras". Le dije que no se lo permitiría, pero negoció un buen precio por un Chevrolet Tahoe.»

Después de aquello llegó la hora de renovar el armario. «Nos llevó a Beverly Hills y entramos en una tienda de tallas grandes. Encontré unos vaqueros que me quedaban bien y Shaq le dijo al dependiente de la tienda: "¡Se llevará ocho de cada color!". Yo le dije que solo necesitaba uno de cada. Luego Shaq empezó a apilar jerséis italianos y le dije que no necesitaba tantos, pero me respondió que era un regalo de bienvenida y que me relajara, mientras él se hacía cargo de la factura de dos mil quinientos dólares».

A diferencia de sus compañeros de equipo, Madsen era un mormón devoto decidido a reservarse para el matrimonio. Quince años antes, los Lakers eligieron en el *draft* al ala-pívot A. C. Green de la Universidad Estatal de Oregón, un cristiano renacido que tuvo que aguantar las bromas de Magic Johnson, Byron Scott y compañía. O'Neal no permitió que ocurriera lo mismo con Madsen esta vez. De hecho, se convirtió en su alcahuete personal. En uno de los vuelos del equipo, O'Neal y Madsen se sentaban de lado y una azafata guapa se acercó.

—¿Eres mormona? —preguntó O'Neal.

—No —respondió—¿Por qué?

—Por nada —dijo O'Neal.

Según Madsen, «al cabo de unas semanas, un miembro de la junta de los Lakers se me acercó en el Staples Center y me dijo: "Ayer pasó algo de lo más interesante. Yo estaba sentado en un restaurante de Redondo Beach y vi a Shaq preguntándoles a algunas de las chicas si eran mormonas porque, si fuera el caso, les conseguiría una cita contigo"».

Penberthy fue, igual que Madsen, una incorporación sorprendente. Pero a diferencia de Madsen, nadie (absolutamente nadie) había oído hablar de él.

En su último año en el instituto Hoover High de Fresno (California), obtuvo una media de 21 puntos por partido y llamó la atención de varias universidades de la División I, como la de California y la de Utah. Pero pesaba solo 73 kilos y los entrenadores le exigían perderse un año para ganar peso. Penberthy no quiso esperar y se comprometió con la Master's College, una universidad de ochocientos cincuenta estudiantes perteneciente a la NAIA (Asociación Nacional de Deporte Interuniversitario) que fundó el abuelo de Penberthy, John Dunkin, en 1927 como Seminario Teológico Baptista de Los Ángeles. Durante sus cuatro temporadas con los Mustangs, el equipo de la universidad, el base se consolidó como uno de los mejores jugadores del país, a pesar de la división en la que jugaba. Como sénior, en la temporada 1996-97, lideraba la NAIA con su promedio de 27,5 puntos por partido y, aunque ningún equipo se planteaba seleccionarlo en el *draft*, estaba en el punto de mira. Penberthy se ejercitaba a diario al estilo Kobe: quinientos lanzamientos por la mañana, quinientos por la tarde y quinientos por la noche. Se apuntaba a todos los partidos amistosos que podía. «Estaba decidido a llegar a la NBA, pero al principio yo no lo veía posible —reconoce Ray Farrell, un entrenador asistente de la Master's—. Por su tamaño y su condición física tenía un arduo camino por recorrer. Pero estaba dispuesto a todo. Se levantaba a las seis de la mañana y empezaba a entrenar mientras los otros jugadores estaban en la cama. Estudiaba y salía a correr. Sabía lo difícil que lo tenía viniendo de la Master's, pero era ambicioso. Y era un tirador realmente bueno.»

Los Indiana Pacers lo invitaron a su campus en 1997, pero sufrió un desgarro en el isquiotibial antes de empezar y no pudo participar. Estuvo moviéndose unos años entre Idaho, Alemania y Venezuela, pero siempre regresaba al sur de California para participar en las ligas de verano. En junio del año 2000, Penberthy fue seleccionado por la revista *Slam* para disputar los partidos de Liga de Verano LA Pro, que se jugaban en la Pirámide de la Universidad Estatal de Long Beach como previa a los partidos de la Liga de Verano de la NBA. Un día, el asistente de los Lakers, Jim Cleamons, esperaba que empezara su partido y quedó cautivado por un chaval blanco y pequeño que se parecía al actor Ron Howard en la serie *Happy Days*, superaba a sus rivales como Tiny Archibald y tiraba como Craig Hodges. Le dijo a Kupchak que ese pequeño torbellino valía absolutamente la pena. Penberthy enseguida recibió una invitación para el campus de pretemporada. «Mitch me dijo: "Disfruta de tu semana, te lo has ganado" —recuerda Penberthy—. Aquello me motivó. Vi que no tenía nada que perder, así que me dejé ir. Jugué exactamente como jugaba en la universidad, lanzando triples y buscando a mis compañeros desmarcados. Aprendí el triángulo en tres días, cosa que también ayudó. Cuando terminó la semana, no tenía claro si me echarían por lanzar demasiados triples o si me ficharían por meterlos todos».

Los Lakers inauguraron la temporada el 31 de octubre en Portland. Esa mañana, Penberthy esperaba en las oficinas del equipo para conocer su destino final. Los Lakers habían fichado a los veteranos Shawn Respert (escolta) y Emanual Davis (base), y Penberthy era claramente mejor que ellos. Fisher, el base titular, estaba lesionado y se perdería la mayor parte de la temporada por culpa de una fractura por estrés en el pie derecho. «Estaban buscando a alguien que pudiera jugar —cuenta Penberthy—. Esperaba que me eligieran a mí.»

Finalmente, después de esperar lo que le parecieron doscientas horas (cuando probablemente fueron quince minutos), Penberthy se reunió con Kupchak y Jackson para descubrir si su vida deportiva daría o no un giro crucial.

«Bueno —empezó Jackson—, nos quedamos contigo. Has trabajado muy bien. Sigue haciendo lo que haces.»

Quien se alegró más con la noticia fue O'Neal, que lo felicitó con un abrazo que casi le parte la columna y le hizo una oferta que no pudo rechazar. En el vuelo desde el sur de California hasta Portland, Penberthy se dio cuenta de que todos sus compañeros de equipo llevaban elegantes trajes hechos a medida, muchos de los cuales costaban más de dos mil dólares. «Yo no tenía ni trajes ni dinero —cuenta Penberthy—. Fui a una tienda de ropa cara cerca del hotel en Portland, pero no tenían nada de mi talla. Terminé en un Banana Republic y me compré unos pantalones de vestir y una camisa. Los llevaba con una chaqueta que quedaba fatal. Pero yo pensaba que lucía bien.»

Cuando Penberthy quiso entrar al Rose Garden para el partido, los miembros de seguridad lo pararon en la puerta. Fue humillante.

O'Neal observó desde cerca lo que pasaba con su nuevo compañero. Cuando no hubo nadie alrededor, le pidió a Penberthy que se acercara para comentarle algo.

—No tienes ningún traje, ¿verdad?

—Pues no —respondió Penberthy— Pero…

—Te voy a llevar a comprar trajes —dijo O'Neal.

A la mañana siguiente, el pívot de más de 100 millones de dólares recogió al base de 3,76 millones y lo llevó a su sastre particular. Penberthy salió de allí con seis trajes.

«Es el mejor compañero que he tenido jamás —reconoce Penberthy, que en cincuenta y tres partidos logró una media de cinco puntos—. Era como tener un hermano mayor con una cuenta bancaria astronómica. Cada vez que visitábamos una ciudad, me enviaba un mensaje de texto diciendo: «Vamos a cenar». Siempre pagaba él. No exagero. Hay buenas personas, hay personas extraordinarias y, luego, está Shaq. Te lo diré de otro modo: cuando murió mi padre, Shaq se ofreció a pagar el funeral. Es de ese tipo de personas.»

Pero Madsen y Penberthy no eran en absoluto los únicos que recibían el afecto de O'Neal. Era como Papá Noel y tenía un corazón del tamaño de Saturno. Hacía cosas como invitar a sus compañeros a comer en restaurantes de lujo y comprar botellas de vino de mil dólares, o pagar un vuelo a los padres y a dos hermanas del *rookie* Joe Crispin desde Nueva Jersey hasta Los Ángeles para que pudieran ver su debut en la NBA.[14] Pocos escapaban de la amabilidad del gigante. Una vez, el equipo había contratado los servicios de un recogepelotas sordo que colgó un cartel en el vestuario pidiendo colaboración para poder pagarse el viaje a un torneo para adolescentes con discapacidad auditiva. Nada más ver el cartel, O'Neal le dijo: «¡Ya lo puedes quitar!». Abrió la cartera y le ofreció al chico el dinero en efectivo que necesitaba. En otra ocasión, cuando O'Neal se enteró de que le habían ofrecido a Tom Savage, el director adjunto de Relaciones Públicas, un puesto con mayor sueldo para trabajar en la WNBA, le dijo:

—¿Cuánto dinero de más te están ofreciendo?

—Unos veinte mil dólares —respondió Savage.

—Lo tengo en efectivo en el vestuario —dijo O'Neal—. Quédate y es tuyo.

Aunque el gesto fue muy emotivo para Savage, finalmente, se marchó.

Pero a pesar de toda su empatía y su sentido de la dignidad, O'Neal tenía dos puntos flacos en particular.

Uno era el lanzamiento de tiros libres, que lo persiguió durante sus diecinueve años de carrera en la NBA.

El otro, mucho peor, era Kobe Bryant.

Durante los primeros cuatro años del escolta en el equipo, sus compañeros estaban asqueados con su arrogancia y

---

14. «Insistió, y yo me negué», recuerda Crispin. «Finalmente, dijo: "No hay nada más que hablar, vienen. Pago yo. Es definitivo". Entonces los reservó en primera clase.»

su desapego. Pero algo cambió entre el final de la temporada 1999-2000 y el principio de la siguiente. Fue como cuando una persona joven con malos hábitos se convierte en una persona adulta con esos hábitos más acusados. La gente que habla alto termina hablando aún más alto. Un gruñón al que le gusta discutir se vuelve cada vez más gruñón. Aunque Bryant tenía solo veintidós años, se comportaba como si fuera un veterano con diez años de trayectoria. Su comportamiento con los *rookies* era especialmente irritante. En los Lakers no se acosaba a los recién llegados. Nunca había sido así. Pero a Bryant le faltaba madurez para darse cuenta. Penberthy, por ejemplo, era cuatro años mayor que él, pero Bryant se vanagloriaba cuando le humillaba o le demostraba quién mandaba. «Quería que la gente le tuviera miedo —asegura Penberthy—. En un partido en Venezuela, un expresidiario desquiciado me dejó inconsciente porque anoté 27 puntos en la primera parte. Había desertores rusos que odiaban Estados Unidos y me querían muerto. ¿Kobe? No me daba ningún miedo.»

Penberthy se ganó sus galones una vez que Bryant falló un par de tiros libres en un entrenamiento.

—Venga, tío —dijo el *rookie*—. Tenías que meterlos.

—Cierra la puta boca —contestó Bryant—. Si supieras defender, jugarías más minutos.

—Muy bien, Kobe —dijo Penberthy—. Meterte con un *rookie*. Eso lo sabes hacer muy bien.

El intercambió continuó y, cuando terminó la sesión, Penberthy siguió a Bryant hacia el vestuario.

—¿Tienes algo que decirme? —dijo—. Aquí me tienes.

Bryant se marchó, con la cabeza gacha.

Érase una vez un pívot (O'Neal) que soñaba con ser el hermano mayor de Kobe Bryant. Quería guiarlo, formarlo y estar a su lado para formar una dupla del estilo Batman y Robin. Pero se dio cuenta de que era absolutamente imposible. Bryant era verdaderamente insoportable. Por su necesidad de retar a J. R. Rider desde el primer día. Por su necesidad de denigrar a Penberthy. Por su tendencia, otra vez, a acaparar la pelota, botar sin mirar y convertir el triángulo ofensivo en un cartón deformado. Bryant quería que los demás jugadores compartieran su misma intensidad, pero nadie la compartía. O'Neal, por ejemplo, se pasó los meses que siguieron a la consecución de su primer anillo celebrándolo como nunca había celebrado nada. «Mientras Kobe practicaba sus tiros en suspensión —escribió Elizabeth Kaye—, Shaq se pegaba sus festines de gambas fritas, mayonesa, kétchup y un mejunje con queso que bautizó como bocadillos Shaq Daddy. Se llevó a su cuadrilla a Las Vegas, les dio diez mil dólares para las mesas de apuestas, y los horarios que llevaba le provocaban dolores de cabeza… Ese verano, Shaq se dejó ver en lo que él llamaba clubs de señores y en locales de comida rápida a las tres de la mañana. La idea de que uno es lo que es, es perfectamente aplicable a este caso.»

Los Lakers empezaron su temporada para defender el título sumando 6 victorias y 4 derrotas. El ambiente en el vestuario era frío y hostil, distante. O'Neal no escondía su desprecio por Bryant, especialmente después de que el chaval lanzara 31 tiros de campo en el partido que perdieron contra San Antonio, 91-81. «Necesitamos practicar un juego más inteligente», comentó O'Neal con los periodistas. Era un eufemismo no demasiado sutil para decir que «sería fantástico si el chico pasara la pelota de vez en cuando».

Así empezó uno de los minidramas internos más interesantes de la temporada: los intercambios mediáticos entre Shaq y Kobe. Después de cada partido, los periodistas entraban en el vestuario y rodeaban a una de las estrellas del equipo. Cuando el primero había terminado de hablar, los reporteros se apiñaban encima del otro. O'Neal solía hablar primero y criticaba sutilmente (o no tan sutilmente) a Bryant por su egoísmo y su inmadurez. Algunas de las declaraciones eran en privado. Pero la mayoría no. Luego, a Bryant le trasladaban lo que había dicho O'Neal y respondía también sutilmente (o no). Era el comportamiento entre compañeros de equipo más pasivo-agresivo que los periodistas habían visto jamás. Apenas era distinto a dos niños pequeños disputándose una piruleta. Cuatro metros y medio separaban una taquilla de la otra. Podrían haberse trasladado las quejas el uno al otro mientras se ponían el desodorante. «Era muy infantil y de hecho lo era más por Shaq —cuenta J. A. Adande, el periodista de Los An-

geles Times—. Shaq siempre decía cosas como: "Vosotros ya sabéis lo que pasa". No quería decirlo abiertamente y nosotros teníamos que hacer el trabajo sucio. Kobe no era tan críptico. Esperaba su momento y descargaba.»

A los periodistas enseguida se les etiquetó como defensores de Shaq o defensores de Kobe, según la lealtad que mostraban. Ric Bucher, el periodista de la revista *ESPN The Magazine* que cubría gran parte de las noticias relacionadas con los Lakers, fue en un momento candidato a ser el coautor de la autobiografía de O'Neal. Pero un día escribió un artículo en el que supuestamente mostraba cierta empatía por Bryant. «Desde ese día, para O'Neal pasé a ser un acólito de Kobe —recuerda Bucher—. Ahí terminó nuestra relación. Yo no era partidario de ser leal a uno u otro, pero, para Shaq, o estabas con él, o estabas con el otro.»

Adande era considerado con razón un defensor de Shaq. «Al principio, intenté no posicionarme —reconoce—, pero te obligaban a hacerlo. Así que me puse del lado de Shaq, principalmente, porque para el equipo era mucho mejor que la pelota pasara por él. Además, Shaq era más accesible y, a pesar de su tamaño, más cercano. También lo sentía más próximo por edad y lo conocía desde hacía más tiempo. Él se abrió conmigo. Kobe nunca lo hizo.»

Bill Plaschke del *Times* decía:

> Kobe no tenía a nadie. Tenía un guardaespaldas y nada más. Yo le esperaba y le acompañaba al coche todas las noches que trabajaba. La misma competitividad que lo hacía enorme sobre la pista hacía que la gente no se le acercara fuera de ella. Siempre gruñía. Siempre mordía. Y veía con quién hablabas. Tenías que tomar partido, Kobe o Shaq. Y yo elegí a Shaq. Cuando hablabas con alguien sobre Kobe, Shaq lo escuchaba. Nunca olvidaré la vez que estuve hablando con Rick Fox sobre Kobe en el pasillo. Shaq apareció de repente de detrás de la cortina: «¿De qué habláis? ¿Qué pasa?». Después de los partidos se fijaban con quién hablabas primero. Observaban a quién te dirigías primero después de las sesiones de tiro. Claramente, tenías que elegir un bando. Shaq estaba celoso de Kobe. Kobe no estaba celoso de Shaq. Kobe lo único que quería era superar a todo el mundo.

A las personas que conocían bien a ambos jugadores aquella dinámica les parecía fascinante, en el sentido de que lo que la gente creía observar no se correspondía exactamente con la realidad. Por el hecho de ser más grande y fuerte, de ser un jugador más consolidado y mostrarse más fanfarrón, en general, a O'Neal se lo consideraba como un veterano seguro de sí mismo que tenía que lidiar con un joven inseguro. Pero, en realidad, O'Neal nunca llegó a superar el rechazo de Bryant. Todo el mundo quería a Shaq. ¿Por qué Kobe no? Lo normal hubiese sido que se acercara para buscar consejo, pero nunca lo hizo. Lo normal hubiese sido que le siguiera el juego a O'Neal. Pero nunca lo hizo.

Y lo que era peor aún: a Bryant le importaba un comino lo que O'Neal dijera o pensara sobre él. O'Neal no paraba de hablar sobre los defectos de Bryant, lo cual podía ser bastante duro. Pero las respuestas de Bryant solían ir acompañadas de indiferencia o muecas burlonas. Su lenguaje corporal decía a gritos: «¿En serio? ¿A quién le importa lo que piense?». Y O'Neal se desesperaba. Antes de cada partido, los jugadores de los Lakers hacían un corrillo en el pasillo que conducía a la pista y O'Neal lo convertía, en palabras de Bucher, «en un frenesí de saltos y de cuerpos rebotando los unos contra los otros, como si bailaran en un concierto *punk*». Todos participaban, desde Fox y Horry hasta Penberthy y Madsen. Pero Bryant jamás. ¿Por qué? Bueno, ¿por qué debería hacerlo?

Jackson, por su parte, lo observaba y dejaba que el conflicto siguiera su camino. Aunque practicaba el zen y a veces hacía que sus jugadores se sentaran en una habitación con incienso, el entrenador creía firmemente que los conflictos tenían que emerger de forma orgánica. De hecho, creía que el enfrentamiento entre Shaq y Kobe podía ser positivo porque dos estrellas enfadadas podían trasladar su agresividad a la pista. Si estaban enfadados en el vestuario, ¿acaso no lo estarían jugando contra Portland o Sacramento? A Jackson no le gustaba la palabra «manipulación». Pero se trataba de eso.

Sin embargo, a diferencia de su etapa en Chicago, en Los Ángeles la estrategia no le funcionaba. Los Lakers llegaron a diciembre con un balance de 11 victorias y 5 derrotas, y la mayoría de las victorias habían sido consecuencia de que el talento había superado al egoísmo. Incluso cuando el equipo tuvo una racha de cinco triunfos consecutivos a mitad del mes, había algo que no acababa de funcionar. «Había momentos sobre la pista en los que Kobe mostraba una inmadurez enorme —señala el pívot suplente Greg Foster—. Incluso cuando jugábamos bien. Era simplemente temerario. Y a veces ser temerario es bueno, pero otras veces no lo es ni siquiera un poco.»

En la derrota del 12 de diciembre contra Milwaukee, Bryant metió solo 8 de 31 en tiros de campo. Cuando entró en el vestuario, todo era silencio. Sus compañeros se quedaron atónitos al oírle decir:

—Tíos, ha sido culpa mía.

¿Qué?

—He fallado muchos tiros —dijo—. He fallado tiros que suelo meter. Pero también he lanzado cuando no debía. Ha sido culpa mía.

Fox, el sabio veterano en su décima temporada en la liga, hacía mucho tiempo que era uno de los compañeros de equipo con más simpatía con Kobe. Valoraba su talento y empatizaba con su soledad. Fox sabía que la familia de Bryant había regresado a Filadelfia después de haberse comprometido. Era consciente de que, en general, estaba muy solo.

—Vale, has cometido errores —dijo Fox—. ¿Y qué? Si eres responsable de la derrota de hoy, también lo eres de las quince victorias que llevamos.

Bryant asintió agradecido. Pero al día siguiente lanzó 25 veces a canasta durante el partido que perdieron contra Portland. Luego, 18 en la victoria contra Vancouver, 29 en una victoria disputada contra el mediocre equipo de Toronto, 24 más en el triunfo ajustado contra Miami y 26 en Houston. Durante la prórroga de un partido que perdieron contra Golden State, O'Neal y Bryant hicieron cinco *pick and roll* al final del último cuarto. Bryant no le pasó la pelota a su compañero ni una sola vez.

—Suéltala de una puta vez —se quejó O'Neal durante un tiempo muerto.

Pero no le daba la gana. Contra Filadelfia, Jackson le recriminó a Bryant una serie de lanzamientos estúpidos. El jugador quiso discutir y Jackson le gruñó:

—¡No quiero escuchar tus gilipolleces!

—¡Pues yo tampoco quiero escuchar las tuyas! —respondió Bryant.

Bryant lanzaba y lanzaba, igual que, en su momento, Del Harris hablaba y hablaba. O'Neal era su compañero de equipo, pero también lo eran Fox, uno de los mejores lanzadores de media distancia de la NBA; Horry, un legendario triplista; Horace Grant, un fantástico taponador; y Ron Harper, uno de los compañeros de equipo favoritos de Michael Jordan en los Bulls. Bryant los ignoraba a todos porque, en su cabeza, así es como tenían que ser las cosas.

«Era un tirador nato, creía que su trabajo consistía en eso: tirar a canasta», dice Penberthy.

En su defensa (o algo parecido), se podría argumentar que Bryant veía que en los demás equipos de la liga algunos jugadores lanzaban a canasta desde todos los ángulos. El atlético Vince Carter tenía luz verde en Toronto, igual que Allen Iverson en Filadelfia, Tracy McGrady en Orlando o Paul Pierce en Boston. Los celos de Bryant eran hasta cierto punto comprensibles. No solo aspiraba a ser el máximo anotador de la liga, sino a alcanzar un nivel que difícilmente podía alcanzar. «Hubo un partido contra Toronto en el que Kobe decidió que tenía que superar a Vince Carter —recuerda Jackson—. No tenía espacio para maniobrar, pero seguía buscándolo sin parar. No hay nada que sea más negativo para el espíritu de equipo que eso.»

Jackson observaba a Bryant y veía que estaba obsesionado con una liga en la que no lograba encajar. Parecía formar parte de ella, pero no era así. «Lo que le faltaba a Kobe realmente era la búsqueda de la calle. No tenía espíritu de calle. Creo que ni siquiera se sentía atraído por chicas afroamericanas. Hablo de la búsqueda para llegar a ser algo.»

En aquella época, la publicación más popular que cubría la información de la NBA era la revista *Slam*, que combinaba baloncesto y cultura *hiphop* en doce números anuales. *Slam* hablaba de las frases que usaban los jugadores para meterse los unos con los otros, de tatuajes, de versos de Snoop Dogg y Wu-Tang, de cadenas de oro, de pantalones anchos y de anuncios de FUBU. Sacaban a Iverson luciendo sus trenzas africanas, a Carter saltando por encima de Fédéric Weis o a Stephon Marbury haciéndole un *crossover* a Rod Strickland. Entre su primer año de *rookie* y 2001, Bryant salió en la portada en cuatro ocasiones, y en la mayoría de ellas lucía un estilo callejero amenazador.

Pero era como si un astrofísico se pusiera una cazadora motera. «Kobe simplemente no molaba —decía Elizabeth Kaye, la biógrafa de los Lakers—. No tenía ningún tipo de gancho en ese sentido.» Sus zapatillas Adidas, primero las EQT Elevation y luego las KB8 y KB8 II, nunca llegaron a venderse demasiado bien, en parte porque Bryant tenía muy poca popularidad en la calle y en parte porque no eran Nike ni And1. «La segunda zapatilla de Kobe parecía una tostadora —opinaba Russ Bengtson, que escribía sobre zapatillas en *Slam*—. Nadie quiere jugar a baloncesto con una tostadora en los pies.» Había un modelo de las «Kobe» que tenía dibujado el perfil de Bryant en una moneda de oro en el forro interior. Era espantoso. «Yo crecí en Connecticut en la era anterior a Internet. Era el único niño negro de mi clase e intentaba agarrarme a cualquier cosa que pareciera cultura negra —cuenta Cheo Hodari Coker, el periodista que escribió el perfil de Bryant en *Slam*—. «A Kobe le pasaba lo mismo. Intentaba encontrar la forma de identificarse con la diáspora negra y el baloncesto. Tenía todo aquel talento, aquellas cualidades, pero le faltaba el aire callejero relajado de Iverson o Stephon Marbury. Siempre estuvo aislado en su actitud de yo contra el mundo.»

«Su aire sofisticado no encajaba con *Slam* —señala Tony Gervino, el editor de la revista—. No era un tipo especialmente popular. Era muy refinado. *Slam* jamás fue una revista refinada. Éramos precisamente lo contrario.»

Bryant intentaba compensarlo. Desde luego que lo intentaba. Cuando hablaba con la prensa siendo *rookie*, siempre se mostraba educado: «Sí, señor. No, señora». Pero ahora, después de conseguir el campeonato y alcanzar la fama, después de comprometerse con una adolescente y con su familia lejos, otra vez en Filadelfia, parecía otro. Bryant sacó una puntuación discreta en el examen de acceso a la universidad y fue un estudiante de notables en el instituto. Nunca había sido una persona propensa a decir palabrotas por decirlas y su uso del lenguaje siempre era correcto. Y, de repente, empezó a impostar la jerga callejera. No era solo que utilizara palabras malsonantes, sino que lo hacía con una actitud forzada. Decía cosas como «que os jodan a todos, mamones» o «puta mierda». Era ridículo. En su autobiografía de 2011, O'Neal recuerda que el nuevo Kobe de repente soltó en una reunión de equipo una frase del tipo: «Qué pasa, negratas, sois todos mis putos hermanos». O'Neal dijo: «Yo le miraba y me preguntaba: "¿Qué narices es esto?"».

«Me entrevisté con él en el segundo año de *rookie* y fue genial —cuenta Ronnie Zeidel, un socio de la revista *Slam*—. Se sentía pletórico de estar en la NBA. Muy feliz. Cuando fui en 2001, me quedé atónito. Él sabía quién era yo y hablamos, pero se mostró distante y soberbio. Como si estuviera enfadado. Fue como conocer a otra persona.»

La gente que conocía bien a Bryant le atribuía parte o gran parte de esa metamorfosis a Vanessa Urbieta Cornejo Laine, la chica de dieciocho años con la que iba a casarse en abril. Aunque su familia estaba en la Costa Este, seguían aconsejándole que firmara un acuerdo prenupcial, cosa que él vivía como si pusieran en duda su capacidad de discernimiento. Además, Vanessa era todo lo que Bryant no era. Era maleducada, estirada, difícil. «Gracias» era una palabra que raramente pronunciaba. Sus amigos dijeron después que la fama y riqueza repentinas la cambiaron, y no precisamente a mejor. Cuando Vanessa y Kobe salían, lo hacían acompañados de guardaespaldas. Cuando iban al cine, pedían los asientos reservados, una vez que se apagaban las luces. ¿Por qué lo hacían? Shawn Hubler, que ha escrito mucho sobre su relación en *Los Angeles Times*, dice que probablemente se tratara de dos niños perdidos en el torbellino de la fama. «¿Qué desarrollo psicológico tuvo Kobe cuando crecía? —se preguntaba Hubler—. Fue un niño educado para ser deportista, y los niños como él no tienen tiempo para la vida. Uno descubre quién es a base de pruebas y errores. Si no tienes eso y cuentas con una habilidad única, ¿quién eres? No llegas a desarrollarte completamente.»

Una cosa que sí se le daba bien a la prometida de Bryant era decirle a su hombre que era el mejor. Mientras Joe Bryant solía centrarse en los aspectos negativos y los defectos, Vanessa solo se fijaba en su talento. Como Kobe, pensaba que O'Neal tenía sobrepeso y que estaba poco implicado. También creía que Jackson era un entrenador incapaz de valorar realmente lo que tenía ante él. Lo que Kobe Bryant recibía de Vanessa era la única cosa que no necesitaba: que alguien le animara a seguir siendo inflexible y testarudo.

Y siguió siendo inflexible y testarudo.

El 22 de enero de 2001, la cara de Bryant aparecía en la portada de *ESPN The Magazine* bajo el titular: «El elegido. Kobe dice que no está por detrás de nadie (sí, incluido Shaq)». Aquel número de la revista llegó a los quioscos una semana antes de la fecha de publicación, y el artículo en las páginas interiores, escrito por Bucher a raíz de una entrevista llevada a cabo a principios de año, no fue precisamente lo mejor que le podía pasar a un equipo que intentaba defender el título. Este es un fragmento:

> El tema en cuestión es quién de los dos capta nuestra atención, nuestra imaginación y, sí, nuestro respeto, aunque sea con ciertas reticencias. Se trata de un jugador que se ve a sí mismo en la cima del baloncesto y no aceptará nada por debajo de esa idea. Es el equipo de Kobe. De hecho, es la liga de Kobe. Si Shaq y el resto de los Lakers lo aceptan, es lo que determinará si pueden o no repetir como campeones.

La cosa fue a peor. Le preguntaron si pensaba que tenía que dejar que el ataque fluyera a través de O'Neal y Bryant respondió:

—¿Y bajar la intensidad de mi juego? Tengo que subirla. He mejorado. ¿Qué sentido tiene reprimirme? Estaría mejor jugando en otro sitio.

Cuando le preguntaron por la composición de la plantilla de los Lakers, dijo lo siguiente:

—Confío en el equipo. Pero confío más en mí. Es verdad

que el año pasado ganamos con el ataque funcionando a través de Shaq. Pero este año, en lugar de ganar las series en cinco o siete partidos, vamos a arrasar.

Brian Shaw, el base veterano al que respetaban tanto O'Neal como Bryant, intentó explicarle al chico que sus palabras no habían sido muy inteligentes. Fox, que también contaba con el respeto de ambos, hizo lo mismo. Pero no sirvió de nada. Jackson estaba furioso; en una reunión a puerta cerrada, les dijo a sus jugadores que se había equivocado al darles demasiada libertad. «He intentado que lo vierais por vosotros mismos —dijo—. Pero a partir de ahora tendré que ser más estricto. No os habéis ganado el respeto inherente a los campeones.» Pero ¿a qué se refería? ¿Cambiaría algo? En realidad, no.

Mientras tanto, O'Neal supo del contenido del artículo y decidió que estaba harto de poner la otra mejilla. Siempre se preocupaba por sus compañeros como Fox, Horry, Penberthy o Madsen. Eran su gente. Pero ¿Kobe? A la mierda con Kobe. Aprovechó un día en que los medios se acercaron después de un entrenamiento para hablar alto a propósito con su guardaespaldas Jerome Crawford.

—¿Sabes que en Canadá se pagan más impuestos? —dijo.

—¿Por ejemplo en Vancouver? —respondió Crawford.

—¿Vancouver? ¿No es ahí donde traspasarán a Kobe?

Al cabo de unos instantes, rodeado de periodistas especializados, O'Neal fue claro y directo:

—No sé por qué nadie querría cambiar —dijo—, excepto por razones egoístas. El año pasado conseguimos 67 victorias y 15 derrotas jugando con entusiasmo. La ciudad saltaba de alegría. Hicimos un desfile y todo. Ahora estamos 23-11. No es difícil ver qué ocurre.

Y lo vieron.

Bueno, de hecho, lo vio.

Después de sesenta y dos partidos, los Lakers llevaban un balance de 41 victorias y 21 derrotas y eran quintos en la Conferencia Oeste. Lo peor de todo era que todo seguía igual. O'Neal odiaba a Bryant. Bryant odiaba a O'Neal. Jackson hablaba de paz y amor, pero dirigía a un equipo lleno de ira y hostilidad. O'Neal se sentía frustrado por lo que interpretaba como un trato injusto y decidió hacer un boicot a la prensa durante dos semanas, algo impropio de él. En dos partidos seguidos contra los Raptors y los Spurs a principios de marzo, Bryant se dedicó a tirar a canasta como un borracho que se pone a lanzar chapas de botella a un cubo de basura. Hizo 67 lanzamientos en total, 34 contra Toronto y 33 contra San Antonio, con un cuarenta por ciento de aciertos. «A Phil le costaba controlarme —admitió Bryant años después—. Porque yo soy un número uno por naturaleza.» La derrota contra los Spurs fue especialmente irritante, porque O'Neal solo hizo cuatro lanzamientos en el último cuarto y la prórroga, mientras que Bryant lanzó once veces a canasta. «Kobe se pasó de la raya el viernes —se lamentaba Jackson—. Se pasó de la raya.»

Pero luego llegó el milagro.

O quizá no fue propiamente un milagro, porque los milagros suelen aparecer de la nada. En cambio, Derek Fisher, igual que Bryant, llevaba cinco años con los Lakers. Pero a diferencia de Bryant, había quedado relegado a un segundo plano. Era un base que tendía al pase y lanzaba poco a canasta. Con 1,85 y 91 kilos, no era un jugador excepcional ni por su estatura ni por sus habilidades. Cuando, en 1996, los Lakers eligieron en el puesto número veinticuatro del *draft* a este jugador de Little Rock, Arkansas, en su último año de universidad, generó muy pocas expectativas. Y la aportación de Fisher en los primeros años de su carrera se correspondió con tales expectativas. Nunca superó los 6,3 puntos ni los 23,1 minutos por partido, y, cuando tuvo que perderse los primeros sesenta y dos partidos de la temporada 2000-01, nadie entró en pánico. Jackson tenía a Ron Harper, Brian Shaw, Mike Penberthy y Tyron Lue, todos capaces de botar una pelota con destreza.

No obstante, y para sorpresa de Jackson y compañía, la ausencia de Fisher debilitó al equipo. No era ni el más veloz, ni el más fuerte, ni el más rápido. Pero a Harper y Shaw les pesaban los años, la defensa de Penberthy era atroz y Lue era pequeño y frágil. Fisher, en cambio, era una roca.

«Para mí era la espina dorsal de los Lakers —afirma Travis

Best, el base veterano de los Pacers—. Era un jugador físico muy fuerte con una gran capacidad de liderazgo. Necesitas a jugadores como Derek Fisher para ganar en la NBA.»

Fisher regresó al equipo el 13 de marzo contra Boston y el impacto fue inmediato. Ese mismo día, Bryant se había quedado fuera por una infección vírica. Fisher entró como base titular y consiguió 26 puntos y 8 asistencias. La fluidez del juego recordaba la de los Lakers de los ochenta, cuando la prioridad número uno de Magic Johnson era hacerle llegar la pelota a Kareem Abdul-Jabbar en la zona. En ese partido, O'Neal anotó 28 puntos, Fox 21 y Horace Grant otros 16. Los momentos en los que todo el mundo se quedaba parado viendo cómo Bryant superaba rivales y los momentos de frustración desaparecieron. La prioridad número uno de Fisher era pasar la pelota. La número dos, también. La número tres era defender, cosa que se le daba muy bien: Randy Brown, el base de los Celtics, solo fue capaz de conseguir tres puntos y una asistencia en veintitrés minutos. «Sinceramente, sin él nos faltaba liderazgo —reconoció Jackson más adelante—. Ha sido un partido extraordinario. Un partido muy bueno.»

El momento fue muy oportuno. Los Lakers necesitaban urgentemente un liderazgo sano, y Fisher encajaba en el papel a la perfección. Apreciaba tanto a O'Neal como a Bryant y servía de pacificador. Shaw, Harper, Fox y Horry eran grandes guardianes de vestuario, pero eran mayores. Bryant y O'Neal se podían identificar con Fisher. Lo veían como un igual. Tres años antes, Bryant y él aparecieron en el programa de televisión del cantante de rap LL Cool J, *In the house*. Pasaron un buen rato hablando y compartiendo sus penas. Por su parte, O'Neal estaba encantado con la tendencia de Fisher a acercar la pelota a la canasta. Era un base que comprendía la importancia de tener un jugador grande y dominante en esa zona. ¿Cómo no le iba a gustar?

Con Fisher dirigiendo el ataque, los Lakers ganaron trece de los últimos dieciocho partidos de la temporada regular. Y aunque sería temerario decir que Bryant cambió de actitud, se puede afirmar que al menos la modificó temporalmente. Su media de puntos por partido con Fisher fue de 21,4, mientras que sin Fisher había sido de 29,6.

285

Uno de los condicionantes fue su estado físico. Fue una de las pocas épocas en la vida de Bryant en las que estuvo agotado y mermado. A lo largo de la temporada sufrió un esguince en el tobillo derecho, dolor de cadera, dolor en el hombro derecho y dolor en el dedo meñique. De hecho, volvió a lesionarse el tobillo el 21 de marzo en el partido contra los Bucks y se perdió nueve encuentros, siete de los cuales terminaron en victoria para los Lakers. «Aquello fue —recuerda Jackson—, lo que le hizo tomar conciencia de su propia vulnerabilidad.»

O'Neal se refirió a la baja de Bryant como «lo mejor que les había pasado». ¿La razón? «Era un tío listo —reconoce O'Neal—. Se daba cuenta de que habíamos ganado ocho de los nueve partidos, de que la pelota se movía y todo el mundo la tocaba, de que éramos mejores como equipo. Podía confiar en el equipo. Cuando regresó después de su lesión, parecía otra persona.»

Lo que no estaba claro era si los Lakers seguían siendo la misma potencia implacable del año anterior. Cerraron la temporada regular con un balance de 56 victorias y 26 derrotas, y se clasificaron para los *playoffs* en segundo lugar. Desde fuera se les veía como un equipo lastrado por sus luchas de ego internas y sus embarazosas escaramuzas.

No iba a ser fácil.

«Si uno tuviera que apostar —cuenta Fox—, seguramente no hubiese apostado por nosotros.»

Mike Penberthy era Allen Iverson.

Suena raro, ¿verdad? Penberthy era el niño blanco de la Master's College que no había sido elegido en el *draft*. Iverson, en cambio, salía de Georgetown y había sido número uno en el *draft*. Era el jugador de las trenzas, del *hiphop* y de las casas baratas de Hampton, Virginia.

No parece tener mucho sentido decir que Mike Penberthy era Allen Iverson.

Sin embargo, en los días previos a la final de la NBA de 2001, cuando su equipo estaba a punto de enfrentarse a una bomba de 1,83 m y 75 kilos, era lo mejor que Phil Jackson tenía a su disposición.

A pesar de las turbulencias de una temporada disparatada, los Lakers arrasaron en los *playoffs*. Arrollaron a Portland superándolos en tres partidos, se deshicieron de Sacramento en cuatro encuentros y pasaron por encima de San Antonio en otros cuatro. Después de cerrar la eliminatoria contra los Spurs el 27 de mayo, quedaban diez días para conocer al ganador de la eliminatoria Milwaukee-Philadelphia, en la final de la Conferencia Este.

Era de esperar, y así fue, que los Lakers terminaran enfrentándose a los 76ers, un equipo con 56 victorias durante la temporada regular, y el primer clasificado de una decepcionante Conferencia Este. El equipo entrenado por Larry Brown era un conjunto de jugadores entre buenos y correctos. Su plantilla era, en general, un compendio de mediocres jugadores con oficio, del presente y del futuro. Aaron McKie, el escolta nombrado mejor sexto hombre del año, había conseguido la media más alta de su carrera con 11,6 puntos por partido. Jumaine Jones, el alero, terminó la temporada con 4,7 puntos por partido. Tyrone Hill, era un buen reboteador y defensor, que había logrado una media de 9,6 puntos por partido. El banquillo de Philadelphia contaba principalmente con jugadores como Eric Snow, Raja Bell, Kevin Ollie o Matt Geiger. Y a ninguno de ellos los reconocerían si pasearan por un centro comercial.

El pívot titular de Philadelphia era Dikembe Mutombo, de 2,18 de altura, que empezaba a dejar atrás los mejores años de su carrera. Era un jugador fiable, un gran taponador y el mejor defensor de la liga. Pero ¿era para preocuparse? ¿Contra O'Neal? Desde luego que no.

Lo que sí tenían, no obstante, era a Iverson. Según Phil Taylor, de la revista *Sports Illustrated*, «un metro ochenta y dos de tejido cicatrizado».

Había sido titular en setenta y un partidos y lideraba la NBA con una media de 31,1 puntos. También era líder en recuperaciones con 2,5 y se le consideraba el jugador más rápido de la historia, lo cual, en sí mismo, no le mereció el título de MVP de la NBA. «Era especial —cuenta Brown, su entrenador durante años—. El jugador más especial que jamás tuve en un equipo.»

Iverson era un jugador imprevisible. Los rivales creían que lo veían y, de repente, ¡zas!, desaparecía de su vista. O parecían tenerlo controlado, pero empezaba a moverse y se esfumaba. A pesar de ser uno de los jugadores más pequeños del campeonato, conseguía escabullirse de rivales como Bryant o superar a contrarios como O'Neal. «Podía jugar durante cuarenta agotadores minutos y, de repente, atacar como si le fuera la vida en ello —decía Tony Delk, el veterano escolta de la NBA—. Buscaba tus puntos débiles. Iba a muerte.»

Los Sixers habían acabado con los Bucks en siete partidos, y la serie contra los Lakers empezaría el 6 de junio en Los Ángeles. Después de la temporada regular, Jackson apartó un día a Penberthy para comunicarle sin rodeos que él no hacía jugar a los *rookies* en los *playoffs*, de modo que quedaría fuera de las convocatorias. La noticia fue demoledora, pero el jugador se adaptó enseguida. En los entrenamientos, Penberthy hacía siempre el papel del base titular del equipo rival: Damon Stoudamire de Portland, Jason Williams de Sacramento, y Avery Johnson de San Antonio. Iverson fue, sin lugar a duda, el más divertido de imitar.

Penberthy volvió a sus veintiún años, a ser la estrella de la Master's y a lanzar desde cualquier sitio de la pista. Jackson le pidió que fuera Allen Iverson y él se convirtió en Allen Iverson. En su primer día metido en el papel, Jackson le dijo: «Mike, te voy a dar luz verde. Sal ahí y dispara». Penberthy daba saltos de alegría. Podía y tenía que dejar a un lado toda la disciplina del triángulo. Día tras día, pasaba por encima de Fisher, pasaba por encima de Lue, se detenía ante Kobe y lanzaba: «Los chicos me decían: "Mike, ¡eres un jugador increíble!" —recuerda Penberthy—. Fue muy divertido liberarme».

Cuando llegó la hora, el equipo de Los Ángeles se sentía preparado. Además, los Sixers tenían lesiones importantes. El antiguo jugador de los Lakers George Lynch había sido el alero titular del equipo de Philadelphia hasta que se rompió el pie izquierdo en un partido contra Toronto. Geiger, el sustituto de Mutombo, tenía tendinitis en las rodillas.[15] McKie sufría de una

---

15. Años más tarde, Brown le dijo a Kent Babb, el conocido biógrafo de Iverson, que la lesión de Geiger «era una patraña». Consideraba que el problema del pívot más bien era su pereza.

tendinitis recurrente en el hombro. Snow jugaba con el tobillo en mal estado. Mutombo tenía un dedo roto. Iverson tenía una contusión en el coxis que le hizo perderse el tercer partido contra Milwaukee. Bell, el escolta *rookie* de la Universidad Internacional de Florida, había llegado al equipo en abril como agente libre procedente de un gimnasio YMCA de Miami. Estaba comiendo en el restaurante Denny's de Sioux Falls en Dakota del Sur cuando le llamaron desde Filadelfia para comunicarle que tenía un sitio en su plantilla. De eso hacía solo dos meses. Ahora iba a jugar minutos clave en la final de la NBA. «Teníamos a muchos jugadores que no eran conocidos, pero creía que podíamos ganar, si salían bien las cosas», reconoce Brown.

Una multitud de 18 997 espectadores abarrotó el Staples Center. Quince minutos antes del comienzo del partido, el público empezó a corear «¡Paliza! ¡Paliza! ¡Paliza!». Momentos antes, un payaso con una camiseta de Bryant había cruzado la calle Figueroa en dirección al pabellón con una escoba. El optimismo era comprensible: sobre el papel, los Lakers eran Goliat, y los 76ers, el dedo meñique del pie de David. Las apuestas estaban 18 a 1 para los Lakers, mientras que la diferencia estimada de puntos en el primer partido y las apuestas al margen estaban en 11,5 puntos «contra un equipo [los Lakers] que lleva una racha de 19 victorias consecutivas y la confianza de un todoterreno al partido inaugural», escribió Chris Sheridan de la Associated Press.

A Iverson le motivaba el sonido de la arrogancia y la soberbia. Aquel «¡Paliza! ¡Paliza! ¡Paliza!» era como una sinfonía para un hombre que el día anterior había declarado a la prensa que «supongo que lo que se espera es que lleguemos a la serie, nos arrasen y nos vayamos a nuestras casas a pasar el verano. Esto nos quita mucha presión». También le gustó que Harper dijera que Lue, el base suplente de los Lakers y el encargado de intentar ensombrecer a la estrella de Filadelfia durante gran parte de la serie, sería probablemente el jugador más rápido sobre la pista. «¿Tyrone Lue? ¿Quién demonios era Tyrone Lue?» Iverson leyó las declaraciones en el *Philadelphia Enquirer* cuando estaba en el baño y salió enfurecido. Según Mckie, eso le hizo saltar el muelle.

Los Lakers salieron enchufados y en el primer cuarto se pusieron 16-5 por delante. Parecía que se cumplían todos los pronósticos. Pero Iverson no se inmutó. Conducía hacia la izquierda, giraba a la derecha, avasallaba a Fisher y a Bryant con comentarios hirientes y metía canastas imposibles para el resto de los humanos. Llegó al descanso con 30 puntos, a pesar de haber metido solo 11 de 23 en tiros de campo, lo cual no importaba lo más mínimo. Los lanzamientos incesantes de Bryant casi llevan a la ruina al equipo de Los Ángeles. Los lanzamientos incesantes de Iverson salvaron a los 76ers. El equipo de Filadelfia se puso por delante 50-56 y amplió su ventaja a 58-73 cuando quedaban 5 minutos y 23 segundos del tercer cuarto. «¡Te están pasando la mano por la cara! —le gritaba Tex Winter a Jackson en el banquillo—. ¡Te están pasando la mano por la cara!» Los Lakers finalmente se defendieron y Lue, que sustituyó a Fisher en el peor momento del equipo, hizo un trabajo magistral. Un hombre que había jugado una media de solo 12,3 minutos por partido durante la temporada regular hizo de Super Glue. Kent Babb escribió: «Lue, con su agarre y sus mordiscos, alejando a Iverson de la pelota e interponiéndose en su camino, fue como un mosquito perseverante en la cara de Iverson». Durante los veintidós minutos que jugó Lue, Iverson solo fue capaz de anotar 10 puntos. Al terminar el último cuarto, el resultado fue de 94-94. En la prórroga, los Lakers consiguieron enseguida una ventaja de cinco puntos. «Estaba convencido de que ganaríamos —confesó Pat Croce, el propietario de los 76ers, sentado cerca de la pista—. Ver cómo se nos escapaba de las manos…»

El MVP tomó las riendas. Cuando quedaba un minuto y diecinueve segundos, los Lakers ganaban por un punto. Iverson metió un triple y puso a su equipo por delante 99-101. Al cabo de unos instantes, después de un mal pase de Fox a O'Neal, Iverson recibió la pelota de manos de Bell en la derecha de la zona. Lue estaba cerca, como un ratón siguiendo trocitos de queso. Iverson botó la pelota hacia la línea de fondo, dio un paso atrás y lanzó desde casi cinco metros. Cuando la pelota atravesaba la red, Lue tropezó con los pies de Iverson y cayó de culo sobre el parqué. En un instante que quedó congelado en el recuerdo popular del deporte de Filadelfia, Iverson miró hacia el banquillo de los Lakers y pasó por encima de su rival en el suelo haciendo dos pasos exagerados para sortearle. Quería decir: «¿Quién manda aquí?». Croce dijo: «Durante todo el partido, la gente que se sentaba cerca de mí no paraba de soltar improperios. Cuando Allen pasó por encima de Lue, me levanté y me giré hacia Sharon Stone [la actriz y fanática de los Lakers], que tenía cerca y no paraba de gritar. "¡En tu cara, Sharon! ¡En tu cara!", le dije».

Los Sixers 101-107, y los 48 puntos de Iverson, con 18 de 41 en tiros de campo, fueron una oda a la resiliencia, a no rendirse jamás, a una banda de chicos de la calle capaces de echar abajo la madriguera de unas superestrellas.

«Hemos librado batallas distintas a lo largo de toda la temporada —decía Iverson después del partido—. Lo que nosotros tenemos es coraje. Jugamos con el coraje por delante, y después, con el talento.»

Traducción: los Philadelphia 76ers habían venido para ganar.

Realidad: los Philadelphia 76ers no tenían ninguna opción de ganar.

Y no lo hicieron. En los siguientes cuatro partidos, los Lakers cambiaron su planteamiento para superar a un equipo con determinación, pero claramente inferior. Concretamente, dejaron que Iverson anotara sus cien puntos y desafiara a cualquier otro jugador que quisiera lanzar. Años después, Brown lamentaba la ausencia de Lynch, insinuando que los Sixers eran un equipo diferente con su presencia. Pero no dejaba de ser una fantasía. No se puede detener a una estirpea en construcción con un jugador de oficio con una media de 8,4 puntos por partido. Los Lakers se llevaron el segundo partido en casa por 89-98 gracias a los 31 puntos de Bryant y a los 20 rebotes de O'Neal. Luego viajaron a Filadelfia, y el tercer y cuarto partidos fueron triunfos relativamente fáciles para los Lakers. «Empiezo a tener la sensación de que la única manera de derrotar a estos tíos —dijo Iverson después de haber perdido el cuarto partido por 86-100— es dándoles una paliza. Y, tal como van las cosas, no parece que eso vaya a suceder.»

Tenía toda la razón.

El 15 de junio, en la cancha del First Union Center de Filadelfia, los Lakers concluyeron la serie con una trabajada victoria: 96-108. Iverson se dejó la piel en la batalla y fue el máximo anotador con 37 puntos, pero el resultado fue el que estaba previsto desde un inicio.

Poco después de que sonara la bocina final e Iverson se acercara para abrazarse a sus oponentes (incluido Lue), O'Neal se paseaba por un pasillo sosteniendo en sus brazos su segundo trofeo como MVP de la final. Un dulce aroma llenaba el ambiente como consecuencia de las botellas de Dom Pérignon que se habían abierto en el vestuario. Los Lakers tenían un balance de quince victorias y una derrota en los *playoffs*. Memorable.

«¿Oléis esto? —decía O'Neal, que había conseguido una media de 33 puntos y 15,8 rebotes en los cinco partidos de la serie—. Así es como huele la victoria.»

En una sala aparte, Jackson y sus cuatro ayudantes fumaban puros y disfrutaban de un momento de plácida satisfacción. Sin previo aviso, se abrió la puerta y entró J. R. Rider, la olvidada y crónicamente impuntual antigua superestrella. No había sido convocado para los *playoffs* y se pasó todos los partidos con el culo pegado al banquillo, enfundado en un traje y con zapatos de vestir. En aquel momento de celebraciones excesivas a su alrededor, buscaba un lugar tranquilo para llorar. En cambio, se encontró cara a cara con el hombre que lo había marginado.

«Felicité a Phil y me marché —dijo Rider en 2018—. Uno de mis grandes sueños era ganar la NBA, pero terminó siendo el peor momento de mi carrera y quizá de mi vida. Los chicos intentaban decirme que yo también formaba parte de aquello, pero yo sabía que no era cierto. Kobe estuvo enorme. Shaq estuvo enorme. ¿Y yo qué hice? Estar ahí sentado como un perdedor.»

¿Se puso alguna vez el anillo después de todos estos años?

«Nunca. Jamás de los jamases. Es como si no fuera mío.»

11

El oficio de entrenar

«Kobe Bryant es un maldito psicópata.»

Esta frase fue pronunciada en 2018 por Paul Murphy Shirley, diecisiete años después de que este ala-pívot de 2,08 y 104 kilos de la Universidad Estatal de Iowa vistiera el uniforme de Los Angeles Lakers. Pero incluso después de tanto tiempo y de una carrera que lo llevó (cojan aire) al Panionios, al Yakima Sun Kings, a Atlanta, al Joventut de Badalona, a Kansas City, a Chicago, a Kazan, a Phoenix, a Pekín, a Menorca y al Unicaja de Málaga, recordaba con todo detalle las tres semanas que participó en el campus de pretemporada de bicampeones de la NBA.

«Estábamos en Hawái —cuenta Shirley—, lo cual era genial, porque ¿a quién no le gusta Hawái? Pero Kobe Bryant… —Pausa—. Es decir, no digo psicópata porque sí.»

Shirley aseguraba que había una historia detrás. «Una historia bastante interesante.» Después de dos años sin acudir a Hawái, la tropa de Phil Jackson había vuelto al paraíso. Llevarían a cabo los entrenamientos de pretemporada en el gimnasio del campus de la Universidad de Hawái. Como siempre, hubo algunos retoques en la plantilla, pero nada muy destacable. Se habían marchado J. R. Rider (gracias a Dios), Horace Grant, Ron Harper y Tyrone Lue. Ficharon a Mitch Richmond, un escolta seis veces *All-Star* con catorce años de trayectoria, para añadir profundidad a la plantilla. También se unieron al rebaño el pívot de Seattle, Jelani McCoy, el ala-pívot de los Spurs, Samaki Walker, y el veterano base Lindsey Hunter. No obstante, se trataba de caras conocidas entremezcladas con un puñado de invitados improbables: Dennis Scott, el veterano lanzador exterior y amigo de Shaquille O'Neal; Isaac Fontaine, el base de la Universidad Estatal de Washington (a quien Jackson se refería repetidamente como Isaiah, lo cual no era buena señal); Dickey Simpkins, un actor secundario en los Chicago Bulls; Peter Cornell, que había sido pívot en la Universidad Loyola Marymount; y Paul Shirley.

De los veinte jugadores que participaron en el campus, era el que tenía menos probabilidades de quedarse. Aun así, para Bryant, ya con veintitrés años, recién casado y tres veces *All-Star*, Shirley suponía una amenaza. Alguien intentaba arrebatarle lo que era suyo, mellar su jerarquía, acabar con su legado.

«Sinceramente —recuerda Shirley—, yo lo único que pretendía era quedarme en aquel maldito equipo.»

Una tarde, en un enfrentamiento de cinco contra cinco a pista completa con un equipo vestido de púrpura y el otro de oro, Shirley condujo la pelota hacia la canasta e intentó hacer una bandeja con poca decisión. La pelota no se decidía a entrar en el aro, Bryant saltó y ¡pop! envió la pelota fuera de la línea de fondo. Shirley perdió el equilibrio y acabó en el suelo, Bryant se puso a horcajadas sobre su cuerpo desplomado y, mirándose la zona pélvica y señalándose la ingle con ambas manos, gritó: «¡Sacad a esta basura de aquí! ¡Puto marica!».

Shirley no se amedrentó ni se sintió insultado. Sencillamente, estaba confuso. «Kobe era un abusón —cuenta—. Pero en el sentido sádico. No lo hacía de forma normal y con buena fe. Parecía que intentaba interpretar un papel. Recuerdo una vez que yo estaba en la línea de tiro libre y me llamó French Lick, por Larry Bird [apodado «the hick from French Lick», es español, «el paleto de French Lick»]. Pero no tenía ningún sentido porque yo no soy de Indiana, yo soy de Kansas. No era original. Era como si estuviera interpretando un papel en una película y escribiera sus propios diálogos. El chaval era extremadamente talentoso, pero prefiero tener una personalidad. Daba vergüenza ajena.»

Shirley no era el único al que Bryant desconcertaba. McCoy, que venía de jugar tres temporadas en Seattle, veía a su nuevo compañero como si viniera «de un lugar vengativo. Hay personas que lo que necesitan es irse a casa y fumarse un maldito porro». Cornell se había graduado en 1998, y en sus primeras tres temporadas había participado en un par de campus de entrenamiento de equipos de la NBA y había jugado periodos cortos de tiempo en un puñado de equipos de ligas menores. En la víspera de la primera sesión de entrenamiento en Hawái, los Lakers invitaban a todos los jugadores y entrenadores a una cena elegante. En un momento del evento, se les pidió a los *rookies* que se levantaran y se presentaran. Shirley lo hizo, Fontaine también…

«Era la tercera vez que participaba en el campus de los Lakers, de modo que no dije nada —recuerda Cornell—. «Y Kobe dijo: "¿Qué pasa con ese grandullón de allí? También eres un *rookie*". Solo lo hizo para humillarme. Era un capullo. Un auténtico capullo.»

En otra ocasión, Jackson hizo una pausa en el entrenamiento para que los jugadores se hidrataran. Bryant estaba apoyado sobre la canasta cuando Cornell se acercó a una de las neveras para coger una botella de Gatorade.

—¡Oye, *rookie*! —gritó Bryant, asegurándose de que todos le oían—. ¡*Rookie*! ¡Sabes que necesito un Gatorade! ¡Cógeme uno!

Cornell cogió una botella de 340 de Gatorade rojo y se acercó para dársela a Bryant.

—¡Vamos, *rookie*! ¡Necesito una botella grande!

Cornell regresó a la nevera y sacó una botella de Gatorade rojo de 900.

—¡*Rookie*! —gritó Bryant—.¡Deberías saber que solo bebo el de naranja!

O'Neal, el defensor de los pobres, había tenido suficiente.

—¡Oye, Kobe! —vociferó—. ¡Relájate de una puta vez!

Y ahí se acabó la historia.

Bryant había llegado al campus con guardaespaldas. Múltiples guardaespaldas. Uno tenía que quedarse en el vestíbulo del hotel, cerca del ascensor. Otro tenía que situarse a la salida del ascensor del piso de Bryant, y un tercero quedarse apostado delante de la puerta de su habitación. «Algunas veces tenía a uno de los guardaespaldas en el tejado del hotel —afirma Fontaine—. Yo no soy experto en seguridad, pero no creo que Kobe Bryant fuese el objetivo de ningún francotirador.» O'Neal disfrutaba con aquella demostración esperpéntica de narcisismo. «Kobe —le dijo en uno de los primeros trayectos en autobús—, ¿por qué coño necesitas tres guardaespaldas? ¿O incluso uno? ¿Quién va a venir a matarte exactamente?»

«Estaba como una cabra —cuenta Cornell—. Estás en Hawái. ¿Para qué necesitas un guardaespaldas?»

Así eran los Lakers de 2001-02, una temporada que fue distinta a todas. El ego exagerado de Bryant estaba más descontrolado que nunca y culminaría en la infame pelea con Samaki Walker en el viaje en autobús en Cleveland. O'Neal estaba a punto de cumplir treinta años y se sentía feliz como nunca de pasarse el verano comiendo galletas, bebiendo cócteles tropicales y durmiendo siestas. «Había dicho que volvería con ciento cuarenta kilos —recuerda Mark Heiler de *Los Angeles Times*—. Cuando volvió, estaba más cerca de los ciento ochenta kilos.» Tres de los jugadores que continuaban con el equipo, Rick Fox (32), Robert Horry (31) y Brian Shaw (35) subían la media de edad del equipo y el *draft* había tenido como resultado cero incorporaciones.

Phil Jackson se encontraba ante el mayor reto de su carrera.

Pero también supondría su mayor logro.

Durante sus primeros once años como entrenador, siempre se le había reprochado que «¿quién no ganaría con estos jugadores?». Es decir, «tenías a Michael Jordan, Scottie Pippen y Dennis Rodman en Chicago, y ahora tienes a Shaquille O'Neal y a Kobe Bryant en Los Ángeles. Tenías que ganar...».

Efectivamente, Jackson había tenido entre sus filas a un buen elenco de futuros nombres del Salón de la Fama. No obstante, cualquier entrenador que se precie sabe que el talento es solo una pequeña parte de lo que hace que un equipo funcione. Ya desde su época de entrenador en Albany, en la CBA, el don de Jackson fue su capacidad para convencer a sus hombres de ir todos a una. Incluso cuando se odiaban los unos a los otros. Incluso en los peores momentos. También tuvo el mérito de confiar en el sistema de Tex Winter, el triángulo ofensivo. Y además su actitud era amigable y apaciguadora. Los Lakers funcionaban como un equipo incluso cuando toda lógica hubiera sugerido lo contrario. Incluso cuando tenía a dos superestrellas que se detestaban mutuamente. Incluso cuando contaba con una plantilla envejecida o cuando las tentaciones hollywoodienses podían arruinar conjuntos de un talento menos impresionantes. «Dominaba el arte de mover las piezas esenciales cuando era necesario. Sabía cuándo debía apretar para dar un empujón al equipo —cuenta Fox—. Todos los días animaba a unos y ponía a otros en su sitio. Su metodología siempre respondía a una idea superior, pero tenías que darte cuenta.» Fox recuerda especialmente el ritual de las «carreras indias». Los jugadores se ponían en fila y tenían que ir dando vueltas a la pista. Al mismo tiempo, el último jugador de la fila tenía que hacer un esprint y ponerse en cabeza. «Todos éramos tan competitivos que esprintábamos dándolo todo. Cuando llegábamos delante de la fila, corríamos demasiado rápido —cuenta Fox—. Pero al final nos dimos cuenta de que teníamos que trabajar en equipo, sincronizar nuestros ritmos y funcionar como una unidad. No era ingeniería aeronáutica, pero era un enfoque muy típico de Phil.»

Jackson no tardó en advertir que aquella temporada (y aquel equipo) sería un reto mucho mayor que las dos anteriores. La primera preocupación era O'Neal, que había esperado hasta el 29 de agosto (para disgusto de la franquicia) para someterse a una intervención para tratar el dolor que sufría en un dedo del pie izquierdo. Se pasaría gran parte de la temporada recuperándose de la operación (terminó jugando solo sesenta y siete partidos). Pero había más. El fichaje que había causado más revuelo había sido el de Richmond, un buen lanzador exterior con una media de 22,2 puntos por partido a lo largo de toda su carrera. No obstante, el seis veces *All-Star* tenía ahora treinta y seis años, y había jugado solo treinta y siete partidos en Washington en la temporada 2000-01 por culpa de una hiperextensión en la rodilla. «Yo sabía que podía contribuir —admite Richmond—. Llegué al equipo en muy buena forma y mis habilidades seguían siendo las mismas. Estaba listo.»

Pero enseguida se hizo patente que Richmond, que había ganado fama y fortuna en sus días de gloria junto a Tim Hardaway y Chris Mullin en Golden State, ahora no era más que el fantasma de lo que fue en su día. Seguía siendo un buen lanzador, pero no tan bueno como antes. Todavía era rápido, pero carecía de cambios de ritmo. «Le pesaban las piernas —recuerda Jackson—. Necesitaba cuatro o cinco minutos para calentar cuando salía del banquillo, con lo cual tenías a Kobe ahí sentado mientras Mitch se ponía a tono. No sabía qué hacer con él.»

Jackson tuvo que buscar otro jugador. En las dos temporadas anteriores, los aficionados de los Lakers podían estar tranquilos cuando miraban al banquillo y veían a Devean George sentado en él. Era un jugador que solo veías sobre la pista si la ventaja en el marcador era holgada o si había muchos jugadores a punto de ser expulsados por acumulación de faltas.

Allá por 1999, cuando los Lakers usaron su vigesimotercer puesto del *draft* para elegir en primera ronda a un alero de la División III del que nadie había oído hablar, la reacción fue de cierto optimismo. Al fin y al cabo, Jerry West se había ganado el beneficio de la duda, y si él decía que Devean George sería un jugador especial, ningún fiel seguidor se atrevería a discutírselo.

Desafortunadamente, Devean George no era un jugador especial. O por lo menos no lo parecía. No hacía tanto tiempo que había sido un desconocido escolta de 1,88 en su último año de instituto en el Benilde-St. Margaret's de St. Louis Park, un suburbio de Minneapolis. Aunque su media fue de 25 puntos y 8 rebotes aquel año, la liga era de chiste y fue ignorado por casi todas las grandes universidades y colegios superiores.

Recientemente, había visto cómo mataban al mejor amigo de su hermano, un chico llamado Byron Phillips, en un tiroteo desde un coche, y todo lo que quería era escapar de aquel barrio peligroso. Pero ¿cómo escapa uno cuando nadie sabe de su existencia?

Dave Johnson, su entrenador en el instituto, empezó a hacer llamadas en su nombre y se puso en contacto con la Universidad de Augsburg, su *alma mater*. El responsable del programa era Brian Ammann. «Me dijo que había un chico al que tenía que fichar —recuerda Ammann—. Recibo muchas llamadas de este tipo, y la mayoría de las veces no tienen ningún sentido. Pero fue muy insistente.» Hubo una frase en concreto que cogió a Ammann por sorpresa:

—Brian —dijo Johnson—, solo mide 1,88, pero tiene que crecer unos diez centímetros.

¿Cómo?

—Lo digo en serio. Tiene un hermano mayor que pegó un estirón. Confía en mí, valdrá la pena.

Ammann le ofreció una plaza a George y se arrepintió inmediatamente. Su nuevo jugador, «que como mucho llegaba a los sesenta y cuatro kilos empapado», era testarudo, insufrible y excesivamente seguro de sí mismo en relación con su talento. El entrenador lo metió en el equipo júnior y vio cómo anotaba cuarenta puntos en sus dos primeros partidos.

Las universidades de la División III no tienen becas deportivas, de modo que los padres de George se hacían cargo de la mayor parte de los veinte mil dólares que costaba la matrícula anual. Su madre, Carol, era la propietaria de un salón de belleza y cogió un segundo trabajo como limpiadora del aeropuerto. Su padre, Eddie, trabajaba en un club nocturno de su barrio llamado Cato's Shrine y además conducía un camión para una constructora.

El primer año de universidad de George fue para olvidar. Y su segundo año no fue mejor. El equipo viajó a Alemania para jugar unos partidos de exhibición, y George se vio físicamente superado por aquellos rivales grandes y fuertes. Le metían codazos en las costillas, le daban puñetazos en la cabeza y lo aplastaban en los bloqueos. George se escabullía de la pista y se encontraba a un Ammann que le gritaba: «¿Dónde está tu valentía? ¿Conoces la diferencia entre una lesión y el dolor? ¿Quieres estar aquí o no?».

Pero luego, tal y como le había prometido Johnson, el chico creció.

De la noche a la mañana, la Universidad de Augsburg contaba con un fenómeno deportivo de 1,98 con una envergadura de brazos de 2,16. De golpe empezó a llamar la atención de equipos de la División I, que le ofrecían un futuro en la NBA, al que no podría acceder desde la División III. «Ven aquí y haremos realidad tus sueños.» «Ven aquí y olvídate de las ligas mediocres.» Después de muchas dudas, George decidió quedarse, y como sénior terminó siendo el tercer máximo anotador (27,5 puntos) y el séptimo mejor reboteador (11,3 rebotes) de la División III; llevó a su equipo, los Aggies, a ganar el título de la Conferencia Deportiva Interuniversitaria de Minnesota.

Desde Augsburg intentaron conseguir una invitación para su estrella en alguno de los campus de exhibición, pero sin éxito. Finalmente, hubo una baja en la Portsmouth Invitational que se celebraba anualmente. Era un campus antes del *draft* para jugadores con futuro, y George consiguió una de las sesenta y cuatro plazas. Consiguió dobles-dobles en sus primeros tres partidos; al terminar la temporada, lo asediaban varios agentes para ficharlo como cliente. A lo largo de una semana visitó las instalaciones de siete equipos distintos de la NBA. Una de sus últimas visitas fue en Los Ángeles, con los Lakers. Jackson había firmado su contrato con el equipo pocos días antes y una de sus primeras tareas fue observar a George exhibirse junto a Leon Smith, un jugador de último año del instituto Martin Luther King de Chicago del que se había hablado mucho.

Bajo la mirada de Mitch Kupchak y de Jackson, sentados el uno al lado del otro, George metió sus quince primeros tiros y pasó por delante de un superado Smith.

—Creí que habías dicho que este chaval no sabía lanzar en movimiento —le dijo Jackson al director general.

—Phil, eso creía —respondió Kupchak.

Sin decir una palabra a ninguno de los dos jugadores, Jackson se levantó, recogió sus cosas y abandonó el edificio. «Fue un poco raro», cuenta George. Los Lakers llamaron al cabo de unas semanas y lo invitaron a una segunda sesión. Siguió realizando buenos lanzamientos hasta que Jackson intervino.

—¿Por qué no lo dejamos? —dijo el entrenador—. Estás teniendo mucha suerte.

—Señor Jackson —respondió George—, esto no es suerte. Puedo lanzar así. También puedo hacer otros ejercicios si lo prefiere.

—No, no —dijo Jackson—. Es suerte. No necesito ver esto.

Cuando la sesión terminó, Ammann recibió una llamada de Jerry West. «Soy un entrenador cualquiera de la División III ¡y tengo a Jerry West al teléfono!», pensó Ammann.

—Entrenador, ¿cómo consiguió a este chaval? ¿Es un pandillero? —preguntó West.

—No —respondió Ammann.

—¿Tiene antecedentes penales? —dijo West.

—No —contestó Ammann.

—Tiene que haber algo…

Pero no lo había. Devean George era un jugador que se había desarrollado más tarde de lo normal y al que nadie había prestado atención.

Lamentablemente, para West y para los Lakers, los riesgos de fichar a un jugador de bajo nivel se hicieron patentes enseguida. La primera liga de verano de George fue un auténtico desastre, hasta el punto de que el equipo se planteó traspasarlo antes de que las otras franquicias se dieran cuenta del jugador que no era. Estaba totalmente perdido en cuanto a posicionamiento, oportunidad y distribución en el espacio. «Le daba demasiadas vueltas a todo —recuerda George—. Estaba convencido de que podía dar el salto de una universidad menor a jugar con gente como Shaq y Kobe. Pero no es solo que el nivel sea distinto. Es que es un planeta distinto.»

George no estaba preparado. Se pasó su primera temporada jugando solo siete minutos por partido y la temporada siguiente fue más de lo mismo. Las increíbles capacidades atléticas que le hicieron destacar en la División III ya no parecían tan increíbles. Además, le pusieron el peor adjetivo que se le puede dar a un jugador de la NBA: blando.

Fox, el jugador al que George se suponía que debía reemplazar algún día, reconoció años después que se negó a prestarle ayuda al recién llegado. «Tenía ganas de darle una paliza —dice Fox—. Hay que recordar que yo crecí jugando para los Celtics. Xavier McDaniel era mi compañero de equipo. Luchamos durante tres años y me enseñó a jugar con ira. Devean era demasiado buen chico. Nosotros éramos una panda de tiburones. Él era un pececillo.»

El tono que caracterizaría su primer año de *rookie* no tardó en aparecer. Durante un viaje a Iowa para un partido de exhibición, O'Neal le pidió que se quedara después de la sesión de tiros para charlar. «Me dijo que querían enseñarme algo —cuenta George—. Yo era un *rookie*, tenía que escucharlos.» Los veteranos rodearon a George uno a uno, le quitaron la ropa, le taparon la boca y le ataron las manos con cinta adhesiva, lo echaron al suelo y pegaron todo su cuerpo al suelo con la cinta. Luego subieron todos al autobús y se marcharon. En general, en los Lakers no se hacían novatadas. Y las que se hacían no eran nada del otro mundo. Pero el caso de George era especial. No se trataba de que su ingenuidad lo convertía en un blanco fácil, sino que, según los Lakers veteranos, necesitaba sufrir y endurecer su carácter. «Phil era muy estricto con que nadie de fuera estuviera presente en los entrenamientos, o sea, que me quedé allí mucho rato —recuerda George—. Ni siquiera sabían que la sesión había terminado.» Al fin, entró un encargado de mantenimiento que se quedó pasmado al ver a un espécimen atlético de 2,03 pegado al parqué. «Cortó la cinta para liberarme y me acompañaron en coche hasta el hotel del equipo —cuenta George—. Totalmente desnudo.»

Para un equipo que hacía novatadas de lo más leves, aquello cruzaba una línea roja. Pero es cierto que, si se hubiese tratado de Bryant, Derek Fisher o Mike Penberthy, ellos se hubieran defendido y hubieran dado algunos puñetazos. George se limitó a aceptar su destino.

«Era una persona frágil —decía O'Neal—. Viéndolo con perspectiva, nos tenía miedo a mí y a Kobe, pues le afectaba lo que le decíamos. Ojalá hubiera sabido que era así. Lo malinterpreté y pienso que aquello perjudicó su desarrollo. No podía soportarlo y jugaba con miedo.»

No obstante, ahora Jackson necesitaba que George resurgiera como jugador. Fisher, que se había consolidado como base de la NBA en los *playoffs* de 2001, estaría tres semanas de baja por una intervención para remediar la fractura por sobrecarga en el pie derecho, y la plantilla se quedaba dolorosamente corta. Cuando el equipo inauguró su temporada de defensa del título en casa contra Portland el 30 de octubre, el quinteto titular presentaba a O'Neal, Bryant, Fox con treinta y dos años y dos nuevos jugadores de oficio (Hunter como base y Walker como ala-pívot). En el banquillo estaban George, McCoy y una pandilla de ancianos de la residencia de al lado. «La única forma de sacar adelante la temporada 2001-02 era improvisar —afirmó Jackson *a posteriori*—. Nada de lo que ocurrió seguía alguna lógica conocida por mí.»

Con un O'Neal renqueante y un Bryant tan egoísta como siempre, los Lakers se las apañaron para derrotar a los Blazers por 98-87, y ganaron seis partidos consecutivos más (con una ventaja promedio de 11,5 puntos) antes de viajar a Phoenix para jugar contra los Suns. Aunque solo habían transcurrido dieciocho días desde el inicio de la temporada, Jackson no había entendido el lenguaje corporal de sus jugadores durante el triunfo ante Houston por 98-97 del día anterior. Le pareció todo plano y aburrido. Jackson sabía que los Lakers tenían mucho más talento que los Suns, pero también era consciente de que cualquier equipo de la NBA podía derrotar a cualquier otro en un momento dado. Cuando los Lakers iban perdiendo 23-19 en el segundo cuarto, y luego 32-21 en el tercero, Jackson se limitó a observar. No reprendió a nadie. No pidió tiempo muerto. No gritó, no se paseó arriba y abajo, no se quejó y no se lamentó de nada. Joe Crispin, un escolta *rookie* de la Universidad Estatal de Pensilvania que había conseguido la última vacante de la plantilla, estaba sentado en el banquillo junto a Hunter, absolutamente desconcertado. ¿Por qué no entraba en pánico?

—Phil no piensa hacer nada, ¿verdad? —le dijo a Hunter—. ¿Dejará que perdamos el partido?

Hunter asintió con la cabeza, como hacen los veteranos.

—Sí —dijo—. Podría ser.

Cuando el partido terminó con triunfo de los Suns por 95-83, Jackson se dirigió a sus jugadores en el vestuario y les dijo:

—No hemos entrado con la energía adecuada. Ha sido bueno para nosotros. Lo necesitábamos.

Crispin, que en 2016 sería nombrado entrenador jefe del equipo masculino de la Universidad de Rowan en la División III, jamás olvidó aquella lección. «Algunas veces, un equipo gana con una derrota», recuerda.

Dos días después, los Lakers dieron el pistoletazo de salida a una racha de nueve victorias consecutivas que llevó al equipo a liderar la NBA con un balance de 16-1. Para la mayoría de los aficionados al baloncesto no tenía nada de emocionante que un equipo que siempre gana siguiera ganando. Pero lo que estaba sucediendo era magistral. A Walker, recién llegado al equipo después de haber estado las dos temporadas anteriores bajo las órdenes de Greg Popovich en San Antonio, no le sorprendió excesivamente el triángulo ofensivo, que pudo comprender y aprender con relativa facilidad. Pero la forma en que Jackson dirigía la plantilla era impresionante. «Había muchos egos, y él supo cómo gestionarlos —recuerda Walker—. No en el sentido de que los chicos dejaran sus egos a un lado por Phil, cosa que desde luego no hicieron, sino que él entendía cómo pensaban y cómo trabajaban sus jugadores. Simplemente, los empujaba hacia el lugar desde el que podían tener éxito. Pop era directo con sus chicos. Phil no lo era, encontraba la calma. Era todo más sutil, pero genial.»

George, que estaba teniendo muchos minutos por primera vez en su carrera, se estaba convirtiendo en un defensor inquebrantable y no desentonaba en la pista junto a Bryant. Walker, un jugador en general decepcionante desde que abandonó precipitadamente Louisville para entrar en el *draft* de 1996, era corpulento y resultaba ideal cuando los Lakers necesitaban responder físicamente a franquicias con jugadores más fuertes. En ausencia de Fisher, Lindsey Hunter dirigía el ataque con una eficiencia intachable, cosa que sorprendió al propio cuerpo técnico. Érase una vez un escolta salido de la nada en la Universidad Estatal de Jackson que, en el verano de 1993, se convirtió en el jugador más prometedor del *draft*. Con solo 1,88 de altura, tuvo que jugar de base y el salto de una universidad menor al nivel profesional sería un reto enorme. Sin embargo, cuando los Pistons lo eligieron en el décimo puesto del *draft*, la opinión general era que la franquicia se había hecho con el posible sucesor de Isiah Thomas. «Esto es genial —decía Hunter en su rueda de prensa de presentación—. Es como un sueño. Y esto es solo el principio.»

Y fue el principio de una carrera bastante corriente en la que estuvo siete años con los Pistons, durante un periodo que terminaría siendo el intervalo probablemente menos interesante en la historia de la franquicia. Igual que la mayoría de sus compañeros de equipo, Hunter era un jugador aceptablemente mediocre. Jugaba con dureza, era tenaz en defensa, se esforzaba para superar el cuarenta por ciento de acierto en sus lanzamientos y nunca fue un gran pasador. En palabras de Helene St. James, del *Detroit Free Press*, «no cuajó como verdadero base» y su traspaso en el año 2000 a Milwaukee no provocó más que un bostezo en el banquillo de la Motown. Cuando los Lakers enviaron al suplente Greg Foster a los Bucks a cambio de Hunter, el 28 de junio de 2001, se consideró un intercambio de basura por basura. Quizá Hunter encajaría. Quizá no.

En lugar de eso, sobresalió. Aquel mismo verano, el hermano pequeño de Hunter, Tommie, murió en un accidente de coche después de perder el control de su vehículo y estrellarse contra un árbol. Tenía diecinueve años y estaba a punto de empezar su primer año en la Universidad Estatal de Jackson. En aquel momento, Lindsay estaba en su casa de Raymond, Misisipi, y cuando recibió la llamada salió corriendo hacia el hospital. Desgraciadamente, su hermano ya había muerto. Lindsey escuchó la noticia y empezó a vomitar. Hacía solo algunas horas que habían estado comprando juntos un regalo del Día del Padre para su padre, y luego habían bajado corriendo las escaleras del Pabellón Memorial de la Universidad Estatal de Jackson. Cuando Tommie salió aquella noche para ver a su novia, llevaba una camisa de su hermano. No se trataba solo de la muerte de un ser querido. Tommie había sido como un hijo para Lindsay. Tommie seguía todos sus pasos.

Después de la tragedia, Lindsay Hunter se convirtió en una persona más oscura, más seria. Cuando llegó a Los Ángeles, no llevaba un peso sobre los hombros, sino un corazón destrozado. «[Ahora] soy distinto —declaró en *Los Angeles Times*—. No es que quiera serlo. Pero me está costando. Algún día estaré mejor. Pero no puedo hacer nada al respecto. He hablado con terapeutas, por supuesto, y con otras personas para intentar coger algo de perspectiva. Sigo sin entenderlo. Sí que me han ayudado un poco, pero todos me dicen lo mismo, que hay que pasar por lo que hay que pasar.»

Nadie sabía qué se podía esperar de él, especialmente cuando se convirtió en titular. Como no buscaba la atención, se comportaba como un profesional y comprendía que la vida era más que baloncesto, su forma de dirigir al equipo entró en perfecta sintonía. No tenía problema en pasarle la pelota a Bryant o a O'Neal, ganar o perder no le cambiaba la vida (aunque prefería ganar, por supuesto). Al final del día, siempre regresaba a casa con su mujer, Ivy, y sus tres hijos. Consiguió la cifra excepcional de 16 puntos en dos partidos consecutivos (el cuarto y el quinto de la temporada que ganaron contra Utah y Memphis) y no se mostró especialmente satisfecho. Unas semanas después, metió una sola canasta en una paliza de los Clippers y no parecía especialmente desolado. Su ortopédica finta de tiro, que siempre le funcionaba, era artística por su simplicidad. No necesitaba Hollywood ni las palmeras. Y desde luego no le importaba lo más mínimo si aquel era el equipo de Shaq o el de Kobe. «Era el mejor —asegura Crispin—. Lindsey se preocupó mucho por mí cuando yo era *rookie*. Era un líder sin actitud de líder y sin ego.»

Estos Lakers, con sus carencias y con una muy probable decepción por delante después de haber ganado dos títulos consecutivos, eran más osados que antes y gustaban más a la gente. A pesar de lo que uno podía leer en la revista *ESPN The Magazine* (fanática de Bryant), el cambio no tenía nada que ver con que el escolta estrella del equipo, que se mostraba más insoportable y egoísta que nunca, hubiese madurado. Cuando Kobe y Vanessa se casaron el 18 de abril de 2001 en la iglesia católica de san Eduardo el Confesor, en Dana Point, no invitaron a ningún jugador ni a ningún miembro del cuerpo técnico de los Lakers. No era una sorpresa y, de hecho, casi todo el mundo se sintió aliviado. «¿Crees que los chicos querían ir?», cuenta Walker. En realidad, se enteraron de la noticia en la sesión de entrenamiento del día siguiente. Así es como Bryant hacía las cosas.

Aquella misma temporada, cuando los Lakers se desplazaron a la ciudad del amor fraternal para enfrentarse a los 76ers, el instituto de Bryant, el Lower Merion, anunció una ceremonia para retirar el número de la camiseta de su mejor jugador de todos los tiempos. Desde que se mudara al sur de California en 1996, la relación de Bryant con su ciudad natal había sido algo tensa. La gente lo veía como un mercenario, como el chico de zona residencial criado en Italia que aspiraba a tener las agallas y el empuje de Allen Iverson de la forma más falsa. Después del tercer partido de la final de la NBA en Filadelfia, le dijo a un aficionado: «Les vamos a arrancar el corazón». Aquel comentario sentó muy mal, aunque Andrew Gilbert, un periodista de la revista *Hoop*, lo defendía: «¿Qué tenía que decir? ¿Crecí aquí y no voy a luchar?». Ocho meses después, en el *All-Star* de 2002 que tuvo lugar también en Filadelfia, fue abucheado cuando le entregaron el trofeo de MVP. Aquello le causó una herida de sangre escarlata. Cuando Bryant abandonaba la pista, lo saludó Scoop Jackson, el periodista de la revista *Slam* que solía entablar relaciones muy cercanas con los jugadores cruzando la línea deportista/periodista. «Scoop, no lo entiendo», dijo Bryant con lágrimas corriéndole por las mejillas.

Jackson le ofreció un abrazo. «Fue la primera vez que vi que algo le afectara —cuenta Jackson—. «Aquello le dolió. Estuvimos ahí de pie durante cinco minutos y el maldito al fin pudo enderezarse. Yo le golpeaba el pecho y le decía algo así como: "Joder tío, venga. Ahora no lo entienden, pero algún día lo entenderán".»

Igual que el *All-Star*, la ceremonia que tuvo lugar en el instituto también fue significativa. Bryant incluso invitó a algunos compañeros de equipo (los mismos a los que no invitó a su boda). Brian Shaw, el veterano base, estaba sentado en las gradas del gimnasio junto a Samaki Walker, al que le dijo:

—Estás a punto de presenciar algo espectacular.

—¿Qué quieres decir? —preguntó Walker.

—Tú observa —respondió Shaw.

Joe y Pam Bryant llegaron y se sentaron a la derecha de su hijo. Vanessa Bryant llegó y se sentó delante de su marido. Se intercambiaron miradas frías. El evento fue incómodo de principio a fin, ya que en realidad se trataba de un montón de gente haciéndole un homenaje a un hombre que no les importaba demasiado. «Fue triste —recuerda Walker—. Kobe me dijo que un grupo de compañeros del instituto había contactado con él antes del viaje para preguntarle si le gustaría juntarse con ellos. Kobe me dijo: "¿Son estúpidos? ¿Son bobos? ¿Cómo pueden pensar que voy a salir con ellos?". Eso lo dice todo.»

Pero en realidad nada de todo aquello tenía ninguna importancia. Realmente ninguna. O'Neal era padre de tres hijos, y con la edad y la madurez cada vez le interesaban menos las tonterías del club. Jackson, que durante las dos primeras temporadas había sido muchas veces duro con Bryant, notaba este año cierta madurez del jugador sobre la pista y decidió dar un paso atrás. «No puedo decir que diera un giro de ciento ochenta grados —decía Jackson en diciembre—, pero quizá sí un viraje noventa grados en su carácter.» Richmond, aunque tenía un promedio de solo 11 minutos y 4,1 puntos por partido, se convirtió en una presencia importante. Enseguida se dio cuenta de que pasaría la mayor parte del tiempo en el banquillo, pero, aun así, seguía entrenando duro, aplaudiendo con fuerza, animando y ayudando a formar a otros jugadores. Demostró su valía durante un desplazamiento a Nueva York, cuando Jelani McCoy, que se sentía frustrado por su inactividad y sus pocos minutos sobre la pista (acumulaba una media de cinco minutos por partido en veintiuna apariciones), decidió estallar durante una sesión de entrenamiento en un gimnasio de Manhattan. Era un chico californiano que había sido estrella en UCLA y se unió a los Lakers esperando gloria y esplendor. En lugar de eso, se tenía que enfrentar a la desgracia y la humillación de que sus amigos le preguntaran: «¿Qué demonios te ha pasado?».

«Estábamos jugando un partido entre nosotros en la Gran Manzana y llegué al límite —recuerda McCoy—. Había salido la noche anterior y seguía con la energía de la fiesta. Empecé a abandonar el triángulo. A la mierda. A la puta mierda ese puto ataque. Empecé a provocar a todos los que jugaban en mi posición. Madsen. Slava Medvedenko. Los insultaba, corría arriba y abajo de la pista poniéndoles tapones, desviando la bola, etc.»

Dicho de otro modo, McCoy se comportó como un imbécil.

«Sí, lo fui», reconoció años después.

Richmond, que jugaba en el equipo de McCoy en el entrenamiento, se le acercó durante una pausa de hidratación.

—Chaval —dijo—, tienes que calmarte.

—¡Y una mierda! —gritó McCoy—. ¡Esto no es culpa mía! ¡A mí no me pasa nada! Me tienen jodido, sentado en el banquillo como si yo no pudiera jugar a esta mierda.

Volvió a la pista y siguió jugando con los ojos en blanco y con una intensidad propia de los Bad Boys de Detroit. Fue uno de aquellos momentos en los que Jackson, en lugar de intervenir o de mandar a McCoy al hotel, se reclinó y observó qué sucedía. Nada más terminar el entrenamiento, Richmond sentó a McCoy en la esquina. No le esperaba una charla agradable. Sería el sermón del director del colegio al estudiante que hace novillos.

—Escúchame —dijo Richmond—, la has cagado. Has metido la pata hasta el fondo. Phil te está poniendo a prueba…

—Perfecto —respondió McCoy—, que me ponga a prueba porque soy jod…

—No —contestó Richmond—, eras más inteligente que esto. Si alguna vez necesitas desahogarte, habla conmigo. Pero no empieces a intentar demostrar tus habilidades así. Lo único que consigues es quedar como un idiota.

Años después, McCoy veía aquella charla como la lección más importante de su carrera. «Los grandes equipos necesitan líderes. Mitch era el mejor», dijo.

12

Los Kings se quedan sin corona

*L*os Angeles Lakers sumaron cincuenta y ocho victorias en la temporada 2001-02. Desde el punto de vista estadístico y médico, todo estaba en su sitio. O'Neal se recuperó de la lesión del dedo del pie y acabó con una media de 27,2 puntos y 10,7 rebotes por partido. Bryant jugó su mejor baloncesto hasta la fecha, como lo demuestra su promedio de 25,2 puntos y 5,5 asistencias. Fisher se perdió doce partidos, pero volvió y acabó siendo su segunda mejor temporada anotadora (11,2 por partido). Además, se consolidó como uno de los mejores bases de la Conferencia Oeste. Jackson utilizó todas las herramientas de las que disponía para mantener la cohesión del equipo y, en general, funcionó.

Eran un buen equipo.

Un equipo fuerte.

Un equipo probado.

Pero, para ser sinceros, los Sacramento Kings con sus sesenta y una victorias eran mejores.

La idea en sí era absurda. O, dicho de otro modo: si un aficionado de los Kings de principios o mediados de la década de los noventa se despertara de un coma y le dijeran que su franquicia era superior a Los Ángeles Lakers, no dudaría en reír o llorar, y se preguntaría qué drogas se había tomado Mike Peplowski y Duane Causwell para alcanzar el estrellato de la NBA. «Era una franquicia inestable —cuenta Mitch Richmond, que había jugado con los Kings de 1991 a 1998—. Éramos el hazmerreír disfuncional de la liga.»

Desde que la franquicia abandonara Kansas City en 1985, los Kings habían sido un sumidero del deporte profesional. En diecisiete temporadas, solo se clasificaron por encima de media tabla en cuatro ocasiones, y no habían ganado un título desde 1951, en la época en que la franquicia estaba en Rochester, Nueva York. Si no era por sus terribles elecciones en los *drafts* (por ejemplo, usaron su primer puesto en 1989 para hacerse con el pívot de Louisville Pervis Ellison), era por sus terribles traspasos (el traspaso de Otis Thorpe a los Rockets a cambio de Rodney McCray y Jim Petersen en 1988 todavía duele). Su peor momento entre un sinfín de malos momentos lo tuvieron en la temporada 1996-97 con solo treinta y cuatro victorias, cuando estaban a punto de mover la franquicia a Nashville antes de recibir, en el último minuto, un préstamo de setenta millones de dólares de la ciudad.

«Algunas veces uno se preguntaba si realmente éramos un equipo de NBA —decía Walt Williams, alero del equipo a principios de los noventa—. Nunca salía nada bien.»

O casi nada. En 1994, la franquicia contrató como director general a Geoff Petrie, un exjugador con aires de profesor que había destacado en su paso por la Universidad de Princeton y había sido una estrella de los Blazers durante seis temporadas. El equipo le suplicó que aceptara el puesto, y cuando Petrie le dijo al propietario Jim Thomas que tendría que renovar de arriba abajo la plantilla («Es decir, de arriba abajo, Jim. De arriba abajo»), Thomas asintió solemnemente con la cabeza y sacó la billetera.

En los años que siguieron, Petrie sacó a la franquicia de debajo de los escombros del infierno del baloncesto. En su primer *draft* se llevó a Brian Grant de la Universidad Xavier, un excelente ala-pívot, y al año siguiente los Kings se hicieron con Corliss Williamson, un ala-pívot todavía mejor de la Universidad de Arkansas. El verdadero punto de inflexión empezó en 1998, primero con el traspaso de Richmond (y Thorpe) a Washington a cambio de un ala-pívot/pívot de 2,06 llamado Chris Webber, y luego con el fichaje de Rick Adelman como entrenador. En sus cinco temporadas en la NBA, una con Golden State y cuatro con Bullets/Wizards, Webber se ganó fama de jugador prolífico cuyo mal humor, mezquindad e inconsistencia podían llevar a un equipo al desastre. Su salida de tono más infame fue cuando acudió a la prensa de la ciudad de Washington para quejarse de la comida que servían en los vuelos chárter del equipo («Te ponen esta cosa pequeña con ternera. Yo no como ternera»). Aquella queja sincera, aunque desafortunada, se convirtió en una pieza de museo en luces de neón representativa del consentido deportista moderno. No obstante, visto con perspectiva, aquello fue una tontería. Durante el tiempo que estuvo en la capital, lo detuvieron por posesión de marihuana, por agresión y fue investigado por una denuncia por agresión sexual. Cuando salió la noticia de su traspaso a los Wizards, la Associated Press tituló: «Los Washington Wizards acordaron ayer el traspaso de dos distinguidos veteranos a cambio de un niño problemático».

Aun así, Petrie estaba dispuesto a asumir el riesgo. Webber tenía veinticinco años, un gran talento y era el tipo de estrella que una franquicia sin estrellas necesitaba, pero que nunca podía conseguir. A situaciones desesperadas, soluciones desesperadas.

«De hecho, Chris tenía bastantes reservas sobre venir a Sacramento —explica Petrie—. Veníamos de una temporada en la que habíamos ganado solo veintisiete partidos, y él tenía dudas sobre si podíamos llegar a ser un equipo competitivo. Tuvimos que hacer un gran montaje económico para conseguir que nos diera una oportunidad.»

Webber se convirtió inmediatamente en el jugador con más talento de la historia de la franquicia. Poco después, Petrie se hizo a sí mismo el gran favor de fichar a Vlade Divac, expívot de los Lakers, al que le ofrecieron un contrato de 62,5 millones de dólares por seis años. Con 2,16 y 110 kilos, Divac les proporcionaba una gran presencia en la posición de pívot; además, se erigió como el mejor líder de vestuario de la liga. Tras haber jugado sus dos primeros años junto a Magic Johnson en Los Ángeles, Divac tenía un máster en cohesión de equipo, además del hábito inexplicable de fumarse medio paquete de cigarrillos al día. De verdad. «Vlade fue el jugador más querido que jamás he cubierto —afirma Ailene Voisin, el veterano columnista del

Sacramente Bee—. No tenía ego. No necesitaba anotar ni recibir atención. Solo quería ganar. No creo que nadie ayudara más a Chris a madurar que Vlade.»

Petrie fue construyendo, pieza a pieza, lo que podía llegar a ser un gran equipo. Envió a Jason Williams, el vistoso, pero limitado, apodado «Chocolate Blanco», a los Grizzlies a cambio de Mike Bibby, más fiable y productivo. También fichó al mejor escolta defensor de la liga, Doug Christie, en un acuerdo con Toronto, y a Peja Stojaković, un alero serbio que había sido elegido en el *draft* de 1996 justo por detrás de Kobe Bryant y que en el 2000 era un lanzador certero con una media de 20 puntos por partido.

«Nos estábamos convirtiendo en algo importante —recuerda Bibby—. Experimentamos todo el proceso. Hubo una época en la que nadie quería ir a Sacramento. Pero cuando mi representante me preguntó adónde querría ir si me traspasaran, fue el primer sitio que le mencioné. Tenían las piezas necesarias y jugaban bien. Era el paraíso del baloncesto.»

La temporada 1998-99 (la primera de Adelman en Sacramento), los Kings consiguieron un balance de 27 victorias y 23 derrotas, un grandísimo resultado para una franquicia que pocas veces lograba más victorias que derrotas. Al año siguiente, subieron un escalón más y terminaron con un registro de 44-38. Y la siguiente temporada fue todavía mejor con un balance de 55-27. Aquel año, con esas 61 victorias que les situaban como primeros clasificados de la NBA, la ciudad de Sacramento (con una población de 407 018 habitantes y con un par de grandes almacenes) se había convertido en el epicentro del baloncesto. Los Kings ocupaban las portadas de *Sports Illustrated*, *ESPN The Magazine* y *Slam*. Sus jugadores firmaban contratos publicitarios y, en un país que odiaba a los malditos Lakers, se convirtieron en los salvadores del deporte. En Sacramento, los Lakers eran peores que los Cowboys o los Yankees. Eran el equipo dominante en California y eclipsaban a los Kings igual que una ola de barro. Durante demasiado tiempo, los Lakers habían sido Magic y Kareem, mientras que los Kings eran Jim Les y Wayman Tisdale. Los Lakers eran las palmeras y los hoteles de lujo. Los Kings eran centros comerciales y restaurantes de comida rápida. «Los Lakers tenían a Jerry West, Kirk Gibson y Magic Johnson —escribía Laura Loh en *Los Angeles Times*—. Sacramento solo tenía recuerdos gastados de otras ciudades.» Cuando, dos años antes, Phil Jackson se había referido a Sacramento como «una ciudad de vacas», a los habitantes de la capital de California les sentó muy mal (en parte porque era verdad). Luego añadió otra ocurrencia punzante que sentó todavía peor: «Yo entrenaba en Puerto Rico y ahí, cuando ganabas fuera de casa, te podían pinchar las ruedas o perseguirte hasta la salida del pueblo rompiéndote los cristales del coche a pedradas. Esto es un entorno totalmente diferente. Estamos hablando de "sacramenteses" por civilizar. Puede que esta gente del norte sean unos paletos de una forma u otra».

«Estábamos celosos, así de simple —admitía Sean Cunningham, una estrella de la radio deportiva de Sacramento desde hacía muchos años—. Ellos lo tenían todo y nosotros nada. Era un asco.»

«Dios, Phil Jackson era un capullo —dijo Marcos Bretón del *Sacramento Bee*—. Un grandísimo capullo.»

Había llegado la hora de la venganza.

Los Lakers superaron sin dificultad a Portland en la primera ronda de los *playoffs*, igual que los Kings hicieron con Utah. Tampoco hubo sobresaltos en las semifinales: los Lakers apalearon a San Antonio por cuatro partidos a uno, mientras que Sacramento acabó con Dallas en cinco partidos. Eran dos pesos pesados preparándose para la pelea del siglo. Antes de su épica batalla de 1971 en el Madison Square Garden, Muhammad Alí había apaleado a Oscar Bonavena, y Joe Frazier había destrozado a Bob Foster. Como quien quita el polvo mientras se dirige hacia una hazaña colosal.

John Nadel, de la *Associated Press*, escribía:

> Por muy absurdo que parezca, los dos veces defensores del título de la NBA, los Angeles Lakers, no se consideran favoritos ante los Sacramento Kings en la final de la Conferencia Oeste.
>
> O, por lo menos, es lo que dicen varios de sus jugadores.
>
> No se lo crean, porque ellos no lo hacen. Es solo palabrería.
>
> Y si tenemos en cuenta que los Lakers han ganado 11 partidos

consecutivos fuera en los *playoffs*, 23 de sus últimos 25 partidos en *playoff* y 19 de los últimos 20 que han jugado en el Staples Center, seguramente se sienten secretamente ofendidos de que haya alguien que no los considere favoritos.

Tras su decisiva actuación en el último cuarto por tercera vez consecutiva contra San Antonio el martes por la noche, que ayudó a eliminar a los Spurs en la serie al mejor de siete en cinco partidos, Kobe Bryant situó a los Lakers, cómo no, en la posición de favoritos contra los Kings.

Pero cuando le preguntaron si realmente lo pensaba, Bryant hizo una pausa y respondió: «Nunca me siento no favorito. Es irrelevante. Lo único que importa es cómo nos sentimos como conjunto, cómo nos sentimos como equipo y nuestra unidad».

La serie tenía que empezar el 18 de mayo en Sacramento. Un par de días antes, Jackson recortó una foto de Divac y la enganchó a unas declaraciones atribuidas al pívot de los Kings de principios de temporada. Decía: «Si [los Lakers] este año no tienen la ventaja de empezar en casa, no van a ganar».

¿Fue porque se sentía ofendido? En absoluto. ¿Fue porque las palabras contenían algo de maldad, venganza o cualquier otra mala intención? Tampoco. Eran simples palabras extraídas de unas declaraciones más extensas. La temporada de la NBA era larga y las declaraciones y comentarios de los jugadores formaban parte del día a día. De hecho, Jackson, en su etapa de ala-pívot de los Knicks, no había sido precisamente un jugador que ocultara lo que pensaba respecto a los rivales. Nunca era nada personal, era solo hablar por hablar. Sin embargo, sí que sabía reconocer una oportunidad para motivar a sus jugadores cuando la tenía delante. Y en este caso fue soberbio.

Jackson colgó la hoja de papel en la taquilla de O'Neal sin decir nada. Cuando el grandullón de los Lakers lo vio, se le dibujó una enorme sonrisa. Se había dado a sí mismo recientemente un nuevo mote, «el Gran Deportador», por cómo trataba a los pívots extranjeros como Divac. Se dio la vuelta y le dijo a un periodista que andaba cerca: «Lo escucho y lo veo todo. Soy la policía».

Traducción: voy a por todas.

A pesar de ser el segundo mejor equipo de la Conferencia Oeste, los Lakers se mostraban más arrogantes que nunca. O'Neal estaba especialmente convencido de que su equipo estaba destinado a lograr el triplete. Generalmente, el gigante solía presentar otra actitud durante los *playoffs*. Dejaba a un lado la actitud alegre que mostraba durante la temporada regular y se convertía en un jugador serio y determinado. La prensa local sabía que O'Neal era un tipo generalmente agradable, pero propenso a protagonizar episodios de mal humor. Los *playoffs* sacaban a relucir tal tendencia. Durante la serie contra los Spurs, por ejemplo, O'Neal arremetió contra Devean George después de que cometiera un error por un descuido durante el juego. Llevó sus reproches de la cancha al vestuario y, delante de los otros Lakers, cuestionó públicamente la hombría de George. «¡Si hubieras usado esa energía para bloquear debajo de la canasta, hubieras conseguido algún rebote!». O'Neal no estaba de humor. Atacó a Shaw agarrándole por el pecho y arrastrándole por el vestuario hasta que se le ensangrentaron las rodillas. Fue un momento estremecedor que dejó a los presentes conmocionados. «Shaw era como un cachorro grande hasta que llegaban los partidos importantes», recuerda Richmond.

Por aquel entonces, los jugadores de los Lakers dominaban a la perfección el triángulo ofensivo. Sus roles defensivos estaban bien definidos. No había nada que necesitaran revisar, afinar o ajustar. Para Jackson, lo único realmente vital era convencer a sus jugadores de que los Kings eran de papel de fumar, fáciles de vencer bajo presión. Durante el último año, el equipo de Sacramento había sido el preferido de la prensa estadounidense mientras acumulaba una victoria fácil detrás de otra. La narrativa parecía ilógica pero digerible: por fin tenían un grupo construido para pisotear a los Lakers.

Diez años atrás, Jackson había llevado a los Chicago Bulls a una victoria en seis partidos en la final contra los Portland Trail Blazers, entrenados por Adelman. Y era plenamente consciente de que su rival en la banda no estaba a su altura. Las rotaciones de Adelman eran extrañas. Sus patrones de sustitución, que además eran limitados, no solían tener mucho sentido. Pasaban largos periodos de tiempo en los que parecía olvidarse de que tenía a determinados jugadores en el banquillo. Sus esquemas ofensivos (copias baratas de los que utilizaba su asistente Pete Carril en Princeton) eran predecibles. Los Kings solían tener a tres escoltas a un lado, y a Divac y Webber en el otro. «Nuestro juego pasaba básicamente por Chris y Vlade —recuerda Stojaković—. Esos dos tíos eran como nuestros bases.» Siempre era lo mismo, una y otra vez. Adelman no era un mal entrenador, pero era un entrenador corriente. Jackson era un genio. «Rick tenía grandes momentos —comenta Lawrence Funderburke, un ala-pívot de los Kings—, pero no tenía habilidades comunicativas.» Si entrabas en la rotación, Adelman era tu mejor amigo. Pero si estabas en el banquillo, dejabas de existir. Jim Cleamons, el asistente de los Lakers, había estado analizando a los Kings a lo largo de toda la temporada. «Era mi equipo», recuerda. Su primera conclusión fue simple y directa: «Le dije la verdad a Phil: optaban legítimamente al título. Pero no creo que ellos se vieran capaces de derrotarnos. Sabían que nosotros éramos mejores. Sobre Sacramento, casi podía decir hasta lo que desayunaban cada mañana. Eran buenos y se merecían mi respeto. Pero ¿tanto como para ganarnos? No».

Dicho esto, Jackson sabía que estos Kings no eran los viejos Kings. Resultaba evidente que Shaq era muy superior a Divac, y que Bryant anotaría sus puntos superando al espigado Christie, que usaba sus codos afilados y sus elásticas extremidades para frenar a sus rivales. Pero Sacramento sabía encestar como pocos equipos lo habían hecho en la historia moderna del baloncesto. Tenía la friolera de siete jugadores con dobles figuras de media en anotación, con Webber (24,5) y Stojaković (21,2) a la cabeza, pero también con suplentes como el base Bobby Jackson (11,1) y Hedo Türkoğlu (10,1). Sobre el papel, Sacramento tenía más talento. Incluso, sin Stojaković, que se perdería los primeros cuatro partidos por un esguince en el tobillo derecho. «Nuestro plan era utilizar a nuestros cinco hombres para derrotar a los dos de los Lakers —decía Carril, refiriéndose a O'Neal y Bryant—. Teníamos un buen fondo de armario. La cuestión era si podía superar a sus superestrellas.»

Con el espíritu de una afición necesitada y desesperada por vengarse de un rival odiado, 17 317 ruidosos aficionados llenaron el Arco Arena para el primer partido. Estaban enfadados, molestos y equipados con sus cencerros. Estaban ansiosos por presenciar el principio del inevitable fin de los Lakers. El nivel de decibelios dentro de aquel pabellón, por otro lado, poco memorable (Marcos Bretón del *Sacramento Bee* se refería a él como a «un feo y viejo cobertizo») llegó a los 112, el equivalente al motor de un *jet*. El ruido era ensordecedor.

Sin embargo, lo que los aficionados de los Kings presenciaron fue un repaso de principio a fin. Los Lakers metieron la primera y la última canasta en una victoria determinante por 106-99. O'Neal y Bryant sumaron 56 puntos, pero el protagonista fue Robert Horry, que anotó 18 puntos y capturó 8 rebotes en cuarenta y dos minutos de juego. Este ala-pívot con diez años de trayectoria en la NBA supo aprovechar a la perfección el punto débil de Adelman como entrenador. El líder de los Kings decidió que anularían el juego de sus dos superestrellas. Su plan era bloquear a O'Neal cerca de la canasta, cercar a Bryant cuando se acercara para lanzar y…, bueno, esperar que el resto tuviera dificultades. Lo que sucedió fue que Horry, desmarcado, encantado de lanzar y más seguro de sí mismo que nunca, metió 6 de 12 en tiros de campo. Sacramento no supo contraatacar. «El tintineo que se escuchó en el Arco no eran los cencerros —escribía Bill Plaschke de *Los Angeles Times*—. Eran las sirenas del escolta.»

Si uno necesita pegar un bocado en Sacramento, no encontrará un lugar mejor que el asador Dawson's Steakhouse, toda una institución en la ciudad desde 1988.

Puntuado con cuatro diamantes por la Asociación Automovilística Americana, Dawson's ofrece delicias tan exquisitas como vieiras a la sartén, *schnitzel* de cerdo, raviolis de setas y *bisque* de langosta.

También tienen una hamburguesa de veinte dólares. Pero no una hamburguesa cualquiera. La hamburguesa Dawson's está hecha de ternera *black angus* y lleva lechuga Boston, tomates de la tierra, cebolla roja, pepinillos, una salsa secreta y una loncha de queso cheddar Fiscalini.

Es enorme, deliciosa y espectacular. Pero después de comerse una en su habitación del hotel Hyatt Regency Sacramento el 19 de mayo de 2002 (había un Dawson's en el vestíbulo del hotel que ofrecía servicio de habitaciones), Kobe Bryant tuvo vómitos y diarrea durante horas y horas.

Cuando llegó al Arco Arena para el segundo partido, la piel de Bryant tenía el tono de una aceituna verde mohosa. Tenía la frente perlada de sudor y un cubo cerca en todo momento, por si acaso…, ¡puaj!, tenía que volver a vomitar.

Bryant les contó a sus compañeros que se había comido la hamburguesa y le había sentado mal. Algunos levantaron las antenas. ¿Podía haber sido intencionado? ¿Era algún viejo truco al estilo Red Auerbach? ¿Habían mezclado un poco de jarabe de ipecacuana en el kétchup para eliminar a Kobe Bryant? «Estaba afectado y furioso —explica Devean George, convencido de la conspiración—. Pero también tenía miedo. Pensaba: ¿esta gente se toma tan a pecho el partido que podrían poner algo en la comida de este hombre? Recuerdo perfectamente su aspecto. Era lamentable.»

A pesar de todos sus defectos, Bryant era un luchador. Unos treinta minutos antes del comienzo del partido, se desprendió del goteo intravenoso que le habían colocado en la sala de entrenamiento y empezó a correr/arrastrarse por la cancha. Jugó cuarenta minutos, más que ningún otro jugador del equipo, y aunque su porcentaje de acierto no fue ideal (9 de 21), sus 22 puntos y 6 rebotes fueron una respuesta contundente a Sacramento y a los distribuidores de hamburguesas del país: «¡No podréis conmigo!».

Los Kings ganaron 96-90, con 21 puntos de Webber y otros 20 de Bibby, que superaron a los 35 de O'Neal. Pero no había nadie entre los vigentes campeones que estuviera realmente preocupado por la posibilidad de perder la eliminatoria. En general, todos pensaban que, con un Bryant en condiciones, la serie estaría 0-2. Los Lakers habían perdido solo dos partidos de *playoff* en casa en los últimos dos años, mientras que los Kings acumulaban un balance de seis derrotas en partidos de *playoff* en la ciudad de los sueños. «Sinceramente, achacamos la derrota al estado físico de Kobe —cuenta Fox, que había anotado 10 puntos en el partido—. Los respetábamos, porque siempre respetamos a los demás jugadores de la NBA. Pero no estábamos lo suficientemente asustados. Acabábamos de ganar dos títulos consecutivos. Pensábamos que lo teníamos todo controlado, que no había problema».

Ambos equipos tuvieron tres días de descanso antes de mover el escenario al Staples Center. El papel de Divac, decano de los Kings con una media de solo 11,1 puntos durante la temporada regular, sería más importante que nunca. Fue un joven y torpe miembro de los Lakers que perdieron la final de 1991 contra Chicago y la experiencia le enseñó que había una línea muy fina entre la victoria y la derrota. A pesar de la presencia de Michael Jordan en el equipo rival, Divac estaba verdaderamente convencido de que los Lakers estaban destinados a derrotar a los Bulls. Tras la conclusión de la serie en cinco partidos, Divac quedó hundido

Ahora, a sus treinta y cuatro años, con un par de trazas blancas en la barba y trece temporadas de la NBA, Divac tenía la perspectiva de un sabio del baloncesto. Era capaz de observar a chavales como Webber o Bibby con sus egos y sus séquitos, y recordarles lo frágil que es todo esto. Instaba a sus compañeros más jóvenes a aprovechar las oportunidades que se les presentaran antes de que se desvanecieran. Divac sabía que no sería fácil deshacerse de los Lakers. «Si perdemos [el tercer partido] tenemos un uno por ciento de probabilidades de ganar la serie», declaró a la prensa.

Los Kings aniquilaron a los Lakers en el que todavía se recuerda como uno de los mejores partidos de la historia de la franquicia. Ya en el primer cuarto se pusieron por delante 15-32, y los 18 991 espectadores se convirtieron en maniquíes. En el descanso, el marcador indicaba 40-52, y cuando quedaban nueve minutos y veintiún segundos los Kings llevaban una ventaja de veintiséis puntos. Hubo un momento en el que Bibby, después de robar un saque de banda y anotar con un tiro en suspensión a corta distancia, soltó un grito primitivo que se pudo escuchar desde el gallinero del pabellón. Su equipo terminaría llevándose el partido con un sorprendente marcador de 90-103: se pusieron 2-1 en la serie. «No puedo explicarlo

—dijo Bibby después del partido—. Nos hemos sentido muy fuertes, hemos podido llevar a cabo nuestro planteamiento de juego durante todo el partido.»

«Claramente nos dieron un buen repaso —comentó Samaki Walker—. No hay peros que valgan ni nada que añadir.»

Era el momento de entrar en pánico. Pero, de hecho, si había una cosa que Phil Jackson no hacía era precisamente entrar en pánico. Al día siguiente, se presentó a trabajar con una gorra de béisbol que decía «Bla, bla, bla». Cuando se le pidió que analizara la repentina y dudosa suerte de su equipo, sonrió, miró a John Nadel de la Associated Press y dijo: «Creo que estamos bien». Lo cual era cierto. Creía que los Lakers estaban bien. Ya habían pasado por esto antes. Tal vez no por una situación tan difícil, pero sí habían tenido que luchar y aguantar situaciones similares. En los distintos episodios del conflicto Shaq-Kobe, cuando los periodistas preguntaron diez mil variaciones del «¿puede su equipo sobrevivir a esto?», Jackson nunca se escondió. Tampoco pretendía hacerlo ahora, del mismo modo que sus jugadores. «Bueno, al menos ahora no nos aburriremos», dijo Bryant.

—¿Estáis en apuros? —preguntó un periodista a un Fox incrédulo.

—¿Si estamos en apuros? —respondió—. Parece que estemos en la escuela, como si estuviéramos castigados. Estaremos en apuros si seguimos haciendo lo que hemos hecho en los dos últimos partidos.

Aunque no lo decían, los veteranos de los Lakers (Fox, Horry, Bryant y O'Neal) dudaban de la determinación de Sacramento. Divac era un jugador experimentado capaz de gestionar situaciones difíciles. Pero Bibby había pasado la mayor parte de su carrera en Vancouver, tierra de perdedores. Webber era un llorica egoísta. Stojaković, que se esperaba que pudiera jugar los últimos partidos de la serie, nunca metía las canastas decisivas. Adelman se pasó el tercer partido quejándose a los árbitros de que O'Neal pisaba la línea demasiado pronto después de lanzar sus tiros libres. En primer lugar, la superestrella dijo despectivamente que «Rick Adelman está por ahí echando mierda», y luego le dedicó unos versos de *hiphop*: «Sécate las lágrimas. / No llores. / Aquí viene Shaq / con cuatro pequeños señores».

«Creo que todos dudábamos de que tuvieran la determinación necesaria para ganarnos. De si tenían la fuerza suficiente», dijo Fox.

El cuarto partido respondió la pregunta.

Jugando de nuevo ante un público hostil en una ciudad hostil, los Kings salieron lanzados y se pusieron por delante en el primer cuarto con el marcador (y no es un error tipográfico) 20-40. Fue una demostración de fuerza bruta, con Webber haciendo enérgicos mates sobre Fox, Bibby cargando hacia canasta y Hedo Türkoğlu (de titular en lugar de Stojaković) situándose en la esquina y clavando dos triples. Hubo un momento en el que Grant Napear, el comentarista de Sacramento, se acercó al micrófono, escuchó el silencio del pabellón y dijo: «Esto parece la biblioteca pública de Los Ángeles». Cualquier persona acostumbrada a ver baloncesto podía reconocer el lenguaje corporal de los jugadores de Sacramento. Eran pura confianza. Una confianza enorme, audaz y arrogante. «Éramos mejores —afirma Bibby—. Sin lugar a duda. Éramos mejor equipo.»

Cuando quedaban diez minutos y dieciocho segundos del segundo cuarto, un triple de Christie puso a Sacramento 22-46, y cuando Lindsey Hunter falló su triple en la siguiente posesión, todo parecía perdido. Los Kings iban a ponerse 3-1 con dos partidos más en casa. La cosa pintaba mal. Había un silencio sepulcral. El equipo parecía haber muerto. «Ahí pensamos: "Mierda, esto va en serio". Teníamos que recomponernos», recuerda Fox.

Y de repente... ¿Cómo explicarlo?

Los Lakers despertaron en el tercer cuarto. Superaron a los Kings en ese cuarto con un parcial de 15-22, y llegaron al último cuarto acortando las distancias y con el marcador 73-80. Estaba sucediendo lo que se había repetido hasta la saciedad. Ser un jugador de los Lakers en aquel momento significaba poder intuir el pánico en el banquillo de Sacramento. La cháchara de los Kings había cesado. Las risas y carcajadas se habían transformado en ceños fruncidos. Adelman instaba/pedía/suplicaba a sus hombres que mantuvieran la calma y la compostura: «¡Haced lo que sabemos hacer!». Pero nunca se habían visto en esa tesitura. A pesar de todos sus logros en el baloncesto, Webber, el jugador más importante de los Kings, era conocido sobre todo por meter la pata en el peor momento. La historia se remonta a 1993, cuando la entonces estrella de la Universidad de Michigan pidió un tiempo muerto que su equipo no tenía en la final del campeonato nacional que perdieron contra Carolina del Norte. Aquel error garrafal persiguió a Webber como un pedazo de papel higiénico pegado a la suela de su zapato, y lo alcanzó en los *playoffs* de 2002. ¿Chris Webber era un ganador? Nadie lo sabía. Pero cuando Bill Simmons de la ESPN escribió que «ver cómo C-Webb se las arreglaba para desaparecer en las posesiones decisivas fue la subtrama más intrigante de los *playoffs*», nadie salió en su defensa.

Christie, el escolta del equipo, tampoco acudió al rescate de su equipo. En su momento, había sido una promesa en los Lakers después de haber sido elegido por Seattle en el *draft* de 1992 y traspasado a Los Ángeles a mitad de temporada en su año de *rookie*. Pero los Lakers terminaron cansándose de él. A pesar de sus grandes cualidades atléticas, su poca fiabilidad resultaba frustrante. En palabras de Scott Howard-Cooper de *Los Angeles Times*, «siempre intentaba hacer la jugada más espectacular, en lugar de la más efectiva». Finalmente fue traspasado a los Knicks, y de ahí a Sacramento. Era un buen jugador para la temporada regular, un marrullero acrobático que se enzarzaba en cualquier pelea. Pero desaparecía en las grandes ocasiones. Cuando los Kings necesitaban un lanzamiento certero, Christie languidecía en la sombra. Y suponía un problema. Porque en los Lakers nadie languidecía en la sombra.

El último cuarto fue, en cuanto a emoción, uno de los mejores intervalos de doce minutos de la historia del deporte moderno. Cuando quedaban seis minutos y treinta y tres segundos, Horry recibió un pase de Hunter y se marcó un triple desde los siete metros que acortó distancias con los Kings. El marcador indicaba 84-88. Webber respondió con un tiro en suspensión que Bryant replicó segundos después. Era difícil saber qué dirección estaban tomando las cosas, especialmente, porque en los siguientes dos minutos y medio Bryant perdió la pelota en dos ocasiones, George en una y O'Neal falló un lanzamiento, con lo cual Sacramento incrementó su ventaja a 86-94. Türkoğlu, un jugador turco de veintitrés años en su segundo año, recibió un pase de Christie, botó dos veces la pelota y lanzó apoyándose en Bryant cuando quedaban un minuto y cincuenta y dos segundos. Los Kings consolidaban su ventaja 90-96.

Mientras Fisher subía la bola, Marv Albert y Bob Costas, que retransmitieron el partido para la NBC, se deshacían en elogios con el ataque de Sacramento, olvidando por un instante lo que estaban viendo. En aquel momento, Fisher se acercaba a la zona y realizó un pase rápido a Fox, que estaba situado justo detrás de la línea de triple. El pase fue un poco alto y, mientras Türkoğlu se le acercaba, Fox, en un movimiento perfecto, atrapó el pase, giró el torso y pasó la pelota a Horry, solo en la esquina.

Con todo el tiempo del mundo para atarse los zapatos, llevar a cabo una investigación sobre el aprovechamiento de la energía solar, estrecharle la mano a Jack Nicholson y escuchar los cuarenta y dos minutos y cuarenta y seis segundos del disco «Music from the elder», de Kiss, el mejor lanzador exterior de los Lakers flexionó las rodillas, se incorporó, lanzó desde siete metros y la pelota repiqueteó al atravesar el aro: 93-96. El pabellón, que hacía menos de una hora estaba en absoluto silencio, entró en ebullición; todo el mundo estaba en pie mientras Bibby preparaba metódicamente el ataque de Sacramento.

Durante el siguiente minuto y veinticuatro segundos, los dos equipos alternaron posesiones: hubo un tiro en suspensión de Bryant, algunos tiros libres de O'Neal y algunos tiros libres de Divac. Cuando quedaban once segundos, los Lakers pidieron tiempo muerto. Iban por debajo 97-99 y tenían la posesión. Al reanudar el juego, Fox le pasó la pelota a O'Neal, que salió de la zona y se situó en la línea de triple. Rápidamente, pasó el balón a Horry, que a su vez lo cedió a Bryant, que estaba marcado por un pegajoso Christie, cuyo cuerpo parecía cambiar constantemente de forma. Quedaban nueve segundos. Bryant hizo un movimiento de torso, retrocedió un paso y medio y luego superó a Christie por la derecha, directo hacia el aro. Cuando Divac se acercó con el brazo derecho levantado, Bryant se sacó de la manga un lanzamiento inverosímil con solo un pie de apoyo que clamaba: «¿acaso no has aprendido nada estos años?». Sus compañeros se quedaron mudos, pero O'Neal recogió el rebote e hizo un lanzamiento rápido que tocó el aro. Divac, el más listo y sabio de los Kings, podría haber agarrado el balón. Debería haber agarrado el balón. Pero, en lugar de eso, como en la final de la Conferencia Oeste de 1991 contra Portland en la que Magic Johnson cogió un rebote en el último momento y lanzó el balón pista abajo para que el reloj expirara, empujó la pelota hacia la parte alta de la zona. Y ahí precisamente es donde se encontraba Horry, tras la línea de tres puntos. La pelota botó y le llegó a las manos. Quedaba menos de un segundo y lanzó una flecha directa y llana que...

«¡Horry lanza para ganar!», gritó Marv Albert.

El tiempo se detuvo.

La pelota se movía a cámara lenta.

... y atravesó la red.

Un extraño ruido salió de la boca de Marv Albert. Probablemente dijo «¡sí!», pero podría haber dicho «dónde diablos está mi hurón». Nadie pudo apreciar la diferencia. La explosión de felicidad en el pabellón mandó sus palabras a la mazmorra de la insignificancia verbal. Los Lakers rodearon a Horry. Bryant lo rodeó con los brazos. Walker le frotó la cabeza. Había conseguido 11 de los 18 puntos del último cuarto, cuando el equipo más los necesitaba. Horry no era ni Chris Webber ni Doug Christie. Al terminar los entrenamientos, él y Richmond se quedaban para lanzar doscientos o trescientos triples. Podía lanzar bajo cualquier circunstancia. «En el peor de los casos, la hubiese fallado —dijo después—. ¿Y qué?»

«Gracias a Dios que la madre de Robert conoció a su padre —dijo O'Neal después del partido—. Si no, no lo tendríamos entre nosotros.»

Bibby y sus compañeros de equipo quedaron estupefactos. Abandonaron la cancha y entraron en el túnel aturdidos y en silencio. Su base se había dejado la piel para conseguir 21 puntos, 4 asistencias y un corazón roto en cuarenta y seis agotadores minutos. «Le hice un buen pase... a Robert Horry», dijo impasible Divac. En sus declaraciones también describió el lanzamiento de Horry como «afortunado». Horry quiso responder: «Es lo que he hecho durante toda mi carrera —dijo—. «[Vlade] Debería saberlo, tendría que leer más periódicos».

Si los Kings hubieran ganado, se hubieran llevado la eliminatoria. Y ellos lo sabían.

Si los Lakers hubieran perdido, se hubieran quedado sin opciones. Y ellos lo sabían.

«Ha sido un final milagroso —dijo Phil Jackson después del partido—. A veces uno se pregunta si ha tenido suerte porque ha trabajado bien. Es una victoria salida de las fauces de la derrota. Ha sido un final increíble. Y yo no lo había planeado así, o sea, que no me preguntéis.»

Marcos Bretón, el periodista del *Sacramento Bee*, se hospedaba en el Holiday Inn, cerca del Staples Center. Se despertó en mitad de la noche, aturdido y desorientado. «¿Lo acabo de soñar o los Kings acaban de perder?», se preguntó.

¿Qué dirección tomarían las cosas?

Nadie lo tenía claro, y con razón. Era factible pensar que los dos equipos volverían a Sacramento para jugar el quinto partido y que unos traumatizados Kings se dejarían arrasar. También era razonable pensar que los Lakers, maltrechos, exhaustos y mayores que sus rivales, se desplomarían formando una montaña de piel humana.

A estas alturas de la temporada (de cualquier temporada), los brazos y las piernas de O'Neal estaban cubiertos de arañazos y moratones. Le dolían los pies, le palpitaba la cabeza y tenía las manos hinchadas. Era la mayor potencia física de la liga y a la vez el jugador más castigado. El hielo era su compañero fiel, como los paños calientes. «Aguantaba mucho — asegura George—. Todas las noches.»

Los expertos parecían pronosticar que el quinto partido sería desigual: un equipo se alimentaría de las heridas abiertas del otro. Todas las eliminatorias suelen tener uno o dos partidos aburridos, ¿verdad? Este no fue el caso. Los Lakers arrancaron con una ventaja de 27-33, pero O'Neal tuvo problemas de faltas; cuando quedaban tres minutos y veintidós segundos en el último cuarto, y los Lakers iban por delante 84-85, le pitaron la sexta falta. Bibby, el mejor jugador de los Kings en la serie, metió un lanzamiento de tres cuando quedaban 8,2 segundos y puso a Sacramento por delante 92-91 en un final de infarto que los situaba a un partido de la final.

Después del encuentro, Jackson y sus jugadores sacaban humo por el arbitraje. Pensaban que había favorecido a Sacramento. Algunas de las faltas que le habían pitado a O'Neal parecían una broma. El juego físico de Webber no había hecho sonar sus silbatos. En la última posesión del partido, Bryant hizo un lanzamiento inestable con Bobby Jackson, el base de los Kings, sacándole la camiseta de los pantalones.

«Estoy bastante seguro de que hice falta», admitió Jackson una década después.

«No puedes sacarle la camiseta a alguien sin que te piten falta —dijo Fox después del partido—. Pero en esta liga muchas de estas cosas se quedan sin pitar en la recta final de los partidos.»

Aquellas palabras terminarían siendo una profecía.

El sexto partido tuvo lugar el 31 de mayo en Los Ángeles, y los Kings volvían a estar en un buen momento. Tenían dos oportunidades para destronar a un campeón herido, y todos daban por hecho que sucedería enseguida. «Creía que la eliminatoria estaba decidida, por cómo estábamos jugando y cómo había ido todo —recuerda Bibby—. Antes del sexto partido nos sentíamos invencibles.»

Aquella noche, en casa de O'Neal sonó el teléfono a las 2.30 de la madrugada. Estaba profundamente dormido con su bebé Amirah sobre el pecho. El ruido lo despertó de su sueño. Una llamada a las 2.30 de la madrugada tenía que ser una emergencia. ¿Alguien se encontraba mal? ¿Alguien había muerto? ¿Había habido un accidente? ¿Su madre? ¿Sus hermanas?

—¿Sí? —dijo un aturdido O'Neal.

—Tío, Shaq. Soy yo. —Era Kobe.

¿Cómo?

—Grandullón —dijo Bryant.

—Sí —respondió O'Neal—, ¿qué ocurre?

—Mañana te necesito —dijo Bryant—. Hagamos historia. Clic.

O'Neal no era el tipo de persona que necesitaba discursos motivacionales. Y especialmente no de Kobe Bryant. Además, en circunstancias normales hubiera sido muy extraño recibir una llamada de su joven compañero en horas intempestivas. O a cualquier hora. Pero aquella situación era distinta. Pesaba más. La temporada había sido dura y ahora los Kings, de golpe crecidos, arrogantes e irrespetuosos, estaban a punto para acabar con el equipo de Los Ángeles. No era posible.

Al día siguiente, el Shaquille O'Neal que se presentó por la tarde al Staples Center estaba de lo más lúcido y concentrado. Le pidió a Phil Jackson que le dejara tener la pelota sin descanso. Estaba harto del teatro constante de Divac. Estaba harto de que Scot Pollard, el pívot suplente, realizara lanzamientos improcedentes cuando los árbitros miraban hacia otro lado. «Dame la pelota —dijo—. Utilízame.»

Como en el partido anterior, los Lakers empezaron el sexto partido con 11 puntos de O'Neal y 9 de Bryant; unieron esfuerzos para dar una mínima ventaja a su equipo en el primer cuarto: 28-26. Pero, del mismo modo que el partido anterior, a los jugadores de Sacramento no parecía importarles. Los bulliciosos aficionados no les molestaban. Las palabras avasalladoras de Bryant no les molestaban. Lucharon para conseguir una ventaja de 51-56 en el descanso y llegaron al final del tercer con empate: 75-75.

Y aparecieron en escena tres nuevas estrellas de la NBA: Dick Bavetta, Ted Bernhardt y Bob Delaney.

Eran los árbitros del encuentro.

Años más tarde, cuando el sudor y la sangre de aquella noche ya se habían desvanecido, un antiguo árbitro de la NBA llamado Tim Donaghy fue acusado de arreglar algunos de los partidos que había oficiado. El 10 de junio de 2008, su abogado presentó un documento judicial que explicaba cómo Donaghy se había enterado, entre otras cosas, de que dos de los árbitros de aquella noche habían intentado decantar el sexto partido en favor de los Lakers, con la intención encubierta de proporcionar a la NBA otra lucrativa noche. El informe decía: «Tim sabía que los árbitros A y F eran hombres de la casa, que siempre actuaban en interés de la NBA. Y esa noche a la NBA le convenía añadir otro partido a la serie».

«Sacramento tenía el mejor equipo de la liga —dijo Donaghy en 2017—. Pero los árbitros (la liga) no dejaron que ganara el mejor.»

¿Decía Donaghy la verdad? Era un hombre con la credibilidad de un vendedor ambulante. Es poco probable que dijera la verdad, pero el hecho de que muchos aficionados se crean su versión de los hechos habla de lo espantosa que fue la actuación de los árbitros. El arbitraje de los últimos doce minutos del encuentro fue el más sesgado que se había visto jamás. Primero eliminaron a Pollard con seis faltas, y había jugado solo once minutos. Luego, Divac también se tuvo que sentar en el banquillo con otras seis faltas personales. Cuando quedaban tres minutos y los Kings iban por delante 90-92, Webber cogió la pelota en la esquina izquierda y encaró a Horry. Lanzó una bomba y entró, pero anularon la canasta por haber cargado supuestamente con el hombro izquierdo contra el jugador de los Lakers. Fue un despropósito. El contacto había sido como si una pluma rozara un ladrillo. «Esto —dijo Bill Walton de la NBC— está muy mal arbitrado.»

Al cabo de varias posesiones, Bryant se escabulló por la línea de fondo superando a Christie, y su lanzamiento fue rechazado por Webber con un salto. Pero la posesión no fue para los Kings; le pitaron a Christie una falta fantasma.

El mayor despropósito llegó cuando quedaban 12,6 segundos. Los Lakers iban por delante 103-102 y tenían saque de banda a su favor. Cuando Horry estaba en la línea de fondo buscando a alguien para pasarle el balón, Bryant cargó desde la línea de tiro libre y le dio un golpe a Bibby. Le golpeó la nariz con el codo derecho. Delaney pudo verlo, apenas estaba a pocos centímetros. Aunque Bryant se hubiera vestido como un jugador de fútbol americano, la falta no hubiese sido más evidente. Y pitaron falta…, falta de Bibby. «Estás viendo cómo

Kobe le revienta la cara a Mike —dijo Pollard—, y le pitan la falta a Mike Bibby. Solo te queda reír para no echarte a llorar.» A Bibby empezó a sangrarle la nariz. Se retorcía de dolor en el suelo. Fue un placaje de la NFL, violento y malintencionado. «Kobe Bryant —dijo un incrédulo Walton— ha atropellado a Mike Bibby para hacerse con esa pelota.»

Momentos después, mientras el banquillo de los Kings imploraba justicia, y Bibby tenía una gasa en su fosa nasal izquierda, Bryant metió dos tiros libres y selló la controvertida victoria para los Lakers: por 106-102. Los Lakers lanzaron veintisiete tiros libres en el último cuarto, mientras que Sacramento solo nueve. Con Pollard y Divac sentados en el banquillo, eliminados por faltas, O'Neal consiguió 41 puntos y 17 rebotes. Simmons, de la *ESPN*, escribió: «Los rumores de que David Stern [el comisionado de la NBA] ha querido hacer un Vince McMahon y declararse árbitro invitado del partido no se han podido demostrar».

A los Kings no les quedaba energía para reírse.

Hubo un séptimo partido.

La gente suele olvidarlo porque el resultado fue atronador: 106-102 para los Lakers. Pero tras un único día de descanso, los equipos volvieron al Arco Arena para el capítulo final de un apasionante choque que, según escribió Chris Dufresne de *Los Angeles Times*, «podría ser la serie televisiva más fascinante desde *Los Soprano*».

Tras el insólito triunfo, los jugadores de Los Ángeles rezumaban confianza.

Tras la devastadora derrota, los jugadores de Sacramento estaban… aterrados.

Cuidado, no todos. Divac y Bibby estaban más que preparados, igual que Bobby Jackson y Scot Pollard. Pero mientras los Lakers estaban tranquilos y relajados dentro de su vestuario, en el vestuario local se mascaba la tensión. De hecho, los Lakers se habían pasado las últimas veinticuatro horas demostrando toda la testosterona que un equipo puede demostrar, diciendo a los periodistas de cerca y de lejos que los Kings estaban a punto de meter la pata una vez más. Todo formaba parte del plan maestro de Jackson. «Sabíamos que todos los jugadores leían los periódicos, queríamos que supieran la poca consideración que les teníamos —cuenta Fox—. Sabíamos que añadiría presión al partido y que no eran fuertes mentalmente.» Los medios estaban sorprendidos por la gran diferencia de tono y de ambiente entre ambos equipos, y por el hecho de que algunos miembros de los Kings no quisieran pasar página por el arbitraje del sexto partido. «Seguían quejándose y lamentándose de cómo los habían perjudicado —decía Voisin, el columnista del *Sacramento Bee*—. Yo lo podía entender porque había sido un arbitraje horrible. Pero vamos, chicos. Tenéis un partido que jugar.» A principios del primer cuarto, durante una pausa del juego, una tropa de niños *breakdancers* saltaron a la pista para hacer una actuación de sesenta segundos. Los jugadores de los Kings ni se dieron cuenta. Escuchaban atentamente las instrucciones de Adelman. Los Lakers, en cambio, relajados, vieron toda la actuación señalándolos y riéndose. «Estaban muy tranquilos —dijo Voisin—. Los chicos de Sacramento estaban realmente tensos.»

El partido fue agotador. Fue agotador para los jugadores y para los espectadores. Un Arco Arena abarrotado y atronador pedía/suplicaba a los Kings una victoria. El equipo de Los Ángeles quería ganar, pero Sacramento lo necesitaba. Habían sido muchos años de travesía por el desierto. Habían sido muchos años de desamparo.

Y estuvo a punto de funcionar. Los dos equipos intercambiaron la ventaja en el marcador diecinueve veces y estuvieron empatados en dieciséis ocasiones. Los Kings se mantuvieron firmes y, cuando quedaban trece segundos para finalizar el último cuarto, se les presentó una oportunidad de oro. Los Lakers iban por delante 98-99, pero cuando Türkoğlu superó el marcaje de Brian Shaw y entró en la zona, Fox cometió el estúpido error de dejar a su hombre desmarcado en la esquina, justo detrás de la línea de triple. «A veces, a Rick lo llamábamos "rubia" porque a veces no pensaba», cuenta Jackson.

El jugador al que había dejado sin marca era Peja Stojaković.

Incluso con la muñeca derecha resentida, era el mejor lanzador que había sobre la pista. Era un certero lanzador exterior que acabaría jugando tres *All-Stars* y había estado entre los mejores veinte anotadores de triples de la liga en siete temporadas distintas. «No era el mejor jugador de los Kings —asegura Fox—. Pero era el jugador al que no querías ver lanzar desde aquella esquina.»

Türkoğlu vio que su compañero estaba solo y el pase fue perfecto. En el momento en que Stojaković recibió la pelota, la multitud del Arco empezó a rugir. Todo parecía ser perfecto: la flexión de rodillas, el ángulo, el impulso, el lanzamiento.

La pelota se alzó. Subió, subió, y subió…

Y… no tocó ni el aro. Salió por la derecha.

«¡*Air ball*! —gritó Albert, estupefacto—. ¡Peja Stojaković acaba de lanzar un *air ball*!»

Unos segundos después, los dos tiros libres de Bibby mandaron el partido a la prórroga, pero los jugadores de Sacramento estaban desolados. Eran soldados que se dirigían al último asalto sin munición. En el tiempo añadido, Webber no quiso saber nada de la pelota, y Bobby Jackson, igual de inseguro que cualquiera de los Kings, se quedó en el banquillo por decisión de Adelman. El mayor problema fue Christie, que solo acertó dos tiros de campo de once. Estaba torpe, nervioso e indeciso. Cuando quedaban veinticuatro segundos y los Kings iban por detrás 106-108, Bibby vio a Christie solo en la línea de tres puntos. Christie («que no quería saber nada de este lanzamiento», dijo Walton) lanzó un ladrillo que salió disparado del tablero y llegó a las manos de Horry. Habría sido gracioso si la situación no fuera tan patética. «Yo era consciente de que muchos de ellos estaban nerviosos —recuerda Fox—. Quizá sea una frase trillada, pero la experiencia es un grado. Nosotros teníamos mucha experiencia.»

Al final, los Lakers se marcharon con una victoria por 106-112 y un billete hacia su tercera final consecutiva de la NBA. La sensación del equipo no era tanto de felicidad como de alivio. Se habían salvado. Pero como decía Rocky Balboa al describir su combate contra Ivan Drago, «rompió cosas en mí que nunca se han curado». Los jugadores de Los Ángeles acabaron el partido aliviados, agotados y empapados de sudor. «Aquella eliminatoria fue durísima. Yo había jugado siete años en Sacramento y siempre habíamos sido malísimos. ¿Ahora que estaba en los Lakers nos iban a tumbar los Kings? No, no y no. Probablemente, jugué cinco minutos en toda la serie, pero mi camiseta estuvo empapada de sudor todo el rato. Pasamos miedo, pero por lo menos ganamos. Podría haber sido peor», recuerda Mitch Richmond.

Efectivamente.

Diecisiete años después, los Kings siguen sin haber llegado a una final de la NBA.

Tres días después de eliminar a Sacramento, los Lakers recibían en casa a los Nets para el primer partido de la final de la NBA.

Qué aburrido.

Sí, muy aburrido.

Era como comer en el Burger King después de una cena de nueve platos en un restaurante con una estrella Michelin. Los Nets habían ganado cincuenta y dos partidos durante la temporada regular y contaban con una superestrella, el base Jason Kidd, y un montón de jugadores mediocres que serían sextos y séptimos jugadores en las rotaciones de Jackson. Su máximo anotador, el ala-pívot Kenyon Martin, tenía una media de 14,9 puntos por partido, y su segundo máximo anotador, el alero Keith van Horn, 14,8. Solo un habitante del planeta Tierra, Charles Barkley de la cadena TNT, predijo que los Lakers tendrían dificultades. No había nadie más, literalmente, ni un alma, que pensara que los Nets tendrían alguna opción. Ni siquiera los propios Nets.

«¿Pensábamos realmente que podíamos ganar? —se pregunta Kerry Kittles, el veterano escolta, años después—. No lo sé. Seguramente no.»

Para el *rookie* Brian Scalabrine, el ala-pívot suplente procedente de la Universidad del Sur de California, la cruda realidad de la situación llegó durante el tercer partido en el Continental Airlines Arena de East Rutherford, Nueva Jersey, cuando los Nets iban perdiendo la serie 2-0. A mitad del tercer cuarto, el marcador estaba 59-70 a favor de los Lakers cuando, de repente, ¡bam!, todo empezó a salir bien para los Nets. Kidd empezó a clavar sus tiros en suspensión superando la defensa de los Lakers. Kenyon Martin llevaba a cabo todos los movimientos posibles en el poste bajo. Richard Jefferson hacía un mate tras otro. «Los borramos de la pista —recuerda Scalabrine—. Era el mejor baloncesto que habíamos jugado jamás, puro baloncesto de alto nivel. Entonces miré el marcador.»

Cuando quedaban ocho minutos y cuarenta y ocho segundos de partido, los Nets se habían puesto por delante 90-83.

«Y en ese momento me di cuenta de que en realidad no los estábamos derrotando —cuenta Scalabrine—. Estábamos jugando mejor que nunca y no era suficiente. En absoluto. Tenía la sensación de que necesitábamos una ventaja de treinta puntos. Simplemente, no estábamos a su altura.»

Scalabrine tenía razón. Los Nets perdieron por 103-106 y, en el siguiente partido, los Lakers pusieron punto final a la menos memorable de las finales. O'Neal, con un promedio de 36,3 puntos y 12,3 rebotes, se pasó los cuatro partidos dándose un festín a costa de los tres hombres más grandes de Nueva Jersey (Jason Collins, Aaron Williams y Todd MacCulloch), que se limitaron a mirar y a encogerse de hombros mientras él ganaba su tercer trofeo consecutivo como MVP de una final.

«Algunas veces no eres lo suficientemente bueno —reconoce Collins—. Ese fue nuestro caso. No éramos suficientemente buenos.»

Los Lakers se convirtieron en el primer equipo que ganaba tres títulos consecutivos de la NBA desde los Chicago Bulls de Jackson del periodo 1996-98.

Ahora el objetivo era el cuarto.

13

Cuando uno se cansa

*E*l 25 de junio de 2002, Will Smith, también conocido como «el príncipe de Bel-Air», sacó su tercer álbum en solitario. En su primera semana, el disco, titulado humildemente «Born to reign» vendió sesenta mil copias y se situó en el puesto número trece de la lista Billboard de Estados Unidos. La gente de Columbia Records estaba moderadamente satisfecha.

Pero luego, ¡puf!, desapareció.

Hubo varias razones. Su primer sencillo, *Black suits comin'* *(nod ya head)* podría ser perfectamente la peor canción de *hip-hop* de la historia de las canciones de *hiphop*. Su segundo sencillo, *1000 kisses*, es una base rítmica mezclada con excrementos de perro. El CD salió solo un mes después de que Eminem publicara su fantástico *The Eminem Show*, con lo cual había muy poco interés en los mensajes alegres y absurdos de Smith.

Pero más que nada, la gente estaba simplemente cansada.

Durante la última década y media, Smith había sido omnipresente, como rapero, actor o invitado a los programas de televisión nocturnos. Lo habíamos visto como una de las mitades de DJ Jazzy Jeff & the Fresh Prince, lo habíamos visto en *Independence Day*, *Dos policías rebeldes* y *Wild Wild West*. Habíamos escuchado *Gettin' jiggy wit it* aproximadamente diecisiete millones de veces gracias al bucle despiadado de las emisoras de música pop. Pero, al cabo de un tiempo, el numerito quedó obsoleto, porque, inevitablemente, todos los numeritos pasan de moda.

En verano de 2002, en el mismo momento en que *Born to*

reign se convertía en el hazmerreír de la industria musical, el numerito de Los Angeles Lakers empezaba a perder esplendor.

Igual que con las tonterías de Smith, ya habíamos tenido suficiente. Los tres títulos consecutivos. Los desfiles de celebración. El culebrón Shaq-Kobe. El rollo de maestro zen de Phil Jackson. La trillada *I love L.A.*, de Randy Newman, sonando a todo trapo en el Staples Center después de cada victoria de los Lakers. Jack Nicholson sentado a pie de pista. Dyan Canon sentada a pie de pista. Leonardo DiCaprio sentado a pie de pista.

Todo esto funcionaba en la ciudad de los sueños. Pero en el resto de la NBA, la paciencia se estaba agotando. Pocos jugadores rivales tenían algo positivo que decir sobre Kobe Bryant, y los entrenadores rivales no soportaban a Phil Jackson. Y aunque O'Neal era querido como a un oso de peluche, no era el mismo. El 5 de agosto de 2002, Chick Hearn, el icónico locutor de los Lakers, murió, a los ochenta y cinco años, y O'Neal, habitualmente tan considerado, no acudió a presentar sus respetos a la familia. Su excusa (una emergencia familiar) fue tachada de insensible y cruel. Todo el universo de los Lakers (Kareem Abdul-Jabbar, Magic Johnson, James Worthy, Byron Scott y Pat Riley, por ejemplo) acudió al funeral de Hearn. Pero no estuvo Shaq. Bill Plaschke escribió en el *Los Angeles Times*: «Pocos de los que asistieron al funeral [de Hearn] olvidarán fácilmente que Kobe estuvo ahí, pero no que Shaq no apareció».

Por si esto fuera poco, O'Neal esperó más de tres meses después de que terminara la temporada 2001-02 para programar la intervención de su artrítico dedo gordo del pie derecho. Esto enfureció a Mitch Kupchak, a Phil Jackson y a Bryant. Ninguno de los tres podía entender cómo la pieza central de la franquicia se perdería voluntariamente una parte de la próxima temporada cuando podría haberlo evitado. Igual que la excusa que ofreció para no asistir al funeral, la justificación de O'Neal («necesitaba tres opiniones diferentes porque estamos hablando de mi futuro, de mi vida») fue ridícula. Dicho llanamente, O'Neal era un hombre que valoraba sus periodos de descanso y no quería pasarse el verano con una escayola. Así que, obviando su salario de 23,5 millones de dólares, esperó e insistió en tratar su dolencia en «periodo laboral».

«¿Qué tipo de deportista actuaba de este modo? —se preguntaba Peter Cornell, el pívot de oficio que asistió al campus de pretemporada de 2001 de los Lakers—. Nadie con un verdadero espíritu competitivo haría tal cosa. Pero Shaq tenía otra filosofía.»

«Primero dijo que quería una segunda opinión —recuerda Jackson—. Luego se sinceró y dijo que se lo estaba pasando demasiado bien durante las vacaciones.»

Según varios compañeros de equipo y algunos miembros del cuerpo técnico, el hambre que antes había motivado a O'Neal para ganar los tres títulos consecutivos había desaparecido. Las quejas de Bryant sobre la actitud indolente de la superestrella siempre habían caído en saco roto. Pero ahora, con el comienzo del campus de pretemporada en Hawái, era difícil seguir ignorándolas. O'Neal no solo estuvo fuera de juego durante nueve semanas después de la operación, sino que además estaba gordo y fuera de forma. Claramente, no estaba listo para jugar. Durante sus vacaciones se dedicaba a comer, beber, firmar contratos publicitarios, grabar álbumes de *hiphop*, acudir a inauguraciones de discotecas y a disfrutar de largas noches de fiesta y viajes extravagantes. Tan pronto como sonaba la bocina final, dejaba a un lado su identidad como jugador de los Lakers y adoptaba la de Shaq Fu, un gigante de dibujos animados. Era Kazaam hecho realidad.

«Durante su rehabilitación estaba con el equipo —recordaba A. J. Guyton, un base que participó en el campus—. Pero ¿levantaba pesas? No.» Cuando los Lakers esperaban que O'Neal usara la cinta de correr o hiciera estiramientos u otras tareas poco placenteras, podía ocurrir cualquier cosa. A veces escuchaba los consejos de Gary Vitti, el fisioterapeuta del equipo. Pero, otras, lo ignoraba como si se tratara de un molesto aficionado en busca de un autógrafo.

Cuando se presentaba la diversión, ahí estaba O'Neal, con o sin dolor en el pie. Un día, a mitad del campus, los Lakers enviaron a sus jugadores a unas instalaciones cercanas del ejército para jugar a *paintball*. Bryant y O'Neal fueron nombrados capitanes y eligieron a sus equipos. A continuación, tuvo lugar una intensísima batalla a muerte. «Yo estaba en el equipo de Kobe. Él y Shaq iban a por todas —recuerda Jannero Pargo, un base *rookie* de los Lakers procedente de la Universidad de Arkansas—. Eran solo pistolas de pintura, pero, en un momento dado, Kobe me miró directo a los ojos, se señaló los suyos con dos dedos y gritó: "¡Vamos! ¡Vamos!". Era un líder de *paintball* al que no le importaba lo más mínimo mi vida. Shaq hacía lo mismo. Necesitaban ganar.»

Desde 2002, O'Neal tenía un patrocinador que daba una fiesta en cada ciudad que visitaba el equipo. Incluso cuando estaba inactivo, siempre se aseguraba de asistir. «Era de locos —explicaba Pargo—. Llegábamos al hotel, dejaba las maletas en la habitación y tenía un taxi esperándole para llevarlo a la fiesta. Hacía acto de presencia durante treinta minutos, se ganaba el sueldo y se iba. Debían llamarse "fiestas de Shaq" o algo parecido. La gente solo quería estar cerca de él. Eran los días ciegos de Shaq.»

O'Neal se lo estaba pasando como nunca. Pero las otras franquicias olían la sangre. Cronológicamente hablando, O'Neal estaba en el mejor momento de su carrera. Era cierto que los pívots se desgastan antes que los demás jugadores. Pero un trigésimo cumpleaños no era ni mucho menos una sentencia de muerte para el gigante. En todo caso, se encontraba en la cumbre de su carrera. Con treinta años, los grandes anotadores del poste bajo solían estar en su mejor momento. Con treinta años, Bill Russell consiguió un promedio de 14,1 puntos y 24,1 rebotes con los Boston Celtics que ganaron el anillo en la temporada 1964-65. Con treinta años, Wilt Chamberlain obtuvo un promedio de 24,1 puntos y 24,2 rebotes con los Philadelphia 76ers, que se hicieron con el anillo en la temporada 1966-67. Con treinta años, Kareem Abdul-Jabbar obtuvo un promedio de 25,8 puntos y 12,9 rebotes con los Lakers de 1977-78.

Pero O'Neal no se cuidaba, y todo el mundo lo sabía. Cada temporada que pasaba parecía perder velocidad, musculatura y era más propenso a lesionarse. Seguía siendo un fenómeno sobrenatural el ochenta y cinco por ciento del tiempo, pero ya no el cien por cien como había sido hasta aquel momento.

Esa fue la razón principal por la que, el 6 de agosto de 2002, los New Jersey Nets (recién derrotados por los Lakers) traspasaron al alero Keith Van Horn y al pívot Todd MacCulloch a los

76ers a cambio de Dikembe Mutombo, el cuatro veces proclamado mejor jugador defensivo de la NBA. El titular del Asbury Park Press decía: «Los Nets revelan su arma para derrotar a Shaq». Después del traspaso, Rod Thorn, el director general de los Nets, declaró a la prensa que el nuevo pívot podía marcar la diferencia entre llegar a la final y ganar la final. «Tenemos opciones —dijo Thorn— de ser el mejor equipo defensivo de la NBA.»

Aproximadamente al cabo de una semana, los Sacramento Kings ficharon a Keon Clark, el pívot de 2,11 m y 100 kilos, como agente libre con un contrato de un año por 4,5 millones de dólares. «Otro gigante para enfrentarse a Shaquille O'Neal de los Lakers», decía el artículo de la Associated Press.

La incorporación más destacada para contrarrestar el poderío de Shaq, tuvo lugar el 26 de junio de 2002, cuando los Houston Rockets utilizaron la primera elección del *draft* para elegir a Yao Ming, el pívot de 2,29 y 141 kilos que recientemente había promediado 38,9 puntos y 20,2 rebotes por partido en los *playoffs* de la Asociación de Baloncesto de China con los Shanghai Sharks. A pesar de tener solo veintiún años y de no estar familiarizado con la competición de primer nivel, la llegada de Yao fue considerada un desafío directo al reinado de O'Neal como el hombre más grande de la NBA. Claro que Shaq era alto. Pero no era tan alto. Al cabo de pocas semanas, en las emisoras de radio de Houston sonaba una canción titulada simplemente Yao Ming, y Steve Francis, el base superestrella de los Rockets, pasó a ser «el compañero de equipo de Yao Ming». Se hablaba, medio en broma, de una dinastía Ming.

En pocas palabras, las otras veintiocho franquicias de la NBA estaban haciendo todo lo posible para arrebatar el trono a los Lakers. Si eso significaba tener que copiar los elementos de su triángulo ofensivo (como intentaban muchos equipos), lo harían. Si se requería fichar a Mutombo o a Clark o importar al mejor pívot de China, también lo harían. Y si implicaba tener que meterse en una pelea sucia, pues adelante.

La tarde del 23 de octubre de 2002, seis días antes de jugar sus partidos inaugurales de la temporada, los Kings y los Lakers se enfrentaron en un encuentro de exhibición en el Staples Center. No tenía que ser más que un partido inofensivo para entrar en calor, una última oportunidad para trabajar las rotaciones, ofrecer minutos a los *rookies* y dejar que Phil Jackson y Rick Adelman se sintieran cómodos con lo que sus directores generales les habían proporcionado.

En lugar de eso, se desató la Segunda Guerra Mundial.

El partido comenzó con Doug Christie, el escolta de Sacramento, enfrentándose a Rick Fox, el alero de Los Ángeles. A pesar de que la noche no tenía ninguna trascendencia, Christie decidió no esconder sus ganas de joder a los Lakers y todo lo que representaban. Solo habían pasado cinco meses desde que los Kings habían sido eliminados de la peor manera posible, y la herida seguía abierta. Christie en concreto había sido una de las víctimas de los *playoffs*, un escolta sin precisión en el tiro. De modo que ahora, en territorio hostil, Christie se pegó a Fox, comportándose como si se tratara del octavo partido de la final de la Conferencia Oeste. Fox lo pasó mal. «Lo tenía encima todo el rato —recuerda Fox—. Yo estaba en plan: "Vamos, tío, apártate un poco. Es solo pretemporada. Relájate".»

Christie fue implacable y Fox se dio cuenta de que su rival estaba intentando marcar la tónica de la temporada que estaba a punto de empezar. «Lo último que quería —cuenta Fox— era dejar que Doug Christie pensara que me podía pasar la mano por la cara.» Así pues, cuando habían transcurrido poco más de dos minutos del primer cuarto, Fox atrapó un balón suelto y le dio un golpe a Christie en el pecho con el codo derecho. El jugador de los Kings cayó de espaldas, se levantó y se dirigió hacia su rival. Fox entonces le golpeó en la barbilla con una durísima izquierda. Christie le devolvió el golpe, y Clark, que ese día se ganó más el sueldo que en toda la temporada, intervino para detener la pelea.

Ambos jugadores fueron expulsados y Fox se quedó con ganas de «matar a ese tío». Especialmente cuando lo vio celebrar la victoria con sus compañeros, disfrutando de la gloria de vencer al enemigo. Aunque, evidentemente, no podía matarlo con tres árbitros delante. De modo que esperó. Christie abandonó la cancha por un túnel, y Fox por el otro. Fox caminaba despreocupadamente, casi a ritmo de paseo, adentrándose en las entrañas del Staples Center. Entonces hizo un esprint. Corrió por el pasillo y se dirigió al otro túnel, donde vio a Christie charlando animadamente con los guardias de seguridad de los Kings. Sin pensárselo, se abalanzó sobre Christie: pegó un salto intentando una patada voladora al estilo Bruce Lee. No salió bien. «Doug me cogió el pie cuando le di en el pecho —recuerda Fox—. Me sujetaba el pie y yo me sostenía sobre el otro. Un guardia de seguridad de los Kings me agarró y la mujer de Doug [Jackie] empezó a pegarme con el bolso. Doug me golpeaba el cuerpo mientras yo lo agarraba por la cabeza. Luego los guardias de seguridad del Staples Center entraron y me sujetaron. Pero al agarrarme dejaron el camino libre para que Doug me golpeara. Yo estaba recostado en la parte trasera de las gradas y la cosa no iba muy bien. Entonces, de la nada...»

Llegó Shaquille O'Neal.

Todavía se estaba recuperando de la intervención en el dedo del pie y se había pasado el partido sentado en una silla, en la banda, enfundado en un chándal holgado a cuadros azul y beis que recordaba un pijama de abuelo de los setenta. Cuando Fox entró en el túnel, el guardaespaldas de O'Neal, Jerome Crawford, le tocó en el hombro y le dijo: «Rick va a por él».

O'Neal salió disparado como alma que lleva el diablo hacia la parte trasera del pabellón. En cuanto vio los puñetazos que se intercambiaban Christie y Fox, activó su profunda voz de barítono y gritó: «¿Qué está pasando aquí?». Parecía esa secuencia de André el Gigante en la que intenta salvar a Bob Backlund, en la era dorada de la WWF, la Federación Mundial de Lucha Libre. Christie y su esposa se apartaron. Fox dio un último empujón y se marchó junto a O'Neal, que lo acompañó a los vestuarios de los Lakers.

—Tío, estás loco —dijo O'Neal—. ¿Cómo se te ocurre?

Fox apenas se inmutó.

—He pensado que tenemos que defender lo que es nuestro —respondió.

No iba a ser fácil.

Con la excepción de dos *rookies* secundarios, Pargo y Kareem Rush, y de la incorporación de un alero veterano llamado Tracy Murray, los Lakers de la temporada 2002-03 presentaban básicamente el mismo elenco que los Lakers de la temporada anterior. Esto quería decir que una plantilla envejecida lo estaría un poco más. Ahora cinco miembros del equipo tenían o superaban los treinta años, y, lógicamente, era un motivo de preocupación. El baloncesto es un juego para jóvenes poco amable con las piernas viejas.

La temporada de los Lakers empezó el 29 de octubre contra San Antonio en el Staples Center, con O'Neal en el banquillo, vestido de calle. El quinteto titular lo formaron Derek Fisher como base, Kobe Bryant como escolta, Robert Horry como ala-pívot, Devean George como alero y Soumaila Samake como pívot.

Un momento.

Uuuuuuuuuuun momento.

¿Soumaila Samake?

Pues sí, Soumaila Samake. No hay que confundirlo con Somalia ni con el Nakajima Sakae ni con un pívot a la altura de la NBA. Samake había nacido y crecido en una granja de la pequeña ciudad de Bougouni, en Mali, y lo descubrieron en 1997 unos ojeadores estadounidenses, cuando Joby Wright, el entrenador de la Universidad de Wyoming buscaba talentos internacionales para los Cowboys. Sin embargo, en lugar de ir a Estados Unidos para poder mantener a su familia, Samake fichó por el Geoplin Slovan, un club esloveno de baloncesto profesional. Un año después, Scott Spinelli, un ayudante de entrenador de la American University, asistía a los Juegos Africanos y descubrió a un hombre alto y desgarbado con cierto aire a Manute Bol que jugaba en una pista al aire libre con miles de murciélagos volando por encima de su cabeza. Las criaturas revoloteaban por todos lados, pero Samake, que medía 2,13 m y pesaba unos noventa kilos, apenas parecía darse cuenta mientras taponaba un lanzamiento tras otro a sus rivales. Al cabo de dieciocho meses, Spinelli era entrenador asistente del Cincinnati Stuff de la liga menor International Basketball League, y Samake, que había sido elegido en la duodécima ronda del *draft* de la IBL, era su pívot titular.

A pesar de que jugaba contra jugadores mediocres, recibió el título de jugador defensivo del año de la IBL en el año 2000. Tenía un promedio de 2,7 tapones por partido, además de 9,7 puntos y 7,6 rebotes. En el *draft* de la NBA de junio fue elegido por New Jersey en el puesto número treinta y seis. El director general de los Nets, John Nash, ofreció a la prensa uno de los peores elogios de la historia del deporte moderno: «No tiene mucha variedad de movimientos, pero cuenta con unas manos decentes».

Steve Adamek, del periódico *The Record*, resumió perfectamente los treinta y cuatro partidos de Samake ese año con un promedio de 1,4 puntos por partido: «¿Cuál es la diferencia entre Manute Bol (un jugador que en su momento fue una eterna promesa) y este chico? Quince centímetros».

Samake jugó la siguiente temporada en Italia, y luego participó con el equipo de los Lakers en la liga de verano Summer Pro League que se celebró en Long Beach. A pesar de que Samake tenía un triste promedio de 3,8 puntos y 6 rebotes por partido, era básicamente... muy alto. Y con O'Neal en la grada, era mejor un jugador alto que uno que no lo fuera. «Le irá bien. Es joven, seguro que le irá bien», aseguró O'Neal.

Los aficionados de los Lakers no tardaron en darse cuenta de que, con Soumaila Samake, las cosas no irían bien. Los Spurs arrancaron el primer cuarto con una ventaja de 18-24. David Robinson y Tim Duncan, las dos torres gemelas del poste bajo, atacaron el aro sin tregua mientras que Samake jugaba como si tuviera las rodillas pegadas. Su primer lanzamiento fue un tiro en suspensión desde tres metros y medio que fue una auténtica piedra. Su segundo tiro de campo fue una bandeja que nadie disputó; otra pedrada. Su instinto era atroz; un compendio de saltos inoportunos y pases imprevistos. Para Samake, el *pick and roll* era algo que veía a su alrededor, desde lejos.

Cuando, gracias a Dios, a falta de cuatro minutos para acabar el primer cuarto, fue sustituido por Tracy Murran, los 18 997 espectadores lo ovacionaron irónicamente. Las aguas se calmaron y el partido terminó con un 82-87 a favor de San Antonio. Samake salió del pabellón con un balance de 13 minutos, 2 puntos y 6 rebotes. El número cero de su uniforme parecía el apropiado.

El equipo de Los Ángeles volvió a perder al día siguiente, esta vez por un trabajado 102-90 en Portland. Luego lograron dos victorias consecutivas antes de meterse en una racha de cuatro derrotas que terminó convirtiéndose en un balance de 7 derrotas en 8 partidos. El 20 de noviembre, después de perder 95-88 en San Antonio, los Lakers llevaban un registro de 3-9, y era el último clasificado de la División Pacífico, por detrás de Seattle. Los cuatro culpables principales eran, en primer lugar, O'Neal, que estaba de baja por una operación que debería haber programado meses antes. En segundo lugar, Samake, una versión pobre de John Shasky cuya infame carrera en los Lakers llegó a su fin después dar positivo en nada más y nada menos que un control de esteroides. En tercer lugar, Bryant, que consideró que la ausencia de O'Neal era una oportunidad de oro para lanzar a canasta sin descanso. Y, por último, Jackson, que no hizo nada para impedírselo.

La repentina impotencia del entrenador resultaba desconcertante. A lo largo de los trece años en los que había dirigido el espectáculo tanto en Chicago como en Los Ángeles, Jackson jamás rehuyó el conflicto con ningún jugador. Si tenía que reprender a Michael Jordan por acaparar la pelota, lo hacía. Si tenía que aleccionar a O'Neal sobre su estado físico, lo hacía. Ahora, en cambio, con su pívot apartado y su equipo contra las cuerdas, Jackson se mostraba taciturno. Albergaba una única esperanza: Kobe Bryant. El irritante, testarudo y lleno de defectos Kobe Bryant.

Los equipos, según él, a veces necesitan comprenderse a sí mismos. Sin embargo, los Lakers no estaban comprendiendo nada. Murray, recién llegado después de pasar dos temporadas bajo las órdenes de Lenny Wilkens, en Toronto, se quedó atónito ante la poca predisposición de su nuevo entrenador para dar un paso al frente y asumir el mando. Ante las dificultades que afrontaba el equipo, Murray le pidió a Jackson poder hablar de su lugar en la rotación.

«Cuando tenga tiempo de hablar contigo —dijo Jackson—, hablaré contigo.»

Vaya.

«Fue una conversación de dos minutos que nunca se retomó —recuerda Murray—. Phil jamás habló conmigo. Ni con muchos de los chicos. No era lo que me esperaba cuando llegué.»

Lo que más sorprendía a Murray no era su poco protagonismo (jugó una media de 6,2 minutos por partido), sino la confianza obsesiva del equipo en que Bryant se ocupara de todo. Horry era un anotador contrastado. Fox era un anotador contrastado. Devean George era extremadamente atlético y Samaki Walker podía jugar en el poste bajo. Derek Fisher, el base del equipo, claramente conocía el camino hasta la canasta. Había hombres que podían ayudar a compensar la ausencia de O'Neal.

Pero no. Jackson sabía que Bryant, con veinticuatro años y en su séptima temporada, quería la pelota y estaba de acuerdo con eso. De hecho, era su sueño hecho realidad: una oportunidad para demostrar que Los Angeles Lakers podían crecer sin O'Neal. Sin embargo, terminó siendo un desastre. Un titular del *USA Today* decía: «Sin Shaq, los Lakers son unos perdedores». Era incontestable. Un sistema que había sido creado para funcionar desde dentro hacia fuera estaba ahora orientado hacia el perímetro. Los demás jugadores pasaban gran parte del tiempo parados sobre la cancha. Se aburrían y perdían la concentración. Bryant metió solo 8 de los 21 tiros de campo en el partido que perdieron contra Washington, y Jackson ni se inmutó. En la derrota contra Atlanta fueron 8 de 22, y Jackson tampoco hizo nada al respecto. En una victoria contra Golden State, metió 18 de 40, y ni una palabra de Jackson. El movimiento del balón, la supuesta base del triángulo ofensivo, era inexistente. «Había mucho bote y muy pocos pases», señala Murray. El partido fue más triste que el que se disputó el 7 de noviembre en Boston. Al haber crecido como un fanático de Magic Johnson y con su conocimiento enciclopédico de la historia de la rivalidad entre los Lakers y los Celtics, Bryant siempre estaba muy motivado cuando jugaba en la ciudad de las judías. A primera hora del día, seis horas antes del comienzo del partido en el FleetCenter, se pudo ver a O'Neal en el vestíbulo del Hotel Four Seasons de Boston vestido con una camiseta y unos pantalones cortos mientras se deslizaba por la barandilla y gritaba: «¡*Aquíííí estááááá* Shaaaaaq!». Patético. Era lo último que debería hacer un hombre con una lesión en el dedo del pie. Pero, para él, era de lo más divertido. Cuando

Bryant se enteró de la payasada de O'Neal, soltó un suspiro y pensó: «Por eso yo soy quien manda aquí».

Aquella noche, Bryant lanzó 47 veces a canasta y solo anotó 17 tiros. Perdió la pelota en cinco ocasiones y anotó 41 puntos en un partido que terminaron perdiendo en la prórroga 98-95. Fue cien por cien Bryant. Bryant consideraba que Paul Pierce de los Celtics, Allen Iverson de Filadelfia o Kevin Garnett de Minnesota no solo eran rivales, sino los jugadores más eléctricos de la liga. Por eso debía superarlos. Así que lanzó a canasta sin tregua y después del partido le susurró a Pierce: «Ha sido divertido. Como en los viejos tiempos».

Lástima que no fuera tan divertido para los otros cuatro postes de teléfono que había sobre la pista. Los Lakers jugaron muy mal, y Jackson parecía paralizado. La realidad era que el propio entrenador se había convertido en una víctima de la epidemia que infectaba a todos aquellos que mantenían un contacto prolongado con Bryant: la rendición inevitable ante una fuerza constante que no dejaba de repetir: «Dame la pelota. Dame la pelota. Dame la pelota. Dame la pelota». Bryant había llegado a la NBA creyendo que era el mayor talento del planeta, y esa creencia ahora se había multiplicado por cien. «No es habitual tener lo que tiene Kobe —cuenta Rush, el escolta *rookie*—. Yo amo el baloncesto. Pero Kobe estaba a otro nivel y podía ser claramente abrumador.» Jackson, igual que Del Harris antes que él, se había vuelto incapaz de hacer ni decir nada para cambiar su naturaleza. Se limitaba a ver cómo Bryant acaparaba la pelota y luego, cuando los periodistas lo confrontaban, soltaba una especie de suspiro y lo justificaba diciendo que era «parte del proceso». No obstante, el proceso era inexistente. Jackson parecía bloqueado y desconectado. Igual que la mayoría del vestuario, Jackson era un defensor de O'Neal, y Bryant lo sabía. Jackson hablaba, daba sugerencias y diseñaba jugadas sin demasiada convicción. Tampoco ayudaba el hecho de que Tex Winter, el arquitecto del triángulo y miembro del séquito de Jackson durante más de una década, se viera marginado y generalmente ignorado por su entrenador. Gran parte del secreto del éxito de los Lakers no era ningún secreto: la genial mente ofensiva de Winter había sido determinante. Jackson, «cuyo ego no podía ser mayor», según el veterano entrenador Larry Brown, era claramente consciente de que sus éxitos iban acompañados de un asterisco. Había un amplio consenso sobre la idea de que, sin el triángulo, Jackson probablemente hubiera llegado a ser, como mucho, el entrenador con más victorias en la historia de los Patroons de Albany. A medida que crecía la leyenda de Tex Winter, Jackson lo apartó de su lado hasta pedirle que no se sentara junto a él durante los partidos, sino en un asiento trasero, para quitarlo de en medio. Rolan Lazenby escribió: «Jackson justificó el cambio diciendo que era un gesto en deferencia a la edad de Winter. Pero Winter se preguntaba si Jackson no se habría empeñado demasiado en asegurarse de que él se llevaba el mérito de los éxitos del equipo».

Ahora, sin O'Neal, los Lakers ofrecían un lamentable espectáculo individualista que cosechó los peores resultados de la franquicia de los últimos treinta y seis años.

La noche del 19 de noviembre, después de que los Dallas Mavericks mejoraran su balance a 11 victorias y ninguna derrota tras apalear en casa a los Lakers 72-98, Bryant estalló. «Miro a mi alrededor y no veo fuego en los ojos de nadie —dijo—. Todo el mundo está como dormido. No sé si todo el mundo está esperando que Shaquille vuelva o lo que sea. No lo sé. Pero no hay intensidad.».

Era un caso de ceguera de manual. Bryant había lanzado a canasta en veintiuna ocasiones contra los Mavericks y solo logró siete aciertos. Había sumado cinco pérdidas de balón. Había sido incapaz de leer la inquietud en las caras de sus compañeros y las miradas de frustración hacia el banquillo. «Cuando Kobe no se preocupaba para involucrar a los demás en el juego, todo se hacía muy difícil —cuenta Fox, que había conseguido once puntos en aquel partido—. A veces daban ganas de decirle: "Kobe, sabes que estamos aquí, ¿verdad?"»

Shaquille O'Neal regresó a la cancha el 22 de noviembre contra los Chicago Bulls. Salió del banquillo para sustituir a Samaki Walker cuando quedaban cinco minutos y cuarenta y tres segundos del primer cuarto. Los aficionados recibieron a su salvador con una ovación cerrada, como si se tratara de un héroe que volvía de las profundidades del olvido dispuesto a ayudar al equipo a recuperar su legítimo lugar y abandonar el sótano de la División Pacífico con sus 4 victorias y 8 derrotas.

O, por lo menos, esa era la esperanza.

Sin embargo, el O'Neal que pisó el parqué del Staples Center era una versión desdibujada de sí mismo. En apariencia era él, con su camiseta dorada luciendo el número 34 y con una sonrisa de oreja a oreja. Anotó 17 puntos en un partido que los Lakers ganaron 86-73. Sin embargo, parecía más lento que nunca. Dos de sus lanzamientos fueron taponados por Donyell Marshall, un alero mediocre de 2,06. J. A. Adande escribió en el *Times*: «Uno fue un tapón directo de un tiro en suspensión de Shaq desde la línea de fondo, algo que yo no había visto nunca». Cuando Fox le ofreció un *alley oop* perfecto hacia el final del último cuarto, O'Neal tuvo dificultades para alzar su mano derecha por encima del aro y se limitó a embutir la pelota por la canasta. Desde algún lugar, Soumaila Samake, que estaba a punto de convertirse en pívot reserva del Greenville Groove, esbozaba una sonrisa.

La idea de que los Lakers pudieran volver a dominar la NBA parecía cada vez más una utopía. El egoísmo de Bryant seguía siendo un problema, y el estado físico de O'Neal, también. A sus treinta y tres años, las capacidades atléticas de Fox empezaban a menguar, y Brian Shaw, con treinta y seis años, ejercía más de entrenador asistente que de recambio eficaz. Sin embargo, lo que más le faltaba al equipo era empuje. A Devean George, que ahora estaba jugando muchos minutos, sus compañeros de equipo le consideraban un blando. Horry, con 2,06, pero amante de la vida más allá de la línea de tres puntos, raramente se acercaba a canasta. El jugador más combativo era Pargo, un base de 1,85 y 79 kilos que casi nunca jugaba y veía cada entrenamiento como una oportunidad de demostrar su valía. Al llegar a Los Ángeles, Pargo alquiló un apartamento en Marina del Rey e invitó a un compañero de universidad llamado Teddy Gipson a vivir con él. A lo largo de toda la temporada, ambos se levantaban los sábados por la mañana y se iban a Venice Beach a jugar a las pistas municipales de cemento exteriores. Nadie en el equipo tenía ni idea. Ese comportamiento violaba unas treinta cláusulas de su contrato. «Nunca llevaba nada que identificara al equipo —afirma Pargo—. Me ponía una cinta en la cabeza y unos shorts negros de Nike. Me encantaba jugar, lo necesitaba.»

Pargo era una excepción. En muchos aspectos, el jugador más representativo de los Lakers de la temporada 2002-03 era Walker, el ala-pívot al que Bryant había golpeado en la cabeza en aquel autobús en Cleveland la temporada anterior. Cuando el equipo lo fichó como agente libre en verano de 2001 por dos años y tres millones de dólares, la intención era que aportara dureza y garra. Pero Walker no era un tipo duro y le faltaba garra. Era perezoso, chapucero e irregular, el equivalente baloncestístico de un rollo de papel higiénico del baño de un bar. Cuando Walker se sumó a la lista de lesionados por una sobrecarga lumbar, Bryant se mostró incrédulo. «No le duele más que a mí —dijo el escolta—. Yo salgo ahí a darlo todo cada noche. Él tendría que hacer lo mismo.» Era una de las pocas cosas en las que Bryant y O'Neal estaban de acuerdo. «Hablad con los cabrones que no están haciendo nada —dijo Shaq tras una derrota—. No me preguntéis a mí.»

Los cabrones eran, en realidad, Samaki Walker.

Años después, Walker admitió que ambos tenían razón. Tenía veintiséis años. Estaba soltero y vivía en Santa Mónica. «Era una locura —reconoció Walker—. Había demasiadas distracciones.» En una ocasión, cuando todavía era *rookie* en Dallas, Walker llegó a las instalaciones del equipo apestando a alcohol y con la resaca de la noche anterior. No era ninguna novedad. Walker muchas veces llegaba a casa a las seis de la mañana, daba una cabezadita rápida, no pensaba en cepillarse los dientes y salía disparado hacia el entrenamiento con el aliento apestando a Budweiser y a mujeres. Aquella vez, A. C. Green, el ala-pívot titular, le apartó a un lado y le reprendió con un sermón sobre el significado de la responsabilidad de ser un jugador de la NBA. «Tú aquí no eres especial, ni yo tampoco —le dijo Green—. Tienes que darlo todo si quieres mantenerte en la élite.» Walker le escuchó, hasta cierto punto. Empezó a beber menos y a acostarse más temprano. Pero la devoción por el oficio nunca terminó de cuajar. Era la consecuencia de haber nacido con un don para el deporte y no haber tenido que trabajárselo nunca. Tanto en el instituto como en la Universidad de Louisville las cosas le resultaron fáciles. Su sesenta por ciento era el cien por cien de cualquier otro jugador. ¿Para qué esforzarse?

«No me cuidaba el cuerpo y era bastante perezoso —admite—. Tenía capacidades de superestrella, pero me faltaba su determinación. Cuando defendía a Shaq en los entrenamientos, me defendía bastante bien. Tenía unas habilidades innatas. Pero visto con perspectiva, tenía que haberme cuidado más. La culpa es solo mía.»

Bryant y O'Neal intentaban gestionar la pereza del alapívot como si se tratara de una enfermedad que se podían controlar. Pero por desgracia no era así. Con un Walker que cuando no estaba lesionado o en el banquillo estaba cazando mariposas (su promedio era de solo 4,4 puntos por partido), Jackson apostó por Mark Madsen, el jugador de la Universidad de Stanford que en su momento había sido elegido número uno del *draft*.

Pero Madsen también tenía sus desventajas.

No había una sola alma en el mundo a quien no le gustara Madsen. Era educado, divertido, extravagante y entrañable. Era un mormón devoto que había hecho su preceptiva labor misionera en la Costa del Sol, España, pero que nunca se había sentido cómodo intentando convencer a sus compañeros de equipo sobre su fe. A Bryant, un hombre que consideraba a pocos *homo sapiens* dignos de su presencia, le caía tan bien Madsen que para el regalo del amigo invisible de Navidad superó el presupuesto máximo de cien dólares y le compró dos trajes. Durante sus dos primeras temporadas en la NBA, su trabajo había consistido principalmente en hacer de muñeco de prácticas para O'Neal y había aceptado el encargo con entusiasmo. «Daba el cien por cien todos los días —recuerda—, y Shaq tenía que reservarse para Hakeem o Alonzo Mourning. Yo tenía que encontrar el equilibrio entre ponérselo difícil y no desgastarlo demasiado antes de los partidos.» Sin embargo, le costó ganarse el respeto de la liga. Fue apodado «Mad Dog» (perro loco) y siempre se le comparaba con la larga lista de jugadores blancos altos, rígidos y poco atléticos que habían ocupado muchos de los banquillos de la NBA en los ochenta, hombres como Greg Dreiling, Stuart Gray, Uwe Blab y Paul Mokeski. Sin ir más lejos, antes de empezar la temporada 2001-02, la revista *Sports Illustrated* calificó a Madsen como el peor jugador de la NBA, una designación que hirió profundamente al afectado después de que *Los Angeles Times* recogiera el guante y sacara una noticia en portada de su sección de deportes sobre su infortunio. «Fue muy doloroso —recuerda—. Sacaron una foto mía sentado en el banquillo con las manos en el rostro, con aspecto triste. No me gustó nada. Pero soy adulto y soy consciente de que la prensa hace su trabajo.»

Muchos miembros de los Lakers defendieron a Madsen insistiendo en que bajo ningún concepto era el peor jugador de la NBA. Y, de hecho (gracias a Lavor Postell), no lo era. Pero jugaba muy poco y sus medias de 2,0 y 2,8 puntos por partido en su primera y segunda temporada respectivamente no inspiraban mucha confianza. No obstante, Jackson decidió que había llegado el momento de apartar a Walker, un jugador con muchísimo más talento, y darle una oportunidad a Madsen. En el peor de los casos, duraría un partido o dos antes de mandarlo a compartir litera con Soumaila en el Greenville. Y en el mejor, prendería la chispa de un equipo que estaba sentado sobre leña húmeda.

El 18 de febrero, después de que los Lakers perdieran dos partidos seguidos, con un balance de 26 victorias y 25 derrotas, Madsen jugó veintiocho minutos contra Houston y contribuyó al triunfo de su equipo por 106-99 con 9 puntos y 5 rebotes, sin ser titular. Al día siguiente, con O'Neal descansando en su casa de Beverly Hills con el pie dolorido y Walker con un esguince en el tobillo derecho, Madsen anotó 7 puntos en veintidós minutos en una nueva victoria por 93-87 contra Utah. En el que fue considerado el triunfo más importante de la temporada, los Lakers recibieron en casa a Portland (con un balance de 35-18 y a dos partidos del primer clasificado de la División Pacífico) el 21 de febrero, y los 6 puntos, los 4 rebotes y la dura defensa interior de Madsen sobre Rasheed Wallace marcaron la diferencia en la victoria por 92-84.

Bryant, con una racha espectacular de 40 puntos o más por partido en nueve encuentros consecutivos (llegó a 51 puntos

contra Denver y a 52 contra los Rockets), era quien se llevaba los titulares. Pero no dejaba de ser lo que se podía esperar
de Kobe, con O'Neal todavía intentando recuperarse. Lo que
Madsen aportaba era mucho más intangible: dureza, intensidad, espíritu y altruismo. Jackson lo incluyó en el quinteto
titular el 23 de febrero; aquella noche jugó veintidós minutos
y contribuyó con 5 puntos y 6 rebotes en la victoria por 106-
101 contra Seattle. Su nombre no aparecía en ninguna de las
crónicas del día siguiente (Bryant había anotado 41 puntos y
O'Neal 27), pero su impacto en el equipo fue determinante.
«Sabías que lo daría todo en cada partido —cuenta Adande—.
No podías decir lo mismo de todos los jugadores del equipo.»

Madsen terminó siendo titular en 22 partidos y logró los
mejores números de su carrera: 14,5 minutos, 3,2 puntos y 2,9
rebotes por partido. Nadie lo consideraba la pieza central de la
franquicia ni uno de los elementos principales. Pero el equipo
de Los Ángeles ganó 17 partidos con Madsen de titular y el
equipo terminó aquella pedregosa temporada con un balance
de 50-32 y con el quinto puesto en la clasificación de la Conferencia Oeste.

Era un tricampeón herido…

… con el que nadie quería jugar.

Todos ellos quedaron en evidencia.

Shaquille O'Neal nunca tuvo ninguna duda, pero el resto
de la liga desde luego que sí. Antes del comienzo de la temporada 2002-03, muchos equipos miraban al pívot de los Lakers
y veían a un jugador pasado de peso, perezoso, lesionado y vulnerable. Se llevaron a cabo varios movimientos en el mercado:
Mutombo a los Nets, Keon Clark a Sacramento y la llegada de
Yao a Houston. Se esperaba que todos estos jugadores altera-
ran el equilibrio de poder y fueran la bala de plata que acabaría
con el vampiro de los mates.

Por desgracia para esos equipos, nada funcionó. Aunque
O'Neal pudo jugar solo sesenta y siete partidos de temporada
regular y a pesar de que, en general, todo el mundo estaba
de acuerdo en que no era el jugador explosivo que había sido,

O'Neal era plenamente consciente de lo que sucedía y no se amilanó. Así pues, en su primer encuentro con Yao, O'Neal anotó 31 puntos ante los 10 de su rival, y se mostró orgulloso de poder castigar físicamente al *rookie*. «Sin lugar a dudas, la liga sigue perteneciendo a O'Neal», escribió Howard Beck de *Los Angeles Daily News* justo después del encuentro. Por las mismas razones fue capaz de derrotar repetidamente a Clark, cuya llegada, anunciada a bombo y platillo, quedó desvirtuada por sus capacidades limitadas, por un problema con la bebida poco conocido («Jamás jugué un partido sobrio», admitiría tiempo después) y por una pobre media de 6,7 puntos por partido. Y por los mismos motivos se rio de que Mutombo se perdiera ambos partidos contra los Lakers por una lesión en la muñeca y de su pobre impacto en el equipo de Nueva Jersey.

O'Neal era una montaña. Cuando los Lakers empezaron su cruzada para conseguir su cuarto título consecutivo derrotando por 4-2 a los Timberwolves en la primera ronda de los *playoffs*, era lícito preguntarse si estábamos siendo testigos de la prolongación de su dinastía. Los Wolves arrojaron contra O'Neal a una manada de jugadores, entre ellos a un bloque humano de 2,13 y 112 kilos llamado Rasho Nesterović, y apenas lo notó. En la eliminatoria contra unos superados Minnesota, consiguió una media de 28,7 puntos y 15,3 rebotes. Después de lograr la increíble cifra de 17 rebotes en la victoria decisiva en el sexto partido por 101-85, O'Neal se acercó al pelotón de periodistas con una amplia sonrisa. Seguía siendo el Diesel.

«Todo pasaba por el monstruo —admite Kevin Garnett, el ala-pívot estrella de los Wolves—. No había nada que hacer.»

Tras el partido, mientras sus jugadores se duchaban, comían y celebraban la victoria, Jackson se acercó a la pizarra blanca que había en el vestuario, cogió un rotulador negro y escribió: «Doce es el número».

Sonaba muy sencillo. Solo doce victorias y esos Lakers podrían reivindicarse como la dinastía del baloncesto más grande de todos los tiempos. Si bien era cierto que los Chicago Bulls habían logrado seis títulos bajo las órdenes de Jackson, no habían superado los tres títulos consecutivos. Y aunque Boston se hubiera hecho con ocho títulos seguidos de 1959 a 1966, por aquel entonces la liga no era más que el esqueleto de lo que era ahora. Aquellos Celtics, bajitos, lentos y mecánicos, no ganarían ni un solo partido en la NBA moderna.

De modo que sí, podía decirse que los Lakers estaban a punto de hacer historia.

Pero ¿sería tan fácil como decir que «doce es el número»? Desde luego que no.

Los esperaban los San Antonio Spurs, una potencia en la temporada regular con un balance de 60 victorias y 22 derrotas. Sería una de las pocas veces desde que Jackson estaba al mando en que los Lakers no serían los favoritos. Además, jugarían sin Rick Fox, que quedaría fuera de los *playoffs* por culpa de un desgarro en el tendón del pie izquierdo. El equipo de San Antonio jugaría para David Robinson, su pívot diez veces *All-Star* y que tenía previsto retirarse cuando acabara la temporada. Los Lakers no tendrían el factor cancha a su favor, y San Antonio había ganado los cuatro enfrentamientos entre ambos equipos durante la temporada regular.

Y lo más importante de todo: los Spurs contaban con un arma nuclear llamada Tim Duncan.

Era fácil pasarlo por alto, pero difícil ignorarlo. Desde que llegó a la liga tras ser elegido en el primer puesto del *draft* de 1997, Duncan se había consolidado como una potencia inquebrantable del poste bajo. Físicamente era igual o menos destacable que otros ala-pívots de la NBA: alto, de brazos largos e incluso con unos andares algo encorvados. Además, hablaba con el tono tranquilo de un bibliotecario de zona residencial. Nunca presumía ni hacía predicciones alocadas. Aun así, Duncan había sido cinco veces *All-Star*, *rookie* del año de la temporada 1997-98, MVP de la final de 1999, MVP del partido del *All-Star* de 2000 y MVP de la NBA de la temporada 2001-02. Sus números no habían bajado de 21,1 puntos y 11,4 rebotes por partido y su repertorio de movimientos en el poste bajo parecía haber salido de una mezcla entre Kevin McHale y Adrian Dantley. «Era el mejor jugador al que nos habíamos enfrentado —cuenta Devean George—. Y el que menos hablaba de sí mismo.»

Gran parte del revuelo previo al partido se centró en Duncan y Bryant, dos de las jóvenes estrellas más importantes del baloncesto. También giró alrededor de O'Neal y Robinson, ya que, durante años, el pívot de los Lakers había expresado su poca admiración personal por su homólogo en San Antonio. Alegaba que el Almirante, apodado así por su estancia en la academia naval, le había hecho pasar un mal rato cuando le pidió un autógrafo, cuando Shaq era un crío. O'Neal escribió: «Una vez le pedí un autógrafo. Escribió su nombre muy rápido y con una actitud de "Venga, tengo prisa". Me trató con desprecio. Era mi jugador favorito. De acuerdo, pensé. Me dije a mí mismo: "Cuando te vea, iré a por ti"».

Sin embargo, la historia no era ni remotamente cierta. Robinson era un hombre amable y cordial que se llevaba la palma de la NBA en cuanto a donaciones y apariciones solidarias. Pero O'Neal necesitaba una razón para motivarse y creó así la fábula de aquel desplante. Años después admitiría entre risas que había sido un poco exagerado.

Bajo los titulares y las fanfarronadas, Gregg Popovich, el veterano entrenador de San Antonio al que Jackson se refería con sorna como «Popobitch» (Popo-Puta, en inglés), tenía un doble plan. En primer lugar, con el banquillo de Los Ángeles diezmado por la lesión de Fox, quería que los suplentes de los Lakers lanzaran a canasta tanto como fuera posible. ¿Mad Madsen? ¡Dispara! ¿Kareem Rush? ¡La pista es tuya! No es que no sintiera respeto por los suplentes… Bueno, en realidad era eso, no sentía ningún respeto por los suplentes. No tenían suficiente experiencia y eran mediocres, por eso Popovich quería que la pelota estuviera en sus manos.

En segundo lugar, dado que los Spurs tenían entre sus filas a estrellas consolidadas (Duncan y Robinson) y futuras estrellas (el base Tony Parker y el escolta Manu Ginóbili), era fácil pasar por alto una de las armas secretas del equipo. Un arma secreta sentada en el banquillo, con el número 31 en la camiseta y con aspecto de boca de incendios con patas que sería clave para mantener a O'Neal bajo control. Era un ala-pívot de 2,01 y 113 kilos procedente de una universidad menor y que en realidad se acercaba más a medir 1,95. Su nombre, Malik Jabari Rose, no resultaba familiar y noventa y nueve de cada cien estadounidenses no habían oído hablar de su alma mater, la

Universidad Drexel. Desde que Charlotte lo eligió en el puesto número 44 del *draft* de 1996, Rose tenía una media mediocre de 7 puntos y 5 rebotes por partido.

Era, en todos los aspectos, un jugador del montón.

Sin embargo, mientras que la gran mayoría de los pívots tenían dificultades para decidir cómo superar a O'Neal, si abordándolo por delante o por detrás, si usar los brazos o las piernas, los codos o las rodillas, etc., Malik Rose conocía un secreto que no era tan secreto.

«Tenías que meterte debajo de él —cuenta Rose años más tarde—, quedarte todo el tiempo debajo de él.»

El propio Rose admitía que se requerían ciertas condiciones: era necesaria una fuerza y una dureza sobrehumanas. Había que aceptar que, con total seguridad, uno iba a sufrir un dolor severo. Que a la mañana siguiente tendría la espalda rota, un fuerte dolor de cabeza y las rótulas partidas, y que necesitaría grandes cantidades de paracetamol 500 mg. «Yo estaba dispuesto a todo eso —explica Rose—. Cuando estuviera en la cancha, mi trabajo sería tener a Shaq bajo control.»

La eliminatoria empezó el 5 de mayo en San Antonio, y los Spurs, a diferencia de Minnesota, no estaban intimidados. No hacía tanto tiempo que habían ganado un título y se sentían plenamente confiados. Los Lakers eran los abusones molestos que se merecían un puñetazo en la cara. Con 28 puntos de Duncan y la intensidad física de Rose, que limitó la contribución de O'Neal a 24 puntos en 10 de 20 lanzamientos, el equipo de Popovich ganó 87-82, y se llevó el siguiente partido en casa arrasando a los Lakers 114-95. «Desolación inminente», rezaba el titular de *Los Angeles Times*. La noticia que lo acompañaba explicaba cómo el resto de la NBA (incluidos los aficionados) daban por perdidos a los Lakers. Estaban acabados. Quemados. Su era había terminado. «Algunos nos ven como un perro herido, tumbado, esperando su hora —dijo Bryant—. Pero nosotros no nos sentimos así. No lo vemos así.»

Los Lakers resucitaron para empatar la serie con dos triunfos en el Staples Center. La segunda victoria fue especialmente destacable por la ausencia de Jackson. Durante la eliminatoria contra los Timberwolves había sentido una opresión y un dolor en el pecho. Al principio lo ignoró, fiel a su forma de ser. ¿Cómo puede uno pedirles a los jugadores que sacrifiquen su cuerpo (y su ego) si no predica con el ejemplo? Pero a medida que el malestar se intensificaba y las punzadas de dolor le atravesaban el torso, Jackson empezó a preocuparse. Era padre de cinco hijos y abuelo de ocho nietos. Tenía mucho por delante. De modo que decidió visitar al doctor John Moe, un internista y cardiólogo del Centinela Hospital Medical Center que le examinó y llegó a la conclusión de que una de las arterias coronarias de Jackson estaba obturada en un noventa por ciento.

Le programaron inmediatamente la intervención: la mañana del 10 de mayo, poco más de veinticuatro horas antes del comienzo del cuarto partido, lo anestesiaron y le introdujeron un balón en la arteria obstruida. Eliminaron la obstrucción y le colocaron un estent para prevenir futuros problemas. Le dieron el alta el domingo por la mañana, pero el doctor Phillip Frankel, que había llevado a cabo la operación junto al doctor Vern Hattori, insistió en que la posibilidad de entrenar aquella misma noche estaba totalmente descartada.

Jim Cleamons, su asistente, habló con Jackson antes del comienzo del partido y ejerció de entrenador en la victoria por 99-95. Con la eliminatoria empatada, la narrativa cambió. «No hay que subestimar a los campeones —escribió Mickey Herskowitz del *Houston Chronicle*—. Tienen la mirada de quienes son capaces de lograr el milagro.»

Pero era pura ilusión.

En el quinto partido en San Antonio, los Lakers comandados de nuevo por Jackson llegaron a tener una desventaja de veinticinco puntos, aunque luego tuvieron un parcial a su favor de 18-41 gracias al empuje de Kobe. Cuando quedaban 14,7 segundos de partido y los anfitriones iban por delante 96-94, la pelota llegó a manos de Horry. El tiempo corría y el mejor lanzador de la década cuando el partido estaba caliente estaba desmarcado en el lado izquierdo, justo detrás de la línea de triple. Su lanzamiento sobrevoló la zona como el vuelo grácil de una paloma... hasta que golpeó el aro y el balón salió despedido. Final del partido. «Ha sido muy decepcionante. Tenía ganas de soltar una lágrima», dijo Horry tras el encuentro.

De vuelta en California al cabo de dos días, el sueño de un cuarto anillo consecutivo terminó abruptamente. Después de tres cuartos de partido, los Spurs iban por delante 69-78, pero Jackson intentaba convencer a sus hombres de que no todo estaba perdido. «Estos tíos están cansados —dijo de San Antonio—. Os aseguro que podemos darle la vuelta al marcador.» Quería emoción. Quería entusiasmo. En cambio, según admitió después, lo que encontró fueron miradas apagadas y cuerpos fatigados. Defender un título es agotador. Defender dos títulos es devastador. Defender tres títulos, cuando el mundo está harto de tu existencia, cuando todos quieren verte muerto y cuando el hambre que una vez tuviste se ha saciado con caviar y langosta, es prácticamente imposible. Dejas de desearlo como antes. Te dan un puñetazo y no tienes la energía para esquivarlo. Eres Mike Tyson contra Buster Douglas. El advenedizo tiene ventaja porque es más atrevido. Los elogios interminables te debilitan. Las comidas gratis te llenan el estómago. La súplica de Jackson era una ilusión sin fuerza de voluntad.

Con ocho puntos de Tony Parker y la dura defensa de Rose, los Spurs consiguieron un parcial de 13-32 en el último cuarto y se llevaron a casa el partido decisivo por 82-110. Cuando ya no había nada que hacer, Jackson quiso sacar del banquillo a Samaki Walker para que jugara los minutos de la basura. «No pienso salir —gritó Walker—. ¡A la mierda con todo!»

Tras el encuentro, en el avergonzado vestuario de los Lakers, O'Neal fruncía el ceño ante los medios de comunicación, Bryant tenía la mirada pegada al suelo y Fisher lloraba desconsoladamente.

«Gane quien gane el campeonato [lo ganarían los Spurs], sentirán lo que nosotros hemos experimentado durante tres años. Mejor que lo aprovechen, porque no dura para siempre», dijo O'Neal.

14

La habitación 35

*L*a tarde del 4 de febrero de 2003, Geoff Wong estaba sentado ante la mesa de su despacho de Sacramento abriendo una carta del abogado de Kobe Bryant.

Unos días antes, un artículo del *Sacramento Bee* lo mencionaba en relación con la intoxicación alimentaria de Bryant durante la eliminatoria Kings-Lakers del año anterior. Según la noticia, Wong, copropietario de un restaurante llamado Chanterelle, afirmaba haber visto a Bryant tomando cócteles en su establecimiento y declaró que «era evidente que se lo había estado pasando bien».

Aunque ya había pasado un tiempo desde la publicación de la noticia, Bryant no había superado el enfado. A pesar de lo que se decía, él no había estado bebiendo aquella noche. Ni siquiera había salido de su habitación del Hyatt. Aquellas informaciones eran pura ficción. Wong admitió después que habían sido rumores malintencionados de una fuente mal informada.

Así pues, cuando Timothy J. Hoy, abogado del SFX Basketball Group, se sentó a escribir su nota para Wong, no dejó nada en el tintero:

> Si usted hizo estas declaraciones claramente falsas para que fueran publicadas, esto también supone una calumnia contra el señor Bryant.
>
> Este tipo de mentiras no quedan impunes, señor Wong. El señor Bryant se toma muy en serio su puesto en los Lakers y su

reputación ante la comunidad. Se le conoce como a una persona responsable, que no consume alcohol y que lleva una buena vida orientada a la familia.

A Geoffrey Wong le encanta esta carta.

Podrían haberse hospedado en un hotel distinto.

Este hecho es el primero que hay que tener en cuenta porque «lo cambia todo respecto a esta historia» y sus cien mil derivadas.

Entonces, para que quede claro: podrían haberse hospedado en un hotel distinto.

La tarde del 30 de junio de 2003, Kobe Bryant y tres de sus guardaespaldas (Michael Ortiz, Jose Ravilla y un agente de policía de Los Ángeles fuera de servicio llamado Troy Laster) cogieron un vuelo privado desde el sur de California hasta el Aeropuerto Regional del Condado de Eagle. Era el aeropuerto más cercano a Vail, en Colorado, donde Bryant tenía que someterse, al día siguiente, a una artroscopia en la rodilla derecha en la clínica Steadman-Hawkins. Bryant estaba hastiado después de una larga y poco fructífera temporada y no comunicó sus planes a nadie del equipo. Él reservó el *jet* y programó la (*a priori* pequeña) intervención. Era asunto suyo y de nadie más.

El vuelo fue de dos horas, según lo previsto. Tras el aterrizaje, los pasajeros bajaron las escaleras y se metieron en una camioneta que los llevó hasta la entrada principal del hotel Lodge en Vail.

Exactamente, cuatro años más tarde, Apple sacaría su primer iPhone y los viajeros erráticos del mundo dejarían de perderse. Pero aquella noche, o bien alguien había anotado mal el nombre del hotel, o bien el conductor era un empleado temporal que no conocía correctamente la zona y se equivocó. En cualquier caso, el Lodge de Vail, con sus instalaciones espectaculares, con sus lujosos albornoces de tela y con unas impresionantes vistas a las montañas, no era el sitio donde Bryant y compañía habían hecho su reserva. Se dieron cuenta después de que Bryant intentara registrarse en la recepción y recibiera como respuesta: «Señor, no tenemos ninguna reserva para usted».

Esa fue la mala noticia.

Sin embargo, la buena noticia fue que Kobe Bryant, el mismísimo Kobe Bryant, cinco veces *All-Star* de la NBA y conocido en el mundo entero, sería recibido con los brazos abiertos en el Lodge de Vail. Desde luego que tenían habitaciones disponibles; cuando una celebridad de tal categoría entra por la puerta de un hotel, dicho hotel encuentra la mejor manera de hospedarle.

«Encontraremos una solución», dijo el hombre de la recepción.

Fue un momento decisivo.

Un momento que, igual que en la película *Dos vidas en un instante*, puede marcar la diferencia para la eternidad. Si Kobe Bryant asiente y dice: «Perfecto», será una noche plácida de descanso y aburrimiento con casi total seguridad. Se quedará en el Lodge de Vail, pedirá algo al servicio de habitaciones, se tumbará en la cama y elegirá una película. La película podría ser *Una tribu en la cancha* o quizás una pornográfica. En cualquier caso, se levantaría a la mañana siguiente, tomaría un desayuno rápido y entraría en el quirófano. Sin complicaciones, sin problemas.[16]

En cambio, Bryant y compañía recordaron que la agencia de viajes les había hecho una reserva a unos treinta kilómetros al oeste en Edwards, en el Lodge & Spa de Cordillera. Ortiz llamó al hotel correcto para informar a la recepción de que el grupo de cuatro estaba llegando y de que Bryant deseaba que sus llaves estuvieran listas en el mostrador para poder retirarse a la habitación sin tener que hacer el papeleo.

---

16. Según Bill Zwecker, del *Chicago Sun-Times*, había otro escenario potencial que, de haber ocurrido, habría hecho que Bryant no estuviera en el hotel. Varios meses antes, se le ofreció un papel para aparecer en un cameo en la película de Snoop Dogg *Soul Plane*. Rechazó la oportunidad porque el día del rodaje coincidía con su operación de rodilla. Irónicamente, la presencia de Bryant habría sido profética. En una escena en la que la hija de Tom Arnold es seducida por un hombre mayor, Arnold dice: «¡Solo tiene diecisiete años! Déjalo, Kobe».

Los cuatro hombres volvieron al vehículo, hicieron el trayecto hasta el Lodge & Spa y entraron por la grandiosa puerta principal sobre las diez de la noche. Como suele suceder con los famosos, Bryant jamás se registraba con su nombre real. Hay grandes historias sobre esto. El actor Tom Hanks era «Harry Lauder». Roger Clemens, el *pitcher* de los Red Sox, era «Red Glare». Michael Jackson, el «Doctor Doolittle». Slash, el guitarrista de Guns N' Roses, «I. P. Freely». Y Bryant, por lo menos ese día, fue «Javier Rodríguez».

El Lodge & Spa de Cordillera era un *resort* de cincuenta y seis habitaciones que atendía a los ricos, a los famosos, y a los ricos y famosos. Contaba con un terreno de dos mil ochocientas hectáreas en el que había cuatro pistas de golf, dos clubs de esquí a pie de pista, piscinas exteriores y cubiertas, tratamientos para el mal de altura, un spa de cinco estrellas y vistas a la montaña desde cada habitación. La habitación más barata costaba trescientos dólares por noche y era una ganga. La más cara costaba setecientos dólares y seguía siendo una ganga. «Todo es increíble en aquel lugar —cuenta Doug Winters, un inspector del condado de Eagle—. Si todavía no has ido, tienes que hacerlo.»

A Javier Rodríguez le dieron la habitación 35, una *suite* de lujo en la primera planta al final de un largo pasillo, situada a petición de Bryant junto a una habitación vacía. Tenían dos habitaciones para sus guardaespaldas, la 18 y la 20, registradas bajo el nombre de Ortiz. La llave estaba en el mostrador, tal y como habían pedido.

También había un botones llamado Bob Pietrack.

Y una recepcionista llamada Jessica Mathison.

Era una chica del lugar que se había graduado en 2002 en el instituto Eagle Valley, donde había formado parte del equipo de animadoras y del coro de la escuela. En su corazón había un lugar especial para el musical de Broadway *Los Miserables*. En noviembre de 2002, Mathison y una amiga suya llamada Lindsey McKinney se tomaron un descanso durante su primer curso en la Universidad del Norte de Colorado para coger el coche, conducir catorce horas hasta Austin, Texas, y presentarse a una audición junto con otras tres mil personas para el concurso de televisión *American Idol*. Mathison cantó *Forgive*, de Rebecca Lynn Howard ante los jueces regionales, pero no llegó más adelante.

En ese momento estaba viviendo en casa de sus padres y llevaba un mes y medio en su trabajo de verano. Enfundada en el uniforme del hotel, con un vestido negro, una americana negra y una etiqueta blanca con su nombre, se encontraba ante el primer famoso que conocía en su vida, Kobe Bryant («el señor Rodríguez»). Unas semanas antes, Bryant le había concedido una entrevista a Lisa Guerrero de la cadena Fox Sports Net, que le preguntó a la estrella del baloncesto cómo lo hacía para no meterse nunca en problemas.

«Bueno —respondió Bryant—, tengo muy buen olfato para eso. Me mantengo al margen de situaciones problemáticas.»

Ortiz le hizo una petición a Mathison (y específicamente no a Pietrack) que no era rara en el mundo de los hoteles opulentos: le pidió que los acompañara a la habitación 35. Y así lo hizo. Mathison cogió la llave y los guio por el pasillo. Era una mujer joven y atractiva, de aproximadamente 1,75, esbelta, de pelo rubio y ojos de color marrón claro. Estaba algo nerviosa, pero solo porque estaba ante un superfamoso. Les abrió la puerta y los cuatro hombres entraron en la habitación. Ortiz y Ravilla hicieron lo que hacen los guardaespaldas; mientras miraban debajo de la cama, dentro del armario y en el baño, Bryant observó a Mathison y le dijo con delicadeza: «¿Hay alguna opción de que vuelvas dentro de quince minutos y me des una vuelta por el hotel?».

«Claro —respondió ella—, no hay problema.»

Sobre las diez y media, Mathison hizo el recorrido de vuelta a la habitación 35: salió por la puerta principal del vestíbulo, giró a la izquierda por una puerta que daba a la cafetería de los empleados, giró otra vez a la izquierda para subir por una rampa que llevaba al segundo piso, caminó hasta el ascensor más cercano y bajó a la primera planta. Le habían pedido que llamara a la puerta y así lo hizo. A continuación, dieron una vuelta normal y corriente por las instalaciones. Mathison le enseñó a su invitado el spa, la sala de ejercicio, la piscina y el *jacuzzi*. Lo llevó de vuelta al vestíbulo para que viera la terraza, donde estaba Pietrack, de pie, y se habían sentado los Chipowski, una pareja mayor que frecuentaba el hotel. El recorrido completo les llevó unos quince minutos. Al terminar, Bryant le preguntó muy educadamente a Mathison si podía acompañarlo de vuelta a la habitación.

—Por supuesto —respondió ella.

Volvieron por el camino convencional y, tras dar solo un par de pasos, Bryant le preguntó:

—Entonces, ¿tienes novio?

Silencio.

—Una chica tan guapa como tú debería tener novio —añadió.

Cuando llegaron a la habitación 35, Bryant la invitó a pasar, cerró la puerta y la invitó a sentarse en el sofá. Él llevaba una camiseta blanca y unos pantalones de chándal de nailon de color azul. Se acomodó en la butaca contigua y, según Mathison, contempló el tatuaje de notas musicales que ella tenía en la espalda. Le pidió que abriera el *jacuzzi* para usarlo juntos aquella noche, y ella le respondió diciendo que se había acabado su turno. Bryant la instó a fichar y regresar al cabo de quince minutos. Ella le dijo que sí, pero más tarde explicó que «lo dije para poder salir de ahí. No tenía la intención de regresar».

Según Mathison, al levantarse, Bryant también se levantó y le pidió un abrazo. Ella se lo dio y, en aquel momento, la estrella del baloncesto, casado, con una hija de cinco meses y que decía llevar «una buena vida orientada a la familia», empezó a besarla. Mathison le devolvió el beso.

«[Luego] se quitó los pantalones —recuerda Mathison—. Y ahí fue cuando intenté echarme atrás e irme. Y entonces él empezó a asfixiarme.»

Denunciaron la agresión sexual la mañana del 1 de julio, apenas doce horas después de los supuestos hechos.

Jessica Mathison estaba muy unida a su madre, Lori Mathison. Después de confiarle lo que había sucedido, su madre insistió en que fuera a la oficina del comisario del condado de Eagle. Aproximadamente, a la una de la tarde, la ayudante del comisario Marsha Rich y el inspector Doug Winters llegaron a una anodina calle de los suburbios y llamaron a la puerta principal de una casa de dos pisos con estructura de madera. Después de quince años, Winters ya no recordaba quién abrió la puerta o cómo fue el intercambio inicial de palabras. A él y a Rich, el jefe les había dado muy poca información. Solo les había dicho que se trataba de una supuesta agresión sexual y que la víctima quería hablar. «No sabía quién estaba involucrado ni los detalles —recuerda Winters—. Le expliqué a la chica el proceso, que iríamos a la oficina del comisario y le haríamos una entrevista que grabaríamos en vídeo, y luego, ya sabes, un examen físico. Nos estábamos preparando para salir, lo teníamos todo listo y fue entonces cuando le pregunté quién era la persona de la que nos había hablado. Pronunció el nombre de Kobe Bryant.»

Winters cuenta que su primer pensamiento fue «¡Dios santo!», pero su segundo pensamiento fue que no importaba quién estuviera implicado. Tenían que tratarlo como cualquier otro caso de agresión sexual.

Tras una conversación de cuarenta y cinco minutos en la sala de estar de los Mathison, Winters y Rich le pidieron a Jessica la ropa que llevaba mientras estaba con Bryant. Luego fueron en el coche hasta la oficina del comisario del condado de Eagle, donde llevaron a cabo, con la presencia de la abogada de la víctima, Nicole Shanor, una entrevista de una hora de duración. Tuvo lugar en una pequeña sala en la que había una mesa y algunas sillas. Una cámara de vídeo lo estaba grabando todo, y Winters le pidió a Mathison que hablara claro «ya que aquí con el aire acondicionado hay bastante ruido».

Así lo hizo…

Winters: ¿Puede explicarme resumidamente por qué estamos aquí y qué sucedió anoche?
Mathison: Anoche yo estaba trabajando y fui agredida sexualmente.

Lo que siguió fue todo un ejemplo de investigación meticulosa: una recopilación de detalles aparentemente pequeños que conducían a lo que, para Winters, era el momento clave.

Winters: Entonces, después de que usted le dijera que sí, que le dijera que volvería, ¿qué pasó? ¿Usted se levantó o se quedó sentada o qué...?

Mathison: Me levanté para marcharme.

Winters: De acuerdo.

Mathison: Y él se levantó y me pidió que le diera un abrazo.

Winters: ¿Y lo hizo?

Mathison: Y lo hice, sí.

Winters: ¿Y eso fue consentido?

Mathison: Sí.

Winters: ¿Qué pensaba usted en aquel momento?

Mathison: Pensaba que sus acciones se estaban volviendo físicas y quería salir de la habitación.

Winters: De acuerdo. ¿Después del abrazo la besó?

Mathison: Sí.

Winters: ¿Y qué quiere decir con que...? Bueno ya sabe, supongo que necesito una descripción sobre cómo, qué quiere decir, ¿cómo la besó?

Mathison: Seguíamos abrazados, levanté la vista para mirarle y empezó a besarme.

Winters: ¿Cuánto duró este momento?

Mathison: Diría que unos cinco minutos.

Winters: ¿Dónde la besó?

Mathison: En la boca, en el cuello.

Winters: De acuerdo. ¿Qué hacía usted en ese momento?

Mathison: Dejaba que me besara, le devolvía los besos.

Winters: De acuerdo, ¿entonces esto fue estrictamente consentido?

Mathison: Sí, lo fue.

Winters: ¿Y duró unos cinco minutos?

Mathison: Sí.

Winters: ¿Sobre qué hora era en aquel momento?

Mathison: Supongo que sobre las once.

Winters: De acuerdo.

Mathison: Quizás un poco antes.

Winters: Cuando se refiere a anoche, ¿se refiere al 30 de junio?

Mathison: Sí.

Winters: ¿De 2003?

Winters: De acuerdo. ¿Qué sucedió después de los besos?

Mathison: Él empezó a manosearme, diría, supongo.

Winters: ¿A qué se refiere con manosearla?

Mathison: Me ponía las manos encima, me cogía el culo, el pecho. Intentaba levantarme la falda. Empezó a quitarse los pantalones. Intentaba cogerme la mano para que le tocara.

Winters: De acuerdo. ¿Estaba usted vestida en ese momento?

Mathison: Sí.

Winters: De acuerdo. Cuando dice que le manoseaba el culo y el pecho, ¿es lo que hacía? ¿La agarraba? ¿Y usted qué hacía en ese momento?

Mathison: Que ten…

Winters: ¿Le dijo algo?

Mathison: En un momento le dije que tenía que irme.

Winters: ¿Y él qué…, cuál fue su respuesta?

Mathison: No dijo nada.

Winters: ¿La oyó?

Mathison: Si lo hizo, no hizo ningún gesto ni nada que me hiciera saber que lo había oído.

Winters: De acuerdo. ¿Le dijo algo más en algún momento?

Mathison: No, porque cuando se quitó los pantalones, en ese momento yo empecé a echarme atrás, intenté quitarme sus manos de encima y ahí es cuando empezó a agarrarme por el cuello. No me apretaba tan fuerte como para no poder respirar, pero me asusté.

Winters: De acuerdo. Cuando la manoseaba y tocaba su culo y sus pechos, ¿ha dicho que estaba vestida?

Mathison: *Mmm*.

Winters: ¿Cómo lo hacía? ¿Por encima de la ropa? ¿Por debajo?

Mathison: Por encima y seguía intentando meter las manos debajo de mi falda.

Winters: ¿Lo hizo?

Mathison: Sí.

Winters: ¿Y qué pasó entonces?

Mathison: Siguió tocándome.

Winters: ¿Por dónde la tocaba?

Mathison: Por todas partes, donde podía.

Tras varios minutos más de interrogatorio, Winters intentó entender la cronología de la presunta violación.

Winters: De acuerdo, entonces, después del manoseo, él la agarró por el cuello. ¿Dejó de hacerlo en algún momento?

Mathison: Me estaba manoseando, intenté salir, separarme, y ahí me agarró el cuello.

Winters: De acuerdo.

Mathison: En ese momento, yo solo le miraba, no sabía qué hacer, no sabía qué decir.

Winters: De acuerdo.

Mathison: Luego, agarrándome del cuello, me obligó a ir hacia el sofá o hacia las dos butacas. Entonces, me dio la vuelta y…

Winters: Cuando dijo que él la asfixiaba y tenía las manos alrededor de su cuello, para que yo lo entienda, puede que esté confundido. Cuando usted intentaba ir de un lado al otro, ¿él seguía asfixiándola?

Mathison: No diría que me asfixiaba, yo podía respirar, pero tenía las manos agarradas a mi cuello con suficiente fuerza como para que yo pensara que me podía asfixiar.

Winters: De acuerdo. ¿Entonces controlaba sus movimientos?

Mathison: Sí.

Winters: De acuerdo. ¿Luego qué pasó?

Mathison: En ese momento, él mantenía una mano alrededor de mi cuello y con la otra me empujó hacia las butacas, luego me dio la vuelta e hizo que me agachara y me levantó la falda.

Winters: De acuerdo. Entonces usted estaba donde se encuentran las butacas.

Mathison: Todavía en el salón, al lado de las butacas. Lejos de la mesa.

Winters: ¿Le dijo usted algo en ese momento?

Mathison: En ese momento, estaba básicamente aterrada y le dije que no varias veces.

Winters: De acuerdo, qué, usted dijo que no… ¿estaba agachada cuando le decía que no?

Mathison: Sí, cuando me levantó la falda. Le dije que no cuando me quitó las bragas.

Winters: ¿Con qué volumen de voz se lo dijo?

Mathison: Como estoy hablando ahora.

Winters: ¿Él la oyó?

Mathison: Sí.

Winters: ¿Cómo sabe que la oyó?

Mathison: Porque cada vez que yo decía que no, me cogía con más fuerza.

Winters: De acuerdo. Pero él la tenía agachada, ¿cómo le agarraba el cuello?

Mathison: Así. Y luego me ponía la cara muy cerca y me hacía preguntas.

Winters: ¿Qué le preguntaba?

Mathison: No se lo vas a decir a nadie, ¿verdad?

Winters: ¿Qué le respondió?

Mathison: Le dije que no. Pero no me escuchó ni me pidió que lo dijera más alto. Quería que me diera la vuelta y le mirara cuando lo decía.

Winters: ¿Cuántas veces se lo preguntó?

Mathison: Tres o cuatro.

Winters: ¿Cuál fue su respuesta cada una de las veces?

Mathison: No.

Winters: ¿Por qué le dijo que no?

Mathison: Tenía miedo de que, si le decía que sí, iría a contárselo a alguien. Tenía miedo de que se pusiera más agresivo.

Winters: De acuerdo.

Mathison: O que pusiera más empeño en retenerme.

Winters: ¿Y luego qué sucedió?

Mathison: Luego me levantó la falda, me quitó las bragas y… me penetró.

Winters: ¿Entonces le quitó las bragas?

Mathison: [Asiente con la cabeza]

Winters: De acuerdo. ¿Y qué pasó entonces?

Mathison: Mientras me penetraba, acercó su cara a la mía y me preguntó si me gustaba que se corrieran en mi cara. Le dije que no. Él se puso en plan: «¿Qué has dicho?». Me agarró el cuello con más fuerza, le dije que no. Me dijo que lo haría de todos modos. En ese momento me puse un poco más agresiva con él e intenté quitarme sus manos del cuello. Él seguía detrás de mí y continuaba agarrándome del cuello. Yo no intentaba escaparme con todas mis fuerzas, pero no dejaba de intentarlo…

Winters: De acuerdo, de acuerdo. Cuando…, cuando dice que él la penetraba por detrás, ¿a qué se refiere?

Mathison: Que, que eyaculó dentro de mí.

Winters: De acuerdo entonces asumo que su pene estaba dentro de su vagina.

Mathison: Sí.

Al terminar la entrevista, Winters sabía, casi con total seguridad, que Jessica Mathison estaba diciendo la verdad. Los detalles. La sinceridad. La falta de vacilación. La convicción. Llevaba cuatro años como inspector de delitos criminales y había entrevistado a cientos de víctimas de agresión sexual. «Ocupaban la mayor parte de mi trabajo —cuenta años después—. La mayoría de mis casos tenían que ver con eso.»

Con la declaración de Mathison bajo el brazo, Winters tenía claro lo que él y su compañero, Dan Loya, tenían que hacer a continuación. Más o menos a la misma hora en que el inspector llegaba a casa de los Mathison, Bryant estaba en manos del doctor Richard Hawkins de la clínica Steadman-Hawkins. La intervención duró aproximadamente una hora, y sobre las dos de la tarde Bryant apareció cojeando por el vestíbulo del Lodge & Spa de Cordillera. A las 20.50, Bryant pidió algo al servicio de habitaciones por valor de 39,01 dólares. Luego, apenas dos horas después, hizo otro pedido de 20,66 dólares.

A las 23.30, Winters y Loya llegaron al hotel en coche. Su idea era atravesar el vestíbulo y llamar a la puerta de Bryant. Winters tenía suficiente experiencia como para saber lo que podía esperar: Bryant no diría nada, se negaría a hablar sin la presencia de un abogado, bla, bla, bla.

Pues no.

Por sorpresa de los inspectores, cuando llegaron al aparcamiento, vieron a Bryant con muletas. «Era casi medianoche y él estaba ahí cuando nosotros llegamos —recuerda Winters—. Siempre me ha parecido muy extraño. ¿Alguien lo había avisado? ¿Lo sabía? No tengo ni idea.»

Winters y Loya salieron del coche, se aseguraron de que la grabadora escondida funcionaba y se presentaron ante el famoso jugador de baloncesto.

No fue el momento más feliz de Kobe Bryant.

Tras un poco de charla forzosa, los inspectores le explicaron por qué estaban en el hotel y qué era lo que querían.

El diálogo quedó grabado:

Winters: Hemos recibido una llamada y tenemos un informe que lo acusa de una posible agresión sexual. Solo queremos hablar con usted para conocer su versión de los hechos y saber qué ha sucedido.

Bryant: ¿Qué va a pasar?

Winters: ¿Qué va a pasar?

Bryant: Sí.

Winters: Bueno, ahora mismo no está pasando nada. Solo queremos saber su versión de la historia para entender lo que ha sucedido, ¿de acuerdo? Queremos…, queremos obtener, nuestra política es… obtener todas las versiones, ¿de acuerdo? *Mmm…*

Loya: Por eso queremos hablar con usted y conocer su versión.

Winters: Sí, conocer su versión y entender qué ha pasado.

Loya: Pero no queremos hacerlo delante de todo el mundo, ¿de acuerdo? Por eso nos gustaría volver a…

Winters: No queremos montar un escándalo, comprendemos su situación.

Bryant: De acuerdo, porque es algo personal. No entiendo qué está pasando. ¿Con qué versión se van a quedar? ¿Qué exactamente…?

Loya: ¿Quiere hablar delante de todo el mundo o quiere ir a una habitación?

Winters: Es su…

Bryant: Es mi carrera.

En ese momento, ante dos inspectores de policía y ante una acusación de agresión sexual, noventa y nueve de cada cien famosos dejarían de hablar. Llamarían a un amigo, a su esposa, a su abogado. Sacarían a los guardaespaldas. Ejercerían su derecho a no declarar. Bryant, en cambio, fue demasiado inocente o estaba demasiado asustado como para pensar con claridad. Tampoco supo darse cuenta de que Winters y Loya estaban haciendo todo lo posible para que los acompañara a la escena del presunto delito.

Todavía en el aparcamiento, los inspectores le preguntaron a Bryant si había estado en compañía de una mujer la noche anterior. Dijo que sí, que le había mostrado el hotel y que habían regresado a la habitación para hablar y para enseñarle sus tatuajes.

> Loya: ¿Se abrazaron o se besaron?
> Winters: ¿Se besaron o abrazaron?
> Bryant: No.
> Winters: ¿No sucedió nada parecido?
> Bryant: No.
> Winters: De acuerdo, voy a ser directo y le voy a hacer una pregunta. ¿Tuvo usted relaciones sexuales con ella?
> Bryant: No.

Con aquella simple palabra, Kobe Bryant se había metido en un enorme problema. Ambos inspectores sabían que él y Mathison habían tenido relaciones. Bryant sabía que habían tenido relaciones. Era una mentira. Una mentira dicha en un momento de pánico. Al cabo de unos momentos, todavía en el aparcamiento, Bryant les preguntó: «¿Hay alguna forma de solucionar esto? ¿Sea lo que sea?». Luego añadió: «Si mi mujer, si mi mujer descubriera que alguien me ha acusado de algo así, se pondría furiosa…».

> Loya: Kobe…
> Bryant: Es lo único que me preocupa.
> Winters: Y lo comprendo.

Winters lo comprendía de verdad. Independientemente de cómo terminara todo aquello, no acabaría bien para Bryant. Ya era bastante duro ser acusado de violación si uno era inocente. Pero Bryant no era inocente. Winters estaba seguro de ello.

> Loya: A ver, a ver, escuche. Déjeme que le explique. Esto es lo que pasó, ¿de acuerdo? Y esto es lo que va a pasar. Vamos a llegar hasta el fondo de un modo u otro, para saber si es verdad o no.

Bryant: Vale. Vale.

Loya: Ella ha dado su consentimiento para un examen médico.

Bryant: Vale.

Loya: De acuerdo. Tenemos sangre, vello púbico…

Bryant: Vale.

Loya: Semen.

Bryant: Vale.

Loya: Todo eso.

Winters: Tenemos pruebas físicas.

Al cabo de unos segundos…

Loya: Sea sincero con nosotros. No se lo vamos a decir a su mujer ni nada por el estilo. ¿Tuvo relaciones sexuales con ella?

Bryant: Vale, es lo que quería saber porque… sí: tuve relaciones con ella.

Bingo.

En los minutos que siguieron, Bryant ofreció su versión de la historia. Que, en general, coincidía con la de Mathison. Se conocieron. Coquetearon. Coquetearon un poco más. Se besaron. Sin embargo, cuando la narración se centró en los detalles del sexo, la cosa se volvió incómoda. Bryant admitió que tenía una mano alrededor del cuello de Mathison. Cuando Loya le preguntó por la firmeza de su agarre, Bryant dijo: «Tengo unas manos fuertes. No lo sé».

Y fue a peor:

Loya: ¿Ella…, se manchó usted de sangre o algo parecido?

Bryant: No sangró, ¿verdad?

Loya: Sí, tenía…, tenía mucha sangre.

Bryant: ¿Qué? No puede ser. ¿Dónde?

Loya: En su zona vaginal.

Bryant: ¿Se cortó o algo? No tengo nada de sangre, tío. De hecho, todavía tengo los calzoncillos. Están blancos, están blancos, no hay nada.

Y luego esto:

Loya: ¿Le preguntó usted en algún momento si usted quería…, si usted podía eyacular en su cara?

Bryant: Sí. Ahí fue cuando dijo que no. Ahí fue cuando dijo que no. Ahí fue cuando dijo que no.

Loya: ¿Entonces usted qué hizo? ¿Qué dijo?

Bryant: *Mmm*, ya sabes, en ese momento le pregunté si podía correrme en su cara. Dijo que no.

Loya: ¿Le gusta correrse en la cara de sus compañeras?

Bryant: Es algo que me gusta, sí. No siempre. Quiero decir…, entonces paré. Por Dios, tío.

Y esto:

Winters: ¿Le practicó ella sexo oral o algo por el estilo?

Bryant: Sí, lo hizo.

Winters: ¿Lo hizo?

Bryant: Lo hizo.

Winters: ¿Durante…, cuándo pasó?

Bryant: Durante unos cinco segundos. Yo le dije, *mmm*, hazme una mamada, *mmm*, y luego bésala. Me hizo una mamada.

Loya: ¿Entonces la mamada duró cinco segundos?

Bryant: Sí, fue rápida.

Loya: ¿Luego qué pasó?

Bryant: Espera, no… Quiero decir, ella estaba…, ella seguía y yo le pedí que se levantara. No sabía lo que hacía.

Y esto:

Bryant: Seguro que intenta sacarme dinero o algo.

Loya: ¿Estás dispuesto a pagar si fuera el caso?

Bryant: No tengo otra opción. No tengo otra opción. Estoy en una situación jodida.

Y esto:

Loya: Entonces, cuando usted la penetró, ¿fue una penetración normal? ¿Hubo alguna dificultad?

Bryant: No, fue…, fue fácil. Entró deslizándose.

A medida que avanzaba la entrevista, los inspectores acompañaban disimuladamente a Bryant hacia sus aposentos. No podían arrastrarlo hacia allí, pero lo condujeron, lo guiaron, lo empujaron hasta la habitación. Cuando se acercaban a la puerta, Loya le preguntó: «¿Quiere decirles a sus guardaespaldas que está bien y que no los necesita?». Podía traducirse como: «Lo último que queremos es que sus guardaespaldas le aconsejen quedarse callado».

Dentro de la habitación, Bryant mostró a Winters y a Loya los calzoncillos y la camiseta de la noche anterior. Les prometió («Lo juro por mi vida») que no había cometido ninguna agresión sexual y dijo que se sometería encantado a un interrogatorio con polígrafo. Se miró las manos y se dio cuenta de que le temblaban.

Winters tenía algo que decir:

> Le agradecemos su cooperación y que nos haya dejado entrar en la habitación y, bueno, ya sabe, que haya colaborado dejándonos hablar con usted sobre este asunto. Son asuntos complicados. Voy a decírselo con claridad: son asuntos muy complicados. Hay acusaciones muy serias contra usted, ¿de acuerdo? Y ella es plenamente consciente de las consecuencias que conllevan estas acusaciones, ¿de acuerdo? Pero supongo que tenemos, ya sabe, hay algunos problemas con lo que usted nos ha dicho, señor Bryant. Para empezar, no sé si me está diciendo la verdad o no, ¿de acuerdo? Y le voy a decir por qué. Me gusta decir las cosas… Voy a decirle las cosas como son, ¿de acuerdo? No voy a marear la perdiz.
>
> Primero, nos ha mentido nada más empezar, ¿de acuerdo? Eso no ayuda. Segundo, cuando empezamos a abordar el asunto, usted parecía algo escéptico a la hora de darnos los detalles de lo que sucedió exactamente durante todo el incidente. No estoy diciendo que usted sea el tipo de persona que haría algo así, ¿de acuerdo? Le comprendo. Comprendo que usted se dejó llevar por el momento, ¿de acuerdo? No tengo ninguna duda al respecto, en absoluto. Pero pienso, señor Bryant, que se dejó llevar, y estoy de acuerdo con usted, totalmente de acuerdo con usted, en que fue consentido hasta los besos y los abrazos. Así lo creo, fue absolutamente consentido. Con esto no tengo ningún problema. Lo que…, lo que siento, con

lo que soy escéptico es que no sé hasta qué punto la relación sexual fue consentida, ¿de acuerdo? No lo…, no lo, supongo que, para ser sincero con usted, no estoy seguro, no estoy seguro de que todos los hechos que nos ha relatado hasta el momento sean exactamente lo que sucedió. Así es como yo lo veo. Yo, bueno, yo lo veo así. Ella es una mujer joven y atractiva, sí…

En los minutos que siguieron, Bryant (que, de nuevo, habría hecho bien en callarse y llamar a un abogado lo antes posible) le dijo a Winters que Mathison «no era tan atractiva», que se masturbó después de que se fuera, que había engañado repetidamente a su esposa con una mujer llamada Michelle, y que le gustaba agarrar a Michelle por detrás del cuello y tenía moratones que podían demostrarlo.

Dio su consentimiento a los inspectores para que llamaran a un compañero que recogería pruebas de la habitación en unas bolsas de plástico. Era el protocolo en los casos de agresión sexual. Sobre las dos y media de la mañana, trasladaron a Bryant en un coche patrulla al hospital Valley View en Glenwood Springs, a ochenta y cuatro kilómetros. Una vez allí, le tomaron muestras de ADN, y luego se hospedó en el hotel Colorado, que quedaba lejos. Tomó el avión de regreso al sur de California esa misma noche, esperando que lo peor hubiera pasado.

Fue un pensamiento ingenuo.

«Yo sabía que era culpable —dijo Winters años después—. Y sigo pensándolo.»

15

Violadores del verso

*E*l 2 de marzo de 2003, un turista británico de treinta y un años llamado Robert Alexander Wills, decidió lanzarse por las pistas de la estación de esquí de Breckenridge, Colorado. Mientras descendía por la colina, Wills perdió el control, se desvió de su ruta e impactó contra Richard Henrichs, un vendedor de Naperville (Illinois) que se abría paso con prudencia en la pista para principiantes.

El impacto hizo que Henrichs saliera disparado y volara por los aires hasta chocar con un árbol. Al cabo de quince minutos, cuando llegó la asistencia médica, apenas respiraba. Lo trasladaron en un vuelo hasta el hospital de Denver, donde murió esa misma noche. Tenía cincuenta y seis años.

Existe una ley única en Colorado según la cual los esquiadores y practicantes de *snowboard* tienen la obligación de esquivar a las personas con las que se crucen en las bajadas. En caso contrario, pueden ser acusados por un delito menor: esquí temerario. Por esta razón, cuando se conoció la muerte de Henrichs, Mark Hurlbert, el fiscal del distrito del condado de Eagle, de treinta y cinco años, ordenó que arrestaran a Wills.

Lo que sucedió a continuación fue una auténtica locura.

«Estalló la noticia —recuerda Hurlbert—. Nos llamó la BBC, el *New York Times*, Connie Chung. Incluso nos llamaron desde el programa *Today*. Fue de locos. Y pensé: «Pues sí, este va a ser el mayor caso de mi carrera».

Cuatro meses después, la noche del 1 de julio, Hurlbert estaba en su despacho cuando recibió una llamada del inspector Doug Winters.

—Mark —dijo—, tenemos un caso de agresión sexual en el que está implicado Kobe Bryant.

Hurlbert era un exesquiador colegiado de Dartmouth, y un gran conocedor del deporte estadounidense. Pronunció la primera palabra que le vino a la mente.

—¿Quién?

Después de procesar el nombre dijo algo que tenía mucho más sentido:

—Mierda.

Winters quería la aprobación de Hurlbert para interrogarlo, y el juez le dio permiso para lo que terminó siendo un interrogatorio de noventa minutos entre Bryant y los dos inspectores. Pero al día siguiente recibió otra llamada, esta vez de Joseph Hoy, el comisario del condado de Eagle. Con los resultados de las pruebas de la violación, la entrevista con Bryant, la entrevista con Jessica Mathison, la ropa interior, la visita a la habitación 35, el jugador de baloncesto aterrorizado y la declaración aparentemente veraz de la universitaria. Y, en esa ocasión, le pidió permiso a Hurlbert para proceder con la detención.

—¿Sabes qué? —le respondió Hurlbert—, vamos a esperar.

Su razonamiento era lógico. En primer lugar, Kobe Bryant no era una persona a la que fuera difícil encontrar. El calendario de los Lakers era de fácil acceso. En segundo lugar, la noticia sobre la presunta agresión sexual todavía no se había convertido en noticia. Todo estaba tranquilo en Colorado.

—Pero en cuanto lo arrestemos, no podremos seguir con la investigación porque la prensa se va a entrometer, las cosas van a tomar direcciones distintas y todo el mundo querrá sus quince minutos de fama —dijo Hurlbert.

«Por eso le dije al comisario que esperara a tener todo lo que necesitábamos. Toda la información ordenada.»

Para disgusto del fiscal, Joseph Hoy se tomó la justicia por su mano y, haciendo uso de un tecnicismo legal, obtuvo la orden de detención de parte de Russell Granger, un juez del distrito. La mañana del 4 de julio, Pamela Mackey, la abogada de Colorado de Bryant, recién contratada, llamó a su cliente y le dijo sin rodeos: «Tienes que venir y entregarte ahora mismo».

Aquella misma tarde, Bryant llegó a la comisaría del condado de Eagle acompañado por su mujer. Le tomaron las huellas dactilares. Lo interrogaron. Le tomaron fotografías (de frente, sin transmitir ninguna emoción y con ojos ligeramente soñolientos). Fue fichado como sospechoso de un delito de agresión sexual y secuestro. Pagó una fianza de veinticinco mil dólares y quedó en libertad de inmediato. Mackey, conocida por haber defendido a Patrick Roy, el portero del equipo de hockey sobre hielo Colorado Avalanche, por un caso de violencia doméstica en 2001, tardó poco tiempo en hacer su trabajo y explotar la información que tenía en contra de la oficina del comisario. «Es alarmante que la oficina del comisario, que se supone que tiene que llevar a cabo una investigación imparcial, ignore al fiscal del distrito y obtenga la orden de detención por otro lado —declaró a la prensa—. Es un escándalo.»

Desde las oficinas de Los Angeles Lakers, no daban crédito. ¿Por qué había programado Kobe una intervención quirúrgica sin consultarlo con la franquicia? Luego, llegó el pánico. Jerry Buss, el propietario del equipo, se negaba a creerlo. ¿Kobe? ¿Su Kobe? «Imposible —le decía a la gente—. No puede ser.» Lo miraba con los mismos ojos con los que, en su día, miraba al promiscuo Magic Johnson, que, además, solía desautorizar a los entrenadores, pero que no hacía nada mal, incluso cuando hacía cosas mal. Kobe no era un jugador de alquiler. No era un jugador de los Lakers gracias a un traspaso. Era un auténtico Laker, un Laker para toda la vida. «Mi padre adoraba a Kobe como a un hijo», cuenta Jennie Buss. Mitch Kupchak, el director general, estaba en la línea de meta de una carrera de diez kilómetros en Pacific Palisades, esperando a que su mujer, Claire, terminara el recorrido. Le sonó el móvil y le apareció el número de Arn Tellem, el representante de Bryant. «No te lo vas a creer», empezó Tellem.

Al cabo de unas horas, Mitch Kupchack sacó un comunicado que decía, entre otras cosas, que «estas acusaciones no encajan en absoluto con el Kobe Bryant que conocemos». Sin embargo, cuando llamó a Phil Jackson para darle la noticia, el entrenador apenas se inmutó. Estaba sentado en la habitación de un motel en Williston, Dakota del Norte, y las clásicas primeras palabras de Kupchack («No te lo vas a creer») no se aplicaban en este caso. No es que Jackson pensara literalmente que su estrella era un violador, pero lo conocía y sabía que era una persona inmadura, emocionalmente discapacitada y motivada por una rabia enfermiza. Por Dios, estaba en Colorado sometiéndose a una operación sin el consentimiento de la franquicia. Phil Jackson sí que podía creérselo. «A Kobe puede consumirlo la ira de forma inesperada, una ira como la que ha mostrado hacia mí o hacia sus compañeros», recuerda Jackson.

El 18 de julio, Hurlbert presentó formalmente los cargos contra Bryant por un único delito de agresión sexual. Si se le declaraba culpable, se enfrentaba a una pena de entre cuatro años y cadena perpetua, o de entre veinte años y cadena perpetua en libertad condicional, así como a una multa de hasta setecientos cincuenta mil dólares. Al día siguiente, en la rueda de prensa más incómoda desde que Mike Tyson y Robin Givens le concedieron una entrevista a Barbara Walters en 1988, los Bryant aparecieron en una convocatoria para los medios en el Staples Center, cogidos de la mano y al borde de las lágrimas. «Me siento aquí ante vosotros furioso conmigo mismo, enfadado conmigo mismo por haber cometido el error del adulterio —dijo Bryant—. Tengo mucho que perder, y no tiene nada que ver con el baloncesto ni con los patrocinios. Tiene que ver con mi familia y con ser acusado falsamente.»

Vanessa se mantuvo en silencio, incluso cuando su marido se dirigía a ella o buscaba su aprobación de la forma más patética: «Eres una bendición, eres un trozo de mi corazón, eres el aire que respiro». Poco después, le compró en Rafinity un anillo de cuatro millones de dólares con un diamante púrpura de ocho quilates. Esto hizo que un joyero declarara en *Los Angeles Times* que «tiene mucho dinero y está metido en un buen lío».

Gracias, en parte, al poder de las joyas, el matrimonio sobrevivió. No obstante, Kobe Bryant no lo tuvo tan fácil con sus compañeros de equipo. Muchos Lakers lo detestaban antes de enterarse de que había violado a una mujer. ¿Cómo podían sentir empatía ahora?

En los meses que siguieron a la derrota contra San Antonio en la segunda ronda de los *playoffs*, Buss y Kupchack decidieron apostar por una recuperación rápida, en lugar de una reconstrucción a largo plazo. El baloncesto era su negocio, con o sin el drama de Bryant. Creían que Shaquille O'Neal, con treinta y un años y tres de contrato por delante, aunque era cada vez más lento y se mostraba más apático, seguía siendo la mayor potencia de la liga. Además, los Lakers tenían asegurado, con Bryant, contar con el próximo rey de la canasta. El escolta le dijo a Jim Gray de la ESPN que tenía previsto rescindir su contrato al terminar la temporada 2003-04, lo que significaba que podría considerar ofertas de otros equipos, aunque en realidad los Lakers eran quienes podían ofrecerle más dinero. Pero tenía que ser solo palabrería. Él era un Laker. Y siempre lo sería.

Así que, en busca de un cuarto título en cinco años y con un elenco secundario algo escaso, los Lakers empezaron la carrera hacia el título.

Primero, llegaron a un acuerdo con Gary Payton, el 9 de julio. Había sido nueve veces *All-Star* y había jugado sus primeras doce temporadas y media en Seattle antes de disputar los últimos veintiocho partidos de 2003 con los Milwaukee Bucks. El jugador de Oakland de treinta y cuatro años firmó un contrato de un año por cinco millones de dólares, gracias, sobre todo, a los esfuerzos incesantes de O'Neal en los que le suplicaba durante el último medio año que fuera a Los Ángeles. Payton podría haber ganado mucho más dinero en otra parte, pero accedió a un salario medio para conseguir un anillo. «Es una buena oportunidad para mí —dijo Payton—. Todo el dinero..., ya tengo dinero. No podía dejar escapar la oportunidad de jugar con Shaq y Kobe.»

En segundo lugar, ese mismo día, los Lakers incorporaron a Karl Malone, el ala-pívot de cuarenta años que había jugado sus dieciocho años de carrera con los Utah Jazz. El Cartero firmó por un mísero millón y medio de dólares (recortando su salario en 17,75 millones), sorprendiendo a toda la liga, acostumbrada a jugadores obsesionados con el dinero que exprimían hasta el último centavo a sus equipos. Los Jazz de Malone habían llegado a dos Finales de la NBA consecutivas a finales de los noventa; las perdieron contra los Chicago Bulls de Michael Jordan. Igual que Payton, estaba desesperado por un título, y si eso implicaba tener que abandonar Utah por un rival odiado, lo haría. «Tengo cuarenta años y es un honor que alguien me quiera —dijo Malone en su rueda de prensa de presentación—. Es un honor tener la oportunidad de jugar con Shaq y Kobe, sé que este es su equipo.»

Era un momento muy complicado para ser un aficionado de los Lakers, un periodo vertiginoso en el que uno no sabía nunca dónde mirar. Por un lado, Kobe Bryant estaba acusado de agresión sexual y se enfrentaba a la posibilidad de pasar décadas entre rejas, y, por el otro, el negocio deslumbrante de la construcción de un equipo competitivo de baloncesto. Malone y Payton subieron a bordo, igual que el ala-pívot Horace Grant, que volvía después de una temporada y media en Orlando. Mad Madsen se marchó a los Timberwolves y Samaki Walker fichó para los Miami Heat. El equipo de Los Ángeles era, sobre el papel, el claro favorito para dominar la NBA. Eran un superequipo con cuatro futuros nombres del Salón de la Fama en su quinteto titular y otro más en el banquillo.

Y, sin embargo…, ¿cómo podía uno entusiasmarse por el juego?

El 6 de agosto, Bryant volvió a Eagle, Colorado, para comparecer ante los tribunales por primera vez desde la acusación. La ocasión no tenía relevancia jurídica particular: salió de un Chevrolet Suburban resplandeciente con un traje de verano color crema, entró en el juzgado; cuando el juez del condado de Eagle, Frederick Gannett, le preguntó si se oponía a que el 9 de octubre se celebrara una vista preliminar para determinar si el caso número 03 CR 204 (el pueblo del estado de Colorado contra Kobe Bean Bryant) debía ir a juicio, dijo: «No, señor». Pronunció las palabras en voz baja, sin emoción. El carnaval que lo acompañaba, en cambio, era digno de *La dimensión desconocida*. El *LA Weekly* lo llamó el «*Cirque du Kobe*».

En los treinta y siete días que transcurrieron desde la primera llegada de Bryant a Eagle (como paciente) y su regreso (como presunto violador), la historia se había convertido en un nuevo caso como el de O. J. Simpson, lleno de habladurías, rumores, insinuaciones y estupideces. Al frente estaba Randy Wyrick, uno de los periodistas del *Vail Daily* y el hombre que se apropió de todo lo que concernía a Kobe y a Eagle. El mismo día 24 de julio, Wylick firmó dos artículos. Uno se titulaba «Amiga: heridas visibles días después» y contaba que, según una amiga de Mathison, «Cuando el jurado vea las pruebas, no tendrá ninguna duda». El otro decía «Fuente: rumores falsa acusación», y relataba que Mathison había acusado a un compañero de trabajo de agresión sexual. Cada día salía algo nuevo, fascinante y llamativo.

Con Bryant de vuelta en la ciudad, el solar del otro lado de la calle de los juzgados del condado de Eagle se había transformado en un aparcamiento para los medios de comunicación. Se conectaron dos docenas de satélites móviles. Se añadieron ciento veinte líneas telefónicas a los juzgados. Cientos de curiosos ocupaban la calle como si fuera un desfile. Una niña de trece años llamada Yvette Parra se había pintado la palabra INOCENTE en la frente. Ethan Sahker, un tipo de Denver de veintiún años con una camiseta de Bryant, llevaba un cartel que decía: «Necesito entradas». Veinticinco reporteros y fotógrafos (entre ellos tres ganadores del Premio Pulitzer) habían estado vigilando el Aeropuerto Regional del Condado de Eagle, por si acaso. Unos días antes, se había identificado erróneamente a una chica de dieciocho años del condado llamada Katie Lovell como a la acusadora, y su foto fue difundida en Internet junto a las palabras «ALERTA: PUTA». «Siento que se ha violado mi intimidad», comentó a los periodistas. Con toda la razón. Era una locura. Patrick O'Driscoll del *USA Today* escribió: «Toldos blancos daban sombra a los escenarios exteriores de televisión. Los aseos portátiles y un desfile de curiosos llenaban las calles y las aceras. Un puesto en una esquina vendía almendras, nueces y avellanas calientes a cuatro dólares el paquete».

Cuando no era el epicentro del posible juicio del siglo, Eagle era conocido por ser... un pueblo. Un pueblo pequeño de clase trabajadora con una población de 3558 habitantes y una calle principal en la que destacaban un par de restaurantes y un negocio llamado «La tienda de casi todo», que, con total sinceridad, no hacía honor a su nombre. Cuando *Los Angeles Times* envió a dos reporteros a Eagle para averiguar qué hacía la gente de ese pueblo para divertirse, terminaron en el aparcamiento de una gasolinera Texaco mirando cómo unos adolescentes fumaban, «ligaban, decían palabrotas, se emperifollaban y se pavoneaban». Roxie Deane, la alcaldesa de Eagle y oriunda del municipio, recibió el asalto de los medios de comunicación como si se tratara del ataque de unos caimanes nucleares. Estaba aterrada. «Cuando fui a los juzgados y vi a unos niños con la camiseta de Kobe Bryant y a otros con carteles en su contra…, no me resultó muy agradable —recuerda Deane—. En un pueblo pequeño quieres que la gente se lleve bien y que las relaciones sean cordiales. Nunca nos había pasado nada parecido.»

Kobe Bryant no tendría que volver a Eagle, Colorado, hasta el 9 de octubre.

Mientras tanto, estaba el baloncesto.

El campus de pretemporada tenía que empezar el 30 de septiembre en Honolulu. Si Bryant esperaba tener a su compañero de equipo más importante de su lado, podía esperar sentado.

Durante los setenta y cinco minutos iniciales de entrevista con Doug Winters y Dan Loya, los inspectores del condado de Eagle, Bryant había dicho muchas cosas que no tardaron en salir a la luz pública. Sin embargo, una de las cosas que en general no trascendió la dijo al final de la charla, cuando Loya ya había apagado su grabadora. Winters escribió en un documento confidencial lo siguiente: «Bryant hizo un comentario sobre lo que otro compañero de equipo hacía en situaciones así. Bryant afirmó que podía haber hecho lo que Shaq (Shaquille O'Neal) hace. Bryant afirmó que Shaq les daba dinero a sus mujeres para que no dijeran nada. Afirmó que Shaq había llegado a pagar un millón de dólares por una situación como esta. Afirmó que él, Bryant, trata a las mujeres con respeto y, por lo tanto, no tienen por qué decir nada».

Cuando O'Neal tuvo conocimiento de tales comentarios, no le gustaron.

¿Que no había tratado bien a las mujeres? Sí. Era bien sabido que O'Neal no le había sido fiel a su mujer, Shaunie, con quien se había casado en 2002. Se sabía que había tenido una aventura con una conocida comentarista deportiva de Los Ángeles. Claramente, O'Neal no era un jugador fiel a una sola mujer, pero ¿quién lo era entre los miembros del equipo (aparte de Madsen, que ya no estaba con los Lakers)? Los Angeles Lakers eran como una banda de rock y los bares estaban llenos de mujeres jóvenes y hermosas con ganas de pasar un rato al lado de la fama. Se podría escribir un libro sobre las aventuras sexuales de Rick Fox y, de hecho, casi fue así cuando su exmujer, Vanessa Williams, coescribió una autobiografía titulada *You have no idea*. Fox era uno de los jugadores de la liga más conocidos fuera de la cancha; cuando un periódico sensacionalista sacaba fotos de él con una rubia atractiva en una discoteca de Hawái, no era ninguna sorpresa. A Peter Cornell, un invitado al campus de pretemporada de 2001, le encantaba explicar la anécdota sobre la noche en la que se encontraba durmiendo en su habitación del hotel y sonó el teléfono a las 4.30 de la madrugada.

—¿Sí? —respondió Cornell.

—¿Hola? ¡¡Hola!? —dijo una voz de mujer—. Deja de hacer el capullo y dime con quién coño estás. Hijo de puta, ¿quién está en la cama contigo?

—¿Quién eres? —dijo Cornell.

—Soy Vanessa, la mujer de Rick —respondió—. ¿Tú quién eres?

—Pete Cornell. Un invitado del campus.

—Oh... —respondió Williams, avergonzada—. Me han dado mal el número de habitación. Lo siento mucho.

Cornell se reía al recordarlo. «No la culpo —dice—. Rick siempre estaba con chicas jóvenes en Hawái.»

Sin embargo, esto no tenía nada que ver con Fox. Tenía que ver con haber delatado a O'Neal. Las palabras de Bryant suponían una gran traición. Había un código no escrito entre compañeros de la NBA que decía, más o menos, que lo que sucede en un vestuario se queda en el vestuario. Fuera o no verdad que O'Neal había llegado a pagar hasta un millón de dólares a alguna mujer, esa no era la cuestión. Bryant no tenía por qué decirlo. «Aquello provocó una gran ruptura —recuerda Jackson—. Divulgar los temas personales de Shaq no nos benefició. La irritación causó una brecha enorme.»

«Aquello no cambió nuestra dinámica como jugadores, pero sí nuestra relación fuera de la pista —admite O'Neal—. Afectó a nuestra relación personal. No sé por qué tuvo que decirlo, yo jamás he sobornado a ninguna mujer. Nunca. Fue una historia que me inventé, le dije que había pasado para que se sintiera más cómodo resolviendo el problema con dinero y quitándoselo de encima. Podéis investigarme. Yo le dije: "Oye, tío, es más fácil lidiar con esta mierda ahora y solucionarlo. No sé qué pasó, no me importa qué pasó. Pero soluciónalo". Él empezó a decirme: "Yo no lo hice, bla, bla, bla". Entonces le dije: "Tío, yo una vez tuve que pagar un millón". Le estaba haciendo de hermano mayor. A veces, hacer de hermano mayor es solo explicar historias, no es necesario que sean ciertas. Contar historias. Mi consejo era que pagara y pasara página. "Yo tuve que pagar un millón y tú ni te enteraste." No es cierto, pero es la historia que le conté. Luego él hizo lo que hizo.»

El 2 de octubre, el avión privado de los Lakers trasladó a todos los jugadores y entrenadores a Honolulu, con la excepción de Bryant. Sus representantes contactaron con Kupchack y le dijeron que «no se encontraba bien». Jackson intentó ponerse en contacto con su estrella para saber cómo estaba, pero la mujer que lo atendió en la casa de Newport Beach de los Bryant le informó de que «estaba descansando». El entrenador estaba fuera de sí. Si estuviera realmente enfermo, ¿no habría acudido al médico? No tenía sentido.

«No estoy al corriente de su estado —dijo Jackson cuando se le preguntó qué le pasaba a Bryant—. No me han dicho que esté enfermo, me han dicho que se encuentra mal. ¿Podría ser la niebla marina que hay en Los Ángeles y que lleva dos semanas fastidiándonos? Quizá sea eso.»

En 1998, cuando Bryant debutó en el partido del *All-Star*,

enfureció a Karl Malone al ignorarlo en una penetración a canasta. Fue una mala decisión que podía atribuirse a la arrogancia juvenil. Sin embargo, Malone no es una persona rencorosa. Había ido a Los Ángeles a ganar un título, y si eso quería decir tener que aguantar a una estrella caprichosa que se enfrentaba a una acusación de violación, lo haría. Además, aunque la reputación íntegra de Malone lo había acompañado desde que fue elegido en el trigésimo puesto del *draft* de 1985 procedente de la Universidad Louisiana Tech, él, igual que Bryant, poseía algún que otro oscuro secreto.

Cuando tenía veinte años, en otoño de 1983, cuando era estudiante universitario de segundo año, Malone regresó a Summerfield, Luisiana, su pueblo natal, y dejó embarazada a una niña de trece años llamada Gloria Bell. El 3 de mayo de 1984, la niña dio a luz a un varón llamado Demetress, y Karl desapareció del mapa. La familia Bell no denunció a Malone por violación de menores pensando que el jugador llegaría a la NBA, ganaría mucho dinero y podría ayudar a criar al niño. Sin embargo, Malone negó la paternidad y, cuando la familia lo llevó a juicio para pedirle 200 dólares a la semana, desapareció. Finalmente, un juez dictaminó que debía hacerse una prueba de paternidad. El resultado dio positivo, y el tribunal ordenó una pensión de 125 dólares a la semana (6500 al año) más gastos médicos. Malone, que ganaba 850 000 dólares al año con los Jazz, argumentó que la suma le parecía demasiado elevada.

En realidad, ese había sido el segundo desliz de Malone con una menor. Cuando tenía diecisiete años, dejó embarazada a otra chica del pueblo y, después de que diera a luz a unos gemelos, Malone negó su paternidad hasta que un periódico sacó la noticia años más tarde.

Así pues, por comprensión o por la proximidad de su experiencia, Malone era el único Laker que parecía empatizar con Bryant, especialmente cuando, el mismo día que el equipo volaba a Hawái, salió la noticia de que un juez de Colorado había determinado que los abogados de la defensa no podrían interrogar a la presunta víctima de violación en la vista preliminar. La cosa empeoró cuando otro juez rechazó la petición de una moratoria mediática.

Cuando le preguntaban, Malone mostraba repetidamente su apoyo a Bryant: «El equipo necesita a su escolta»; «El chico es fuerte y decidido»; «No ganaremos un título sin él». Sin embargo, el Cartero estaba muy solo en su defensa.

Los Lakers llevaron a cabo su primera sesión de entrenamiento el viernes por la mañana, al día siguiente de aterrizar. La prensa solo quería hablar de Kobe. O'Neal, que esperaba una prórroga de su contrato y se sentía infravalorado por una franquicia que en aquel momento estaba priorizando a su otra superestrella, marcó el tono de los tiempos extraños que se acercaban respondiendo a las primeras preguntas sobre Kobe maullando como un gato, literalmente.

—¿Crees que el equipo necesita a Kobe para competir?

—Miau.

—¿Has hablado con Kobe?

—Miau.

—¿Te preocupa que…?

—Miau, miau.

Finalmente, cuando le preguntaron qué se siente al no tener el equipo al completo, O'Neal dejó a un lado su imitación gatuna y dio una respuesta:

—El equipo al completo —dijo en su más profundo tono de barítono— está aquí.

A los otros Lakers les gustó escucharlo. O'Neal hablaba en nombre de todos. Reconocían el talento de Bryant, pero estaban muy bien sin él.

El sábado, Bryant llegó finalmente a Hawái en un vuelo privado que esperaba que pagara el equipo, cosa que no hicieron. Tim Brown y Steve Henson, de *Los Angeles Times*, escribieron que «se le veía delgado y cansado. Su piel tenía un color arcilloso, como si no hubiera salido de casa desde hacía meses». No hubo ninguna disculpa o excusa oficial. Kobe Bryant llegaba tarde porque Kobe Bryant llegaba tarde. No era fácil gestionarlo.

Entró en el gimnasio de la Universidad de Hawái y sus compañeros lo recibieron con un par de abrazos poco efusivos (Malone y Payton sí que lo recibieron afectuosamente), pero en general se encontró con miradas incómodas y encogidas de hombros. Hacía menos de un mes que Kupchak le había dicho a Bryant, en una reunión corta a finales de agosto en las oficinas de los Lakers, que el equipo se preocupaba por su bienestar y que querían asegurarse de que estaba llevando bien las cosas.

Pero Bryant no lo sentía así.

—Shaq no me ha llamado este verano —dijo.

—Kobe, te di un mensaje de su parte —respondió el director general—. Te invitó a Orlando para que pudieras desconectar.

—Shaq no tenía ninguna necesidad de dejarme un mensaje a través de ti —dijo Bryant—. Sabe perfectamente cómo contactar conmigo.

Más tarde, hablando con Jackson, Bryant soltó:

—No voy a aguantar las mierdas de Shaq este año —dijo—. Si empieza a hablar con la prensa, pienso contraatacar. No tengo miedo de enfrentarme a él. Estoy harto.

La primera sesión de entrenamiento de Bryant no fue para enmarcar. Un hombre que siempre se había vanagloriado de su estado físico y que siempre había estado en la mejor forma posible, ahora estaba desgastado por sus recientes problemas. Hacía ejercicio cuando podía, pero su rutina diaria había perdido toda su consistencia. En su primer día, pasó la mayor parte del tiempo en una bicicleta estática a un lado de la pista con el sudor corriéndole por las sienes. A diferencia de los años anteriores, en los que el campus de entrenamiento de los Lakers se parecía más a una fiesta hawaiana que a una preparación seria para la batalla, según Malone se cerraron las puertas y se apagaron los grandes ventiladores todos los días. El gimnasio se convirtió en una sauna y la limitada preparación física de Bryant durante el verano se hizo evidente.

Al terminar el entrenamiento, Bryant dejó que se le acercara la prensa y le hicieran preguntas. Era una de sus mejores cualidades desde hacía tiempo. Algunas superestrellas eran conocidas por esconderse cuando las cosas iban mal. No era el caso de Bryant. Ante dos docenas de reporteros, admitió que «el baloncesto había dejado de ser su prioridad» y luego que «estaba aterrado». No tanto por mí, sino por lo que está pasando mi familia. Ellos no tienen nada que ver con esto, pero sus nombres se han mezclado con todo este asunto y tengo miedo por ellos».

Hacia el final de las declaraciones, Bernie Wilson, de la Associated Press, le preguntó si hablaría del caso con sus colegas. Era una pregunta perfectamente lógica, pero ignoraba el historial de Bryant como Laker. No les había dicho a sus compañeros de equipo que se casaba, no invitó a nadie a su boda y no llamó a ninguno de ellos cuando lo acusaron de violación. Ningún compañero había estado jamás en su casa y la mayoría no habían compartido con él más de una o dos comidas.

¿Que si hablaría del caso con sus compañeros de equipo? «¿Por qué? —respondió—. Podría explicarlo un millón de veces y nunca lo entenderían, nunca lo entenderán. No importa. Vendremos aquí, trabajaremos juntos como equipo y jugaremos al baloncesto. [Mi familia] es quien está soportando esta situación. Todos los demás simplemente están mirando.»

Algunos Lakers veteranos se creían que Bryant pasaría su estancia en Hawái haciendo sus tareas con humildad, apesadumbrado, con un tono de voz suave y con la cabeza gacha. Pero para el número uno de todos los tiempos en falta de conciencia, al menos de la franquicia, comportarse de ese modo resultaba sencillamente imposible. Había dieciocho jugadores invitados al campus, y Bryant, como siempre, sintió la necesidad de demostrar quién mandaba. La única disputa real para un puesto en la plantilla estaba entre Eric Chenowith (un jugador de la Universidad de Kansas de 2,16 y 123 kilos) y Jamal Sampson (de 2,11 m y 107 kilos de la Universidad de California), que competían para ser suplentes de O'Neal. Bryant decidió enseguida que tenía un problema con Chenowith o, por lo menos, que tenía que hacerle la vida imposible. Pero Chenowith no era un *rookie*. Después de que los Knicks lo incorporaran en el *draft* de 2001, y luego lo liberaran, Chenowith había estado en nómina de los Kings, los SuperSonics y los Clippers, había jugado con el Greenville Groove, el Huntsville Flight y el Roanoke Dazzle de la liga de desarrollo de la NBA, además del Pau-Orthez de la liga francesa. Tenía un largo recorrido y los demás Lakers lo trataban con respeto. Especialmente, O'Neal, que lo invitó a él y no a Bryant, cosa poco habitual, a una fiesta de verano en Bel Air para celebrar el fichaje de Malone y Payton. Cada uno de los invitados recibió una invitación personalizada grabada en mármol. En el caso de Eric rezaba: «Eric Chenowith, Shaquille O'Neal le invita cordialmente a su casa para dar la bienvenida a los nuevos jugadores».

Chenowith no daba crédito y llegó a la mansión sin saber qué se encontraría. Después de que O'Neal lo recibiera, se presentó y dijo: «Es un honor estar aquí».

El pívot, que llevaba una vieja camiseta rojiblanca de Julius Erving de los 76ers, se rio: «Qué va, tío. Estoy encantado de tenerte aquí —dijo O'Neal—. Me han hablado mucho de ti, y mi casa es tu casa. Para lo que necesites. ¿Qué te apetece? ¿Quieres un puro? Ven conmigo…».

Ambos gigantes se dirigieron hacia el final del jardín, donde, bajo una carpa, había un equipo de inmigrantes cubanos vestidos con trajes blancos liando tabaco. «Hacedle el mejor puro que sepáis —ordenó O'Neal. Luego, dirigiéndose a Chenowith, dijo—: Tío, asegúrate de llevarte alguno a casa para algún amigo.»

«Me trató como si fuera uno de ellos —explica Chenowith—. En serio, me trataba como si le importara.»

Sin embargo, a Bryant no le importaban los tipos como Chenowith. Eran como pedazos de grasa sobrante que solo servían para que los mordisqueara el perro de un vecino. Un día, en lugar de entrenar, Jackson y el resto del cuerpo técnico obsequiaron a los jugadores con una partida de *paintball*. Un autobús recogió al equipo a las diez de la mañana e hicieron un trayecto de cuarenta minutos hasta un campo de batalla ficticio en Waimānalo, al este de Oahu. Una vez allí, los jugadores abandonaron el vehículo y recibieron un uniforme militar personalizado con sus números y su nombre bordado en el chaleco. Durante las dos horas siguientes, cuatro equipos de cinco jugadores se enfrentaron en una batalla despiadada. «Karl y Shaq se escondieron todo el día —dijo Bryant—. Se escondieron entre los árboles. Quizás estaban buscando al Bigfoot.» Cuando terminó la batalla, les presentaron a veintiún miembros del ejército aéreo de Estados Unidos de la estación militar Bellows Air Force Station, que habían sido invitados para conocer al equipo junto con sus familias. Jackson quería que los Lakers vieran qué era realmente el heroísmo, y la reacción general del equipo no lo decepcionó. «Esto —dijo Malone mientras estrechaba la mano de uno de los soldados— es lo que me la pone dura. Tener la oportunidad de dar las gracias a estos hombres.»

Después de varios minutos de autógrafos y fotografías, llegó un camión de los helados cargado con todos los formatos y sabores imaginables. Payton, un hombre graciosamente escandaloso y con un agudo sentido del humor, gritó para que todos lo oyeran: «¡Malditos *rookies*, ya me estáis trayendo mi helado!». Los dos *rookies* de primer año del equipo, el alero Luc Walton y el ala-pívot Brian Cook, se acercaron al vehículo.

Chenowith notó cómo alguien, por detrás, le empujaba la cabeza con la mano.

—*Rookie*, más vale que me traigas mi puto helado. Tráeme el helado, *rook*…

Era Bryant.

Chenowith se levantó. Kobe Bryant había sido cinco veces *All-Star*. Eric Chenowith tenía un promedio de 9,8 puntos por partido en la liga de desarrollo. ¿Qué otra opción tenía? De modo que empezó a dar el paseo de la vergüenza. Enseguida escuchó a Bryant gritar: «¡Más vale que corras!, ¡Joder!, ¡No camines, corre!».

Chenowith empezó a trotar y oyó el famoso silbido de dos dedos de Jackson. «¡Chenowith! —gritó—. ¡Ven aquí! ¡Tú no eres un *rookie*!». Se sintió igualmente humillado y notó la mirada de Bryant al regresar a su asiento junto a los demás veteranos. «Para mí sigues siendo un puto *rookie*.»

De repente, un brazo enorme le rodeó el cuello. «Escucha —dijo O'Neal—. Que le jodan a este tío. Que le den. Me tienes a mí. Que le den. Tú estás conmigo. No eres un maldito *rookie*. Está todo bien. Me tienes aquí.»

Eso era todo lo que Chenowith necesitaba oír.

«Kobe era un auténtico capullo —dijo años después—. No era solo un imbécil, era un imbécil que además era un capullo. Si sabía que podía sacar algo de ti, te trataba con respeto. Si no, no le importabas una mierda.»

Con la excepción del momento del helado, el campus de pretemporada fue un auténtico desastre. Aunque parecía imposible, O'Neal había llegado en peor forma que el año anterior. Era una masa gorda y amorfa de desidia deportiva. Como parte de un contrato publicitario con la empresa 24 Hour Fitness, le habían asignado un entrenador personal llamado Cory Gilday, un canadiense de veinticinco años que se había trasladado desde Portland, Oregón, hasta Orlando para trabajar específicamente con él. Gilday adoraba a O'Neal, más que a cualquier otra persona a la que hubiera ayudado. «El gimnasio en el que trabajábamos estaba al lado de un centro de bronceado —recuerda—. Un día, la mujer de la recepción del salón estaba llorando. Él le preguntó qué le pasaba. Hacía tres meses que no pagaba el alquiler y le habían llegado los papeles del desahucio. Shaq hizo una llamada ahí mismo y se ocupó de ello. Así era él.» Sin embargo, O'Neal era más vago que un perro muerto. Se negaba a seguir una dieta. Odiaba las pesas. Detestaba correr. «Intenté que hiciera dos sesiones de ejercicio al día —explica Gilday—. Pero fue imposible. Estábamos cerca de un instituto, íbamos al campo, juntábamos a unos cuantos tíos y jugábamos al fútbol. Con eso no había problema. Leí un artículo sobre sus "agotadoras" sesiones de entrenamiento durante el verano. Me reí. Es el mejor. Quizás el mejor tipo que he conocido. Pero no trabajaba duro y se notaba.»

Shaq odiaba a Kobe. Kobe odiaba a Shaq. John Black, el director de relaciones con los medios del equipo, tuvo la idea de hacer una portada para la guía de prensa al estilo de *Abbey Road*, con sus cuatro superestrellas cruzando una calle como los Beatles. A todo el mundo le gustó la idea, excepto a O'Neal. «Ni siquiera dijo un "deja que lo piense". Fue un "y una mierda. No lo pienso hacer". Shaq estaba de mal humor. Había algo que lo incomodaba.»

O'Neal estaba harto de que el equipo no estuviera dispuesto a ofrecerle una prórroga de contrato de tres años que le proporcionarían más de cien millones de dólares. Después de taponar un lanzamiento de Mike Dunleavy en un partido de exhibición el 7 de octubre contra los Nuggets, se dirigió hacia el banquillo de los Lakers donde se encontraba Jerry

Buss y gritó: «¿Ahora me vais a pagar?». Después del partido, al ver que había algunos periodistas en los pasillos del pabellón, se frotó los dedos y dijo en voz alta: «¡Soltad la pasta! ¡Soltad la pasta!».

«Fue una falta de respeto —admite Black—. Nos llegaron muchas peticiones, la gente quería saber cuál era nuestra posición, cuál era la posición del doctor Buss ante aquella actitud de O'Neal. Buss dijo públicamente que no le molestaba en absoluto. No quisimos hacer ningún comentario e intentamos minimizarlo al máximo. Pero Buss estaba realmente molesto.»

Esto sucedió un martes. El jueves, Bryant tuvo que volver a Eagle para personarse a la vista preliminar. El titular de portada del *Vail Daily* anunciaba: «Salen a la luz los detalles». Y no era ninguna mentira. Con cientos de personas aglomeradas una vez más fuera de los juzgados del condado de Eagle, Bryant se sentó en una silla y escuchó a Winters y a Greg Crittenden, el ayudante del fiscal del distrito, desarrollar sus argumentos sobre por qué el caso debía ir a juicio. Además del relato minucioso de los hechos de aquella noche, Winters y Crittenden presentaron como prueba una camiseta que habían encontrado en la habitación de hotel de Bryant manchada con sangre de Mathison.

Pamela Mackey, la cotizada abogada defensora, contraatacó con un interrogatorio tan exhaustivo como controvertido. Al remarcar que las heridas vaginales de Mathison no necesitaron puntos ni cuidado tópico, Mackey pronunció el nombre «Jessica Mathison» seis veces en menos de diez minutos para afirmar que las heridas de Mathison podrían estar causadas por el hecho de haber tenido múltiples compañeros sexuales en un corto periodo de tiempo.

—Así que sus heridas eran recientes, pero ¿se puede determinar el momento exacto? —le preguntó Mackey a Winters.

—No —respondió Winters—. No pude.

—¿Podrían estar relacionadas con otras relaciones sexuales que tuvo con tres hombres distintos en tres días? —preguntó Mackey.

La pregunta dejó a todo el mundo atónito. Nadie había hablado de que Mathison hubiera tenido tres compañeros sexuales en tres días. Pero, en el mundo Mackey, tampoco nadie había dicho que no hubiera tenido tres compañeros sexuales en tres días. «La defensa quería que el público lo escuchara —cuenta Norm Early, el fiscal del distrito de Denver, que había asistido como observador—. Nadie se imaginaba que la defensa llegaría a caer tan bajo.»

La sesión terminó sin que Fred Gannett, el juez del condado de Eagle, decidiera si la causa debía enviarse al tribunal del distrito para ir a juicio. Pidió a las partes que regresaran al cabo de seis días.

Tim Kawakami, el columnista del *San Jose Mercury News*, retrató a la perfección el estado de Bryant en aquella nueva situación: «Solo, con su encantadora vida patas arriba, con su reputación probablemente manchada para siempre, con la rodilla floja tras la operación y con su libertad en riesgo. ¿Quién es ahora Kobe Bryant si ya no es el gran fenómeno, el puritano del baloncesto, la sonrisa que vende un millón de Big Macs? ¿Quién es si su imagen desaparece, si su reputación queda hecha pedazos? ¿Y si el baloncesto no puede salvarlo?».

Cuando Bryant volaba hacia Colorado, el resto de los Lakers daban por concluido el campus en Honolulu y regresaban al sur de California para terminar la pretemporada con una serie de partidos de exhibición. Cuando los miembros del equipo estaban embarcando en el Aeropuerto Internacional de Honolulu, O'Neal le gritó a uno de los mozos de equipaje: «¡Espera! ¡Espera! ¡Esa maleta! ¡Necesito la maleta!».

El hombre sacó la maleta negra del carro y se la dio al sonriente pívot. Tras el despegue del avión, O'Neal se colocó la maleta sobre el regazo, pulsó un par de botones y se rio cuando, al abrirse, se convirtió por arte de magia en una mesa pinchadiscos de dos platos. Se colocó unos auriculares en las orejas y se pasó media hora trabajando en silencio en un proyecto. Cuando terminó, arrancó el cable de los auriculares de la toma y pidió la atención de todos.

El sonido familiar de la canción *P.I.M.P.* de 50 Cent se escuchaba a todo volumen por unos altavoces (sí, O'Neal viajaba también con unos altavoces) con la letra cambiada. La letra de 50 Cent decía así:

I don't know what you heard about me,
but a bitch can't get a dollar out of me.

Sin embargo, O'Neal había hecho una adaptación propia:

I don't know what you heard about me,
Kobe's a bitch, everyone can see,
but you ain't never gonna see me on TV
talking about R-A-P to the E.[17]

Chenowith estaba sentado junto a Luke Walton. Ninguno de los dos daba crédito a lo que escuchaban. En primer lugar, porque O'Neal resultó ser un rapero sorprendentemente bueno. Y, en segundo lugar…, Dios santo. Fue la mejor/peor forma de trolear a un compañero de equipo que jamás se había visto. Todos los que volaban en el avión (jugadores y entrenadores) se rieron.

«Me giré hacia Luke en plan: "Hostia puta. ¿Esto está pasando de verdad?"», recuerda Chenowith, a quien días después le comunicaron que no contaban con él.

«¿Ser un Laker es esto?»

17. El texto original de la canción decía: «No sé lo que has escuchado de mí, pero una zorra no puede sacarme el dinero». La versión de O'Neal, con un juego de palabras intraducible dice: «No sé lo que has escuchado de mí, Kobe es una zorra, todo el mundo lo puede ver, pero nunca vas a verme en televisión hablando de R-A-P a la E». *Rape* en inglés significa «violación». *(N. del T.)*

16

La última temporada

*P*hil Jackson nunca quiso que Gary Payton fuera un Laker.

Esto es así. Aunque el entrenador del equipo de Los Ángeles había recibido el fichaje del veterano base con una sonrisa y mostrando su aprobación, llevaba suficiente tiempo en el negocio como para saber que incluso una operación sencilla podía echar a perder toda la temporada.

Jackson no tuvo ni voz ni voto en la adquisición. Shaquille O'Neal aspiraba a poder reunir un equipo de superestrellas. Kobe Bryant también aspiraba a poder reunir un equipo de superestrellas. Karl Malone esperaba unirse a un equipo de superestrellas, en el cual estuviera Payton, su rival y amigo desde hacía muchos años. De modo que, a pesar de que Jackson consideraba que Derek Fisher era el director de orquesta perfecto para el equipo y que el triángulo ofensivo no encajaba con un base egoísta, centrado en anotar y obsesionado con driblar a sus rivales, el hijo de Jerry Buss insistió en contratar a Payton. Así pues, el veterano base iba a ser un Laker.

Cuidado.

Desde el punto de vista deportivo, Payton era el mejor base para vestir de púrpura y dorado desde el breve regreso de Magic Johnson, en la temporada 1995-96. Había sido nueve veces *All-Star* y había estado nueve veces en el primer, segundo o tercer equipo de la temporada. Tenía una media acumulada de 18,2 puntos y 7,4 asistencias por partido. Su apodo, «el Guante», era un homenaje a sus rapidísimas manos y a su capacidad para robar el balón a sus contrincantes. En el panteón de los grandes comandantes de la historia de la NBA estaban Magic Johnson, Oscar Robertson, Bob Cousy, Isiah Thomas, John Stockton y también Gary Payton.

Pero era un jugador complicado. Era el más pequeño de los cinco hijos de Annie y Alfred Owen Payton. Creció al este de Oakland viendo cómo todos sus amigos, uno tras otro, sucumbían a los cantos de sirena de las bandas callejeras. Gary sobrevivió, en gran medida, gracias a un padre que hacía el turno de día como chef en un restaurante y el turno de noche como chef también en otro restaurante, además de trabajar horas extras como operario en una fábrica de conservas del barrio. Había jugado como escolta en la Universidad Estatal de Alcorn, y dedicaba su tiempo libre a entrenar a los niños de la liga de baloncesto de barrios de Oakland. Le llamaban «Míster Antipático», un mote que le iba cono anillo al dedo. Payton no quería que sus equipos jugaran al baloncesto para pasarlo bien, divertirse o, sencillamente, para escapar de las calles. No, señor. Si entraban en una pista de baloncesto, tenía que ser para ganar a toda costa, y si le pisaban la cabeza a un oponente, era para recrearse en ello.

Así es como Gary salió de las calles, llegó a ser un *All-American* con la Universidad Estatal de Oregón y fue elegido en el segundo puesto del *draft* por Seattle en 1990. Nunca se echaba atrás. Nunca se acobardaba. Si te pisaba la cabeza, se recreaba en ello, igual que su padre. «De niño le enseñé cómo mirar, cómo intimidar, cómo ser mezquino —recuerda Al—. Cuando yo jugaba, me gustaba hacer daño.»

A Gary Payton lo que le gustaba no era tanto hacer daño como humillar a sus oponentes. Su historial de insultos y obscenidades en la pista tendría que estar en el museo de lo locuazmente insólito. O, como dijo una vez Michael Cage: «[Payton] lograba que quisieras esconderte en una biblioteca o algún lugar parecido. Algún lugar que estuviera totalmente en silencio».

Si estabas casado, Payton se follaba al cardo de tu mujer. Si salías con alguien, se follaba al cardo de tu novia. Tu coche era una auténtica basura. Tu casa un estercolero. Tu culo olía a perro muerto. Tú eras un chupapollas. Tus compañeros de equipo eran unos chupapollas. Tus hijos eran unos chupapollas. Cuando un ala-pívot del montón llamado Jamie Feick le soltó una vez una tontería a Payton, le respondió: «Tío, si tú ni siquiera estarás en la liga el año que viene». Momentos después, para deleite de Payton, otro jugador le pidió que se callara: había herido los sentimientos de Feick. Cuando el entrenador de los Timberwolves, Sidney Lowe (1,80) se ponía en pie para decir algo, Payton (1,93) le gritaba: «¡Siéntate pitufo!». Cuando Scottie Pippen de los Bulls jugaba sin Michael Jordan, Payton metía el dedo en la llaga. «¿Dónde está, Mike? —le gritaba—. Ahora no me asustas, Scottie. No estás entre los mejores cincuenta jugadores de la historia. ¿Quieres que te enseñe mi lista? Estás en el número cincuenta y uno, Scottie. ¡El cincuenta y uno!»

Cuando Ricky Pierce, de Denver, fue una vez a por Payton, el Guante le soltó: «Voy a matar a tu familia».

Phil Taylor de la revista *Sports Illustrated* escribió lo siguiente:

No les sorprenderá saber que la primera vez que vi a Gary Payton en persona estaba hablando. Fue 1990, él era jugador sénior de la Universidad Estatal de Oregón y yo escribía en *The National*. Me desplacé a Corvallis para entrevistarlo. Queríamos hacerle un perfil. Un trabajador del centro de deportes me llevó hasta el gimnasio y allí esperé a que Payton terminara sus ejercicios de tiro del final del entrenamiento, lanzando pases o tiros en suspensión desde la parte alta de la zona.

Cada uno de sus lanzamientos iba acompañado con el correspondiente comentario: «Baja la mano, no vas a pararlo. Llegas tarde. Coge el autobús y llegarás a tiempo la próxima vez. No hace falta ni que te des la vuelta, ya sabes que ha entrado. ¡Otro! ¿Qué se siente?». Dada la reputación de Payton, toda aquella palabrería no hubiera tenido nada de extraño de no ser por un pequeño detalle: nadie lo estaba defendiendo. Payton estaba burlándose de un fantasma.

Cuando terminó, le pregunté si siempre abusaba verbalmente de defensores imaginarios. Payton ladeó la cabeza y me dirigió esa mirada interrogativa que se haría tan famosa entre los aficionados a la NBA, esa misma que dirigía a los árbitros cuando su defensa se volvía demasiado agresiva y lo sancionaban. Por un momento, pareció confundido, como si no se hubiera dado cuenta de que había estado parloteando mientras lanzaba a canasta. Luego dijo: «Lo hago sin querer. Si me conoces, sabes que siempre hablo».

La gente se reía con Payton porque sus disparates eran divertidos, su voz era aguda y nunca perdía el entusiasmo. También se reían porque era un jugador con talento, y ya se sabe que las tonterías de una superestrella de la NBA siempre se reciben con más entusiasmo que si las hicieran, por ejemplo, Lucious Harris o Calvin Booth. Pero Payton también tenía un lado oscuro, y eso era lo que preocupaba legítimamente a Jackson. Durante su etapa en Seattle, las heroicidades de Payton estaban a la par de su egoísmo. Era, según Jelani McCoy, «el peor jodido ejemplo para cualquier jugador de la NBA».

En demasiadas ocasiones, Payton ordenaba a los pívots o ala-pívots de los Sonics que se apartaran del poste gritándoles «¡Apártate, negro de mierda!» o «¡Quita de en medio, puto negro!». Nunca lo decía en broma, siempre era una amenaza. «Era muy ofensivo —recuerda Olden Polynice, expívot de Seattle—. Se le subió la fama a la cabeza. Recuerdo un día que llegó al entrenamiento después de una noche de fiesta y se tumbó sobre una mesa. No quería entrenar. Yo le dije: "Cabrón, mueve el culo. No eres el Guante. Eres solo un gilipollas con una pelota de baloncesto."»

Cuando metía una canasta ganadora, Payton era el hombre más feliz del planeta. Cuando un compañero metía una canasta ganadora, Payton solía mostrarse insensible y huraño. Durante la temporada 1999-2000, el entrenador de los Sonics, Paul Westphal, decidió en una ocasión que Shammond Williams, un base de segundo año procedente de la Universidad de Carolina del Norte, hiciera el último lanzamiento del partido. Le salió bien. Cuando la pelota atravesó la red, sus compañeros de equipo engulleron al recién llegado en un abrazo grupal. En aquel momento, Payton se dirigió hacia Westphal y le maldijo. «¡No vuelvas a quitarme la puta pelota de las manos! ¡Nunca!», gritó.

McCoy, como Payton, era de Oakland y también se había curtido en las calles. Se reía con los comentarios viperinos del base, pero no se acobardaba de si, durante algún entrenamiento, los insultos iban dirigidos hacia él. Un día, Payton se pasó de la raya. McCoy le dijo:

—¡Que te den, tío! Te voy a patear el culo aquí mismo. Ni Guante ni hostias. ¿Es lo que quieres? Podemos resolverlo ahora mismo.

McCoy medía 2,08 y pesaba 113 kilos.

Payton medía 1,93 y pesaba 82 kilos.

—¡Que te den! —respondió Payton—. Voy a llamar a mis colegas para que te jodan vivo. Será mejor que te escondas, puta.

McCoy soltó una carcajada.

—¿Te refieres a los mismos colegas de los que siempre hablas? —respondió—. También son amigos míos. No me van a hacer nada.

Y tenía razón.

«Gary era un abusón —cuenta McCoy—. Toda esa chorrada del Guante era pura imagen. Hundía en la miseria a sus compañeros, a propósito. Los machacaba para ponerlos a prueba. Por ejemplo, si un día te presentabas con un reloj nuevo, era incapaz de hacer un cumplido, siempre tenía que decir algo como: "Mañana me voy a comprar diez como este"».

Este era el nuevo base de los Lakers, y a medida que se acercaba la temporada regular, Jackson y el cuerpo técnico se preparaban para lo peor. Payton no encajaba en el triángulo ofensivo («Era incompatible —asegura Kurt Rambis—. No estaba hecho para nuestro sistema»), pero, a pesar de todo, era la cara nueva más importante del vestuario.

Payton ya no cargaba con la responsabilidad de liderar una franquicia. Es más, estaba dispuesto a ceder el liderazgo del equipo a O'Neal, Malone y Fox. Las insolencias no cesaron, pero eran menos punzantes y ofensivas. Además, también mostró cierta sensibilidad hacia Fisher, que había pasado de ser un titular respetado a sentarse en el banquillo en favor de un recién llegado. Nunca tuvo una palabra fuera de tono para su suplente. «Siempre le digo a la gente que Gary no era el mejor jugador con el que había jugado, pero era el mejor líder —cuenta Jamal Sampson, el pívot suplente—. Nunca perdía la confianza, independientemente de las circunstancias. Yo me limitaba a observarlo para aprender a ser un buen profesional.»

Desde el principio, los Lakers 2003-04 fueron un desastre, así como un ejercicio constante para demostrar que el talento y la experiencia podían superar, de algún modo, la falta de química y espíritu de equipo. Además, como si pudiera pasarse por alto, su superestrella estaba en medio de un juicio por agresión sexual que podía mandarlo a la cárcel. «Las buenas noticias cada vez duran menos en los Lakers —escribió J. A. Adande el 21 de octubre en *Los Angeles Times*—. En los tiempos que corren, la felicidad parece durar tanto como una puesta de sol, y las tinieblas se ciernen de nuevo sobre la franquicia.»

La temporada regular tenía que empezar el 28 de octubre con un partido contra Dallas en el Staples Center. Aunque Payton dijera que se trataba del «equipo con más talento del que jamás había formado parte», ese equipo se estaba desmoronando. Bryant, todavía convaleciente por la intervención de rodilla que lo llevó a Colorado, debutó cinco días antes del partido inaugural. Jugó treinta y dos minutos, y anotó 15 puntos en un partido de exhibición que perdieron contra los Clippers, en Anaheim. En el vestuario todo eran caras felices. «¡Necesitaba regresar para sentir el cariño de los aficionados!», dijo Payton. Pero fue un espejismo. Los Lakers, que protegieron a Bryant de la prensa colocando una cortina negra ante su taquilla, estaban furiosos porque el jugador había rechazado una prórroga de su contrato (cuatro años por 74 millones de dólares) para convertirse en agente libre a final de temporada. ¿Dónde estaba la gratitud? ¿Y la lealtad? El equipo accedió a cubrir un porcentaje de los gastos de los viajes de ida y vuelta a Colorado (para asistir a las vistas en el juzgado), y Bryant se quejó del avión. «Quería uno de más categoría —cuenta Jackson—. Debería sentirse afortunado por no tener que asumir él solo todos los gastos.» Los Lakers hacían todo lo que estaba en sus manos para adaptarse a Bryant, ¿y esto era lo que obtenían a cambio? «En el deporte —dijo Bryant con sarcasmo—, todo llega a su fin.» En un momento del partido contra los Clippers, Bryant tuvo la desfachatez de dirigirse a Mike Dunleavy, el entrenador rival, durante un saque de banda y decirle: «Llévame contigo».

Pero también era preocupante la actitud de O'Neal, que, enfadado y distante por la negativa del equipo a ampliar su contrato, descargaba su ira contra su entrenador sin razón aparente. Antes de un partido de pretemporada, cuando le comunicaron unas declaraciones de Jackson totalmente inocuas y sin ánimo de crítica, O'Neal respondió: «¿Quién?». Y luego añadió: «Antes había dos Phils en mi vida (refiriéndose a su padrastro, Phil Harrison). Ahora solo hay uno».[18]

El 25 de octubre, Jackson estaba en su despacho viendo un vídeo de los Mavericks cuando Bryant entró echando humo.

—¡Ya se ha ido de la lengua! —dijo Bryant.

Jackson no tuvo que preguntarle a quién se refería.

—No puede ser —respondió Jackson—. ¿Qué ha dicho?

—¿Has leído el periódico? —dijo Bryant—. Sale en el periódico.

Efectivamente, las declaraciones de O'Neal eran absolutamente escandalosas. Decía en Los Angeles Times que Bryant, atención, tenía que confiar más en sus compañeros de equipo hasta que recuperara sus fuerzas. Lo cual era… correcto.

—Kobe, ¿cuál es el problema? —preguntó Jackson—. Shaq tiene razón. Esto es exactamente lo que necesitamos que hagas.

—Puede ser —respondió Bryant—. Pero no es él quien tiene que decirlo. Él no tiene que hablar sobre mi juego, sobre lo que tengo que hacer.

—No te vas a tomar algo así como una ofensa, ¿verdad? —preguntó Jackson—. No tiene ningún sentido.

—Pues sí que me lo tomo como una ofensa —contestó Bryant.

El 27 de octubre, Jackson celebró una reunión de equipo de veinte minutos para aclarar las cosas. Ambas superestrellas hablaron. Luego Malone se puso en pie y pidió que hu-

18. Mientras tanto, Jackson estaba intentando negociar su propia renovación, y los Lakers se mostraban reacios. Pero el entrenador se preocupó de que la noticia no saliera a la luz.

biera paz y buen juego. «No he venido aquí para hacer de canguro —dijo—. He venido para conseguir un anillo. No me pagan lo suficiente como para tener que aguantar estas chorradas.»

En menos de una hora, Bryant volvió a hablar, esta vez con Jim Gray de la ESPN. Le dijo al veterano periodista que, si finalmente abandonaba la franquicia, sería por «el egoísmo y los celos infantiles» de O'Neal. Pero no se limitó a eso, sino que siguió comentando varios temas relacionados con Shaquille.

Sobre el liderazgo de O'Neal, dijo que «un líder no suplica una prórroga de su contrato ni negocia un acuerdo de más de treinta millones en la prensa cuando tenemos a dos futuros nombres del Salón de la Fama jugando con nosotros prácticamente gratis. Un líder no exige la pelota cuando otros compañeros también están desmarcados, por no hablar de su comportamiento con los jugadores rivales estos últimos tres años… Por cierto, un líder tampoco amenaza con no defender o no capturar rebotes si no recibe la pelota en cada jugada».

También habló sobre su lesión: «No necesito el consejo de Shaq sobre cómo jugar con dolor. Yo he jugado infiltrado…, con una mano rota, con un esguince en el tobillo, con un diente roto, con una herida en el labio y con una rodilla del tamaño de una pelota de béisbol. No me he perdido quince partidos por una lesión en el dedo del pie que todo el mundo sabe que no era tan grave».

Y comentó el hecho de que O'Neal no le hubiera llamado: «No es mi hermano mayor, como le gusta que le llamen. Un hermano mayor me hubiese llamado durante el verano».

La mañana del 28 de octubre, mientras Jackson conducía hacia el Staples Center para el partido inaugural, recibió una llamada de John Black, el veterano director de Relaciones Públicas del equipo. Los Lakers querían que un jugador hiciera unas declaraciones antes del partido para dar las gracias a los aficionados. Derek Fisher era el elegido.

Pero, entonces, los gestores de O'Neal, Mike Parris y Perry Rogers, preguntaron si su cliente podía hablar en lugar de Fisher. Black quería consultarlo con Jackson.

—¿Por qué no? —dijo el entrenador—. ¿Qué mejor forma de dar la bienvenida a la nueva temporada que con unas palabras del grandullón?

Black balbució.

—Lo he consultado con Kobe —dijo—. No estaba muy entusiasmado con ello.

Jackson quedó estupefacto. ¿Por qué se lo habían consultado a Kobe? ¿Por qué tenían que consultarle nada? Era un niño inmaduro de veinticinco años que se enfrentaba a una acusación por violación, y que amenazaba con abandonar la franquicia que lo quería y lo cuidaba. El entrenador y sus asistentes se quedaron estupefactos ante la predisposición de la familia Buss para ceder a los caprichos de un crío. Desde que lo acusaron de agresión sexual, Bryant había empezado a comportarse de forma curiosa. Iban apareciendo nuevos tatuajes en su antebrazo derecho: una corona, el nombre de su mujer Vanessa, y un halo y unas alas de ángel encima del Salmo 27. También se hizo tatuar el nombre de su hija, Natalia Diamante, en el antebrazo izquierdo. Llevaba un pendiente con un diamante del tamaño de una piedra que hacía juego con el anillo de «Perdóname por haberte sido infiel» de cuatro millones de dólares que le había regalado a Vanessa. Empezó a montar en moto y contrató un séquito aún mayor de guardaespaldas para protegerlo de… alguien. Sus declaraciones relacionadas con Dios se multiplicaron exponencialmente. ¿Cómo podían tomarse en serio a alguien así?

Llegaron a un acuerdo: Jackson sería el encargado de dirigirse al público. En consecuencia, O'Neal, más que harto, empezó un boicot mediático. Se había cansado de hablar. A la mierda la prensa.

El partido tenía que empezar a las 19.30, y Gary Vitti, el fisioterapeuta de los Lakers, dijo que Bryant podía jugar media hora sin perjudicar su rodilla. Pero Bryant no estaba de acuerdo. O, para ser más precisos, no le apetecía cambiarse. Y eso, teniendo en cuenta las declaraciones en las que criticaba a O'Neal por hacer siempre el mínimo esfuerzo, era sorprendente. Aun así, cuando presentaron a los nuevos Lakers, Bryant iba vestido de calle, O'Neal jugaría de pívot, Malone como ala-pívot, Fisher como escolta, Payton como base y Devean George como alero. Antes de saltar a la pista, los jugadores hicieron el corrillo habitual, con los brazos entrelazados y los cuerpos balanceándose. Bryant no quiso formar parte y se quedó en el vestuario durante la mayor parte del partido. Ganaron 109-93. Jugando contra la extensa y talentosa plantilla de los Mavs, los Lakers parecían el Dream Team. Los cinco jugadores titulares consiguieron dobles figuras, liderados por los 21 puntos y las 9 asistencias de Payton, con sus cortes, su conducción y su palabrería. El ritmo del partido fue espectacular (hubo 16 asistencias y 22 canastas durante la primera mitad del partido), y la actitud de los jugadores, inusualmente positiva.

«No estoy pletórico, pero es un inicio esperanzador», dijo Jackson tras el partido.

La esperanza es muy volátil.

Cuando la tienes, rezas para que no desaparezca.

Los Lakers disponían de tres días antes de volar hacia Phoenix para enfrentarse a los Suns. Por primera vez desde que Payton y Malone habían firmado sus contratos, el ambiente era optimista. Durante el entrenamiento de la mañana de Halloween, Malone y O'Neal se enfrentaron en un concurso de triples, mientras Payton los observaba desde la banda, abucheando y aullando cada vez que fallaban. El locuaz base estaba especialmente inspirado, divertido, extravagante y alegre. «Incluso cuando las cosas iban mal, Gary lo hacía divertido —cuenta George—. No podías tomártelo en serio porque estaba loco. Pero era un loco divertido, no un capullo.» El voto de silencio de O'Neal con la prensa llegó a su fin. «En un matrimonio —dijo—, si hablas continuamente sobre un problema, el problema seguirá ahí. Y yo no quería hablar sobre el problema, si es que lo había.» Jackson le instó a declarar una tregua con Bryant. «Nunca me tomo las cosas como algo personal —dijo—. Él es el *yin* y yo soy el *yang*. Y los polos opuestos se atraen. Él es distinto, pero en la cancha tenemos que estar unidos y hacer lo mejor para el equipo.

Fuera de la pista él hace su vida y yo la mía. Pero vamos a seguir haciendo que las cosas funcionen sobre la pista.»[19]

Bryant volvió para jugar el segundo partido de la temporada el 1 de noviembre: victoria 99-103 contra los Suns. A pesar de que gran parte del público que llenaba el America West Arena se recreó abucheando al presunto violador, los Lakers jugaron con intensidad. Jugando juntos por primera vez en un partido de la temporada regular, las cuatro estrellas del equipo consiguieron dobles figuras: O'Neal anotó 24 puntos, Payton 19, Bryant 15 y Malone 18. El quinto Beatle, George, contribuyó con 12 puntos, 12 rebotes y un par de balones robados. Consciente de que había perdido a su base favorito, Jackson se aseguró de ofrecer tantos minutos como fuera posible a Fisher. Sus 13 puntos en 26 no tenían precio.

Ese mismo día, Jerry Buss le concedió una entrevista de treinta minutos a Howard Beck del *Daily News* en la que habló sobre las dificultades de la franquicia más disfuncional y talentosa del baloncesto. Habían pasado veinticuatro años desde que compró el equipo a Jack Kent Cooke y, a pesar de haber atravesado por distintos baches y varios incendios, las cosas en general siempre se habían solucionado. El propietario prometió que esta vez también terminarían arreglándose. Aseguró que O'Neal tendría su prórroga de contrato. «Estoy seguro de que, cuando firme, será el jugador mejor pagado de la liga», dijo. También renovarían el contrato a Jackson: «Cuando firme, será el entrenador mejor pagado de la liga. ¿Qué más puedo decir?».

Y Kobe Bryant… era especial. Buss se refería a él como «mi hijo», e insistía en que nunca traspasaría al que consideraba un Laker para toda la vida. «Kobe probablemente logre un nivel que solo dos o tres jugadores han alcanzado. Y yo quiero estar a su lado cuando llegue a su máximo esplendor, cosa que sucederá dentro de varios años», declaró.

19. A la mañana siguiente, la mayoría de los Lakers se divirtieron con la noticia sobre Travis Taylor, receptor abierto del equipo de fútbol americano Baltimore Ravens, que había asistido a la fiesta benéfica de Halloween de su equipo el 31 de octubre con su mujer, disfrazados él de Bryant y ella de Mathison. «Fue una tontería», dijo Taylor. «Fue para divertirnos. Por una buena causa. No tengo nada en contra de Kobe. Si alguien se ha sentido ofendido, pido disculpas».

Las promesas de Buss fueron tranquilizadoras, y los Lakers continuaron con su racha de victorias, ganando los tres partidos siguientes. La racha incluyó una sublime rendición de San Antonio en la prórroga por 120-117, en la que Bryant lideró a su equipo logrando 16 de 29 en tiros de campo: anotó 37 puntos. Los renovados Spurs contaban con Robert Horry entre sus filas, a quien habían fichado como agente libre durante el verano. Horry empezó en el banquillo y consiguió 12 puntos en 17 minutos, pero no marcó la diferencia; no obstante, su presencia fue un recordatorio de tiempos más tranquilos en Los Ángeles. Esto se hizo particularmente evidente al compararlo con Payton, quien, según escribió Tim Brown en *Los Angeles Times*: «empezó a hostigar a Ginóbili y le hacía retroceder; su mandíbula cuadrada hizo pedazos el juego y la psique de Ginóbili. Este retrocedía, sonreía o se sonrojaba, pero no se agachaba y terminaron pitándoles falta técnica a ambos jugadores, cuando el que más había hablado había sido Payton».

Muchos jugadores de los Lakers entendieron la racha de victorias como un signo de que habían vuelto a la normalidad. El título estaba a tiro y añadirían un nuevo anillo a su joyero. Sin embargo, gran parte de ese optimismo resultaba un espejismo. Los Lakers cayeron dolorosamente en Nueva Orleans por 95-114, con Bryant metiendo solo 4 de 14 tiros e ignorando a sus compañeros totalmente desmarcados. Tres días después, el equipo volvió a encajar una dura derrota, esta vez por 95-105 contra unos Grizzlies liderados por Jake Tsakalidis. Perder contra Memphis ya no resultaba embarazoso (el equipo lo había reconstruido un director general llamado Jerry West y terminaría la temporada con un balance de 50-32), pero el partido mostró la peor versión de Bryant. El equipo de Los Ángeles entró en el último cuarto perdiendo por dieciséis puntos y el escolta decidió lanzar ocho veces, de las cuales falló cinco. Después del encuentro, en un vestuario abatido, los demás jugadores pasaban por delante de Bryant sin dirigirle la palabra. Jackson declaró ante los medios que las piernas de Bryant parecían cansadas, pero el problema iba más allá. «Nada desconecta más a un jugador que la sensación de ser ignorado —dijo Jackson después—. Estos son los mejores jugadores del mundo y están acostumbrados a participar en el juego. Kobe sabe perfectamente cómo jugar al baloncesto. ¿Por qué insiste en jugar de esta forma?»

Cuando le preguntaron si la estrategia de Bryant formaba parte del plan o era cosa del jugador, Jackson se encogió de hombros. «Ni una cosa ni la otra —dijo—. No era el plan, pero creyó que era la forma de ganar el partido.»

Mientras Bryant insistía con sus lanzamientos inoportunos, Payton y Malone se limitaban a observarlo. En Utah, el Cartero estaba acostumbrado a los *pick and rolls* con John Stockton. En Seattle, el Guante aprendió a perfeccionar los pases de ida y de vuelta con Shawn Kemp y Vin Baker. Ahora se sentían como adornos brillantes envueltos en púrpura y dorado. «Quizá cuando Shaq estuvo de baja [en el pasado] Kobe sintió que tenía que tomar las riendas. Pero ahora ya no es necesario», dijo Malone después del partido.

A estas alturas, cualquier persona conocedora de la conducta de Kobe Bryant sabía que la superestrella sufría un sinfín de contradicciones y conflictos. Era egoísta, malhumorado, arrogante, displicente, impetuoso y maleducado, no necesariamente en este orden.

Dicho esto, tenía cierta justificación.

El 13 de noviembre, Bryant tuvo que volver a Eagle, Colorado, para un trámite que no tenía ninguna relevancia jurídica. Aquella mañana, entró en la sala 1 de los juzgados del condado de Eagle acompañado por la abogada Pamela Mackey y estuvo sentado ante el juez la friolera de doce minutos. El juez, Terry Ruckriegle, tenía previsto informar a Bryant de sus derechos, explicarle los cargos que se le imputaban y repasar la posible condena en caso de ser declarado culpable. Sin embargo, la defensa renunció al proceso y la fianza de veinticinco mil dólares se mantuvo. Ruckriegle programó una vista prejudicial el 19 de diciembre y otra el 23 de enero. Bryant tendría que regresar a Eagle para ambas.

Y eso fue todo.

Pero en realidad hubo más.

En las sillas de la primera fila de la sala 1 estaban sentados Al y Lori Mathison, los padres de la víctima. Los acompañaban los dos hermanos de Jessica y un primo. Estuvieron allí sin mostrar sus emociones, pero llenos de indignación mientras Bryant, vestido con un traje gris, se sentaba a pocos metros. El jugador no miró en su dirección en ningún momento, no llegó a intercambiar miradas con la madre y el padre de la mujer a la que presuntamente había violado. «La familia ha venido para mostrarle su apoyo —dijo Krista Flannigan, una portavoz de la oficina del fiscal del distrito del condado de Eagle—. Quieren que la gente sea consciente de que hay una víctima.»

Fuera de los juzgados había cientos de medios intentando hacerse un hueco a codazos en una carpa con calefacción gracias a generadores y calentadores de emergencia que el condado había adquirido cuatro años antes anticipándose al efecto 2000. El condado también había alquilado un aparcamiento junto a la albañilería Gallegos por diez mil dólares, para que los camiones de las cadenas de televisión tuvieran un sitio donde establecerse. Era una auténtica locura, un despilfarro de millones de dólares en gastos de viaje y salarios para que unos periodistas pudieran gritarle preguntas sin respuesta a un *All-Star* de la NBA cuando entraba y salía de un edificio. Para muchos de los reporteros, fue un reencuentro de los especialistas en la abominable persecución mediática de una superestrella. Se habían visto los unos a los otros hacía algunas semanas en Modesto, California, en la vista preliminar del juicio por asesinato de Scott Peterson, un representante de fertilizantes acusado de matar a su esposa y a su hijo nonato. También habían cubierto el incendio de Hayman, cerca de Denver, en 2002. O el tiroteo de Columbine, en 1999. Dentro de la carpa había risas y abrazos. Una corresponsal de la revista *People* vio a Peggy Lowe del tabloide *Rocky Mountain News* y gritó: «¡Oye! ¡Te has cortado el pelo!». Steffan Tubbs, un periodista de la radio nacional ABC, le dijo a un reportero del *Vail Daily* que era genial reencontrarse con todo el mundo, y luego se quejó de que los días se hacían largos. Aquella misma mañana, representantes de más de cien medios de comunicación se pelearon por los veintidós asientos disponibles en la sala de juicios. Hubo gritos, amenazas y todo tipo de bajezas. «Mucha impaciencia», dijo Kathy Heicher, una periodista del *Eagle Valley Enterprise*, para describir la situación. Pero todos olvidaban un factor importante.

Estaban allí porque una mujer había acusado a un hombre de agarrarla por el cuello y violarla.

La única opinión que mereció la pena y que surgió de ese espectáculo fue la de Don Rogers, del *Vail Daily*, que escribió este texto en su columna llamada *Tomas rápidas*:

> Su mundo de fantasía, sus disputas con su compañero de equipo Shaquille O'Neal, sus seguidores, que en general lo siguen adorando…, todo eso se desvaneció cuando el acusado entró en la sala del juicio. La familia, que había sido invitada por el fiscal, observaba al acusado con interés, no maravillados por sus habilidades en el juego. Fue una buena imagen para situar el caso, para ayudarnos a todos a recordar que esta no es una historia más para los tabloides. Hay personas de verdad involucradas en este caso. Gracias, lo necesitábamos.

Bryant no tendría que volver a Eagle hasta al cabo de un mes, pero eso no quería decir que la historia desapareciera. En todos los lugares a los que viajaron los Lakers, los abucheos siguieron y las insinuaciones perduraron. En un partido contra los Nuggets en Denver, dos aficionados llegaron enfundados en unos monos carcelarios de color naranja con el número 8 en la parte delantera. Eagle, Colorado, pesaba sobre el jugador, sobre el equipo y sobre el país.

El 12 de noviembre, los Lakers empezaron una sorprendente racha de trece victorias en catorce partidos, pero el éxito deportivo compartía espacio mediático con la sed insaciable de noticias. Un estudiante de veintidós años de la Universidad de Iowa dejó una amenaza de muerte llena de improperios en el contestador automático de Jessica Mathison, prometiendo atacarla con una percha y matarla (más tarde fue sentenciado a cuatro meses de cárcel). El *National Enquirer* seguía cada uno de los pasos de Jessica Mathison y publicó que la chica sufría de adicción a las drogas, que había sufrido, presuntamente, dos sobredosis el pasado año, y que la habían ingresado en un centro de desintoxicación. Las tertulias radiofónicas se pusieron las botas: ¡Bryant era un violador! No, ¡Mathison solo buscaba el dinero! No, ¡Bryant pretendía usar su fama y su riqueza para ocultar la verdad! No, ¡la drogadicción de Mathison la hacía poco fiable! «Soy yo —escribió Gideon Rubin en una carta al director del *Vail Daily*—, ¿o este país se ha vuelto completamente loco?»

No era él.

Bryant estaba jugando bien. Anotó un promedio de 21,6 puntos durante la racha del equipo y, para sorpresa de la parte cuerda de la humanidad, lideraba la votación para el *All-Star* en la Conferencia Oeste. Pero dentro del vestuario estaba tan distante y era tan odiado como siempre. Y seguía, después de ocho años de carrera profesional, sintiéndose incómodo. En aquella época, Jon Finkel de la revista *Men's Fitness* estaba escribiendo un perfil detallado sobre Malone. Llevaba varios días trabajando en el artículo y consiguió una acreditación para el partido del 26 de noviembre contra Washington en el Staples Center. Los Lakers ganaron 120-99. Tras el partido, Finkel entró en el vestuario para entrevistarse con el jugador. «Había mucha tensión en aquel vestuario —recuerda Finkel—. Cada jugador estaba en su taquilla a su aire. Era como una oficina un viernes a las cinco de la tarde, todos estaban ansiosos por marcharse.» El periodista y el ala-pívot estaban sentados en sillas contiguas cuando, de repente, Malone se levantó, le pidió que le excusara un minuto y se acercó a Bryant.

«Fue bastante alucinante —recuerda Finkel—. Karl se le acercó y le dio un abrazo a Kobe. Oí cómo le hablaba con cariño. Luego lo estrechó contra sí como un padre lo hace con su hijo. A Kobe se le hundieron los hombros y miró a Karl como un niño mira a su padre después de recibir una lección.» Entonces, Bryant se acercó a cada uno de sus compañeros para desearles, apenas entre murmullos y sin ganas, un feliz Día de Acción de Gracias. Miró a Malone buscando su aprobación y este asintió con la cabeza.

—Eso «sí» ha sido interesante —dijo Finkel cuando Malone regresó.

—Eso —respondió el ala-pívot— no tiene que salir en tu artículo.

Y así fue.

En el invierno de la temporada 2003-04 era fácil, casi lo normal, odiar a Kobe Bryant.

Para mucha gente, era un violador que utilizaba su fama y su dinero para salirse con la suya. Era una mala persona viviendo una vida de ensueño, lo cual resultaba indignante para muchos.

Aun así...

Incluso los mayores detractores de Kobe Bryant tenían que estar impresionados, a su pesar, por cómo estaba llevando las cosas, profesionalmente hablando.

El 13 de diciembre, los Lakers cayeron en Portland, 112-108, con un Bryant indispuesto que anotó 35 puntos con 10 de 18 en tiros de campo. Marcaba el ritmo del equipo con 22,1 puntos por partido, y los Lakers, con 18 victorias y 4 derrotas, lideraban la liga. Sin embargo, a la mañana siguiente, Bryant se levantó con la cabeza congestionada y algo de fiebre. Al cabo de dos días, llamó para decir que no se encontraba bien y no acudió al entrenamiento. Tenía síntomas de gripe. La pregunta que se hacían sus compañeros de equipo y los periodistas que cubrían a los Lakers era si se trataba de un proceso gripal como cualquier otro, atribuible a la mala suerte, o si estaba empezando a notar la presión de ser Kobe Bryant.

Los Lakers tenían que recibir a los Denver Nuggets el 19 de diciembre en el Staples Center, en un partido que pondría a prueba a Bryant mucho más allá del simple reto de conducir la pelota hacia canasta superando a Michael Doleac.

Aquella mañana, se levantó a las 4.30 para coger el vuelo chárter de dos horas hasta Eagle. Llegó poco antes de las ocho de la mañana, y un SUV negro lo llevó del aeropuerto a los juzgados del distrito de Colorado para una vista en la que se presentarían las mociones. Sentado junto a sus dos abogados, Mackey y Hal Haddon, Bryant se limitó a escuchar mientras sus defensores argumentaban por qué era importante dar a conocer al jurado el historial sexual de Mathison, además de sus antecedentes psiquiátricos (había recibido un tratamiento con antipsicóticos) y sus dos intentos de suicidio. Mackey argumentó que la presunta víctima había presentado cargos contra Bryant como una forma de «generar un drama en su vida para llamar la atención».

Los fiscales de la acusación, en cambio, sostenían que el historial sexual de Mathison era irrelevante y que su historial médico era confidencial debido al secreto médico que contemplaban las leyes de Colorado. La ayudante del fiscal del distrito, Ingrid Bakke, argumentó que revelar aquellos detalles «tendría un impacto global importante», porque desalentaría a denunciar las agresiones sexuales.

Al final de la jornada, el exasperado y abrumado juez Terry Ruckriegle pospuso las declaraciones de nueve testigos, enviándolos a sus casas y convocándolos para la siguiente vista, el 23 de enero.

Lo que sucedió a continuación fue algo totalmente inaudito en la historia de la NBA.

Bryant abandonó los juzgados a las 17.30 (hora del Pacífico), se metió en el SUV, corrió hacia el aeropuerto y voló de vuelta a Los Ángeles donde le esperaba otro SUV (esta vez blanco) para llevarlo directamente al Staples Center. El vehículo llegó al aparcamiento del pabellón a las 19.53 y Bryant salió disparado, escoltado por dos vigilantes de seguridad. El trío corrió por los pasillos hasta llegar al vestuario, como si se tratara de Clark Kent metiéndose en un callejón de Metrópolis en busca de una cabina telefónica.

El partido había empezado hacía veintitrés minutos con Kareem Rush como escolta titular. Bryant estuvo apenas veinticinco minutos sin jugar, teniendo en cuenta que tuvo que desnudarse, ponerse el uniforme con su habitual número 8 y hacer estiramientos. «Alguien le trajo algo de McDonald's —recuerda Jamal Sampson—. Lo engulló rápidamente.» Al empezar el segundo cuarto, con los Lakers por delante en el marcador 27-19, Jackson hizo saltar a su escolta estrella al parqué y los 18 997 asistentes al partido recibieron a su presunto violador con una ovación cerrada. Nicole Richie, la estrella de los *realities*, exclamó durante una entrevista en la media parte: «¡Quiero que [Kobe] me haga el amor!». Era la primera vez, desde 1999, que salía desde el banquillo.

El partido reunió todo lo que un jugador de baloncesto puede amar y aborrecer en Kobe Bryant. A pesar de que su equipo había hecho un buen trabajo sin él, Bryant, fiel a sí mismo, se sintió obligado a tomar las riendas del partido. Esto explica por qué, durante los siguientes tres cuartos del partido, hizo un lanzamiento mal seleccionado tras otro intentando desmarcarse de todos. El ritmo de juego que habían impuesto los demás Lakers (pasándole la pelota a O'Neal en la zona y dejando que un encendido Slava Medvedenko lanzara desde media distancia) quedó en nada; cuando quedaban solo dos segundos y medio, los Nuggets, liderados por Carmelo Anthony, empataron: 99-99. «[Kobe] estaba ansioso por demostrar a la afición que era capaz de pasarse el día en el juzgado y volver a ser el mismo de siempre por la noche. Pero no fue el mismo de siempre», recuerda Jackson.

Los Lakers tuvieron una última oportunidad para evitar la prórroga. Bryant recibió el pase de banda de George, cortó hacia la izquierda, hizo una finta de tiro a Jon Barry, el base de Denver, y realizó un lanzamiento en suspensión desde casi seis metros y medio que les dio la victoria. Al caer hacia atrás sobre su trasero, los jugadores de Los Ángeles corrieron para juntarse alrededor de su colega. La victoria por 101-99 había sido emocionante y después del partido los demás Lakers estaban… furiosos.

Dentro del vestuario, si alguien quería entonar «porque es un muchacho excelente», tuvo que guardárselo. Los Lakers tenían que haber ganado de diez o incluso quince puntos. Los Nuggets eran un equipo mediocre con un *rookie* superestrella (Anthony, el alero de la Universidad de Siracusa), a quien, por supuesto, Bryant tenía que atacar. Para él, todo se reducía siempre a una prueba de hombría, a una malsana y detestable necesidad de demostrar su poder. Cuando los Lakers se enfrentaron a Cleveland y a su fenomenal *rookie*, LeBron James, sus compañeros sabían que Bryant mostraría su peor cara. Lo mismo sucedería en el desplazamiento a Miami para enfrentarse a

Dwyane Wade. Tras el partido contra los Nuggets, a pesar de la victoria, nadie quería saber nada de Bryant. Payton se marchó sin hablar con la prensa, igual que O'Neal. Malone, que solía ser el más hablador, también salió disparado. Cuando Ramona Shelburne del *Daily News* le preguntó por qué se marchaba tan rápido, Malone le respondió: «He pensado en lo que me decía mi madre..., que, a veces, es mejor no decir nada». Cuando le preguntó si la selección de tiro de Bryant era un problema, dijo con los ojos en blanco: «¿Tú que crees?». Luego, añadió: «Quizá tenga algo que ver, ¿no te parece?».

En cualquier caso, no se puede negar la entereza de Bryant. Fuera o no un violador, ese mismo día se había levantado antes del amanecer, había volado a Colorado, se había sentado ante un juez a mil doscientos kilómetros de casa, se había apresurado para llegar al pabellón, llegó tarde, se cambió, hizo sus estiramientos, entró en el segundo cuarto, anotó trece puntos y metió la canasta de la victoria. Además, pocos sabían que, durante la media parte, le inyectaron medicación intravenosa. «El estrés [del juicio] no puede compararse con nada —contaba Bryant—. Una cosa es tu vida, tu vida real, y la otra es el juego. No pueden compararse. El baloncesto, para mí, era mi refugio, mi santuario.»

Aquella noche, Bryant recibió un puñado de llamadas de amigos suyos diciéndole que había dado un gran ejemplo. «Si ellos lo habían visto así, me hace feliz y lo agradezco —dijo—. Pero para mí solo se trata de salir y jugar.»

La victoria mejoró el balance de los Lakers, 19-5, y Mitch Kupchak y Phil Jackson se dejaron llevar por la impresión de que todo esto podría acabar sorprendentemente bien. Pero la dura realidad de la NBA siempre acaba imponiéndose, sobre todo en un equipo que confiaba en que las viejas glorias resistieran toda la temporada. El 21 de diciembre, en una victoria por 107-101 contra los Suns, Malone jugó solo cuatro minutos antes de abandonar la pista cojeando. Una resonancia magnética reveló que tenía un desgarro en la rodilla derecha; lo que inicialmente se esperaba que fueran tres partidos de baja, se convirtió en cinco partidos, luego diez y finalmente fueron la pesadilla de treinta y nueve partidos. Habían diagnosticado mal la lesión. Malone había jugado dieciocho años en Utah como icónico hombre de hierro: solo se había perdido diez partidos. Pero ahora tenía cuarenta años, y un cuerpo de cuarenta no es un cuerpo de veinticinco.

Un día después de que el Cartero se lesionara, Jackson llamó a, entre todas las personas de este mundo, Dennis Rodman. Rodman tenía cuarenta y dos años, y se acababa de incorporar al Long Beach Jam de la liga menor ABA (Asociación Americana de Baloncesto). Tras su breve paso por los Lakers en 1999, Rodman llegó a jugar doce partidos con los Dallas Mavericks antes de desaparecer del mapa. Sin embargo, a pesar del tabaco, el alcohol, las drogas y las noches de fiesta, el tipo seguía capturando rebotes. Jackson dijo a los medios que él y su exjugador habían charlado por teléfono, pero que no era nada serio. Luego, al cabo de unos días, Tex Winter fue a la Pirámide en Long Beach para ver jugar a Rodman. La experiencia fue sublime. En el descanso, Winter se levantó de su asiento para ir al baño y, sin saber cómo, acabó en el vestuario de los Jam, donde vio a Rodman sentado, solo y sujetándose la cabeza con las manos. Estaba llorando. No había jugado al baloncesto profesional desde hacía casi tres años y su actuación mediocre en la primera parte lo dejó hundido. Winter le aseguró que el talento seguía ahí, que solo necesitaba volver a coger el ritmo. Aquellas palabras solo las dijo para consolarlo. Rodman no era un jugador para la NBA de 2003, no más que Wilt Chamberlain (que estaba muerto).

Sin embargo, el entorno de Rodman emitió un comunicado la tarde siguiente que decía: «Tex Winter dijo a Dennis Rodman que necesita una o dos semanas más para poder recuperar su nivel y regresar de nuevo a la NBA».

La idea de volver a fichar a Rodman pronto quedó en el olvido. El puesto de Malone en el equipo titular fue para el veteranísimo Horace Grant. Pero nunca encajó. Nunca terminó de funcionar, nunca pareció apropiado. No terminó de integrarse en el juego. En el partido del 2 de enero que perdieron contra Seattle, O'Neal sufrió una distensión del gemelo tras catorce minutos de juego. Lo que inicialmente parecía una lesión menor, terminó apartando al pívot durante casi un mes. Aunque eran pocos los que se atrevían a decirlo en voz alta, O'Neal ya no era la potencia dominante que había llegado a Los Ángeles hacía siete años. Era uno o dos segundos más lento en todo. Su movilidad, su tiempo de recuperación y su entusiasmo no eran los de antes. «Cuando era más joven, saltaba sobre el parqué con una rapidez increíble para un hombre de su tamaño —dijo Jackson—. Ahora necesita agacharse y prepararse antes de saltar. Me preocupa.» De golpe, el autonombrado equipo de las estrellas se reducía a George, Grant, Medvedenko, un Bryant que iba y venía del juzgado, y Payton, cuyo buen estado de ánimo, feliz de estar ahí, se truncó rápidamente.

El veterano base era genial cuando no había lesiones y el equipo jugaba bien, pero, a medida que todo se fue desmoronando, su actitud empeoró. Aunque nunca señaló a Bryant, hacían una mala pareja en el perímetro. Ambos necesitaban lanzar a canasta y, cuando la pelota iba, nunca volvía. La comunicación entre ambos jugadores era mínima. No había química natural. No había fluidez. El 6 de enero, los Lakers perdieron un tercer partido consecutivo (que suponía la quinta derrota en los últimos seis encuentros) por 106-90 contra Minnesota. Payton estalló en el vestuario. Estaba de pie junto a su taquilla, medio vestido, y se desató ante los periodistas: «No fiché para esto. Esto es una mierda. No voy a mentiros. Estoy frustrado. Pero soy un veterano y tengo que intentar superarlo. No puedo dejar que me afecte. Tenemos que lidiar con esto».

Cuando decía «tenemos», muchos dieron por hecho que se refería a Jackson, quien, a pesar de su calmada apariencia, tampoco estaba llevándolo especialmente bien. La crítica que siempre se le había hecho al entrenador era que, en su extraordinaria carrera, siempre había contado con grandes superestrellas que ganaban los títulos por él. De repente, los Lakers se estaban desmoronando y Jackson empezó a dejar de lado los principios que siempre había predicado y aplicado. Durante el partido del 7 de enero que perdieron contra Denver, Jackson se enfadó con Bryant después de que un descuido acabara en una canasta para los Nuggets.

—¡No puedes hacer ese pase! —gritó a su escolta.

—Vale —respondió Bryant—. Pero enséñales a estos cabrones cómo hay que atacar.

Las faltas de respeto hacia su entrenador y hacia sus compañeros de equipo eran inaceptables, y Jackson estaba harto. Aquel era su quinto año como canguro de Kobe Bryant y no podía más. Bryant era maleducado con sus compañeros, con sus superiores, con... todo el mundo. La franquicia se desvivió por apoyarlo durante el calvario de la agresión sexual, y Kobe no mostró ni una pizca de gratitud. Hablaba mucho de lo importantes que eran las victorias, pero muchas veces parecía más preocupado por anotar sus treinta puntos y llevarse la gloria del partido. Un día de enero, después de que Bryant se negara a cumplir sus órdenes, Jackson llamó a su agente Todd Musburger. Le dijo que había llegado el momento de dimitir como entrenador. «No, no, no —respondió Musburger—. Deja que ellos muevan ficha. No lo hagas tú.» Jackson le escuchó y entró en el despacho de Kupchak para pedirle que los Lakers traspasaran a su joven insignia. Y no lo decía en broma. «No voy a entrenar a este equipo el año que viene si él sigue aquí —dijo Jackson—. No escucha a nadie. Ya no puedo más con este chaval.» Fue más o menos lo mismo que había compartido con sus asistentes hacía unos días. «Kobe se ha convertido en una persona que no respeta la autoridad. No puedo ser su entrenador. Si sigue aquí el año que viene, dejo el cargo.»

El fin de semana del *All-Star* tuvo lugar en Los Ángeles a mitad de febrero. Y lo que se suponía que iba a ser una celebración de todas las virtudes de los Lakers se convirtió en una pesadilla. Jerry Buss se enteró de la postura de su entrenador y no le gustó nada. Kobe Bryant era el futuro. Ni Shaq ni Phil Jackson. El futuro era Kobe Bryant. Unos días antes, el equipo había emitido una nota de prensa explicando que las negociaciones para renovar el contrato de Jackson (que pedía un incremento de seis a doce millones anuales) se habían paralizado. «Fue algo insólito», dijo J. A. Adande. Cuando le pidieron a Bryant que comentara la noticia, el jugador dijo, sin mostrar ningún tipo de sentimiento: «Me da igual».

Por aquella época, en un desplazamiento del equipo a Miami, Jackson invitó a Fox y a O'Neal a su habitación de hotel para hablar sobre el estado de los Lakers. Primero les preguntó a ambos veteranos si pensaban que Bryant tenía que apartarse del equipo lo que quedaba de temporada y centrarse en el juicio. A ninguno de los dos les pareció una buena idea. Luego vino la segunda pregunta. «Jamás lo olvidaré —recuerda Fox—. Nos preguntó si pensábamos que podíamos ganar el campeonato sin Kobe.»

O'Neal no necesitó tiempo para responder.

—No —dijo—. De ninguna manera.

Fox estuvo de acuerdo.

—Sinceramente, Phil —dijo—, no creo que podamos ganar el campeonato. Con o sin Kobe.

Lástima.

Mientras tanto, varios veteranos del equipo estaban horrorizados por cómo el tan aclamado triángulo ofensivo se había convertido en puré de manzana. Principalmente, por el persistente egoísmo de Bryant. Pero también por Payton. Para que el sistema funcionara se necesitaban unas cualidades que Payton no tenía: paciencia, humildad y predisposición para pasar la pelota. Y a medida que el equipo tenía más dificultades, Payton deseaba más y más volver a sus costumbres de Seattle. Al diablo con los pases. Al diablo con el posicionamiento sobre la pista. Penetrar a canasta, cortar, conducir. Ese era el juego del Guante. «A Gary se le pedía que fuera disciplinado cuando toda su carrera se había alimentado del instinto —explica Rick Fox—. La ansiedad que le provocaba era comprensible.»

«Nuestro ataque era demasiado complejo para Gary —cuenta Jackson—. Estaba totalmente perdido.»

Jackson observaba impotente desde la banda cómo los Lakers se habían convertido en un barrizal de desconciertos. Durante los meses de enero y febrero, su balance fue de 17 victorias y 13 derrotas. Bryant, que tenía que volar a Colorado constantemente para presentarse ante el juez, se perdió casi trece partidos por dos motivos. Primero se hizo un esguince en el hombro derecho en un enfrentamiento contra Cleveland. Y luego se hizo un corte profundo en el dedo índice de la mano derecha, sobre el cual había distintas versiones:

a) Se golpeó accidentalmente la mano con un panel de cristal en su casa mientras movía unas cajas (versión oficial).

b) [Rellena el espacio con lo más siniestro que se te ocurra] (versión presentada en la Red por sus detractores y aquellos que creían en teorías de la conspiración).

En cualquier caso, pocas cosas iban bien. Los Utah Jazz recibieron una multa de la NBA de quince mil dólares por una parodia que hizo sobre la pista un imitador de Karl Malone en la que le suplicaba a Larry Miller, el propietario de los Jazz, que lo dejara volver a Utah, pronunciando la frase: «Supongo que podría ser peor. Podría ser Ko…». Estaba claro que los poderosos Lakers se habían convertido en el hazmerreír de la liga.

«Nada iba bien —cuenta Fox—. Es lo que recuerdo de aquella temporada. Incluso cuando jugábamos bien, nada terminaba de estar en su sitio.»

El 11 de abril de 2004, los Lakers visitaron Sacramento en un partido que, dada la historia reciente, se convirtió en una guerra sangrienta.

A lo largo de las seis semanas que precedieron al encuentro, el equipo había conseguido, hasta cierto punto, recuperar su rendimiento. O por lo menos hasta el punto en que un registro de 54 victorias y 25 derrotas les permitió recuperar relativamente la autoestima.

Pero no todo el monte era orégano. Payton descuartizaba el triángulo. Bryant seguía yendo y viniendo de Colorado para asistir al juicio, y la tarde del 24 de marzo tuvo el placer de escuchar durante tres horas cómo Mathison, en una sesión a puerta cerrada, testificaba sobre su encuentro. El equipo suspendió las negociaciones de renovación con Jackson. Una empresa demandó a O'Neal por haber cobrado 63 000 dólares para promocionar un campus de baloncesto juvenil y no presentarse. Con la excepción de Derek Fisher, el banquillo era lamentablemente corto. Habían recorrido una montaña rusa de expectativas larga, sinuosa e incómoda. «Un viaje sin ninguna alegría», escribió Bill Paschke en *Los Angeles Times*.

No obstante, en aquel momento había motivos para el optimismo. Malone y O'Neal habían vuelto y los *playoffs* estaban cerca. Una vez que se deshicieran de los Kings, los Lakers podrían centrarse en lo que habían venido a hacer. Es decir, conseguir otro campeonato de la NBA.

Pero para el equipo de Los Ángeles nada sería fácil.

Los Lakers y los Kings se enfrentaron a las tres y media de la tarde en el Arco Arena. Los aficionados que esperaban una tarde competitiva entre dos grandes rivales se encontraron con la cruda realidad. Sacramento arrancó con un parcial de 8-0 y llegaron al final del primer cuarto con una ventaja de 31-15. El desequilibrio en el marcador era sorprendente, pero lo realmente destacable (especialmente para los jugadores y entrenadores de Los Ángeles) fue el juego de Bryant, que... básicamente no hizo nada.

Y no es ninguna exageración. Un hombre al que le gustaba tirar a canasta igual que a un caballo galopar, intentó exactamente cero tiros de campo en el primer cuarto. No lanzó ni siquiera cuando O'Neal estaba en el banquillo tras haber cometido dos faltas seguidas, ni cuando se dio cuenta de que George, Medvedenko y el alero suplente Byron Russell consiguieron entre todos un lanzamiento de once intentos. Bryant no hizo un tiro de campo hasta que quedaban seis minutos y cuarenta y un segundos para llegar al descanso. Fue un intento de triple que rebotó en el aro. Para entonces, los Lakers perdían 40-23 en un partido clave que habían tirado a la basura gracias a un jugador que, citando a Plaschke, «no lanzaba, no penetraba, no creaba... ¿Acaso no le importaba el partido?».

El resultado final, 102-85, y las estadísticas de Kobe Bryant (3 de 13 en tiros de campo, 8 puntos, 4 asistencias) no dejaban lo suficientemente claro lo espantoso que había sido. Pero el vestuario de los Lakers no podía aguantarlo más. La opinión de sus compañeros de equipo, así como la del cuerpo técnico, era que Bryant estaba haciendo una demostración a los hombres de púrpura y oro que se dedicaban a criticar su elección de tiro, su necesidad de tomar las riendas del equipo y su anhelo por ser el macho alfa. Hacía tan solo unos días, Jackson se había quejado ante la prensa de que «Kobe vuelve a tener demasiado protagonismo». Negándose a lanzar a canasta, les daría su merecido. Fue un desprecio final dedicado a las personas que consideraba indignas de su presencia. Cuando, justo después del partido, declaró que los Kings le «habían hecho un dos contra uno cada vez que tocaba la pelota», sus compañeros de equipo se rieron para no pegar un puñetazo contra la pared.

«No puedo saber lo que le pasaba por la cabeza», dijo Payton tras el encuentro. Aunque, en realidad, sabía exactamente lo que le pasaba por la cabeza.

«Pensé que estaba tomándole el pulso al equipo, lo cual está muy bien», dijo Jackson, aunque solo para proteger a un jugador que no se merecía ninguna protección.

La única voz sincera se escuchó al día siguiente, cuando Tim Brown, de *Los Angeles Times*, habló con un jugador después del entrenamiento. Le prometió respetar su anonimato y el jugador le dijo a Brown: «No sé cómo podemos perdonarlo». Un segundo miembro del equipo, que también se aseguró de que su nombre no saliera a la luz, dijo que el equipo de Los Ángeles ya no podía confiar en el estado mental de Bryant. Cuando, en la mañana del 13 de abril, Kobe leyó el artículo de ochocientas treinta y ocho palabras que ocupaba la portada de la sección de deportes titulado «Lakers: el ambiente está cargado para Bryant», perdió la cabeza.

Entró en las instalaciones de la calle Nash en El Segundo, donde entrenaba el equipo, hecho una furia, con la sección de deportes de *Los Angeles Times* enrollada bajo el brazo. Avasalló a los demás jugadores uno a uno, restregándoles la noticia por la cara.

—¿Has sido tú?

—No.

—¿Has sido tú?

—No.

—¿Has sido tú?

—No.

El enfado era palpable. También lo era la incomodidad. Alguien había pronunciado aquellas palabras. Más tarde, durante una reunión de equipo, Bryant siguió con el interrogatorio.

—¡Aquí y ahora! —dijo—. ¡Quiero saber quién ha dicho esta basura!

De nuevo, silencio.

Un silencio incómodo, embarazoso, doloroso.

Finalmente, Malone se aclaró la garganta.

—Kobe —dijo—, obviamente, nadie lo ha dicho, o nadie quiere admitir que lo haya dicho. Déjalo estar.

Pero Bryant era incapaz de dejarlo estar. Le dijo a Malone que se fuera a tomar por culo. Malone le sugirió que quizás era él quien tenía que irse a tomar por culo. No era una discusión. Era una batalla a gritos que podía llegar a las manos, una nueva versión del enfrentamiento del verano de 2001 entre Bryant y O'Neal, en el que el escolta buscaba pelea sin darse cuenta de que el hombre al que estaba provocando podía destruirlo físicamente.

Finalmente, Jackson intervino. Su control sobre el equipo, tan férreo en su momento, había desaparecido. El triángulo ofensivo era cosa del pasado. Bryant, que recientemente le había dicho a John Black que no tenía por qué «vestir siempre la armadura dorada», tenía un pie fuera del equipo y se negó a hablar con la prensa durante los siguientes once días. O'Neal no estaba seguro de su continuidad. Malone se retiraría al terminar la temporada. Payton se sentía desgraciado. Su suplente, Fisher, se sentía frustrado por la falta de minutos.

Los Lakers terminaron lo que quedaba de temporada regular con un par de victorias y, gracias a un extraño golpe de suerte, consiguieron entrar en los *playoffs* como segundos clasificados.

Habían ganado cincuenta y seis partidos de la peor forma posible. Llegados a este punto, muchos de los jugadores lo único que querían era que todo terminara.

Fuera como fuera.

17

Supervivencia

*L*a noche del viernes 17 de junio de 1994, los New York Knicks y los Houston Rockets se enfrentaron en el Madison Square Garden para disputar el quinto partido de la final de la NBA. La serie estaba empatada y el encuentro entre los dos grandes jugadores insignia (Patrick Ewing de los Knicks contra Hakeem Olajuwon de Houston) lo convertía en una cita televisiva histórica.

Sin embargo, mientras ambos equipos se disputaban el título, Estados Unidos estaba cautivado por un drama mucho más emocionante. En Los Ángeles, O. J. Simpson, el jugador profesional de fútbol americano cuyo nombre estaba en el Salón de la Fama y famoso anunciante, actor y locutor, se paseaba por la ciudad en un Ford Bronco de color blanco perseguido por la policía por el asesinato de su exmujer Nicole y de un hombre llamado Ron Goldman.

Mientras la policía iba detrás de su coche en una persecución que duró noventa minutos por la autovía 405, la NBC lo retransmitía con la pantalla desdoblada. La cadena tenía el partido Rockets-Knicks como imagen principal y el Ford Bronco en la esquina derecha.

Fue uno de los momentos más emocionantes de la historia de la televisión, pero a la NBA no le gustó. Aquella noche tenía que ser para la liga, y en aquel momento había un relato que la eclipsaba. El 7,8 % de audiencia del partido fue el más bajo en una final desde 1981. La gente quería ver a O. J., no a John Starks.

Una década después, la NBA volvía a encontrarse con dos espectáculos simultáneos: por un lado, el baloncesto; por el otro, la batalla legal de Kobe Bryant. La fecha fue el 11 de mayo de 2004. Los Angeles Lakers iban perdiendo la eliminatoria contra los San Antonio Spurs en la segunda ronda de los *playoffs* de la Conferencia Oeste por 2-1. Como era de esperar, el equipo de Phil Jackson se había deshecho en primera ronda de unos Rockets con dificultades en un paseo de cinco partidos. Pero ahora estaban ante un equipo con contrastada experiencia en los *playoffs*, que jugaba bajo las órdenes de Gregg Popovich, un entrenador acostumbrado a ganar partidos importantes, y con Tim Duncan entre sus filas, una superestrella que no se acobardaba a la hora de la verdad.

Sin embargo, la atención mediática no estaba en el partido. Había una distracción. Por cuarta vez en la temporada 2003-04, Kobe Bryant tendría que pasar la mañana de un día de trabajo en una remota sala de juicios. Tras no más de tres horas de sueño, se levantó a las 4.30 de la mañana en su casa de Newport Beach, se dirigió al aeropuerto, voló a Colorado y llegó a los juzgados del condado de Eagle a tiempo para la vista prejudicial de las diez. A estas alturas, Bryant se había acostumbrado a los incómodos rituales de todo aquel calvario, pero eso no significaba que no lo afectaran. Se preparó para pasar por el detector de metales de los juzgados: depositó en una cesta su teléfono móvil y buscó en su bolsillo un pequeño crucifijo de madera. Respiró hondo, se tocó la frente con el crucifijo, luego los labios y el corazón. Fue apenas un instante. No más de tres segundos que lo decían todo. «Jamás lo olvidaré —dijo Randy Wyrick, que cubría el juicio para el *Vail Daily*—. Se lo veía muy vulnerable.»

Durante las seis horas y media siguientes, Bryant estuvo a pocos metros de los padres de la presunta víctima, mostrándose desvalido, débil. Aunque sus abogados renunciaron a la lectura formal de los cargos, el juez Terry Ruckriegle explicó que estaban ante una acusación por agresión sexual con fuerza. También dijo, ante los aproximadamente doscientos espectadores que había dentro del edificio, que Bryant se enfrentaba a una pena de cárcel de entre cuatro años y cadena perpetua. La comparecencia fue televisada, por lo que cientos de miles de personas la vieron desde sus casas. Fuera de los juzgados, medios de comunicación de todo el mundo la siguieron a través de monitores.

—¿Entiende los cargos que se le imputan? —preguntó Ruckriegle.

—Sí, señor —respondió Bryant, de pie en el atril de la sala.

—¿Cómo se declara, culpable o no culpable? —prosiguió.

—No culpable —dijo Bryant.

Poco después, estaba de vuelta en el *jet* privado volando a Los Ángeles para jugar el cuarto partido de aquella ajustada eliminatoria. A diferencia de las otras ocasiones, en las que, como en un *thriller* de suspense, no se supo hasta el último minuto si llegaría o no a tiempo, esta vez llegó al Staples Center dos horas antes del inicio del partido. Dio una cabezadita de veinte minutos dentro del coche y se unió a los demás Lakers en los lanzamientos prepartido. Igual que los ejecutivos de la NFL diez años atrás con aquel culebrón de O.J. Simpson siendo perseguido por la 405, dentro de las oficinas de la NBA a muchos se les ponían los pelos de punta cada vez que algún locutor o reportero hablaba de violación, de agresión sexual o de posible cadena perpetua en relación con una de sus estrellas. Mientras los productores ponían el vídeo del traslado de Bryant hasta el vestuario en un carrito de golf, Marv Albert, que retransmitía el partido para la TNT, dijo: «Aquí vemos el momento de la llegada de Kobe Bryant al Staples Center, a las 17.19, hora de la Costa Oeste, volviendo de su vista prejudicial en Eagle, Colorado. Estará en el quinteto titular».

La imagen de una superestrella acusada de violación no era lo que la NBA deseaba.

Pero el melodrama que suponía que una superestrella fuera acusada de violación era una mina de oro.

Durante la presentación de los jugadores, Bryant recibió una ovación cerrada por parte de los 18 997 asistentes, y luego se puso al frente de los Lakers con dieciocho puntos en la primera parte. Fue una gran exhibición. Bryant estaba física y mentalmente agotado. El día anterior, *Los Angeles Times* publicó una noticia con unas declaraciones de Phil Harrison, el padre de O'Neal, cuestionando el compromiso de Bryant con el equipo. Se había pasado la mañana negando que hubiese violado a una mujer y, de alguna forma, por la tarde, se había olvidado de todo eso para disputar un partido de baloncesto. Con la excepción de Michael Jordan, nadie podía recordar a un deportista profesional con una mayor capacidad para compartimentar su vida. Aun así, a pesar de sus esfuerzos, los Lakers perdían 21-27 tras el primer cuarto, y 43-53 en el descanso. «Los Spurs deben estar satisfechos —dijo Doug Collins, que comentaba el partido con Albert—. Han llegado, han mantenido la serenidad y han hecho una gran actuación.»

La NBA es la liga de las remontadas, y los Lakers remontaron. En el tercer cuarto, superaron a los Spurs por 31-16. La actuación de Kobe fue para enmarcar.

Con un O'Neal envejecido y lento, con un Malone envejecido y lento, y con un Payton envejecido y lento, Bryant anotó desde todos los ángulos imaginables, y logró quince puntos en ese cuarto, para un total de cuarenta y dos, cosa que lo convirtió en el máximo anotador del partido. Con una ventaja de cinco puntos para los Lakers y a falta de nueve minutos para llegar al final del partido, Bryant subió la pelota y se la pasó a O'Neal, que enseguida se vio rodeado por tres Spurs. El pívot le devolvió el balón, y Bryant, que estaba justo fuera de la línea de tres puntos, tuvo que lidiar con Bruce Bowen, el mejor defensor de San Antonio. Bowen se situó a no más de medio palmo de la cara de Bryant. Cuando el Laker hacía una finta hacia la izquierda o hacia la derecha, Bowen se movía hacia la izquierda o hacia la derecha. Bryant fue hacia la izquierda y…, ¡zas!, lanzó un potente triple por encima de su sombra. La pelota atravesó la red, y Bowen, derrotado, agachó la cabeza. «Es fácil olvidarse de lo letal que era Bryant —cuenta Malik Rose, el ala-pívot de los Spurs—. Estábamos concentrados en Shaq y, de repente, nos dábamos cuenta de que su compañero era imparable.»

Tras el partido, mientras los Lakers celebraban el triunfo por 98-90, victoria que igualaba la serie, Bryant hablaba con Craig Sager de la TNT. Tenía una toalla blanca por encima de los hombros y la frente cubierta de sudor. Parecía estar a punto de desmayarse. Había sido, según dijo más tarde, el mejor partido que había jugado en su vida, pero en aquel momento lo único que quería era una cama.

—¿Te sientes desgastado emocionalmente? —preguntó Sager—¿De dónde sacas la energía?

—Ha sido un gran partido —dijo Bryant—. Lo único que quería era salir y darlo todo. Sacarlo todo sobre la pista.

Momentos después, un O'Neal eufórico dijo ante un grupo de periodistas que su compañero de equipo (ese que tanto odiaba, ese que le hacía la vida imposible, ese a quien consideraba el ser más egoísta del baloncesto) era el «mejor jugador de la historia».

En aquel momento, nadie podía rebatirlo.

Dos noches más tarde, los Lakers y los Spurs se enfrentaron en un clásico de los *playoffs*: una batalla de titanes que terminó cuando un resignado Derek Fisher salió del banquillo para encestar un *fadeaway* desde casi cinco metros cuando quedaban 0,4 segundos en el reloj y que les dio a los Lakers la victoria por 73-74. Fue un gran momento en la temporada más complicada del base en sus ocho años de carrera. El tal Fisher, era un desconocido *rookie* elegido en primera ronda que vivía a la sombra de Bryant. Luego, con Nick Van Exel al mando, era ese suplente que ansiaba tener algunos minutos. Con la llegada de Jackson, se convirtió en el base del futuro. Pero con el fichaje de Payton volvió al banquillo, donde se le hacía poco caso y se sentía permanentemente frustrado. Fisher, según recordaba Jackson, «se sacrificó mucho más que cualquier otro jugador del equipo», y no fue plato de buen gusto para él. Fisher encajaba mejor en el equipo que Payton, y él lo sabía. Pero Payton era famoso, tenía mucho gancho y además había sacrificado su sueldo por un título, con lo cual Jackson se veía obligado a ponerlo en el cinco inicial. Aunque no encajara. «Tenía» que ponerlo. Por lo tanto, aquel lanzamiento contra los Spurs fue la venganza de Fisher. Tras el partido, un eufórico Bryant lo felicitó en el vestuario, gritando: «¡Tú, maldito cabrón! ¡Cómo les has pateado el culo!». Fisher minimizaba su actuación ante la prensa, pero a sus amigos les había confesado que aquella larga temporada había minado su estado ánimo. «Necesitaba un momento como ese. Para mí mismo», le dijo a George.

Cuando la prensa abandonó la sala, Bryant, sin nadie alrededor, empezó a hiperventilar. Al principio, nadie le prestó demasiada atención. Kobe era Kobe y probablemente solo buscaba llamar la atención, como de costumbre. Pero luego, con el sudor cayéndole por la frente y las manos temblando, se cayó al suelo y se le pusieron los ojos en blanco. Lo llevaron a toda prisa a la enfermería, le conectaron un par de agujas en el brazo y todo el mundo gritaba. «¡Joder! ¿Está bien? ¡Joder!»

Recuperó rápidamente la conciencia, pero los mismos compañeros que lo condenaban al infierno estaban asombrados. ¿Había jugado alguien en aquel estado? Incluso Jackson, que quería desterrar a Bryant a Siberia (o a Milwaukee), no podía disimular su desconcierto. «El chico es extraordinario», escribió.

La eliminatoria, que antes parecía perdida, se resolvió en California el 15 de mayo. Bryant lideró la convincente victoria de los Lakers por 88-76 anotando 26 puntos.

«Si siguen jugando así —dijo Duncan tras el partido—, cuesta imaginar a nadie que pueda superarlos.»

Lo dijo un sábado. Cuatro días después, Los Lakers supieron qué equipo se interpondría en su camino hacia las Finales de la NBA: los Minnesota Timberwolves, que habían acabado con los Kings en una agotadora serie de siete partidos.

Los Wolves, con un balance en la temporada regular de 58 victorias y 24 derrotas, eran los primeros clasificados de la Conferencia Oeste. No obstante, la historia no estaba de su parte. En las últimas siete temporadas, el equipo entrenado por Flip Saunders se había clasificado siempre para los *playoffs*, y siempre había caído derrotado en primera ronda. Mike Wells, el periodista que cubría a los Timberwolves para el *St. Paul Pioneer Press*, decía que «la decepción era una de las especialidades de los Wolves». Sin embargo, había razones para pensar que esta temporada las cosas serían distintas. El líder del equipo de Minnesota era Kevin Garnett, el ala-pívot de veintiocho años que había sido nombrado MVP de la NBA, que tenía una media de 24,2 puntos, 13,9 rebotes y 2,2 tapones por partido, y que era considerado, junto con Bryant y Duncan, una de las tres jóvenes estrellas del baloncesto más determinantes. En el pasado, el elenco que acompañaba al siete veces *All-Star* había sido, en general, un quién es quién en sentido literal: nombres poco conocidos como Sam Mitchell y Dean Garrett o Tom Hammonds y Rasho Nesterović. Pero, esta vez, los Wolves estaban bien pertrechados. Había otros tres miembros del equipo con dobles figuras de promedio y, con el base Sam Cassell y el alero Latrell Sprewell, Saunders podía alienar una dupla con experiencia en los *playoffs* que no se dejaría intimidar por los Lakers. El escolta del equipo, Trenton Hassell, marcaba a Bryant mejor que cualquier otro jugador de la liga. «Los Wolves tenían mejor equipo y no creo que nadie tuviera dudas al respecto —admite Steve Aschburner, el periodista especializado del *Minneapolis Star-Tribune*—. Pero había muchos más factores aparte del talento. Flip tenía varios obstáculos que sortear.»

Dos, para ser exactos.

En primer lugar, los Lakers les tenían tomada la medida a los Timberwolves. A lo largo de las nueve temporadas de Garnett como profesional, había conseguido derribar al equipo de Los Ángeles en solo trece de los cuarenta partidos que habían disputado. Prueba de ello había sido la temporada anterior, en la que ambos equipos se enfrentaron en primera ronda de los *playoffs*, y los Lakers acabaron con los Wolves en seis partidos como quien se sacude el polvo de los hombros. No fue un gran desafío para Los Angeles, a pesar de que Minnesota había ganado tres de los cuatro encuentros que habían disputado durante la temporada regular. «Sinceramente, no creo que ellos se creyeran capaces de derrotar a los Lakers —asegura Aschburner—. Pensaban que se enfrentaban a los Lakers de los años 2000 a 2003. Sin embargo, no era así. Tenían peor equipo. Con todo, los Wolves se sentían intimidados.»

En segundo lugar, estaban las pelotas de Cassell. Sus «enormes» pelotas. Tras meter una canasta especialmente decisiva contra Sacramento en el séptimo partido de las semifinales de la Conferencia Oeste, el base de Minnesota lo celebró con lo que luego sería el famoso baile de las *Big Balls*. En pocas palabras, trotó sobre la pista levantando las rodillas mientras extendía los brazos, ahuecaba las manos y fingía acunar un par de (por decirlo de algún modo) pomelos adyacentes a la parte delantera de sus pantalones.

A los 19 944 aficionados que llenaban el Target Center les encantó. En el vestuario, tras la victoria, Cassell, que padecía dolores de espalda y tenía una sobrecarga en el flexor de la cadera, empezó a sentir un dolor insoportable. Con ese baile, Cassell se provocó una distensión o un desgarro en la ingle. Por respeto a su resuelto jugador, la franquicia jamás reveló los detalles de aquella bochornosa lesión. Pero Saunders estaba tan hundido como malhumorado. Había entrenado a jugadores que se habían roto la pierna en busca de un balón perdido o que se habían fracturado el cráneo desplomándose sobre el parqué. Había visto a hombres caer al suelo por agotamiento o por una afección cardiaca. Pero la idea de que un baile que implicaba agarrar unos enormes testículos pudiera costarles la oportunidad de luchar por el campeonato era difícilmente digerible.

Con un Cassell más o menos recuperado, Saunders estaba convencido de que su equipo derrotaría a los Lakers. Sin él, era muy improbable. Incluso Cassell, que durante mucho tiempo negó que su baile hubiera acabado con el equipo, admitió años después que su lesión los había condenado. «Fue la única razón por la que Los Angeles ganó —dijo—. No tenían respuesta para mi *pick and roll* con Kevin.»

La serie empezó el 21 de mayo en Mineápolis con una victoria de los Lakers por 88-97 que fue un presagio de lo que sucedería a continuación. Cassell, que no había podido entrenar el día anterior, tuvo que sentarse en el banquillo los últimos trece minutos y medio de partido, cuando su cuerpo se contracturó. Las esperanzas de ganar en casa desaparecieron con él. Los Wolves ganaron dos días más tarde. Sin embargo, cuando los Lakers se hicieron con dos triunfos consecutivos en el Staples Center, quedó claro que aquel año terminaría con una nueva decepción para Garnett y compañía. Bill Plaschke se refirió a aquella final de la Conferencia Oeste como una «farsa». Cassell jugó solo sesenta y cuatro minutos en la serie de seis partidos, y sus sustitutos fueron Fred Hoiberg y Darrik Martin, dos jugadores poco enérgicos. «Jugamos con Fred Hoiberg como base el sexto partido de la final de la Conferencia Oeste —cuenta Wally Szczerbiak, el alero de Minnesota—. Fred Hoiberg. Un gran tío. Pero ¿para ganar contra Kobe y Shaq? Creo que no era suficiente.»

Cuando los Lakers consiguieron el billete a las Finales de la NBA tras ganar en casa el sexto partido por 96-90, el relato de la temporada podría haber dado un giro de ciento ochenta grados. Habría una nueva historia que contar. Una historia feliz. Una historia donde un equipo que se había encontrado con muchas dificultades a lo largo de la temporada estaba a punto de alcanzar la gloria. La narrativa podía decir que Shaq y Kobe habían dejado de un lado su animadversión para priorizar el juego del equipo. Que Malone y Payton habían ido a los Ángeles en busca del éxito. Que Phil Jackson había sido capaz de imponer la calma en el caos. Los Angeles Lakers podrían deleitarse con su grandeza, con sus logros.

Pero no fue así. Durante la eliminatoria, las dos estrellas principales del equipo siguieron comportándose como dos bebés en cunas separadas. Tras el quinto partido, que perdieron por 98-96, O'Neal salió del vestuario quejándose de que «el equipo» (es decir, Kobe Bryant) se había vuelto demasiado egoísta y no le llegaban balones cerca de la canasta. Bryant replicó que O'Neal era lo suficientemente grande y fuerte como para agarrar la bola siempre que lo considerara necesario.

Traducción: «Deja de ser tan condenadamente vago».

A principios de semana, O'Neal se había vuelto a quejar sobre su contrato, insistiendo en que quería una renovación generosa. «No voy a negociar a la baja», dijo el hombre que ganaba 20 678 530 dólares al año por hacer pasar un objeto redondo por un aro metálico. «Nunca aceptaré una rebaja. Jamás me conformaré con menos de lo que valgo», añadió. Luego apuñaló por la espalda a Mitch Kupchak: «Yo he sido el director general de este equipo durante los últimos dos años. No pienso aguantar más bla-bla-bla, bla-bla-bla. Porque yo soy el que consigue a los jugadores. Yo soy el que hace las llamadas. Todo el mundo quiere jugar con Diesel».

Las declaraciones causaron una gran indignación, pero era un síntoma del estado mental de los Lakers tras alcanzar cuatro finales en las últimas cinco temporadas. Para este equipo, la final de la Conferencia Oeste había sido siempre la prueba más difícil. Con Jackson, O'Neal y Bryant tenían un balance de 13 victorias y 1 derrota en las Finales de la NBA. Los Pacers, los Sixers y los Nets habían sucumbido al poderío de una franquicia destinada a triunfar. Y en 2004 no parecía que fuera a ser distinto.

«Pensábamos que iba a ser fácil. Creo que todos lo pensábamos», cuenta Devean George.

A lo largo de su reinado como uno de los mejores entrenadores de la historia de la NBA, Phil Jackson no se hizo querer especialmente por sus compañeros.

No es que sus homólogos lo odiaran ni que desearan ningún mal a su familia o a su entorno. Nada más lejos. El problema era, más bien, que Jackson nunca quiso ser «uno de ellos». En todas las grandes ligas deportivas profesionales existe un compañerismo fraternal entre los entrenadores. Ese compañerismo está basado en la creencia de que los otros entrenadores son profesionales y pueden apreciar su trabajo y empatizar con sus dificultades. Hay cientos de historias de entrenadores rivales que, tras superar acaloradas eliminatorias a siete partidos, son capaces de sentarse a tomar unas cervezas, comerse un entrecot y compartir unas risas unos días después.

Jackson, sin embargo, estaba en otro plano. Parecía que tenía un gigantesco concepto de sí mismo, como si representara a la élite, y eso no gustaba a sus colegas de profesión. Pete Babcock, el veterano ejecutivo de la NBA que había sido durante trece años el director general de los Atlanta Hawks, solía hablar con Jackson regularmente cuando este entrenaba a los Albany Patroons en la CBA. Babcock trabajaba en aquel momento como director de jugadores para los Denver Nuggets, y Jackson lo llamaba cada pocas semanas para hablarle de sus jugadores y en busca de consejos. «Me enviaba informes y me hablaba de los chicos que tenía. Yo creía que éramos buenos amigos», recuerda Babcock.

Cuando contrataron a Jackson para entrenar a los Bulls, todo cambió. Babcock recordaba especialmente un día en el que ambos asistieron a una reunión de la NBA, y él estaba elaborando un programa para dar clases de baloncesto a los jóvenes de las reservas indias. «Yo sabía que Phil apreciaba la cultura nativa y pensé que le entusiasmaría la idea — cuenta Babcock—. Me acerqué a él y empecé a hablarle del programa. Él me miró por encima del hombro, sin escucharme. Fue insultante, pero no me sorprendió.» En mitad de la conversación, Babcock se detuvo y le soltó: «Oye, Phil, gracias por la charla», y se marchó. Fue la última vez que hablaron.

Fuera o no verdad, Jackson tenía fama de intentar conseguir cargos que ocupaban otros colegas suyos. También era conocido como alguien que miraba por encima del hombro a los demás, que estaba convencido de que él trabajaba a un nivel superior.

Y eso a Larry Brown no le gustaba.

Mientras los Lakers, como era de esperar, se deshacían de Minnesota, en la Conferencia Este, los Detroit Pistons de Brown avanzaban en los *playoffs* sin que nadie lo esperara. Con un balance de 54 victorias y 28 derrotas en la temporada regular, ni siquiera habían sido los primeros de la División Central: quedaron a siete partidos de Indiana y alcanzaron el tercer puesto en la conferencia. Sin embargo, tras apalear a Milwaukee en la primera ronda, los Pistons eliminaron a los segundos clasificados, los New Jersey Nets, en siete partidos, antes de acabar con los Pacers en seis encuentros.

A pesar de haber llevado a los Kansas Jayhawks de Danny Manning a conseguir el título de 1988 de la NCAA y de haber sido el entrenador de los Philadelphia 76ers de Allen Iverson cuando llegaron a la final de la NBA de 2001, el trabajo que Larry Brown estaba haciendo con los Pistons era el más destacado de sus treinta y dos años de carrera en la banda. La plantilla de Detroit contaba con cero futuros nombres del Salón de la Fama y con cero jugadores que pudieran considerarse superestrellas. Su máximo anotador, el escolta Richard (Rip) Hamilton, tenía una media de solo 17,6 puntos por partido, y su mejor jugador, el ala-pívot Rasheed Wallace, tenía el récord de faltas técnicas en la NBA con cuarenta y una, y en su paso previo por Washington y Portland habían tirado la toalla con él: era indomable. El pívot titular del equipo, Ben Wallace, 2,06 y 109 kilos, carecía de repertorio ofensivo. En el *draft* de 2003, los Pistons tenían el segundo puesto y tuvieron la oportunidad de seleccionar a Carmelo Anthony de la Universidad de Siracusa, a Chris Bosh de Georgia Tech o a Dwyane Wade de Marquette. Eligieron al serbio Darko Miličić, que no aportó nada al equipo. «Si analizabas sobre el papel el emparejamiento, equipo contra equipo, nosotros éramos cien veces mejor —cuenta Devean George—. Quizá cometimos el error de creérnoslo.»

Y Jackson parecía convencido de ello. Durante los cinco días desde que Detroit eliminó a Indiana y el comienzo del primer partido de la final en Los Ángeles, el entrenador de los Lakers parecía mucho más preocupado por su legado que por cualquiera de los problemas que Detroit pudiera causarles. Muchos aficionados de los Pistons (incluido Brown) leyeron con estupefacción una noticia de la Associated Press del 3 de junio titulada «Phil Jackson, más cerca del récord de los diez campeonatos», en la que los Lakers demostraban gran arrogancia y falta de humildad. El entrenador de Los Ángeles, mientras se preparaba para la serie más importante de la temporada, se refería al décimo anillo de campeón como «una gran proeza», como si ya lo tuviera en el saco. En la misma noticia, O'Neal decía que, después de pisotear a los Pistons, Jackson se convertiría «probablemente en el mejor entrenador o uno de los mejores de la historia. No sé qué pensaría Red Auerbach, pero yo lo pondría ahí arriba».

Mientras, en una entrevista para el *Orange County Register*, Jackson respondía a una pregunta sobre la carrera nómada de Brown (antes de los Pistons, había entrenado a nueve equipos universitarios y profesionales distintos) señalando que «Con el tiempo, se cansan de tu voz. Cuando ves que hacen oídos sordos y que las cosas cambian, puede que sea el momento de pasar página».

Cuando la prensa le preguntaba a Brown sobre el entrenador de los Lakers, se mostraba educado y cortés. Elogiaba sus récords y sus logros. Pero no lo apreciaba especialmente ni disfrutaba de su compañía. De hecho, Brown había entrevistado a Jackson hacía veintitrés años para un puesto de entrenador asistente de los New Jersey Nets. Terminó contratando a Mike

Schuler. «Phil se distanció —dijo Brown años después—. Los entrenadores son una comunidad. Phil nunca quiso formar parte de ella. No sé por qué. Tendrías que preguntárselo a él.»

La plantilla de los Lakers mostraba la misma confianza que su líder. Uno a uno, todos los jugadores rezumaban seguridad. Malone y Payton habían ido a Los Ángeles para lograr el anillo y eran conscientes de que solo una semana los separaba del gran objetivo. O'Neal y Bryant habían liderado al equipo en la consecución de las últimas tres coronas y también divisaban los anillos a una semana vista. Los dos *rookies* principales, Luke Walton y Brian Cook, daban por hecho que los veteranos sabían de lo que hablaban. «Parecía algo bastante seguro. Yo estaba seguro de que sería tan fácil como dar un paseo», dice Cook.

El único jugador que expresó su preocupación, verdadera preocupación, fue Rick Fox, ya con treinta y cuatro años; estaba jugando la última temporada de una destacada carrera. El alero solo había podido jugar treinta y ocho partidos de temporada regular por una serie de lesiones, pero, incluso cuando estaba fuera, prestaba mucha atención a las fisuras de la franquicia. Los Lakers y Detroit se habían enfrentado en dos ocasiones en temporada regular con resultados opuestos y, además, los Lakers no superaron los cien puntos en ninguno de los dos partidos. «Yo estaba solo en mi pesimismo, pero es que no tenía buenas sensaciones sobre nuestras opciones —recuerda Fox—. Todo el mundo preveía que machacaríamos a los Pistons. Todo el mundo. Les íbamos a pasar por encima. Sería fácil. Pero cuando un periodista me pidió mi opinión, fui muy sincero. Le dije que no mostramos el respeto necesario.»

La serie empezó el 6 de junio en el Staples Center. La colección habitual de famosos con gafas de sol y caras de plástico entró en el edificio entre «Ohhhs» y «Ahhhs», y con su aparición obligada en la pantalla gigante. Eran gente atractiva anticipando un hermoso resultado; los Detroit Pistons eran simples obstáculos entre el salto inicial y los cócteles pospartido en el Rose Venice.

Pero nadie había informado a los Pistons de que esos eran los planes. Narrando el partido junto a Al Michaels para la ABC, Doc Rivers contradijo las predicciones que decían que

Los Ángeles ganaría de calle. Señaló que «los Detroit Pistons no miran a los Lakers como todo el mundo. Los miran como a un rival y creen que pueden derrotarlo». Minutos antes de que sus jugadores salieran a calentar, Brown los reunió e insistió en que ellos eran claramente superiores «como equipo». Clarísimamente superiores. Era cierto que los Lakers tenían a Shaq y Kobe. Pero el músculo de Detroit los igualaría. Apalearían a Shaq y Kobe. Los harían sangrar y les llenarían de moratones, igual que habían hecho los Pistons de Rick Mahorn y Bill Laimbeer en los ochenta con sus oponentes para conseguir sus dos títulos consecutivos. Bajarían el ritmo a paso de tortuga. En los seis partidos de la final de la Conferencia Este, Detroit había conseguido que Indiana no pasara de los ochenta puntos en cinco ocasiones. «La gente no me cree, pero a mí me preocupaba mucho más tener que enfrentarme a Sacramento que a los Lakers —dijo Corliss Williamson, alero de los Pistons—.Sin ánimo de faltar al respeto a nadie, pero podíamos igualar a los Lakers perfectamente. Eran predecibles y no eran tan buenos como lo habían sido. Estaban muy seguros de sí mismos, pero tenían muchos puntos débiles. Además, el entrenador Brown nos convenció de que estábamos a punto de ganar. Sabía que lo conseguiríamos. De verdad, lo sabía.»

Los Pistons abrieron el marcador con un triple de Rasheed Wallace a los doce segundos de partido y luego… todo… se… empezó… a… mover… a… este… paso. Los Lakers querían correr, lanzar y contraatacar. Pero Detroit no lo permitió. Brown decidió que le haría un marcaje simple a O'Neal, con una colección de tocones de árboles en constante rotación (Williamson, Ben Wallace, Rasheed Wallace, Elden Campbell y Mehmet Okur) y dejaría que el gigante anotara sus puntos. Y así lo hizo, treinta y cuatro en total, además de once rebotes. Los demás Pistons tenían que exhibir un doctorado en defensa y utilizar toda la presión y la intensidad para frustrar el más potente de los ataques. Malone, que seguía sufriendo las secuelas de su lesión de rodilla, solo fue capaz de anotar 4 puntos, con 2 de 9 en tiros de campo. Payton, que superaba en cinco años su fecha de caducidad, consiguió 3 puntos (1 de 4 en tiros de campo). Sin embargo, la obra maestra del partido la llevó a cabo Tayshaun Prince, el responsable de defender a Bryant. Prince. Era una masa elástica de 2,06 y 96 kilos que recibió la orden de entorpecer al máximo anotador de los Lakers y obligarlo a lanzar con dificultades. Bryant consiguió 25 puntos, pero solo logró 10 de 27 en tiros de campo a lo largo de cuarenta y siete agotadores minutos.

El marcador final, 75-85, hablaba por sí solo. Los Pistons se habían pasado toda la temporada 2003-04 perfeccionando el arte de mantener a sus rivales bajo control. Los Lakers se habían pasado toda la temporada 2003-04 buscando su identidad. «La verdad es que dejarlos en setenta y cinco puntos quiere decir que hemos hecho una defensa increíble —dijo Brown después del partido—. No sé si podemos llegar a defender mejor. Hemos evitado muchos lanzamientos, hemos hecho un trabajo increíble, pero va a resultar muy difícil.»

A la mañana siguiente, *Los Angeles Times* consideraba la derrota como una «llamada de atención» para los Lakers, como si el único problema hubiera sido tomarse a Detroit demasiado a la ligera. Pero para solucionar sus problemas, Jackson y su tropa tendrían que hacer algo más que despertar de un sueño. Los Lakers fueron capaces de remontar en el segundo partido. Ganaron 99-91 después de haber desperdiciado una ventaja de once puntos. El gran momento fue para Kobe Bryant, que metió un triple lejano cuando quedaban 2,1 segundos: 89-89 y prórroga. «El mejor lanzamiento de los Lakers de esta era», dijo un emocionado Bill Plaschke en el *Times*. Pero mientras los 18 997 aficionados que asistieron al partido gritaban y cantaban *I love L.A.*, de Randy Newman, Jackson estaba sentado en su despacho analizando los ocho mil problemas que tenía que resolver. A los medios les había dado todas las respuestas que querían oír, pero en el fondo de su corazón era consciente, plenamente consciente, de que los Lakers tenían grandes problemas. «Si hubiéramos conseguido una victoria por más de diez puntos —dijo—, habríamos podido sembrar la duda entre los jugadores de Detroit. Habrían abandonado la ciudad con la eliminatoria empatada, pero también con un recordatorio de que su defensa no era impenetrable. En lugar de eso, se marcharon convencidos de que tendrían que haber ganado ambos partidos.»

La situación era desastrosa. Primero estaba Malone, cuya lesión de rodilla había empeorado y se había pasado la mayor parte de la tarde cojeando sobre la pista. En un momento del partido, el fisioterapeuta Gary Vitti ordenó a Malone que volviera al vestuario para revisarle la rodilla. Malone se negó. Seguiría en la pista junto a sus compañeros. «Karl es un auténtico guerrero», escribió Jackson. Pero ¿sería capaz ese guerrero de aguantar lo que quedaba de la serie? Nadie lo sabía.

En segundo lugar, estaba O'Neal. Nunca había sido un gran defensor, pero por lo menos solía esforzarse. Los Pistons llevaron a cabo una serie interminable de *pick and rolls* con el base Chauncey Billups y otros jugadores grandes, que se iban alternando. En nueve de diez ocasiones, O'Neal pareció moverse como una hortaliza. El jugador que había fichado por los Lakers en 1996 era ágil, esbelto y poderoso. En cambio, la versión actual era la de un jugador con sobrepeso, lento y algo lacónico. Lo peor de todo era que se mostraba apático. Al día siguiente del partido, Tex Winter miró las cintas y no pudo contener su ira. «Cuando termine mi trabajo aquí —le gritó a Jackson—, voy a desenmascararlo para que todo el mundo sepa que está sobrevalorado.»

Aproximadamente una hora más tarde, cuando jugadores y entrenadores se reunieron para revisar el partido, Winter amonestó directamente a O'Neal. No le sentó nada bien.

—¿Por qué no te metes en tus asuntos, viejo? —le gritó el pívot.

Jackson le pidió a su asistente que se explicara.

—Shaq se encogía de hombros y levantaba las manos mientras hablabas —dijo Winter.

—Te he dicho que cierres la puta boca —soltó O'Neal—. No necesitamos que tú nos digas estas cosas. Métete en tus asuntos.

—Esto —le respondió Winter— es asunto mío.

La tensión se podía cortar. La tarde siguiente, a instancias de Jackson, O'Neal se disculpó. Pero no había ningún motivo de alegría en el universo de los Lakers.

En tercer lugar, estaba Payton. Nunca había encajado, pero ahora se hacía especialmente evidente. Billups, que estaba jugando en su tercera franquicia en siete años, no estaba en ninguna lista como uno de los grandes directores de orquesta de la NBA. Sin embargo, fue capaz de humillar a Payton en los dos primeros partidos, superándole en anotación (49 a 5) y haciéndole parecer viejo y lento. Payton no se había integrado en el triángulo durante la temporada, y ahora, en un momento en el que la disciplina y los rituales eran esenciales, estaba demostrando ser un auténtico fiasco. Jackson, desesperado, hizo jugar a Fisher cuarenta y seis minutos entre los dos partidos, pero no supuso una gran mejora: Fisher solo metió 3 de 15 en tiros de campo y cojeaba de su contusionada rodilla derecha.

Gracias a la victoria y al historial dominador de los Lakers, gran parte de la prensa seguía alimentando el relato de que irían a Detroit y cogerían el toro por los cuernos en los próximos tres partidos. Sin embargo, cuando Malone apareció antes del comienzo del tercer partido con un grueso aparato ortopédico cubriéndole la pierna derecha, cada vez se hacía más difícil imaginar que la eliminatoria pudiera decantarse a favor de los Lakers. Malone era el jugador más duro y más orgulloso del equipo, pero apenas podía moverse ante unos Pistons más rápidos y más fuertes. Cuando faltaba poco para el comienzo del partido, a las nueve de la noche, Malone interrumpió sus ejercicios de lanzamiento para encararse con un aficionado de Detroit que le había escupido a la cara mientras le gritaba para molestarle. El hombre tenía una cerveza en la mano y acabó entrando en la pista. «¿Dónde estaban los responsables de seguridad?», preguntó luego Malone. Fue un inicio irritante para una noche irritante. El ala-pívot jugó solo dieciocho minutos en los que anotó 5 puntos.

Sin embargo, lo peor fue que el esquema ofensivo fue, como poco, horrible. Payton alcanzó el límite de su paciencia y tomó la decisión unilateral de mandar a freír espárragos el triángulo ofensivo (o lo que quedaba de él) y hacer lo que le viniera en gana. Es decir, mucho bote de pelota mientras sus compañeros de equipo, acostumbrados a distribuirse en el espacio y buscar huecos, observaban atónitos. Los Pistons arrancaron con una ventaja de 8-0, llegaron a la media parte ganando 39-32 y, gracias a un parcial de 9-1 en el último cuarto, consiguieron una ventaja de veinte puntos y ganaron el partido 88-68. Era un marcador irrisorio en el que Bryant y O'Neal solo consiguieron 25 puntos juntos. «Pérdidas de balón, malos lanzamientos, malas decisiones. En lugar de hacer lo que habíamos hecho todos esos años, actuábamos de forma descuidada y torpe», dijo Jim Cleamons, el entrenador asistente.

Al terminar el partido, después de que los Lakers se retiraran al vestuario, Fox convocó una reunión extraoficial en el baño con Bryant, O'Neal, George y Fisher, los cinco jugadores que habían ganado los tres campeonatos. Maltrecho y tras haber pasado su mejor momento, Fox no jugó ni un minuto en aquella humillante derrota. Pero estaba disgustado: «Tíos, tenemos que volver al triángulo —dijo, rodeado de un par de retretes y algunos lavamanos—. Nos ha dado unos cuantos anillos. ¿Por qué lo ignoramos?».

«Rick tenía razón —recuerda George—. El triángulo ofensivo funcionaba, lo habíamos comprobado. ¿Qué sentido tenía hacer algo distinto?»

Fox le pidió a Jackson que se uniera a los jugadores reunidos en el baño y los cinco se desahogaron. A pesar de toda su talla como entrenador, Jackson estaba abandonando los principios que habían hecho grande la franquicia. ¿Dónde estaba la meticulosidad? ¿Dónde estaba la precisión? A Fox le gustaba Payton, pero ¿qué narices estaba haciendo? Y especialmente teniendo a Fisher, el gran director de orquesta del triángulo ofensivo, con el culo pegado al banquillo. «Ya sabéis lo mucho que odio este sistema ofensivo —dijo Bryant—, pero me adaptaré, vamos a ejecutar el triángulo, a pasarle la bola a Shaq y a machacarlos.»

«Por lo menos danos una oportunidad a los cinco juntos. Intentémoslo», le suplicó Fox.

Tres días después, Jackson lo intentó… hasta cierto punto. No quiso sacarlos en el cinco inicial, pero Fox jugó dieciséis minutos, y Fisher, veintiuno. Aun así, el optimismo de la ventaja inicial (los Lakers ganaban 21-22 al final del primer cuarto) cayó bajo el peso de la sospecha de que había un hombre entre ellos cuyo objetivo no era solo ganar. A lo largo de los tres primeros partidos de la serie, Bryant había mostrado grandes dosis de excelencia mezcladas con grandes dosis de una estupidez fuera de control. Por momentos se le veía metido en el partido, pero luego parecía un chaval de instituto borracho lanzando triples como si se tratara de ganar alguna apuesta. Muchos de sus compañeros creían, con razón, que había sentido la necesidad de demostrar su superioridad ante Hamilton, el escolta de Detroit, que también había sido un fenómeno en el instituto Coatsville Area del condado de Chester y al que se solía etiquetar junto con Bryant como uno de los grandes talentos de Estados Unidos. Habían sido compañeros de equipo en la AAU, la Unión Deportiva Amateur, habían competido en distintos torneos y campus, y Bryant lo consideraba un rival al que debía derrotar. Era la faceta más retorcida de Bryant: quería pisotear, machacar y humillar. De modo que, con Malone siendo todavía una sombra (jugó veintiún inútiles minutos antes de abandonar definitivamente la serie cuando quedaban siete minutos y medio en el tercer cuarto) y con O'Neal como el único jugador que hizo algo de provecho (anotó 36 puntos y cogió 20 rebotes), Bryant volvió a su peor versión: falló 17 de 25 tiros de campo y anotó solo 20 puntos. Estuvo especialmente horrible en la primera mitad, en la que tiró 14 veces; solo anotó en 3. Ignoró reiteradamente a O'Neal en el poste para lanzar bombas. Jackson no daba crédito. ¿Qué estaba pasando? ¿Por qué nadie se ceñía al plan?

Billups explicó más tarde el genial planteamiento de los Pistons:

Nuestro plan estaba muy estudiado. Sabíamos que teníamos que enfrentarnos a Shaq de forma directa. Pero también sabíamos que era imposible frenar a Shaq de forma directa. Igual que a Kobe. Pero si nos enfrentábamos a Shaq de forma directa, [a los Lakers] se les pondrían los ojos como platos y empezarían a pasarle la pelota. A Ben le decíamos todo el rato: «Haz faltas cuando lo necesites, pero no te arriesgues a que te expulsen. Si tienes que dejar pasar una bandeja, no pasa nada, ya obtendremos lo que necesitamos al otro lado». Lo que iba a pasar era que el señor Bryant se sentiría frustrado al no recibir la pelota y, en la segunda parte, empezaría a apretar. Empezaría a subir y a romper su sistema. Si lo hacía, estaba acabado.

Lo tendríamos exactamente donde queríamos. Aunque consiguiera meter esos lanzamientos, estarían acabados.

Aunque Bryant no tenía que volver al juicio hasta el 21 de junio, tanto Jerry Buss como Jackson daban por hecho, con razón, que las exigencias de una temporada tan dura empezaban a pasarle factura. En general, en los desplazamientos del equipo, Bryant no solía encontrarse con gente que le recordara su difícil situación. Sin embargo, en Detroit, donde los aficionados no se solían morder la lengua, el panorama fue cruel. La gente le hostigaba y se lo echaba en cara. La primera noche de los Lakers fuera de casa, un aficionado de los Pistons de veintitrés años llamado Dominic Piscopo entró en el hotel Townsend, vio a Bryant sentado en el salón y empezó a golpear el cristal gritando: «¡Tú violaste a mi hermana, Kobe! ¡Tú violaste a mi hermana!».

Desde el banquillo, Kareem Rush tenía su propia teoría. Ya llevaba dos años siendo la sombra de Bryant en los entrenamientos y creía entender a la estrella. Comprendía sus cambios de humor, sus anhelos, sus impulsos. Rush lo tenía clarísimo: «Kobe quería ser el MVP de la final, estoy seguro. Shaq se había llevado los tres MVP anteriores y Kobe lo quería para él. Por eso lanzaba a canasta sin parar, aunque no tuviera sentido. Siempre tenía esta necesidad de reafirmarse. Era egoísta, y eso fue lo que nos mató».

Quince años después, ante la pregunta de por qué un trofeo MVP, una pieza de latón dorada y brillante clavada a una base, era tan importante, Rush decía: «Kobe no jugaba solo para ganar el título, estaba pensando en su legado. Michael Jordan tenía varios MVP bajo el brazo. Shaq también. Esto a Kobe le quemaba por dentro. Él quería el suyo».

Al terminar la noche, los 22 076 aficionados de los Pistons abandonaron eufóricos el Palacio de Auburn Hills, con una victoria por 88-80. Estaban a un partido del título. Los Lakers volvieron a presumir de su capacidad para resucitar de entre los muertos, del coraje de los campeones y hablaban de ganar para la gente de Los Ángeles. Pero la esperanza se había esfumado. Mike Wise, el periodista especializado en baloncesto del *Washington Post* y el verdadero autor del libro *Shaq talks back*, le hizo una visita a su colaborador después del partido. Mientras paseaban por los pasillos del pabellón, Wise le dio una charla sin que nadie se lo hubiera pedido: «Escucha —le dijo—, Kobe y tú tenéis que trabajar juntos. Todavía podéis ganar, pero los Pistons son difíciles. Creo que...».

O'Neal levantó la mano para indicarle que no siguiera hablando; quería decirle algo. Ilana Nunn, la hija del árbitro veterano Ronnie Nunn, se encontraba a un metro de ellos. «Tengo que decir —soltó O'Neal— que tiene un buen culo respingón.»

¿Cómo?

«En ese momento supe que todo había terminado. Yo estaba pensando en cómo los Lakers podían ganar el título y Shaq estaba más preocupado por el culo respingón de una mujer. Lo tenían crudo», recuerda Wise.

Y, efectivamente, lo tuvieron crudo.

Magic Johnson, propietario minoritario del equipo e incapaz de estar más de veintisiete minutos sin ser noticia, convocó a los medios para decir lo humillado que se sentía. Tras criticar duramente a Payton por su deficiente juego, ofreció su opinión general sobre el equipo. «Tengo ocho anillos y quiero nueve —dijo—. Estoy enfadado porque no hemos sabido competir en esta serie. No sé cuál es el problema. No sé en qué piensan, pero es inaceptable.»

Los Lakers jugaron el quinto partido con Slava Medvedenko de titular en sustitución de Malone, de modo que el equipo de ensueño del que muchos esperaban que ganara setenta partidos y dominara los *playoffs* había quedado reducido a un quinteto titular con un Bryant egoísta, un O'Neal con sobrepeso, un Payton desconcertado, un mediocre Devean George y Medvedenko, un ucraniano de veinticinco años que había demostrado una incapacidad insólita para comprender el juego del baloncesto. Medvedenko había fichado en el verano de 2000, después de haber conseguido un promedio de 20 puntos y 6,1 rebotes en el BC Kiev en los campeonatos de la Liga de Baloncesto del Norte de Europa. Era el primer jugador europeo que se unía a los Lakers desde que lo hiciera Vlade Divac quince años atrás y había mucha gente en la organización que creía que podía convertirse en un nuevo Vin Baker. Pero Medvedenko no era un jugador inteligente. O, por lo menos, no lo parecía. Y no jugaba como tal. En un artículo de 2002 en *Los Angeles Times*, Tim Brown escribió que «no es extraño que los jugadores salgan de la pista preguntándose por qué Medvedenko fue hacia la derecha, digamos, en lugar de hacia la izquierda».

Era un desastre sin remedio. Pero con Malone fuera y Horace Grant lesionado desde hacía mucho tiempo, Medvedenko era, con sus 2,08 y sus 113 kilos, la mejor opción del equipo para contrarrestar la fortaleza de los Pistons.

No presagiaba nada bueno.

Durante la sesión de tiro de la mañana en el instituto Seaholm, ubicado en los suburbios de Birmingham, Michigan, mientras los Lakers buscaban alguna solución, O'Neal miraba las gradas y Malone estaba sentado en la banda vestido de calle, Bryant interrumpió a Jackson para decirle:

—Deja que me ocupe de Billups. Déjame ver si lo puedo frenar.

Aquella petición fue toda una sorpresa. Bryant había estado marcando a Hamilton y había hecho un buen trabajo: el mejor jugador ofensivo de Detroit estaba consiguiendo una media de 21,5 puntos por partido en la serie.

—No lo sé —respondió Jackson.

Al cabo de unos instantes, en privado, Bryant le confesó a su entrenador que solo había hecho la propuesta para ver si Payton se defendía y pedía una nueva oportunidad con Billups. No fue así.

—Creo que está asustado —dijo Bryant—. Le da lo mismo que me ocupe o no de Billups.

Aquella tarde, Bryant llegó al pabellón a las 17.45, una hora antes de lo requerido. Puesto que estaban entre la espada y la pared, esperaba encontrarse con algunos de sus colegas en el vestuario. Pero lo que se encontró fue una puerta cerrada y tuvo que pedirle a alguien de seguridad que le abriera.

En el último y patético suspiro de una orgullosa franquicia partida en cien trozos, el equipo de Jackson arrancó con una ventaja de 7-14 tras un primer tiro en suspensión de (¡vaya!) Medvedenko, que anotó ocho puntos en el primer cuarto.

Pero luego, adiós.

A O'Neal le pitaron dos faltas seguidas, por lo que fue sustituido por Cook, el *rookie* de 2,06 y 106 kilos que poseía todas las habilidades de Shaq, excepto su fuerza y sus capacidades atléticas. Los Pistons lograron un parcial de 9-0 y llegaron al descanso ganando 55-45. Mientras Detroit ampliaba su ventaja a veintiocho puntos, Bryant hizo todo lo que pudo para ayudarlos. Metió solo 7 de 21. Y no sorprendió a nadie el hecho de que raramente levantara la cabeza para pasar la pelota. O'Neal, Payton y George se veían dejados de lado y lo único que podían hacer era intercambiarse miradas de desesperación. Los 24 puntos de Bryant lo situaron como máximo anotador. Pero no sirvieron para nada. «Fue la actuación más egoísta que jamás le había visto —decía Rush, que anotó cinco puntos desde el banquillo—. Quizá sintió que tenía que llevar él el peso del equipo.»

El marcador final, 100-87, parecía un error de imprenta. Quienes vieron el partido hubieran jurado que Detroit había ganado de treinta. O incluso de cuarenta. Billups, con su media de 21 puntos y 5,2 asistencias a lo largo de la serie, se llevó el MVP de la final que Bryant tanto codiciaba. Bryant consiguió, él solo, asesinar al jugador más hablador de la NBA. Tras el partido, Gary Payton no tenía literalmente nada que decir.

«No es como queríamos que terminara, eso seguro», dijo Fox rompiendo el incómodo silencio que había en el vestuario. Unos minutos antes, estaba solo sentado en el baño, llorando. Tenía los ojos rojos y restos de lágrimas secas en las mejillas. Era el fin de algo muy bonito, y él lo sabía. «Un equipo siempre supera a un grupo de individuos —dijo—. Elegimos un mal momento para ser un grupo de individuos.»

Después de pronunciar estas palabras, Fox se metió en la ducha para quitarse el olor a humillación.

Después de pronunciar estas palabras, una dinastía terminaba.

18

Fin

«*N*o volveré a jugar nunca más con este *hijoputa*.»

Kareem Rush escuchó estas palabras y tuvo que rebobinar. ¿Qué acababa de decir Kobe Bryant? ¿Quién era el *hijoputa*?

El escolta suplente de los Lakers estaba sentado a una mesa del restaurante del vestíbulo del hotel Townsend de Birmingham, Michigan, apenas dos horas después del desalentador quinto partido de las Finales de la NBA que habían perdido contra los Pistons. Con solo veintitrés años, Rush era inmaduro e ingenuo, y desconocía muchos de los mecanismos internos de la liga. Sabía, por supuesto, que los Lakers tenían problemas. Era un equipo envejecido. Un equipo desunido. Las dos grandes estrellas de la franquicia tenían sus diferencias. Pero ¿no acababan de llegar a las Finales y habían quedado en primera posición cuatro veces en las últimas cinco temporadas en la disputadísima Conferencia Oeste? «Es imposible que desmantelen el equipo. Sería una locura», pensaba Rush. En la mente de Rush, la diferencia entre la gloria y la agonía era la lesión de Karl Malone. «Con el Cartero en plena forma, lo hubiésemos ganado todo. Estoy seguro», dijo años después.

Sin embargo, al mirar a Bryant y escuchar sus palabras, la realidad se imponía. Todo había terminado.

«Estábamos acabados. Me dolía en el alma», cuenta Rush.

Como al noventa por ciento de los trabajadores del mundo que debe acudir a una cena de empresa, a muy pocos integrantes de los derrotados Lakers les apetecía asistir a la velada pospartido organizada por Jerry Buss. Pero era la persona que les pagaba millones de dólares, y Rush y Bryant pronto dejaron de estar solos. Malone llegó cojeando, acompañado de Gary Payton. Los dos *rookies*, Luke Walton y Brian Cook, cruzaron también la puerta. Estaba Devean George. Estaba Derek Fisher. Estaba Slava Medvedenko. Estaba Rick Fox.

Estaba Shaquille O'Neal, *el hijoputa*.

Entró junto a Shaunie, su mujer desde hacía un año y medio. El más grande entre los grandes iba elegantemente vestido con pantalones de traje y camisa de cuello. O'Neal era un maestro de la seducción. Sonrió, bromeó, se convirtió en el centro de atención y pidió una bebida. Cuando Jerry Buss llegó al cabo de unos minutos, O'Neal tenía previsto hacerle un merecido homenaje a su jefe, darle las gracias por otra temporada más de púrpura y dorado.

No obstante, ahí fue cuando las cosas empezaron a ponerse extrañas. Buss se acercó inmediatamente a Bryant, que en ese momento estaba sentado a una mesa junto a su mujer, Vanessa. Los O'Neal estaban a tres metros, pero Buss no les prestó atención. «Yo lo llamo el reinado del *Padrino* —dijo O'Neal años después—. Había un anciano que había sido el padrino durante mucho tiempo. Y había un tío joven que no había hecho más que planear, planear y planear. Y llega la cena y…, ¡pam!, suena un disparo. En esa fiesta recibí el disparo de muerte. Jerry habló con Kobe y con su mujer, y luego se marchó.»

Herido e incrédulo, O'Neal miró a Shaunie, y lo único que dijo fue: «Pues vaya».

La pareja se levantó y se fue.

«Fue una señal muy clara de que habíamos terminado —cuenta O'Neal años más tarde—. Si hubiéramos ganado esa serie, me hubiese llevado cuatro anillos y otro trofeo MVP. Podíamos haber ganado. Pero Kobe tuvo que ser el héroe. Fue él. Necesitaba serlo. Yo estaba debajo de la canasta deshaciéndome de Ben Wallace, pero Kobe me ignoraba. Aunque no fue todo culpa suya. Nosotros jugamos fatal y los Pistons estuvieron genial. Pero… podría haber sido diferente. Mira, perdimos. Se acabó. Y cuando tienes dos perros, un perro de campeonato que se está haciendo viejo y un cachorro que corre detrás del mayor, ¿a quién quieres más? Pues al cachorro.»

A la mañana siguiente, los jugadores y los entrenadores de los Lakers embarcaron en el chárter del equipo y emprendieron el vuelo de cuatro horas y media de regreso a Los Ángeles. Hubo dos jugadores que no volaron en ese avión: Malone y Bryant. Habían estado con Buss hasta altas horas de la noche, hablando sobre las dificultades (presentes y futuras) de los Lakers. Ambos viajaron a California en el avión privado de su jefe.

El propietario sentía un gran afecto por Malone. Su predisposición para jugar lesionado y por darlo todo por el equipo por un sueldo rebajado le había tocado la fibra a aquel multimillonario hecho a sí mismo. Pero ¿Bryant? Pocas personas entendían la historia de amor de Buss con aquel jugador al que se refería como «mi hijo». ¿No habían acusado a su hijo de violación? ¿No había exigido su hijo que le pagaran los vuelos para asistir a juicio y luego se había quejado del avión? ¿No había sido su hijo el HDP egoísta que había hecho enfadar a compañeros de equipo y entrenadores durante años? ¿No le habían advertido Jackson y Mitch Kupchak sobre la inmadurez de Bryant, sobre su tendencia a ponerse por delante de los demás una y otra vez?

Cuando los Lakers usaron el primer puesto del *draft* de 1979 para seleccionar a Earvin, *Magic,* Johnson de la Universidad Estatal de Michigan, las preferencias afectivas de Buss tenían sentido. Johnson resplandecía con su alegría, su sonrisa y sus habilidades como relaciones públicas. Además, fue capaz de darle la vuelta a una franquicia con dificultades. Eran doscientos seis centímetros de esperanza y optimismo. Pero ¿qué había aportado exactamente Kobe Bryant a los Lakers? ¿No había sido O'Neal el máximo responsable del resurgimiento del equipo sobre la pista? ¿No había sido Jackson quien había sido capaz de unir todas las piezas?

Cuando el avión del equipo aterrizó en el Aeropuerto Internacional de Los Ángeles, Jackson y Fox entraron en el Lincoln Town Car que estaba aparcado en la pista. El entrenador quería mantener una entrevista de final de temporada con cada jugador, y esta sería la primera. Jackson sabía que Fox no tenía ningún interés en seguir su carrera como jugador. Habían compartido cinco años de sus vidas y tenían un vínculo afectivo.

—Creo que deberías plantearte entrenar —dijo—. Tu forma de entender el juego es bastante única.

—En absoluto —dijo Fox—. Necesito alejarme del baloncesto durante un año.

Jackson lo comprendía.

—Es duro, ¿verdad? —dijo—. Yo tampoco sé qué voy a hacer todavía. Cuando lo decida, te lo haré saber.

Llegados a este punto en sus carreras, tanto O'Neal como Jackson tenían la confianza de los hombres que creen que controlan sus destinos. Cuando O'Neal entró en el *draft* de la NBA de 1992 tras su primer año en la Universidad Estatal de Luisiana, lo hizo sabiendo que sería elegido en primera posición. Cuando decidió abandonar Orlando como agente libre cuatro años más tarde, lo hizo sabiendo que ganaría más dinero que cualquier otro jugador en la historia de la liga. Jackson llegó a Los Ángeles con los seis anillos de campeones de los Chicago Bulls en sus dedos. Todos lo consideraban la respuesta a las plegarias de la franquicia. Sus logros hablaban por sí mismos. Los seres humanos de tal calibre generalmente no responden ante nadie.

Sin embargo, los tiempos habían cambiado. Bryant, el pilar fundamental y la superestrella del equipo que quería Buss, era el rey de los Lakers, y su felicidad era la máxima prioridad de una franquicia en pleno cambio. El principal rumor que sobrevolaba la NBA era que Bryant quizás abandonaría los Lakers para jugar en el equipo con el que compartían pabellón, los Clippers. Y eso vendría a ser lo mismo que arrancarle del pecho el corazón a Jerry Buss con un cuchillo de mantequilla oxidado y servírselo a Donald Sterling, el propietario de los Clippers, para cenar. Perder a una superestrella de veintiséis años sería devastador. ¿Perderla ante una franquicia que era como un trozo de pan seco y que venía de una temporada con 28 victorias y 54 derrotas? Inconcebible. Pero tan pronto como se abrió la veda para que los agentes libres pudieran reunirse con sus pretendientes, Bryant se entrevistó con Elgin Baylor, el director general de los Clippers, para hablar de su futuro jugando junto a Chris Kaman y Elton Brand. A Bryant le atraía la idea de coger a la deplorable franquicia de la ciudad y llevarla a la gloria.

Los Lakers eran Magic, Kareem y Worthy. Los Clippers eran Benoit Benjamin. «Todos pensábamos que se iría con ellos —cuenta Bill Plaschke, el columnista de *Los Angeles Times*—. Parecía algo muy seguro.»

Los Lakers estaban a su merced. Kobe no quería jugar más para Phil Jackson, cuyo contrato de treinta millones por cinco años estaba a punto de expirar. Concedido. Kobe definitivamente no quería jugar con Shaquille O'Neal, cuya ansiada prórroga de contrato había sido rechazada. Concedido. Solo dos días después de que hubiera terminado la temporada, el pívot estaba sentado en su cocina comiendo cereales mientras Kupchak daba una rueda de prensa para anunciar, entre otras cosas, que el equipo estaba abierto a recibir ofertas de traspaso para O'Neal.

¿Qué?

¿Cómo?

O'Neal estaba furioso. No porque estuviera en el mercado, sino porque, tras ocho temporadas en Los Ángeles, nadie del equipo se había dignado a llamarlo y comunicárselo. Sabía que Bryant estaba detrás de aquella maniobra. La franquicia se había rendido a los caprichos de un niño. «Yo soy un hombre —dice O'Neal años después—. ¿Quieres hacer cambios? Perfecto. Pero ten la decencia de llamarme como un hombre. Quizá yo tampoco quiero seguir con vosotros, quizá yo también estoy cansado de todo. Pero por lo menos muéstrame respeto. Habla conmigo, como mínimo.»

Ese mismo día, Jackson fue a las instalaciones del equipo en El Segundo para reunirse con varios jugadores. Comunicó a sus chicos que probablemente se retiraría, pero que siempre existía la posibilidad de un cambio de planes. Si Kobe lo quería y Shaq lo quería y Buss lo quería…, ¿quién sabe? Después de recoger sus cosas, pasó por el despacho de Jeanie Buss, la vicepresidenta ejecutiva de baloncesto y su novia desde hacía cinco años. Su relación podría considerarse como la más desconcertante del mundo del deporte; rompía todo tipo de convenciones éticas, pero había resultado ser sincera y honesta. ¿Le contaba Jeanie cosas a Phil que no debería haberle contado? ¿Phil era intocable porque trabajaba para el hombre que pronto podría convertirse en su suegro? ¿Jeanie consultaba con Phil asuntos que no tenían nada que ver con la dirección técnica? ¿Jeanie le contaba a su padre lo que hablaban entre las sábanas? Nadie podía estar seguro.

Sin embargo, en esa ocasión, Jeanie habló con Jackson:

—Dile a Mitch o a mi padre que puedes entrenar a Kobe. Admite que habéis trabajado muy bien los últimos tres meses y que no supondría un problema. Mira lo bien que lo hiciste en el último tramo de la temporada.

—Vale, Jeanie —respondió Jackson—. ¿Qué ha pasado?

Según su novia, la franquicia había tomado la decisión de cambiar de entrenador. Se había enterado de la noticia por John Black, el director de Relaciones Públicas de los Lakers, y sintió la necesidad de compartirla con su amor. Al trasladarle la información, Jeanie empezó a llorar. Phil Jackson no sabía exactamente cómo tenía que reaccionar. ¿Esto tenía que ver con entrenar a los Lakers o con salir con la hija del propietario? ¿Baloncesto o sentimientos? ¿Ambas cosas? Abrazó a Jeanie durante unos buenos diez minutos y luego se marchó. «Si pierdo el trabajo supongo que cree que desapareceré —pensó Jackson—, que volveré a Montana y nunca más sabrá nada de mí.»

Al día siguiente, Jackson se quedó oficialmente sin trabajo. Empezó el día regresando a las oficinas de la franquicia para reunirse con Bryant. Fue una entrevista para formalizar el final de la relación, pero no en el sentido habitual. Normalmente, los entrenadores convocan reuniones al terminar la temporada para hablar del futuro de cada jugador. Esta vez, ninguno de los dos sabía lo que les esperaba. ¿Seguiría Bryant jugando con los Lakers la temporada 2004-05? Nadie lo sabía. ¿Seguiría Jackson entrenando a los Lakers la temporada 2004-05? Nadie lo sabía. Ambos se reunieron en el despacho de Jackson junto con Rob Pelinka, el representante de Bryant. Tras una breve charla sobre baloncesto, acerca del juicio por agresión sexual y sobre los planes para el verano, Jackson se puso serio.

—¿Mi presencia o mi ausencia afectan de algún modo tu deseo de seguir jugando para los Lakers? —preguntó.

Bryant se mostró desconcertado.

—¿El hecho de que yo siga con los Lakers tiene alguna influencia sobre tu futuro? —insistió Jackson.

Jackson quería que Bryant le dijera que lo necesitaba. Que era importante. Quería que Bryant dijera que tenían algo especial, que siguieran con ello…

También quería creer en Papá Noel.

Bryant le dijo a Jackson que tenía que decidir por sí mismo, que no debía tener nada que ver con su futuro.

—Me voy a retirar —respondió Jackson.

—¿De verdad? —preguntó Bryant.

Jackson le dijo que sí. Luego le preguntó si la continuidad de O'Neal influiría en su decisión. Jackson insistió en que la dupla Shaq-Kobe podía perdurar. Pero Bryant no quería ni oír hablar de ello.

—Ya lo hemos hecho durante ocho años —dijo—, pero estoy cansado de ser el segundo de a bordo.

No fue ninguna sorpresa. Bryant había llegado a la liga como un macho alfa de dieciocho años y ahora era un alfa de veinticinco. Era oficial: posiblemente la mejor sociedad que había pisado una cancha de baloncesto estaba a punto de disolverse.

Jackson volvió a abandonar las oficinas de la franquicia, esta vez para dirigirse a casa de Jerry Buss. Fue un trayecto de diez minutos durante el cual el (todavía) entrenador de Los Angeles Lakers sopesó todas las opciones. Seguramente también valoró un rumor que había estado circulando durante los últimos días. Según O'Neal, en el mismo momento en que el mundo del baloncesto llegaba a la conclusión de que Jackson estaba acabado, Pat Riley comunicaba a los Lakers que quería el puesto. El presidente de los Miami Heat había jugado en Los Ángeles de 1970 a 1975, y luego había entrenado al equipo en los ochenta, un periodo en el que logró cuatro títulos. El sur de California siempre había sido su hogar, su primer amor geográfico. «Todos sabíamos que Pat lo buscaba. Quería ser el hombre de los Lakers», cuenta O'Neal.

Jackson aparcó y tocó el timbre. Tras un par de minutos de charla cordial, Buss le dijo:

—Phil, creo que vamos en direcciones distintas.

—Supongo que sí —respondió Jackson—. Es lógico.

Y se marchó.

El jueves siguiente, Jackson y O'Neal se vieron en el hotel St. Regis de Los Ángeles. Por aquel entonces, el pívot ya había puesto su casa de Beverly Hills a la venta, una confirmación de que realmente todo había terminado.

—Solo quería hablar contigo antes de que todo esto se desmorone —dijo O'Neal entre sorbos de té helado—. Hemos hecho un buen trabajo.

Al cabo de un mes, los Lakers y los Heat cerraron el traspaso más sonado del año. Después de que O'Neal le dijera a Kupchak que firmaría un intercambio con Miami, lo mandaron al sur de Florida a cambio de tres jugadores (Lamar Odom, Brian Grant y Caron Butler) y de un par de puestos de elección del *draft*. La dupla de O'Neal y Dwyane Wade, el explosivo escolta que acababa de terminar su temporada de *rookie*, fue una jugada maestra de Riley, que, según le dijo a su nuevo pívot, ya no estaba interesado en volver a Los Ángeles. «Pat sabía que lo que tenía era oro. Teníamos muchas más opciones de ganar un anillo en Miami que con los Lakers sin mí», recuerda O'Neal.

El 14 de julio, el culebrón sobre la continuidad o no de Bryant llegó a su fin tras firmar un contrato récord de 136,4 millones de dólares por siete años con los Lakers. La llamada que le hizo a Elgin Baylor fue la más incómoda que Bryant había hecho jamás. El director general de los Clippers realmente pensaba que Bryant se iría con ellos. Pues no. «Soy un Laker de corazón», le dijo Bryant. Al día siguiente, en una rueda de prensa en las instalaciones de entrenamiento de El Segundo, Bryant se sentó a una mesa junto a Mitch Kupchak y soltó toda una perorata sentimental que recordaba aquella frase de Benjamin Franklin: «Una media verdad suele ser una gran mentira».

«Ya no tenemos al jugador más dominante de la liga, así que las cosas van a cambiar drásticamente para nosotros —dijo—. No será fácil. Y somos conscientes de ello. Será muy distinto. Lo sabemos. Será una dura batalla.»

Le preguntaron si hubiera estado dispuesto a seguir jugando junto a O'Neal. La respuesta correcta era que no. Se lo había dicho a Jackson, a Kupchak y a Jerry Buss. No. Nunca más volvería a jugar con Shaquille O'Neal. Nunca.

Pero...

«Cuando dicen que yo tuve algo que ver con la salida de Shaquille, no me lo tomo en serio —respondió—. Me molesta. Me hace enfadar. Si hubiera renovado, yo seguiría aquí hoy. Por desgracia, las cosas no salieron así.»

Viéndolo desde su casa, O'Neal no podía dar crédito a lo que estaba escuchando. Igual que Jackson. Si Jerry Buss le hubiera prorrogado el contrato a O'Neal, Kobe Bryant estaría levantando su nueva camiseta de los Clippers en este mismo momento. O'Neal lo sabía y Jackson también.

«¿Que si puedo ganar sin O'Neal? —se preguntó Bryant siguiendo con la pantomima—. No lo sé. Hicimos un gran trabajo juntos, a pesar de los buenos y malos momentos. Pero solo necesitamos confiar en la trayectoria de esta franquicia. Siempre ha sabido renacer. Yo solo soy una pieza más del rompecabezas.»

Pocos días después de su llegada, Caron Butler decidió ponerse en contacto con Bryant para pedirle consejo sobre su mudanza a Los Ángeles. El amigo de un amigo le había pasado el número de móvil de la superestrella y decidió llamarlo.

Ring.

Ring.

Ring.

—¿Sí? —respondió Bryant.

—Kobe. Soy Caron Butler. Tu nuevo compañero de equipo —dijo Butler.

—¿Cómo has conseguido mi número? —preguntó Kobe.

—Ah [*rellena el espacio en blanco*], me lo dio —respondió Butler.

—Ah..., vale... ¿Qué hay?

Ambos hablaron durante varios minutos y la conversación pareció bastante amistosa. Al día siguiente, cuando alguien intentó llamar a Bryant, le salió un mensaje del operador telefónico.

Bryant se había cambiado el número.

Los Angeles Lakers eran ahora el equipo de Kobe Bryant. J. A. Adande, de *Los Angeles Times*, escribió lo siguiente:

> Muy bien, Kobe. Ahora que el mejor pívot y el entrenador más exitoso de la historia reciente de la NBA se han ido por tus demandas, ahora que los ejecutivos de la NBA se han paseado por todo el país y se han plegado a tus caprichos, dinos exactamente cuándo ganarán los Lakers el campeonato. ¿Cuántos partidos durará la final, cuándo se celebrará el desfile, dónde debería colgarse la bandera? Será mejor que Kobe Bryant pueda ofrecer las respuestas o, para ser más exactos, los resultados, ahora que ha terminado su larga pantomima y que, tal y como confirmó este jueves, los Lakers ahora le pertenecen oficialmente.

La alegría despreocupada de O'Neal se había ido a South Beach. Karl Malone había decidido retirarse. Derek Fisher firmó como agente libre con Golden State. Gary Payton, una caja de tornillos oxidados disfrazada de jugador de NBA, se fue a Boston. Rick Fox, al que incluyeron en un trato con los Celtics por un tema de salario, no volvería a jugar. Tras el intento fracasado de fichar a Mike Kryzewsky de la Universidad de Duke como sustituto de Jackson, Buss y Kupchak se conformaron con Rudy Tomjanovich, el exentrenador de Houston que había conseguido dos títulos consecutivos con los Rockets a mediados de los años noventa. Tomjanovich era una apuesta segura, pero no precisamente la más dinámica. Se había retirado como entrenador tras la temporada 2002-03, cuando le diagnosticaron cáncer de vejiga. Se sometió a quimioterapia y el cáncer desapareció, pero luego volvió a reproducirse y tuvo que someterse a más quimioterapia. Esto no era comparable con tener que superar a Michael Jordan. Estaba entre la vida y la muerte, y era aterrador. Decidió dejar de entrenar y centrarse en su salud, su familia y su felicidad.

«Los Lakers llamaron de la noche a la mañana —recuerda Tomjanovich—. No estaba buscando trabajo. Pero tenía que escucharlos.»

Aceptó el cargo, pero se encontró con la despensa vacía. El nuevo pívot titular sería Chris Mihm, un jugador elegido en primera ronda del *draft* de 2000 procedente de la Universidad de Texas y cuya mayor virtud era su altura (2,13 y 120 kilos). El base Chucky Atkins era un anodino jugador del montón. El banquillo era una colección de trofeos extraños. Bryant se había salido con la suya: O'Neal se había ido, pero también la mayor parte del talento. El equipo que había llegado a las Finales de la NBA de 2004 terminó la temporada siguiente con un balance de 34 victorias y 48 derrotas, y se perdió los *playoffs* por primera vez en once años. Tomjanovich duró cuarenta y tres partidos antes de presentar su dimisión por cuestiones de salud. La media de puntos de Bryant (27,6) marcaba el ritmo del equipo. Era su sueño hecho realidad: podía lanzar a canasta a voluntad, sin que nadie se lo impidiera.

Además, aunque la crisis baloncestística acaparaba la mayor parte de los titulares, en el verano de 2004 seguía habiendo un asunto mucho más apremiante del que preocuparse. Los Lakers habían aceptado pagarle a Bryant un montón de dinero para que jugara al baloncesto los próximos siete años de su vida. Pero ¿podría hacerlo o tendría que lanzar a canasta en el patio de una cárcel durante veinte años? La selección del jurado para su caso estaba programada el 27 de agosto. Era una pesadilla inminente para la estrella de los Lakers.

Casi quince años después, tanto Mark Hurlbert, el fiscal del distrito del condado de Eagle, como Doug Winters, el inspector jefe, seguían convencidos de que Kobe Bryant había violado a Jessica Mathison. No es que pensaran que «podría» haber pasado o que «quizás» había pasado. No había lugar a dudas. «Yo no tengo ninguna duda. La violó», asegura Winters.

«Estoy cien por cien seguro. Lo hizo», dijo el fiscal del distrito.

Por eso Hurlbert se puso tan furioso cuando, el 10 de agosto, Mathison ignoró sus consejos y contrató a un abogado externo, John Clune, y presentó una demanda civil contra Bryant, por daños sin especificar. El movimiento perjudicaba gravemente el caso penal, porque parecía que, en realidad, Mathison andaba tras el dinero. «Cuando me llamó su abogado le dije: "¡Tienes que pararlo!" —recuerda Hurlbert—. Tienen una nueva vía para interrogarla e intentar demostrar que solo está aquí por intereses materiales.» Por esas mismas fechas, Mathison le escribió una carta a Gerry Sandberg, un investigador estatal, en la que admitía que algunos de los detalles iniciales que le había proporcionado a Winters podían no ser exactos. Aunque insistía en que efectivamente había sido violada, Mathison escribió: «Le dije al inspector Winters que el señor Bryant me había hecho quedar en la habitación y lavarme la cara. Aunque sí que fui retenida contra mi voluntad en aquella habitación, no fui forzada a lavarme la cara.» Nada parecía ir demasiado bien en el caso contra Bryant. Crecía el debate sobre la presunta promiscuidad de Mathison y su comportamiento inestable. Había amenazas de violencia. La prensa no la dejaba en paz; la esperaban fuera de su casa y la seguían por Eagle en busca de cualquier pizca de jugosa información. «Un día había un montón de periodistas haciendo guardia fuera de su casa y yo podía verlos desde mi porche trasero —recuerda Randy Wyrick, que cubrió el caso para el *Vail Daily*—. En la casa de al lado vivía una chica, también rubia, que salió a la calle y a la que abordaron docenas de reporteros. Pobrecita, debía de ir al gimnasio o algo parecido. Esto es el culo del mundo. No hay nada que hacer aquí. Ella se convirtió en la noticia.»

Un día de finales de agosto, Hurlbert estaba en su despacho cuando recibió una llamada de Mathison. La selección del jurado estaba en curso. El juicio estaba cerca. Él se estaba preparando y se sentía muy confiado.

—Mark —dijo—, no quiero seguir adelante.

¿Qué?

—Es demasiado —dijo Mathison—. Necesito que todo termine.

El fiscal le aconsejó que recapacitara durante unos días para sopesar las consecuencias. Mientras tanto, Hurlbert llamó a Bill Ritter, el fiscal del distrito de Denver, para pedirle consejo. «Mark, tus opciones son muy limitadas. Puedes enviarle una citación, arrastrarla y subirla al estrado. Pero no será convincente y el jurado no lo declarará culpable. También puedes intentar hacerlo sin ella, pero no sé cómo puedes abordar un caso de agresión sexual sin una víctima. La otra opción es desestimar el caso», dijo Ritter.

El 1 de septiembre, solo una semana antes del comienzo del juicio, un Hurlbert desolado desestimó el caso penal, señalando que «la víctima nos ha informado […] de que no quiere seguir adelante con este juicio. Por este motivo, y solo por este motivo, este caso va a ser desestimado». Como parte del acuerdo, Bryant accedió a emitir un comunicado que Mackey hizo llegar a los periodistas. No admitía la violación, pero, en realidad, la estaba admitiendo:

> Aunque creo sinceramente que nuestro encuentro fue consentido, ahora reconozco que ella no entendió ni entiende este incidente de la misma manera que yo. Después de meses de revisar las pruebas, de escuchar a su abogado e incluso su testimonio en persona, ahora comprendo que ella siente que no consintió la relación.

En apenas un año, Bryant le pagó a Mathison una cantidad de dinero desconocida y le compró una casa cerca de Denver.

Mathison desapareció del mapa y no se supo nada más de ella.

Cuando, en 2009, Bryant consiguió un nuevo título de la NBA para Los Angeles Lakers, ningún periodista mencionó las acusaciones de agresión sexual en la cobertura de la redención del jugador.

Volvía a ser el rey de una ciudad que tenía hambre de títulos.

No podía hacer nada malo.

EPÍLOGO

*L*a mañana del 21 de diciembre de 2018, aproximadamente a las 9.30 de la mañana, aparqué el coche delante de la que yo pensaba que era la casa de J. R. Rider. Me sequé el sudor de las manos en mis pantalones cortos y llamé al timbre.

Tras jugar su último partido de la NBA diecisiete años atrás, el efímero jugador de los Lakers y excampeón del concurso de mates del *All-Star* había desaparecido de la vida pública. Había concedido un par de entrevistas que aparecieron en YouTube, y un vídeo de 2011 lo mostraba haciendo un mate. Aparte de esto, nada más.

Después de haber pasado el día anterior muy cerca de su casa en Chandler, Arizona, y tras varios intentos fallidos de conseguir un número de teléfono, decidí intentar un: «¡Sorpresa! ¡Aquí estoy!». Al fin y al cabo, este tipo de libros son mejores si aparecen muchas más personas ajenas a los focos de los medios. Mientras esperaba que alguien abriera, dos preguntas rondaban mi cabeza:

a) ¿Qué le preguntaría a J. R. Rider?
b) ¿Qué haría si J. R. Rider intentaba empalarme con una tubería de acero?

Esperé, esperé y esperé…

—Hola.

Era un niño pequeño. Quizá tenía cuatro o cinco años. Abrió mínimamente la puerta asomándose por la rendija.

—¡Hola! —dije con la voz más jovial que pude entonar—. ¡Estoy buscando a J. R. Rider!

El chaval desapareció y al cabo de dos segundos apareció una mujer. Tenía más o menos mi edad, era delgada y tenía el pelo castaño.

—¿Qué desea? —preguntó.

—Hola —dije, esta vez menos jovial y con un tono de voz más misterioso—. Me llamo Jeff Pearlman. Soy escritor. Escribí este libro —mostré en la distancia un ejemplar de mi crónica sobre la desaparecida USFL, recientemente publicada—, y estoy intentando localizar a J. R. para hablar de su época con los Lakers.

Me pidió que esperara ahí y cerró la puerta. Volví a esperar y esperar. Luego escuché los sonidos ahogados de dos adultos discutiendo. La mujer parecía tranquila. El hombre parecía enfurecido. «¿Quién es?», escuché que le decía.

La puerta se abrió de nuevo.

Ahí estaba J. R. Rider.

Mierda.

Era reconocible, pero estaba distinto. Su perilla ahora estaba salpicada de gris. Su físico, otrora hercúleo, era ahora mullido, con algún michelín en la zona media. Lo que no había cambiado era su ceño fruncido. Me estaba frunciendo el ceño a mí.

—¿Quién eres? —dijo Rider.

—Sí, soy Jeff Pearlman. He intentado ponerme en contacto contigo. Estoy escribiendo un libro…

Seguía con el ceño fruncido.

—Espera —dijo tras la puerta mosquitera—. Espera, espera. ¡Vienes a mi casa! ¿Te presentas aquí sin más?

—*Mmm*, sí —respondí—. Pero…

—No, no, no —dijo—. ¿Te presentas a mi puerta sin previo aviso?

—La cosa es que he…

—No está nada bien —contestó Rider, acercándose a mí—. No me gusta nada.

Me preparé para el tubo de acero. Se encontraba a escasos centímetros de mi rostro. Podía notar las salpicaduras de su saliva rozando mis mejillas.

—¿Te presentas en mi casa sin llamar? —gruñó—. ¿Así es como trabajas? No me jodas…

—O sea —dije—, intenté…

Pausa.

—¿Por qué estás aquí? —preguntó Rider—. ¿Qué estás escribiendo?

—Un libro —respondí—. Sobre los Lakers de 1996 a 2004. Los años de Shaq, Kobe y Phil. Pensé que estaría bien hablar contigo.

De repente, Rider dio un paso atrás. Vi cómo le cambiaba la expresión, muy sutilmente, y pasaba de «voy a joderte la vida» a «quizá te joda la vida».

—*Mmm* —dijo—. Fue una buena época, ¿verdad?

Asentí.

—Tengo muchas anécdotas —dijo—. Joder, tengo muchas anécdotas...

J. R. Rider y yo estuvimos hablando durante dos horas y media.

Una cosa hermosa de la dinastía de los tres anillos de los Lakers es que, salvo raras excepciones, a los miembros del equipo les encanta mirar atrás, recordar y compartir sus recuerdos de una época feliz. Así fue con Rider. Así fue con Shaquille O'Neal, que me dedicó un buen rato en los estudios Turner de Atlanta. Así fue también con Phil Jackson, que me recibió con cierta sequedad fuera de la cafetería Montana Coffee Traders en Kalispell, Montana («Hablo contigo porque Jeanie me lo ha pedido, no porque seas tú», me dijo), pero luego me regaló un paseo de ocho horas por el lago Flathead, por los restaurantes locales, por su porche y por su vida como un jubilado de setenta y tres años amante de los gatos. Así ocurrió también con Nick Van Exel y Eddie Jones; con Glen Rice y Samaki Walker; con Jeanie Buss, Del Harris, Rick Fox, Mike Penberthy y cientos de personas más que habían tenido algún tipo de relación con aquellos años en los Lakers.

También me percaté de otra cosa: nadie parecía demasiado triste por el hecho de que el viaje no se hubiera prolongado más.

«Es lo que es. Nada dura para siempre», dijo Jackson.

Cuando los Lakers perdieron la final de la NBA de 2004 contra Detroit, estaba claro que Jerry Buss veía imposible la continuidad de aquel proyecto. Veía a un gigante que había perdido el interés y se marcharía en el mejor momento de su carrera, y a un entrenador que, a pesar de sus grandes logros, no parecía capaz de infundir respeto a sus jugadores. También veía a un escolta de solo veintiséis años que estaba jugando mejor que nunca, desesperado por liberarse y dispuesto a explorar la idea de jugar con (Dios santo, ¡*noooo*!) Los Angeles Clippers.

Así pues, Buss hizo lo que creía que tenía que hacer al dejar que todo se desmoronara.

Y, en muchos sentidos, funcionó. O'Neal se unió a los Miami Heat, formó equipo con la promesa del baloncesto Dwyane Wade, y ayudó a la franquicia a conseguir el título de la NBA en 2006. Bryant pasó una temporada 2004-05 horrible bajo las órdenes de Rudy Tomjanovich y Frank Hamblen, luego agradeció el regreso de Jackson a la banda y, tras un pequeño paréntesis en 2007, consiguió para los Lakers dos banderas más que colgar de los travesaños de su pabellón. El rencor inicial tras la ruptura con O'Neal (en 2008, O'Neal metió la frase «Kobe, negro, dime a qué sabe mi culo», en un rap *freestyle*) desapareció con el tiempo; cuando Bryant jugó su último partido, el 13 de abril de 2016, O'Neal estaba sentado en primera fila en el Staples Center, resplandeciente con un traje gris y animando desaforadamente mientras el hombre que se había negado a ser Robin anotaba sesenta puntos (como Batman) en una victoria contra Utah. Su entusiasta presencia fue, según me dijo O'Neal, una concesión al paso del tiempo. Kobe Bryant no le gustaba especialmente. Y lo respetaba a regañadientes, dentro de unos límites. Cuando le mencioné que Bryant había acuñado su propio apodo («Black Mamba») y que se refería a sí mismo como «Mamba», con extraña seriedad, O'Neal hizo una mueca: «Ahora entiendes lo que tenía que aguantar», me dijo.

Cuando Bryant abandonó la pista por última vez, los 18 997 espectadores se levantaron de sus localidades. Fue un homenaje a la altura de un hombre que, desde que había llegado siendo un chico de instituto de diecisiete años, les había proporcionado incontables momentos de gloria y una gran variedad de notas de dramatismo. Se retiraría como el mejor jugador de la historia de la franquicia, siendo líder absoluto en número de partidos, puntos, tiros de campo, emoción, *oohs* y *aahs*, y momentos estelares a lo Jordan. «Nunca quiso ganar nuestros corazones —escribió Bill Plaschke en *Los Angeles Times* a la mañana siguiente—. Él solo quería ganar.»

No fue hasta más tarde, después de que se hubiera recogido el confeti de la pista y de que el último espectador se hubiera marchado a casa, cuando muchos de sus excompañeros y exentrenadores se dieron cuenta de que Kobe Bryant había hecho la friolera de cincuenta lanzamientos contra los Jazz. Era el récord de lanzamientos realizados en un solo partido en la historia de la NBA. Fue un buen colofón.

Kobe Bryant necesitaba un último momento bajo los focos.

Agradecimientos

*E*stoy escribiendo estos agradecimientos sentado en una mesa de la cafetería Pandor Artisan Bakery & Café, un pequeño establecimiento situado en el corazón de la ciudad de Orange, en California. Tengo delante una ensalada nizarda, esperando junto a una gran taza de café helado. La canción *Chinese Dreidels*, de MC White Owl, suena con fuerza por mis auriculares. Llevo unos pantalones cortos de baloncesto, así como una gastada camiseta de Spiderman. Fuera hace sol y la temperatura es agradable. Probablemente estamos a unos veinticuatro grados. Llevo sandalias.

Esta imagen representa mi vida.

Esta imagen representa la vida de un biógrafo.

Y, a decir verdad, es realmente creíble un 83,7 % del tiempo. La libertad que me ha acompañado en mi carrera como escritor es algo que no cambiaría por nada en el mundo. Me ha permitido el lujo de estar presente en la gran mayoría de las actividades de mi hija y de mi hijo.[20] Establezco mis propios horarios. Jamás (gracias, אדוני) asisto a ninguna reunión.[21] Soy una auténtica guía de las cafeterías del condado de Orange.[22] Es genial y me siento afortunado.

No obstante, la escritura es un viaje tortuoso por las pro-

---

20. Es cierto que, probablemente, cuando mi hija esparció un proyectil de vómito por todo el baño de la Biblioteca Infantil Huguenot, no hubiera sido mal momento para ser un contable.

21. El mejor consejo que puedo darle a vuestros hijos es: tened un trabajo sin reuniones. Ninguna. Cero.

22. Active Culture, en Lagune Beach. Pide el batido de coco. Dile al chico de los tatuajes que te envía Jeff.

fundidades del inframundo. Quien crea que este trabajo es mentalmente relajante nunca se ha pasado cincuenta minutos trabajando para elegir una sola palabra ni ha estado tanto tiempo mirando una pantalla que el cristal se le ha empezado a derretir como si fuera jarabe. Tampoco se habrá preguntado, seriamente, si su capacidad para dotar de sentido a las palabras se ha desvanecido inexplicablemente. Suelo bromear cuando digo que estos proyectos suelen quitarme dos años de vida. No porque requieran literalmente dos años de mi vida. No. Si a uno le importa el oficio, quiere que cada frase sea perfecta. Y, puesto que la perfección no existe, los escritores solemos caer en espirales recurrentes donde comemos demasiado, bebemos demasiado, follamos demasiado, pensamos demasiado, nos preguntamos demasiado si ese bulto es alguna enfermedad mortal y vemos demasiadas maratones de la serie *Arnold* hasta altas horas de la madrugada.

Pero, inevitablemente, seguimos adelante.

Esto es una forma extensa de decir que el libro que tienen en sus manos (o en sus teléfonos) es bonito, brillante y colorido, un espejismo bien elaborado tras el cual hay más de dos años de trabajo, de sudor, de ansiedad, de depresión, de altibajos, de vuelos accidentados, de largos viajes en coche, de comidas espantosas, de salidas familiares a las que no fui y de pensar sin parar en Los Angeles Lakers de 1996-2004.

Pero valió la pena.

Puedo ganarme la vida con esto en gran medida gracias a una familia que me apoya y no me da mucho más que amor y ánimo. Catherine Pearlman, la mejor autora y experta en crianza de un solo riñón y aficionada al pádel surf, es mi mejor amiga, mi terapeuta, mi heroína y mi proveedora de información adicional. Es la persona que no solo tiene que convivir con este monstruo cuando se acerca la fecha de entrega, sino que, además, tiene que convencerlo unas dieciséis veces por semana de que no se acaba el mundo, de que el libro quedará bien y de que no se está muriendo de fibrodisplasia osificante progresiva.

Nuestros hijos, Casey y Emmet, se saben palabra por palabra la canción *Gin and juice*, de Snoop Dogg, lo cual los convierte en los niños más alucinantes, y a su padre, en el peor ejemplo de todos. (Dicho esto, con tanto drama en Long Beach, es realmente agotador ser Snoop D. O. Doble G.). Puedo decir sin exagerar que verlos crecer ha sido la mayor alegría de mi existencia.

Mis padres, Stan y Joan Pearlman, me criaron animándome siempre a seguir mis pasiones. Como dijo mi madre una vez, «si puedes sobrevivir en las duras calles de Mahopac, puedes sobrevivir en cualquier sitio». Les estaré siempre agradecido.

Aunque en la portada del libro aparezca el nombre de Jeff Pearlman, estos proyectos son el fruto de un esfuerzo conjunto. Mi agente, David Black, es el Chuck Ramsey de los representantes literarios, lo cual convierte a la igualmente excelente Lucy Stille en Bruce Harper. Este es mi tercer libro con la editorial Houghton Mifflin Harcourt y el tercero en el que trabajo con Megan Wilson, la mejor publicista del planeta, y una mujer a la que hay que perdonar por sus filias en términos beisbolísticos. Ha sido un auténtico placer hacer equipo con Susan Canavan, y me siento igualmente honrado de poder darle el toque final al libro con David Rosenthal y su pluma mágica.

Michel J. Lewis, el fantástico periodista especializado en tenis / coleccionista de colgantes / derramador de leche / presidente del club de fans de Marvin Washington es un amigo increíble y un enorme activo literario. Casey Angle ha trabajado conmigo como editor / contrastador de información desde los inicios, y sus capacidades, su amabilidad y su devoción por la honradez son únicas. Por otro lado, Amy Balmuth y Will Palmer hicieron un gran trabajo con mi desordenado hilo conductor. Gracias.

Hay muchas otras personas con las que me he topado por azar, y que me han ayudado con *El circo de los tres anillos*. He tenido la enorme suerte de trabajar con grandes periodistas durante todos estos años y muchos de ellos me han ayudado. Muchas gracias a L. Jon Wertheim, Vincent Bonsignore, Mike Wise, Jonathan Abrams, Mike Moodian, Mirin Fader, Alex Kennedy, J.A. Adande, Howard Beck, Russ Bengtson, Steve Aschburner, Andy Bernstein, Rick Bonncell, Marcos Bretón, David Brofsky, Tim Brown, Ric Bucher, Cheo Hodari Coker, Bob Condotta, Wendy Cook, Scott Howard-Cooper, Roger Cossack, Sean Cunningham, George Diaz, Kevin Ding, Kerry Eggers, Steve Cannella, Robyn Furman, Adrienne Lewin,

Howard Eskin, Jon Finkel, Tony Gervino, Anthony Gilbert, Jim Gray, Lisa Guerrero, Paul (Ferragamo) Gutierrez, Kevin Harlan, Mark Heisler, Jonathan Eig, Seth Davis, Giana Nguyn, Steve Henson, Fred Hickman, Rex Hoggard, Shawn Hubler, John Ireland, Melissa Isaacson, Dwight Jaynes, Elliott Kalb, Tim Kawakami, Elizabeth Kaye, Roland Lazenby, Michael C. Lewis, Arash Markazi, Bobby Marks, Jack McCallum, Geeter McGee, Joel Meyers, Ian O'Connor, Bill Plaschke, Shaun Powell, Jeff Proctor, Norma Cockapoo, Ray Richardson, Selena Roberts, Jeremy Schaap, Brian Schmitz, Suzy Shuster, Susan Slusser, John Smallwood, Shelley Smith, Marc Stein, Rick Telander, Brad Turner, Ailene Voisin, Jennifer Weiner, Dick Weiss, Mike Wells y Ronnie Zeidel.

Jeanie Buss y Linda Rambis han sido muy buenas fuentes de información durante casi una década y no olvidaré su calidez, su ayuda y su facilidad de trato. Tuve el honor de pasar grandes ratos con docenas de exjugadores y exentrenadores de los Lakers, y estoy muy agradecido por haber tenido acceso a ellos. Phil Jackson me enseñó la belleza de su tierra natal. Shaq me permitió pasar un rato con él en Atlanta antes de una emisión. Con Jim Cleamons charlamos mientras comíamos tortitas. Con Kurt Rambis nos relajamos en una piscina. Samaki Walker me descubrió una cafetería nueva. Rick Fox me explicó el mundo del deporte electrónico fuera de un Starbucks en los Ángeles. Mike Penberthy seguro que está harto de mis constantes mensajes. John Salley me descubrió las propiedades de la marihuana. Fui al baño cuatro veces durante una tarde increíble con Del Harris. Paul Shirley es mucho mejor escritor que jugador de la NBA. Eric Chenowith tiene una memoria de elefante. J. R. Rider me hizo pasar miedo, pero terminé adorándolo.

Gracias a todos.

No podría terminar sin mencionar la ayuda de Matthew Mickelson, de la biblioteca pública de Eagle, como tampoco de Ryan O'Neal, Dave Robinson, Art Gruwell, Joe Kurrasch, Lauren Abulfetuh, Hannah Harlow, Sally Nation, Ronald Roberts, Ivy Givens y Ramon Maclin. Siento mucho respeto por Drew Corbo, el mejor Blue Hen sin victorias de la Costa Oeste. Mucho amor para David Pearlman, Daniel Pearlman, Imma

JEFF PEARLMAN

Doeshbahg, Norma (100) Shapiro, Laura Cole, Leah Gugg-
enheimer, Jordan e Isaiah Williams, Jessica y Chris Berman,
Richard Guggenheimer, Sandy Glaus, Rosie Widemutt, Lou
Marshall, Jasmin Sani, Carolina Valencia, Dayna Li, Mita-
li Shukla, Luca Evans, Zach Davis, Natalie van Winden, Kate
Hoover, Kali Hoffman, y Emma Reigh.

Como seguro que sabe cualquier persona que esté leyendo este libro, Kobe Bryant y su hija Gianna murieron en un
accidente de helicóptero el 26 de enero de 2020 junto a siete
víctimas más. Las otras almas que se perdieron en el accidente son John, Keri y Alyssa Altobelli, Sarah y Payton Chester,
Christina Mauser y Ara Zobayan. Recordaremos esta tragedia
durante décadas. Descansen en paz.

Bibliografía

A History of Eagle County. Autopublicado, Eagle, Colo., 1940.

Abrams, Jonathan. *Boys Among Men.* Nueva York: Crown Archetype, 2016.

Amaechi, John, con Chris Bull. *Man in the Middle.* Nueva York: ESPN Books, 2007.

Babb, Kent. *Not a Game: The Incredible Rise and Unthinkable Fall of Allen Iverson.* Nueva York: Atria, 2015.

Bender, Mark. *Trial by Basketball: The Life and Times of Tex Winter.* Lenexa, Kans.: Addax, 2000.

Blatt, Howard. *Gary Payton.* Philadelphia: Chelsea House, 1999.

Bryant, Kobe. *The Mamba Mentality.* Nueva York: Farrar, Straus y Giroux, 2018.

Buss, Jeanie, con Steve Springer. *Laker Girl.* Chicago: Triumph Books, 2010.

Deveney, Sean, *Facing Kobe Bryant: Players, Coaches, and Broadcasters Recall the Greatest Basketball Player of His Generation.* Nueva York: Sports Publishing, 2016.

Eggers, Kerry. *Jail Blazers.* Nueva York: Sports Publishing, 2018.

Fisher, Derek, con Gary Brozek. *Character Driven.* Nueva York: Touchstone and Howard, 2009.

Geoffreys, Clayton. *Karl Malone: The Remarkable Story of One of Basketball's Greatest Power Forwards.* Washington, D. C.: Calvintir Books, 2016.

Grody, Carl W. *Mitch Richmond: Sports Great.* Springfield, N.J.: Enslow Publishers, 1999.

Hareas, John. *Blue Collar Champions: 2004 NBA Champion Detroit Pistons.* Solana Beach, Calif.: Canum, 2004.

Harris, Del. *On Point: Four Steps to Better Life Teams.* Charleston, S. C.: Advantage, 2012.

Heisler, Mark. *Madmen's Ball.* Chicago: Triumph Books, 2004.

Horry, Keva D. *Glamorous Sacrifice.* Amherst, Mass.: White River Press, 2013.

Jackson, Phil. *The Last Season.* Nueva York: Penguin, 2004.

Jackson, Phil y Hugh Delehanty. *Once anillos.* Barcelona: Roca Editorial, 2016.

Jackson, Phil y Hugh Delehanty. *Sacred Hoops.* Nueva York: Hachette Books, 1995.

Jackson, Phil, con Charles Rosen. *Maverick: More than a Game.* Chicago: Playboy Press, 1975.

James, Steve. *Kobe Bryant: A League of His Own.* San Bernardino, Calif.: Steve James, 2016.

Kalb, Elliott. *Who's Better, Who's Best in Basketball?* Nueva York: McGraw-Hill, 2004.

Karl, George, con Curt Sampson. *Furious George.* Nueva York: Harper, 2017

Kaye, Elizabeth. *Ain't No Tomorrow.* Nueva York: Contemporary Books, 2002.

Krugel, Mitchell. *Jordan: The Man, His Words, His Life.* Nueva York: St. Martin's, 1994.

Layden, Joe. *Kobe: The "Air" Apparent*. Nueva York: Harper Paperbacks, 1998.

Lazenby, Roland. *Blood on the Horns*. Lenexa, Kans.: Addax, 1998.

Lazenby, Roland. *Mad Game: The NBA Education of Kobe Bryant*. Lincolnwood, Ill.: Masters Press, 2000.

Lazenby, Roland. *Mindgames: Phil Jackson's Long Strange Journey*. Lincoln: University of Nebraska Press, 2001.

Lazenby, Roland. *Showboat*. Nueva York: Little, Brown, 2016.

Lewis, Michael C. *To the Brink*. Nueva York: Simon & Schuster, 1998.

O'Neal, Shaquille, con Mike Wise. *Shaq Talks Back*. Nueva York: St. Martin's, 2001.

O'Neal, Shaquille, con Jackie MacMullan. *Shaq Uncut: My Story*. Nueva York: Grand Central Publishing, 2011.

O'Neal, Shaquille, con Jack McCallum. *Shaq Attaq!* Nueva York: Hyperion, 1993.

Parr, Ann. *Coach Tex Winter: Triangle Basketball*. Nashville: NDX Press, 2006.

Payton, Gary, con Greg Brown. *Confidence Counts*. Dallas: Taylor, 1999.

Pratt, Larry. *Only the Strong Survive*. Nueva York: Regan Books, 2002.

Reynolds, Jerry, con Don Drysdale. *Reynolds Remembers*. Champaign, Ill.: Sports Publishing, 2005.

Rodman, Dennis, con Jack Isenhour. *I Should Be Dead by Now*. Nueva York: Sports Publishing, 2005.

Rubinstein, Barry, y Lyle Spencer. *The Big Title: NBA 2000 Champion Los Angeles Lakers*. Nueva York: Broadway Books, 2000.

Shapiro, Jeffrey Scott, y Jennifer Stevens. *Kobe Bryant: The Game of His Life*. Nueva York: Revolution, 2004.

Shields, David. *Black Planet: Facing Race During an NBA Season*. Lincoln: University of Nebraska Press, 1999.

Smith, Sam. *The Jordan Rules*. Nueva York: Simon & Schuster, 1992.

Thomsen, Ian. *The Soul of Basketball*. Boston: Houghton Mifflin Harcourt, 2018.

Van Buuren, Andrew. *Between Dynasties*. San Bernardino, Cal.: Fletcher Thomas, 2020.

West, Jerry y Jonathan Coleman. *West by West*. Nueva York: Back Bay Books, 2011.

Williams, Vanessa, y Helen Williams con Irene Zutell. *You Have No Idea*. Nueva York: Gotham Books, 2012.

Winter, Fred (Tex). *The Triple-Post Offense*. Englewood Cliffs, N.J.: Prentice-Hall, 1962.

Notas

Capítulo1. Magic

26 «Supongo que tendremos que ver cómo»: Gary Nuhn, «Magic Teaches Us All a Lesson, if We'll Listen», *Dayton Daily News*, 10 de febrero de 1992.

28 «Nueve días después, Ken Peters de la agencia Associated Press»: Ken Peters, «Magic Johnson on Comeback: I Haven't Decided», Associated Press, 26 de enero de 1996.

28 «Sumamos una pieza maravillosa, un elemento maravilloso»: John Nadel, «Saying «Now or Never», Magic Johnson Ends Retirement», Associated Press, 29 de enero de 1996.

28 «Lo necesitamos»: Ailene Voisin, «He's Talk of Town in Emotional Return», *Atlanta Journal and Constitution*, 31 de enero de 1996.

28 «Con el regreso de Magic»: Dan Garcia, «It's Showtime Again as Johnson Flashes His Old Form for Lakers», *Newark Star-Ledger*, 31 de enero de 1996.

28 «Johnson empezó su heroico segundo acto»: Voisin, «He's Talk of Town».

29 «Es increíble»: John Nadel, «Lakers Ecstatic About Playing with Magic», Associated Press, 31 de enero de 1996.

30 «Sé que puedo salir a la pista y hacer lo que sé hacer»: Wendy E. Lane, «Magic Johnson Hopes for Olympic Berth», Associated Press, 31 de enero de 1996.

30 Para él eran complementos: Mark Heisler, «It's a Sorry Excuse, but He Didn't Even Say «Sorry»», *Los Angeles Times*, 31 de marzo de 1996.

30 «En su cuarto partido»: Geno Barabino, «Johnson Takes Act on Road», *Chicago Tribune*, 7 de febrero de 1996.

30 En el quinto encuentro»: Dan Shaughnessy, «We Need to Dig Deeper into Magic's Story», *Boston Globe*, 11 de febrero de 1996.

31 «aprovechar la oportunidad de dar la vuelta al marcador contra Orlando»: Scott Howard-Cooper, «Van Exel Takes a Detour», *Los Angeles Times*, 18 de marzo de 1996.

31 «Al conseguir una media de 21,7 puntos en la temporada 1994-95»: Mark Heisler, «Lakers Drop Anchor Right on His Career», *Los Angeles Times*, 11 de enero de 1997.

31 «Mark Heisler, el formidable periodista especializado en baloncesto de *Los Angeles Times*»: Heisler, «It's a Sorry Excuse».

32 «Está por ahí haciendo esquí acuático, pasándolo bien»: Associated Press, «Ceballos AWOL from Lakers; Agent Says He's Water Skiing», 21 de marzo de 1996.

32 «(se ausentó para atender un grave problema personal)»: Scott Howard-Cooper, «Ceballos Returns, Blames Absence on Family Crisis», *Los Angeles Times*, 25 de marzo de 1996.

32 «Todos los jugadores criticaron su comportamiento»: Beth Harris, «Magic Jo-

hnson Questions Commitment of Runaway Ceballos», Associated Press, 25 de marzo de 1996.

32 «Fue el peor capitán de la historia moderna del deporte: Scott Howard-Cooper, «Ceballos Is Back, but Not All the Way», *Los Angeles Times*, 27 de marzo de 1996.

33 «El columnista estrella del *New York Times*, Ira Berkow»: Ira Berkow, «N.B.A. Lets Magic Off Much Too Easy», *New York Times*, 16 de abril de 1996.

34 «¿Que si es mi último partido?»: W. H. Stickney Jr., «Lakers Salute «Clutch City» Performance», *Houston Chronicle*, 3 de mayo de 1996.

Capítulo 2. El elegido

37 «Tan pronto como terminó la temporada 1995-96»: Lazenby, Showboat, p. 224.

38 «Los estudiantes presentes en la rueda de prensa enloquecieron»: Michael Bamberger, «Boy II Man», *Sports Illustrated*, 6 de mayo de 1996.

39 «Y sí, a los cinco años Kobe había botado una pelota de baloncesto en una pista»: Nita Lelyveld, «Kobe Bryant Bound for NBA», *Philadelphia Inquirer*, 30 de abril de 1996.

39 «De buenas a primeras, la apuesta de Bryant era totalmente ilógica»: Dick Weiss, «Bryant Seeks NBA Degree», *New York Daily News*, 30 de abril de 1996.

39 «Se está autoengañando»: Mark Heisler, «Is Bryant, 17, Ready for This?», *Los Angeles Times*, 30 de abril del 1996.

39 «Cuando miras a Kobe Bryant tampoco ves nada especial»: Raad Cawthon, «Scouts Wonder If Bryant's Ready», *Philadelphia Inquirer*, 30 de abril de 1996.

39 «Yo creo que es un tremendo error»: Bamberger, «Boy II Man».

40 «Su salida de la NBA se acogió con indiferencia generalizada»: Fred Hartman, «Rockers Release 1983-84 Slate», *Baytown Sun*, 7 de agosto de 1983.

41 «Kobe estaba a punto de cumplir cinco años: Lazenby, *Showboat*, pp. 82-84.

41 «Cuando estaba a punto de pasar de cinturón blanco a cinturón amarillo: Lee Jenkins, «The Last Alpha Dog», *Sports Illustrated*, 21 de octubre de 2013.

42 «Empecé a driblar desde el minuto cero»: Layden, Kobe: The «Air» *Apparent*, p. 12.

42 «Me encantaba la sensación de tener la pelota en mis manos»: Bryant, *The Mamba Mentality*, p. 8.

43 «Cuando Kobe llegó el primer día de la competición: Lazenby, *Mad Game*, p. 44.

43 «Parecía Jim Carrey en Un loco a domicilio»: Jenkins, «Last Alpha Dog».

45 «Enseguida supe que tenía algo muy especial ante mí»: Deveney, *Facing Kobe Bryant*, p. 7.

45 «En una ocasión, durante un entrenamiento, Downer le amonestó»: Lazenby, *Showboat*, pp. 106-7.

45 «Durante una excursión con la escuela al parque de atracciones Hersheypark»: Martin Rogers, «Kobe Bryant: «Lower Merion Made Me Who I Am»», *USA Today*, 27 de marzo de 2016.

52 «Speedy Morris, el entrenador jefe, lo había contratado en 1993»: Dick Jerardi, «Joe Bryant Returns to La Salle as Assistant», *Philadelphia Daily News*, 24 de junio de 1993.

55 «Nunca asistió a ningún partido en el Lower Merion»: Lazenby, *Showboat*, p. 162.

58 «Larry Drew, asistente de los Lakers, era el responsable de la sesión»: Abrams, *Boys Among Men*, pp. 56-57.

62 «Los Nets le pagaban a Calipari un sueldo de tres millones de dólares al año»: «Rebuffed by Pitino, Nets Hire Calipari as Coach», *Chicago Tribune*, 7 de junio de 1996.

Capítulo 3. ¡Kazaam!

65 «El 11 de febrero de 1995»: Blake Harris, «How Did This Get Made: Kazaam (An Oral History)» Slashfilm.com, 12 de enero de 2016.

66 «En ese momento de mi vida»: Harris, «How Did This Get Made»

68 «era soporífera»: Barry McIlheney, «Kazaam Review», Empire, 1 de enero de 2000.

73 «Todo lo que el equipo tenía que hacer era pagarle a Shaquille O'Neal lo que se merecía»: Joel Corry, «The Inside Story: How the Magic Let the Lakers Steal Shaquille O'Neal» CBSSports.com, 21 de julio de 2016.

74-75 «cuando se enteró de su muerte»: O'Neal y Wise, *Shaq Talks Back*, p. 45.

75 «No podemos pagarte más que a Penny»: O'Neal y Wise, *Shaq Talks Back*, p. 48.

76 «El 30 de mayo de 1996, vieron a O'Neal en Sunset Boulevard comiendo: «Shaq's Summer Break Starts with Trip to L.A.», *Charlotte Observer*, 1 de junio de 1996.

79 «Gabriel llamó al periódico»: Bob Ryan, «O'Neal: Lakers Takers», *Boston Globe*, 19 de julio de 1996.

81 «aunque ese mismo día había hecho unas declaraciones ante un periodista del Orlando Sentinel»: Scott Howard-Cooper, «Lakers' Price of Poker Reaches $121 Million», *Los Angeles Times*, 18 de julio de 1996.

82 «Es devastador»: David Kolberg, «LA Lakers Lock Up Shaq with $120 Million Deal», *Chicago Sun-Times*, 19 de julio de 1996.

83 «Ha sido una decisión muy muy difícil»: Ryan, «O'Neal: Lakers Takers».

Capítulo 4. Génesis

84 «de camino al evento: Beth Harris, «Lakers Welcome Teen-ager Kobe Bryant», Associated Press, 12 de julio de 1996.

89 «Podías ver su fanfarronería en su forma de caminar»: Lazenby, *Showboat*, p. 235.

92 «Bienvenidos al mundo de Shaq, Lakers»: Larry Guest, «Shaq Craqs the Whip on New Employer», *Orlando Sentinel*, 3 de octubre de 1996.

92 «era un delincuente juvenil de poca monta»: Mark Anthony Green, «Talking with Our Mouths Full: Shaquille O'Neal» GQ, 2 de abril de 2012.

96 «A veces era como escuchar a tu abuelo»: O'Neal y Wise, *Shaq Talks Back*, p. 59.

97 «Era como asistir a una feria del condado, como un paseo en poni, como un pícnic en el césped de la iglesia, como una brisa suave»: Carter Cromwell, ««Preacher» Harris Has the Rockets Believing», *Austin American-Statesman*, 4 de mayo de 1981.

98 «Estuvo un año al lado de Nissalke»: Brian Meyer, «Del Harris Still in Love with the Game of Basketball», *The Republic* (Columbus, Ind.), 10 de enero de 1986.

101 «Knight pasó por un centro comercial para comprarse un bocadillo: Mike Downey, «No Bull, Knight a Pivotal Laker», *Los Angeles Times*, 2 de diciembre de 1996.

102 «No lo mareamos demasiado»: Deveney, *Facing Kobe Bryant*, p. 33.

103 «Con su nuevo uniforme púrpura y dorado con el número 34: Mike Fitzgerald, «Boom! Shaq a Laker», *Honolulu Star-Bulletin*, 11 de octubre de 1996.

104 «Harris veía a Bryant como un buen reserva que debería ganarse los minutos en pista»: «Bryant Gets No Slack from Lakers Coach», *The Leaf-Chronicle* (Clarksville, Tenn.), 18 de octubre de 1996.

Capítulo 5. Nick, el Rápido

106 «Se llevaba las radios y cosas así»: «Nick Van Exel», *Beyond the Glory*, Fox Sports Network, 27 de abril de 2003.

106 «Cuando Nick regresaba de la escuela, como mucho, pasaba media hora con su madre»: Scott Howard-Cooper, «A Look Inside at Nick Van Exel», *Los Angeles Times*, 30 de octubre de 1997.

107 «Cuando llegué —recuerda Nick—, no tenían nada para mí»: «Nick Van Exel», *Beyond the Glory*.

108 «Fue uno de los primeros chicos de su escuela en llevar»: Pat Stiegman, «Van Exel Glitters as All-Star», *Wisconsin State Journal*, 24 de junio de 1989.

108 «Además, también se afeitó dos líneas en diagonal en las cejas»: Scott Howard-Cooper, «Nick Van Exel's Story: Image, Reality Overlap», *Philadelphia Inquirer*, 16 de enero de 1994.

109 «se le acusó de»: Don Yaeger, «Breaking Through», *Sports Illustrated*, 2 de diciembre 1996.

109 «Nick descubrió que tenía dos hermanas»: Kevin Blackistone, «For Some of the NBA's Stars, Father's Day Means Little», *Dallas Morning News*, 18 de junio de 1995.

109-110 «Tenía la sensación de que había algún motivo oculto»: «Nick Van Exel», *Beyond the Glory*.

110 «En Seattle le pidieron que empezara en la línea de fondo: Howard-Cooper, «Nick Van Exel's Story: Image, Reality Overlap».

111 «Empecé a leer en las revistas»: «Nick Van Exel», *Beyond the Glory*.

112 «Al unirse a la franquicia se compró un Ferrari de trescientos cincuenta mil dólares»: O'Neal y MacMullan, *Shaq Uncut*, p. 117.

112 «Los nuevos Lakers de Shaq abrieron la temporada»: Scott Howard-Cooper, «Opener a Hit, Not a Smash», *Los Angeles Times*, 2 de noviembre de 1996.

112 «No habían transcurrido ni tres minutos de juego»: Bill Plaschke, «Supporting Cast Helps Their Leading Man», *Los Angeles Times*, 2 de noviembre de 1996.

112 «Dos días después, los Lakers ganaron 91-85 ante Minnesota»: Scott Howard-Cooper, «Lakers Still Kidding Around», *Los Angeles Times*, 4 de noviembre de 1996.

113-114 «por el ruido parecía que había destrozado la habitación entera»: Scott Howard-Cooper, «Disputed Calls Cause Shaq Attack», *Los Angeles Times*, 13 de noviembre de 1996.

114 «Cinco días más tarde, en Phoenix»: Duane Rankin, «Kobe Bryant Reveals How Feud with Shaq Showed Itself in 1996 Game Against Phoenix Suns», *Arizona Republic*, 27 de agosto de 2019.

114 «Nada me sorprende con el entrenador que tenemos»: Scott Howard-Cooper, «Van Exel Puzzled by Fisher Minutes», *Los Angeles Times*, 27 de noviembre de 1996.

115 «fue como un «catalizador». Scott Howard-Cooper, «Lakers Clear Air for New Take-off», *Los Angeles Times*, 30 de noviembre de 1996.

115 «En una conversación privada con un amigo de su etapa en Orlando»: Shaun Powell, «Shaq Guardedly Makes His Point», *Newsday*, 5 de enero de 1997.

115 «Durante un entrenamiento, Harris tuvo la sensación»: O'Neal y Wise, *Shaq Talks Back*, pp. 60-61.

117 «A principios de diciembre, Bryant se quedó sin disputar un minuto en dos encuentros»: Scott Howard-Cooper, «Bryant Learning About Patience», *Los Angeles Times*, 8 de diciembre de 1996.

120 «Quedaban 7 minutos y 12 segundos del último cuarto»: Bob Young, «Horry Accosts Ainge», *Arizona Republic*, 6 de enero de 1997.

120-121 «Llevo quince años en la NBA»: Bob Young, «Horry Gets 2-Game Suspension», *Arizona Republic*, 7 de enero de 1997.

121 «Me he disculpado con los entrenadores, con todo el cuerpo técnico, con todo el mundo»: Mark Heisler, «Lakers Drop Anchor Right on His Career», *Los Angeles Times*, 11 de enero de 1997.

121 «Cuatro años atrás, Horry se había ganado el desprecio de todos cuando»: Glenn Nelson, «Horry Adds More to LA than Temper», *Seattle Times*, 26 de enero de 1997.

123 «El 2 de abril de 1994, su mujer, Keva, dio a luz a Ashlyn»: Broderick Turner, «Daughter of Former Laker Robert Horry Dies at 17», *Los Angeles Times*, 14 de junio de 2011.

124 «Después de ganar su primer título de la NBA: Kay Campbell, «Keva Horry Reflects on the Special Gifts of Mothering a Special Needs Child», *Huntsville Times*, 10 de mayo de 2013.

124 «Cada vez que surgía algún problema, ahí estábamos»: Scott Howard-Cooper, «Through His Switch to Power Forward and Much Criticism, the Laker Has Endured the Numbing Illness of His Daughter», *Los Angeles Times*, 18 de febrero de 1998.

125 «Los Lakers intentaron reforzar su plantilla ofreciendo el pívot Sean Rooks: David Steele, «Mullin Won't Turn Up Heat», *San Francisco Chronicle*, 18 de febrero de 1997.

128 «Si uno quiere ver espectáculo»: Kevin Modesti, «Take Stock in Campbell», *Los Angeles Daily News*, 10 de mayo de 1997.

128 «Tenían mucha energía»: Marc J. Spears, «Lakers Are Happy, but Cautious», *Los Angeles Daily News*, 9 de mayo de 1997.

129 «Es un reto»: Jon Wilner, «Can This Group Regroup?», *Los Angeles Daily News*, 12 de mayo de 1997.

133 «Se bloqueaba en las situaciones extremas y luego actuaba como si no hubiera pasado nada»: O'Neal y MacMullan, *Shaq Uncut*, p. 129.

133 «Mira a todos los que se burlan de ti»: O'Neal y MacMullan, *Shaq Uncut*, p. 126

Capítulo 6. La llegada de Fox

135 «En tercer lugar, estaba la salida de Byron Scott»: «Scott Takes His Game to Greece», *Los Angeles Daily News*, 4 de julio de 1997.

135 «En 1976, el equipo de baloncesto preuniversitario del instituto Rancho Cotate (California)»: George Lauer, «Uptight Cougars Declawed», *Daily Independent Journal* (San Rafael, California), 29 de enero de 1976.

135 «El 3 de diciembre de 1982, los New York Knicks: Harvey Araton, «Bullets Outmuscle Knicks, 105–98», *New York Daily News*, 4 de diciembre de 1982.

135 «Mi equipo confiaba en mí y yo no estuve a la altura»: Kevin Modesti, «It's No Wild Shot: Kobe Can Step In», *Los Angeles Daily News*, 14 de mayo de 1997.

142 «Los «Derechos Bird», llamados así por Larry Bird: Frank Urbina, «What Are Bird Rights in the NBA», Hoopshype.com, 10 de octubre de 2018.

142 «Igual que O'Neal, él también había participado en algún rodaje»: Howard Beck, «Fox Signs with Lakers», *Los Angeles Daily News*, 27 de agosto de 1997.

143 «No puedo explicar con palabras lo mucho que creemos que nos aportará la versatilidad de Rick»: Howard Beck, «West Sports Fox as Missing Piece», *Los Angeles Daily News*, 29 de agosto de 1997.

143 «Si me levantaba temprano, podía entrenar más todos los días»: Bryant, *The Mamba Mentality*, p. 26.

144 «Cuando Bryant abandonó la pista: Lauren Abulfetuh, «Bryant Faces Changes, Challenges», *Los Angeles Daily News*, 2 de noviembre de 1997.

144 «Eddie siempre miraba a Kobe por encima del hombro»: O'Neal y MacMullan, *Shaq Uncut*, p. 124.

145 «En una de las primeras sesiones de entrenamiento, O'Neal»: O'Neal y Wise, *Shaq Talks Back*, p. 66.

146 «Nadie cree que haya hecho nada extraordinario este año»: Karen Crouse, «On This Night, Kobe Had Captain's Class», *Los Angeles Daily News*, 1 de noviembre de 1997.

146 «O'Neal ha promocionado refrescos»: Rick Bozich, «Skyrocketing NBA Salaries Should Be Linked with Victories Not Potential», Louisville Courier-Journal, 29 de mayo de 1997.

147 «como si hubiese pasado el verano en restaurante de comida rápida»: Lewis, *To the Brink*, p. 63.

148 «Lógicamente, prefiero las aguas plácidas»: Crouse, «On This Night, Kobe Had Captain's Class».

148 «West estaba todavía más furioso»: O'Neal y MacMullan, *Shaq Uncut*, p. 127.

148 «Me disculpo ante Greg»: Gary Washburn, «Slapped Back: O'Neal Suspended, Fined $10,000», *Los Angeles Daily News*, 4 de noviembre de 1997.

151 «El 25 de noviembre, Pippen»: Howard Beck, «Pippen a Laker? Unbelievable», *Los Angeles Daily News*, 25 de noviembre de 1997.

151 «Los Lakers querían deshacerse de Jones: O'Neal y Wise, *Shaq Talks Back*, p. 59.

152 «O'Neal, que seguía de baja por su distensión abdominal»: «Bad Break for O'Neal», *Los Angeles Daily News*, 23 de diciembre de 1997.

152 «¿Veintisiete años y no tiene pasaporte?»: Scott Howard-Cooper, «Van Exel's Knee Needs a Break», *Los Angeles Times*, 7 de enero de 1998.

153 «A instancias de su mujer, Ann»: Jeffrey Denberg, «Web Site Offers Views of Harris», *Atlanta Journal and Constitution*, 20 de mayo de 1998.

153 Los Lakers empezaron liderando el partido 5-0»: Howard Beck, «Bulls Put Lakers in Their Place», *Los Angeles Daily News*, 18 de diciembre de 1997.

154 «En el tercer cuarto, Bryant encontró la ocasión que tanto anhelaba»: Lazenby, *Showboat*, p. 283.

155 «USA Today dedicó un espacio a preguntar a sus lectores»: David Leon Moore, «Bryant Puts Hype Behind, Waits Turn», *USA Today*, 6 de mayo de 1998.

157 «En otra ocasión, durante un vuelo a Nueva York»: O'Neal y Wise, *Shaq Talks Back*, pp. 60-61.

157 «Los jugadores no lo soportaban»: O'Neal y Wise, *Shaq Talks Back*, p. 62.

158 «ha sido divertido»: Scott Howard-Cooper, «Bryant Doesn't Approach Malone», *Los Angeles Times*, 29 de marzo de 1998.

159 «Tenemos a muchos aspirantes a Rex Chapman»: Joseph White, «Shaq: Heads Will Roll If Refs Don't Whistle», Associated Press, 3 de marzo de 1998.

160 «Un día antes, O'Neal y otros seis jugadores del equipo: Jean Godden, «Shaq Won't Tell This Story to Kids», *Seattle Times*, 6 de mayo de 1998.

160 «A veces parece una mujer»: «O'Neal, Karl Engage in War of Words After Sonics'Game 1 Win», *St. Louis Post-Dispatch*, 6 de mayo de 1998.

161 «Necesitamos a un tío grande»: J. A. Adande, «In Closing, Karl Keeps His Chin Up», *Los Angeles Times*, 13 de mayo de 1998.

161 «Somos muy buenos... cuando damos la cara»: Bill Plaschke, «Race Is Going the Lakers' Way», *Los Angeles Times*, 13 de mayo de 1998.

162 «En cuanto al resto de los Lakers, que crucen los dedos para que nadie los acuse...»: J. A. Adande, «No Showtime? This Was a Real No-Show», *Los Angeles Times*, 17 de mayo de 1998.

162 «Tendríamos que estar avergonzados»: Eddie Sefko, «Jazz Applies Stranglehold to Lakers», *Houston Chronicle*, 23 de mayo de 1998.

162 «Si yo hubiese sido el entrenador»: Randy Harvey, «Laker Future Rests with 1-2 Punch of Shaq, Kobe», *Los Angeles Times*, 25 de mayo de 1998.

163 «Todos los que estaban en aquel vestuario conmigo»: Tim Kawakami, «Famous Last Words», *Los Angeles Times*, 10 de febrero de 1999.

163 «Tenemos un par de jugadores que deberían estar avergonzados»: J. A. Adande, «It Simply Wasn't the Team's Banner Day», *Los Angeles Times*, 25 de mayo de 1998.

Capítulo 7. Comida para los gusanos

165 «Dave Fogelson, el portavoz de la compañía»: Kevin Saunders, «Sponsor to Give O'Neal the Boot», *Daily Telegraph* (Sídney, Australia), 6 de julio de 1998.

165 «No sé exactamente por qué discuten»: «Shaq: What's the Fuss?», *New York Post*, 25 de julio de 1998.

166 «En este momento, según los parámetros de la NBA»: Mark Rowland, «Prince of the City», *Los Angeles Magazine*, 1 de enero de 1999.

166 «el esplendor de Kobe es incuestionable»: Peter Vecsey, «Worm Turns to Lakers», *New York Post*, 23 de febrero de 1999.

166 «Tampoco ayudó que, en mitad del cierre patronal: Mark Asher, «It's No Secret: Little Progress in NBA Talks», *Washington Post*, 25 de diciembre de 1998.

167 «Se estaba convirtiendo rápidamente en uno de los mejores activos»: Lazenby, *Showboat*, p. 290.

170 «A Kobe no podías ni tocarle en los entrenamientos»: O'Neal y Wise, *Shaq Talks Back*, pp. 96-97.

171 «El equipo tiene buen aspecto»: Ken Peters, «Lakers' Voluntary Workout Draws Few Volunteers», Associated Press, 11 de enero de 1999.

172 «Se retomaron las negociaciones con Scottie Pippen, pero se acabaron cuando: Mitch Lawrence, «Lakers Won't Win Scottie Lottery», *New York Daily News*, 17 de enero de 1999.

172 «La Associated Press afirmaba que Bryant»: J. A. Adande, «Bryant Getting a *Big Deal*», Los Angeles Times, 28 de enero de 1999.

172 «O'Neal despotricaba sobre una nueva encuesta»: Tim Kawakami, «Lakers

Break Camp with Shaq Upset Over an Early Snub», *Los Angeles Times*, 27 de enero de 1999.

173 «La historia fue que Kobe salió de titular»: Tim Kawakami, «Getting Out of the Blocks», *Los Angeles Times*, 6 de febrero de 1999.

174 «Dennis Rodman, líder en rebotes de la liga»: Mark Heisler, «Rodman Ready to Join Lakers», *Los Angeles Times*, 13 de febrero de 1999.

177 «Pero dos días después del artículo de Los Angeles Times»: John Nadel, «Rodman Remains Out of Sight», Associated Press, 15 de febrero de 1999.

177 «Jerry West se puso nervioso y empezó a despotricar»: Lacy J. Banks, «Worm's Delay of Game Is Irritating Lakers' West», *Chicago Sun-Times*, 17 de febrero de 1999.

177 «Si llega con todas sus fantochadas»: «Van Exel: Lakers Making a Mistake», *Chicago Tribune*, 24 de febrero de 1999.

177 «Por lo que me cuentan»: Peter Vecsey, «Lakers One Del of a Mess», *New York Post*, 19 de febrero de 1999.

178 «Tienen que pasar muchas cosas antes»: Sam Smith, «Hard to Tell Through the Sobs, but Rodman Says He'll Be Laker», *Chicago Tribune*, 23 de febrero de 1999.

178 «Lo que me ha hecho salir del agujero»: John Nadel, «Rambling Rodman Says He's Ready to Join Lakers», Associated Press, 23 de febrero de 1999.

179 «Siempre he sido un jugador de equipo, cariño»: Mark Heisler, «Lakers Going Hollyweird», *Los Angeles Times*, 23 de febrero de 1999.

180 «En las cuarenta y ocho horas más extrañas de la historia de la humanidad»: Ken Peters, «Rodman Upstaged on First Day with Lakers», Associated Press, 24 de febrero de 1999.

180 «Nunca había pertenecido a un equipo con un registro de 6-6»: Brad Ziemer, «Grizzlies Chew Up Lakers», *Vancouver Sun*, 24 de febrero de 1999.

182 «La inteligencia de Rodman en la pista es asombrosa»: Peter Vecsey, «Rodman Wins the West», *New York Post*, 26 de febrero de 1999.

184 «Llegó rodeado de su gente e iluminado por los focos de varias minicámaras»: Tim Kawakami, «L.A. Hooked on the Worm», *Los Angeles Times*, 27 de febrero de 1999.

184 «Los Clippers fueron la víctima perfecta: Neil Greenberg, «The Worst Top-Five Draft Picks in NBA History», *Washington Post*, 25 de junio de 2015.

184 «Lucía un vestido de color crema que dejaba su abdomen al descubierto»: «Rodman, Rambis Enjoy Opening-Night Victory», *Springfield News-Leader* (Springfield, Mo.), 27 de febrero de 1999.

185 «Al cabo de pocos segundos, recuperó una pelota y asistió a O'Neal: Kawakami, «L.A. Hooked on the Worm».

185 «Es un librepensador»: «Rodman Late to First Practice», *San Jose Mercury News*, 28 de febrero de 1999.

186 «Qué más da la habitación»: Rodman y Isenhour, *I Should Be Dead by Now*, p. 66.

186 «Ciertos rumores decían que Rodman había contraído una deuda de juego de seiscientos mil dólares: «Dennis Rodman Stacks Up 600,000 Dollars Worth of Gambling Debt», agencia France-Presse, 23 de abril de 1999.

187 «Y también se escuchaban historias que aseguraban que Carmen Electra había engañado a Rodman»: «Rodman in Stalking Mood?», *Calgary Herald*, 2 de abril de 1999.

187 «cuando todo estaba dicho y hecho»: «Am I a Genius?», *Chicago Tribune*, 5 de abril de 1999.

188 «Por un lado, él era de Jacksonville, Arkansas, una pequeña ciudad con una población de 28 364 habitantes»: Rick Bonnell y Leonard Laye, «Rice Is History», *Charlotte Observer*, 11 de marzo de 1999.

188 «El tres veces All-Star y elegido en su momento en primera ronda del draft»: John Nadel, «Rice Says He'll Fit In Just Fine with Lakers», Associated Press, 11 de marzo de 1999.

188 «Aportará una dinámica ofensiva que hace tiempo»: Nadel, «Rice Says He'll Fit In Just Fine».

189 «He tenido muy buenas sensaciones»: Tim Kawakami, «Steak Served with Big Helping of Rice», *Los Angeles Times*, 13 de marzo 1999.

190 «Dejaba que Kobe hiciera cuanto deseaba»: O'Neal y Wise, *Shaq Talks Back*, p. 96.

191 «Antes de un partido que jugaron en abril contra Sacramento»: O'Neal y Mac-Mullan, *Shaq Uncut*, p. 132.

Capítulo 8. En manos de Phil

197 «no había televisor: Jackson y Rosen, *Maverick*, p. 17.

197-198 «Sentía curiosidad por el cuerpo femenino, pero no tenía la menor idea de cómo eran las mujeres»: Jackson y Rosen, *Maverick*, p. 29.

198 «parecía una percha del revés»: Sam Smith, «Jackson Spiritual, Intellectual Type», *Chicago Tribune*, 11 de julio de 1989.

198 «Pero, en lugar de eso, y según cuenta él mismo, salió del camino estipulado fingiendo una devoción inexistente»: Jackson y Rosen, *Maverick*, p. 26.

199 «Cada día llegaban al despacho del director cartas de entrenadores de todo el país para reclutarlo»: Jackson y Rosen, *Maverick*, pp. 33-34.

199 «En aquel momento, medía 2,03 y tenía la envergadura»: Jackson y Delehanty, *Once anillos*, Córner-Roca Editorial, p. 27.

199 «Nunca había pisado la Gran Manzana»: Vic Ziegel, «What a Long, Strange Trip», *New York Daily News*, 25 de abril de 1993.

200 «los jugadores temían las sanciones y las multas disciplinarias»: Jackson y Delehanty, *Once anillos*, Córner-Roca Editorial, p. 32.

200 «Me di cuenta de que solía tomarse una aspirina antes de cada partido»: DeAntae Prince, «To the Surprise of Some, Phil Jackson Became a Basketball Lifer», *Los Angeles Times*, 18 de octubre de 2010.

201 «Al terminar la temporada 1978»: Alex Sachare, «Loughery's Nets No Longer a Laughing Matter to Foes», *Binghamton Press and Sun-Bulletin*, 30 de enero de 1979.

201 «Me quedé un poco sorprendido cuando me lo dijeron»: Jackson y Delehanty, *Once anillos*, Córner-Roca Editorial, p. 60.

202 «El puesto finalmente fue para Stan Albeck»: Bob Sakamoto, «Pippen Makes Early Impact on Bulls — Especially Jordan», *Chicago Tribune*, 8 de octubre de 1987.

202 «La noticia de su contratación ni siquiera fue noticia»: «Phil Jackson Signs as Bulls' Assistant», *Chicago Tribune*, 11 de octubre de 1987.

202 «El director general quería involucrarse demasiado en la rutina de los Bulls: Smith, *The Jordan Rules*, p. 84.

202 «El 6 de julio de 1989, Collins fue despedido»: Sam Smith, «Jackson Gets Bulls Job», *Chicago Tribune*, 10 de julio de 1989.

203 «Según la teoría»: Jackson y Delehanty, *Once anillos*, Córner-Roca Editorial, pp. 74-75.

203 «Lo importante»: Jackson y Delehanty, *Once anillos*, Córner-Roca Editorial, p. 83.

204 «En uno de los pasajes se preguntaba»: Lazenby, *Mindgames*, p. 354.

204 «[Jerry] me dijo claramente que Phil me causaría problemas»: West y Coleman, *West by West*, p. 177.

205 «Phil… le rompió la nariz»: Lazenby, *Mindgames*, pp. 355-56.

205 «Parece que no sabemos hacer las cosas»: Lazenby, *Mindgames*, p. 356.

205 «Uno de ellos era Chuck Daly»: O'Neal y Wise, *Shaq Talks Back*, p. 71.

206 «¿Eres Phil Jackson?»: Jackson y Delehanty, *Once anillos*, Córner-Roca Editorial, p. 202.

206 «Bryant, que antes de la rueda de prensa se había presentado por sorpresa en la habitación del hotel de Jackson»: Heisler, *Madmen's Ball*, p. 171.

207 «No van a ganar con lo que tienen»: «Rodman Says Lakers Still Want Him», *The Town Talk* (Alexandria, La.), 27 de agosto de 1999.

209 «Incorporamos a algunos jugadores a los que yo veía cuando tenía cuatro años», dijo Bryant con una carcajada: David Leon Moore, «Lakers Stars Ready to Follow Jackson», *USA Today*, 5 de octubre de 1999.

209 «Jackson quería que su último hombre del banquillo desempeñara el papel de veterano en el vestuario»: Mike Freeman, «Nets Get Benjamin in Swap for Bowie», *New York Times*, 22 de junio de 1993.

213 «La disposición básica del triángulo»: Parr, *Coach Tex Winter: Triangle Basketball*, p. 61.

215 «el ritmo necesario para poder adaptar sus magníficas habilidades al triángulo ofensivo»: Bill Plaschke, «Bryant Wins Plaudits Without Losing Style», *Los Angeles Times*, 2 de diciembre de 1999.

215 «Al intentar coger un rebote en el primer cuarto: Steve Wyche, «For Starters, Chalk One Up for Wizards», *Washington Post*, 14 de octubre de 1999.

216 «Intento mantener mi ansiedad bajo control»: Tim Kawakami, «Bryant Getting Antsy for Return», *Los Angeles Times*, 30 de octubre de 1999.

216 «El 2 de noviembre de 1999, los Lakers de Jackson»: Tim Korte, «The Triangle Needs Polishing Before Lakers Coach Will Be Pleased», Associated Press, 3 de noviembre de 1999.

217 «La energía fue muy extraña durante la primera mitad»: Tim Kawakami, «New Home Has Room for Breather», *Los Angeles Times*, 4 de noviembre de 1999.

217 «El 1 de diciembre, cuando Bryant debutó contra Golden State: John Nadel, «Lakers finally have all their pieces in place», Associated Press, 2 de diciembre de 1999.

217 «Rice le dijo a su agente que le buscara un nuevo destino»: Barry Jackson, «Rice's Agent Prods Knicks, Heat for Deal», *Miami Herald*, 30 de diciembre de 1999.

217 «Tras el partido, Horry se excusó con»: Jackson y Delehanty, *Once anillos*, Córner-Roca Editorial, pp. 214-15.

218 «Uno de mis problemas con Phil era este»: Ryan Rudnansky, «Jerry West's Relationship with Lakers' Phil Jackson Was Far from Perfect», *Bleacher Report*, 18 de octubre de 2001.

218 «En una ocasión, después de una derrota en casa»: Brett Pollakoff, «The Time Phil Jackson Asked Then GM Jerry West to Leave the Lakers Locker Room», NBCSports.com, 17 de junio 2013.

220 «[Cuando Kobe volvió], el ataque no era tan fluido como antes»: Jackson y Delehanty, *Once anillos*, Córner-Roca Editorial, p. 215.

220 «[O'Neal] albergaba mucho odio en su corazón»: Lazenby, *Showboat*, p. 336.

Capítulo 9. Cambian las tornas

224 «la recesión de los Lakers de 2000 todavía continúa»: Tim Kawakami, «Lakers' Problems Get Bigger in Texas», *Los Angeles Times*, 2 de febrero de 2000.

224-225 «Durante una temporada hay veces en las que uno duda»: Tim Kawakami, «Lakers Blast Out of a Rut with a Rout», *Los Angeles Times*, 5 de febrero de 2000.

225 «Es solo un partido»: Ken Peters, «Lakers Hold Jazz to 21 in First Half», Associated Press, 5 de febrero de 2000.

227 «El 6 de marzo, O'Neal celebró»: Lonnie White, «Shaq's 61 Light Up Sweet 16 for Lakers», *Los Angeles Times*, 7 de marzo de 2000.

228 «Shaq está en muy buena forma»: Wayne Coffey, «A Higher Power», *New York Daily News*, 19 de marzo de 2000.

228 «Producto de la Universidad Estatal de Boise»: Curtis Bunn, «Childs Starts Over–Sober», *New York Daily News*, 21 de enero de 1995.

230 «le preguntó a Childs sobre el incidente»: Marc Berman, «Chris, Kobe Rage On», New York Post, 3 de abril de 2000.

230 «Es nuestro hermano pequeño»: Tim Kawakami, «A Swing Shift for Kobe», *Los Angeles Times*, 3 de abril de 2000.

231 «Lo primero que hice fue llamar a mis padres»: John Nadel, «Shaq Wins MVP Award in a Runaway», Associated Press, 9 de mayo de 2000.

232 «He oído que un tipo de la CNN»: Ken Peters, «Shaq Thanks All Voters, Even One for Iverson», Associated Press, 10 de mayo de 2000.

232 «Acaso los amigos de Allen Iverson»: «Missing MVP Vote Doesn't Upset Shaq», *Miami Herald*, 11 de mayo de 2000.

233 «Sin embargo, la vida privada de Bryant era un auténtico misterio»: Jennifer Weiner, «NBA Hopeful, Pop Star Put Cameras in Overdrive», *Philadelphia Inquirer*, 26 de mayo de 1996.

234 «Se filtró que era bailarina»: Shawn Hubler, «Kobe's Costar Vanessa Laine Was Just Another Sheltered Orange County Teen», *Los Angeles Times*, 15 de febrero de 2005.

235 «Era hija de un soldado del ejército estadounidense»: Lazenby, *Showboat*, pp. 46-47.

236 «Bryant siempre me ha sorprendido por lo maduro que era por su edad»: Dana Parsons, «Engaging Young Man Meets His Match», *Los Angeles Times*, 21 de mayo de 2000.

238 «Cualquier cosa que funcione me parece bien»: Curtis Bunn, «Lakers Shatter Record in Win», *Atlanta Journal and Constitution*, 21 de mayo de 2000.

238 «Me dijo que no estaba siendo agresivo»: Peter May, «Lakers Rally to Reject Blazers», *Boston Globe*, 27 de mayo de 2000.

239 «Me resulta incluso divertido»: O'Neal y Wise, *Shaq Talks Back*, p. 224.

239 «Ahora la presión la tiene Portland»: Chuck Culpepper, «Breaking Down Some

of the Key Elements of the Lakers-Portland Series», *Oregonian*, 27 de mayo de 2000.

240 «Ha habido muchos golpes y empujones»: Landon Hall, «Lakers Blow Another Chance to Close Out Blazers», Associated Press, 3 de junio de 2000.

242 «El equipo que compita los cuarenta y ocho minutos enteros se llevará la victoria»: Eggers, *Jail Blazers*, p. 176.

243 «Otra vez lo mismo»: Jackson y Delehanty, *Once anillos*, Córner-Roca Editorial, pp. 224-25.

244 «Ha demostrado su calidad durante varios años»: Tim Kawakami, «Brian Shaw Added for Guard Depth», *Los Angeles Times*, 21 de octubre de 1999.

245 «Siete años atrás, el 26 de junio de 1993»: Benjamin Hochman, «Nuggets Coach Brian Shaw Shows Resiliency After Family Tragedy», *Denver Post*, 29 de junio de 2013.

245 «Tu mamá se fue a vivir con Dios y te dejó aquí para que yo te cuidara»: Tim Brown, «Finding Peace Through Pain», *Los Angeles Times*, 20 de abril de 2003.

247 «Tenemos una buena ventaja»: Eggers, *Jail Blazers*, p. 181.

247 «No estábamos tan preparados como creíamos»: Eggers, *Jail Blazers*, pp. 179-80.

248 «Atacábamos desde todos los ángulos»: Jackson y Delehanty, *Once anillos*, Córner-Roca Editorial, p. 225.

251 «Enfrentarnos a los Pacers en la final de la NBA no fue heroico»: O'Neal y MacMullan, *Shaq Uncut*, p. 149.

252 «No lo haría», dijo»: Mark Kiszla, «Can You Say 'Blowout'?», *Denver Post*, 8 de junio 2000.

252 «No me siento orgulloso», dijo Rose más tarde»: Deveney, *Facing Kobe Bryant*, p. 65.

252 «Mucha gente dice que soy la tercera opción»: John Nadel, «Rice, Harper Step Up After Bryant Goes Out», Associated Press, 10 de junio de 2000.

253 «Nunca llegué a integrarme en el juego de ataque»: Greg Beacham, «Rice Cools on Sidelines», Associated Press, 11 de junio de 2000.

253 «Estoy convencido de que hubiésemos tenido más opciones de ganar conmigo sobre la pista»: Greg Beacham, «Rice Steams Over Lack of Playing Time», Associated Press, 13 de junio de 2000.

253 «Jackson nunca ha querido a Glen»: Bill Plaschke, «It's Time for Rice, Jackson to Talk», *Los Angeles Times*, 13 de junio de 2000.

255 «Este partido podría recordarse perfectamente»: Peter May, «Lakers Move Within Sight of Championship», *Boston Globe*, 15 de junio de 2000.

257 «Fue una falta de consideración hacia nosotros»: Rubinstein y Spencer, *The Big Title*, p. 98.

257 «Es una emoción contenida durante once años»: Rubinstein y Spencer, *The Big Title*, p. 106.

Capítulo 10. ¿Quién mató a J. R.?

258 «Me iba a dormir y todos mis sueños estaban relacionados con los Lakers»: Bill Plaschke, «West Wants off the Hook», *Los Angeles Times*, 22 de julio de 2000.

259 «Tras ser elegido en quinta posición en el draft del 1993»: «Lakers Sign Bad *Boy* Rider», *Orlando Sentinel*, 26 de agosto de 2000.

260 «Nacido y criado en Oakland, el joven J. R.: Paul Gackle, «Fallen Rider», *East Bay Express*, 8 de junio de 2011.

261 «Lo vi llevando mi anillo y me encaré con él»: Eggers, *Jail Blazers*, p. 33.

262 «Un día del verano que siguió a su primer año en la NBA»: Gackle, «Fallen Rider».

262 «El 5 de marzo, Rider perdió el vuelo chárter a Phoenix»: Eggers, *Jail Blazers*, p. 57.

263 «No dejaba de ser desconcertante»: Gackle, «Fallen Rider».

265 «Jugaron a diez puntos»: Horace Grant, «How We'll Remember Kobe», *The Players' Tribune*, 11 de abril de 2016.

268 «poco después de firmar una prórroga de su contrato de tres años»: Tim Brown, «O'Neal Figures It's a Good Time to Share», *Los Angeles Times*, 15 de octubre de 2000.

269 «Nos llevó a Beverly Hills»: Mark Madsen, «Shaq Top Ten List of Memories», markmadsen.com, 4 de agosto de 2011.

270 «preguntándoles a algunas de las chicas si eran mormonas: Madsen, «Shaq Top Ten List of Memories».

275 «Mientras Kobe practicaba sus tiros en suspensión»: Kaye, *Ain't No Tomorrow*, p. 7.

275 «Necesitamos practicar un juego más inteligente»: Mark Heisler, «Duo Dynamics». *Los Angeles Times*, 12 de noviembre de 2000.

277 «Antes de cada partido, los jugadores de los Lakers hacían un corrillo»: Ric Bucher, «The One», ESPN The Magazine, 22 de enero de 2001.

278 «En la derrota del 12 de diciembre contra Milwaukee»: Kaye, *Ain't No Tomorrow*, pp. 105-6.

278 «Durante la prórroga de un partido que perdieron contra Golden State»: Bucher, «The One».

279 «Filadelfia, Jackson le recriminó a Bryan»: Peter Vecsey, «Lakers Playing Bickerball», *New York Post*, 13 de marzo de 2001.

281 «Qué pasa, negratas, sois todos mis putos hermanos»: O'Neal y MacMullan, *Shaq Uncut*, p. 147.

282 «El tema en cuestión es quién de los dos capta nuestra atención»: Bucher, «The One».

284 «A Phil le costaba controlarme»: Jackson y Delehanty, *Once anillos*, Córner-Roca Editorial, p. 241.

284 «Kobe se pasó de la raya el viernes»: Tim Brown, «Jackson Says Bryant Was «Out of Line»», *Los Angeles Times*, 11 de marzo de 2001.

285 «Fisher regresó al equipo el 13 de marzo contra Boston»: Tim Brown, «Fisher Makes a Winning Return», *Los Angeles Times*, 14 de marzo de 2001.

285 «Tres años antes, Bryant y él aparecieron»: Fisher y Brozek, *Character Driven*, p. 59.

286 «Fue una de las pocas épocas en la vida de Bryant en las que estuvo agotado y mermado: Jackson y Delehanty, *Once anillos*, Córner-Roca Editorial, p. 241.

286 «O'Neal se refirió a la baja de Bryant como»: O'Neal y MacMullan, *Shaq Uncut*, p. 151.

287 «un metro ochenta y dos de tejido cicatrizado»: Phil Taylor, «Allen Wrench», *Sports Illustrated*, 18 de junio de 2001.

289 «Estaba comiendo en el restaurante Denny's»: Kaye, *Ain't No Tomorrow*, p. 215.

289 «Momentos antes, un payaso con una camiseta de Bryant había cruzado»: John Smallwood, «A First-Stage Smog Alert for Lakers and Fans», *Philadelphia Daily News*, 7 de junio de 2001.

289 «Las apuestas estaban 18 a 1 para los Lakers»: Chris Sheridan, «NBA Test: Sweep or Struggle», *Dayton Daily News*, 6 de junio de 2001.

289 «También le gustó que Harper dijera que»: Babb, *Not a Game*, p. 170.

290 «Los lanzamientos incesantes de Iverson salvaron a los 76ers»: Diane Pucin, «76ers Put End to All the Talk», *Los Angeles Times*, 7 de junio de 2001.

290 «Lue, con su agarre y sus mordiscos»: Babb, *Not a Game*, p. 170.

291 «Hemos librado batallas distintas a lo largo de toda la temporada»: Bill Plaschke, «OT, Then Oh-No», *Los Angeles Times*, 7 de junio de 2001.

291 «Empiezo a tener la sensación de que la única manera de derrotar a estos tíos»: John Nadel, «Harper Provides Spark for Lakers», Associated Press, 14 de junio de 2001.

292 «Un dulce aroma llenaba el ambiente»: Phil Taylor, «Double Dip», *Sports Illustrated*, 24 de junio de 2001.

Capítulo 11. El oficio de entrenar

296 «Había dicho que volvería con ciento cuarenta kilos»: Jonathan Abrams, «All the Kings' Men», *Grantland*, 7 de mayo de 2014.

297 «La primera preocupación era O'Neal»: Tim Brown, «Little Toe Might Be Big Laker Problem», *Los Angeles Times*, 29 de setiembre de 2001.

298 «No hacía tanto tiempo que había sido un desconocido escolta»: «It's a Better Life for George», *Inland Valley Daily Bulletin*, 21 de abril de 2003.

298 «Recientemente, había visto cómo mataban»: Marty Burns, «The Pride of Augsburg», *Sports Illustrated*, 14 de junio de 1999.

299 «Su madre, Carol, era la propietaria de un salón de belleza»: Burl Gilyard, «Ex-NBA Player Plans North Minneapolis Rentals», *Finance and Commerce*, 27 de noviembre de 2012.

303 «La única forma de sacar adelante la temporada 2001-02 era improvisar»: Jackson y Delehanty, *Once anillos*, Córner-Roca Editorial, p. 255.

304 «Érase una vez un escolta salido de la nada»: Derrick Mahone, «JSU's Hunter Gets Attention After Desert Classic», *Clarion-Ledger* (Jackson, Miss.), 2 de mayo de 1993.

304 «Esto es genial»: John Nogowski, «NBA Puts On Quite a Show at the Palace», *Times Herald* (Port Huron, Mich.), 1 de julio de 1993.

305 «En palabras de Helene St. James»: Helene St. James, «Pistons Deal Hunter for Bucks' Owens», *Detroit Free Press*, 23 de agosto de 2000.

307 «Scoop, no lo entiendo»: Lazenby, *Showboat*, p. 391.

308 «No puedo decir que diera un giro de ciento ochenta grados»: Lazenby, *Showboat*, p. 390.

Capítulo 12. Los Kings se quedan sin corona

311 «Si no era por sus terribles elecciones en los drafts»: Greg Wissinger, «What's the Worst Trade in Kings History», *SB Nation*, 3 de mayo de 2017.

311 «Su peor momento entre un sinfín de malos momentos»: Reynolds y Drysdale, *Reynolds Remembers*, p. 125.

312 «Te ponen esta cosa pequeña con ternera»: Dave McKenna, «First-Round Pricks», *Washington City Paper*, 11 de abril de 2008.

312 «Durante el tiempo que estuvo en la capital»: «Webber Dealt for Kings' Richmond», *Boston Globe*, 15 de mayo de 1998.

314 «Los Lakers tenían a Jerry West, Kirk Gibson y Magic Johnson»: Geoffrey Mohan, Rone Tempest, y Laura Loh, «Sacramento Winces as L.A. Roars», *Los Angeles Times*, 3 de junio de 2002.

314 «Por muy absurdo que parezca»: John Nadel, «Two-Time Champion Lakers Say They're Underdogs», Associated Press, 15 de mayo de 2002.

316 «O'Neal estaba especialmente convencido»: Jackson y Delehanty, *Once anillos*, Córner-Roca Editorial, pp. 253-54.

317 «Nuestro juego pasaba básicamente por Chris y Vlade»: Jonathan Abrams, «All the Kings' Men», *Grantland*, 7 de mayo de 2014.

318 «llegó a los 112, el equivalente al motor de un jet»: Matt Gallagher, «The NBA's Greatest, Ugliest Series», *Daily Beast*, 13 de julio de 2017.

318 «El tintineo que se escuchó en el Arco no eran los cencerros»: Bill Plaschke, «Magic Moment Has Arrived, So Start Planning the Parade», *Los Angeles Times*, 19 de mayo de 2002.

319 «Estaba afectado y furioso»: Abrams, «All the Kings' Men».

320 «Si perdemos [el tercer partido]»: Sam Smith, «Kings Hold Off Lakers' Rally», *Chicago Tribune*, 21 de mayo de2002.

320 «No puedo explicarlo»: Greg Beacham, «Kings Raising Game in Surprising Conference Final», Associated Press, 25 de mayo de 2002.

321 «Claramente nos dieron un buen repaso»: John Nadel, «Lakers Looking Forward, Not Back», Associated Press, 25 de mayo de 2002.

321 «Bueno, al menos ahora no nos aburriremos», dijo Bryant: Jackson y Delehanty, *Once anillos*, Córner-Roca Editorial, p. 258.

323 «ver cómo C-Webb se las arreglaba para desaparecer en las posesiones decisivas»: Bill Simmons, «Question: Who Was the Undisputed Star of the 2002 Playoffs?», ESPN.com, 6 de junio de 2002.

325 «Gracias a Dios que la madre de Robert conoció a su padre»: «Divac Knocks Ball to Wrong Laker», *Edmonton Journal*, 27 de mayo de 2002.

326 «Le hice un buen pase… a Robert Horry»: Abrams, «All the Kings' Men».

326 «Ha sido un final milagroso»: Leighton Ginn, «How? Horry!», *Desert Sun* (Palm Springs, California), 27 de mayo de 2002.

327 «Estoy bastante seguro de que hice falta»: Abrams, «All the Kings' Men».

327 «No puedes sacarle la camiseta a alguien sin que te piten falta»: J. A. Adande, «Series Has Become Officially Interesting», *L.A. Times*, 29 de mayo de 2002.

327 «Creía que la eliminatoria estaba decidida»: Abrams, «All the Kings' Men».

328 «Dame la pelota»: Abrams, «All the Kings' Men».

329 «Sacramento tenía el mejor equipo de la liga»: Gallagher, «The NBA's Greatest, Ugliest Series».

329-330 «Estás viendo cómo Kobe le revienta la cara a Mike»: Abrams, «All the Kings' Men».

330 «Los rumores de que David Stern: Simmons, «Question: Who Was the Undisputed Star of the 2002 Playoffs?».

330 «podría ser la serie televisiva más fascinante desde Los Soprano»: Chris Dufresne, «These Conference Finals Burn Cigar at Both Ends», *Los Angeles Times*, 3 de junio de 2002.

Capítulo 13. Cuando uno se cansa

336 «Pocos de los que asistieron al funeral [de Hearn]»: Bill Plaschke, «Shaq Becomes Center of Tensión», *Los Angeles Times*, 23 de agosto de 2002.

339 «Después del traspaso, Rod Thorn»: Mike Kerwick, «Mutombo Plans to Make a Difference», *Asbury Park Press*, 2 de agosto de 2002.

339 «Otro gigante para enfrentarse a Shaquille O'Neal de los Lakers»: «Kings Get Bigger, Deeper by Adding Clark», Associated Press, 15 de agosto de 2002.

339 «Al cabo de pocas semanas, en las emisoras de radio de Houston sonaba una canción titulada simplemente Yao Ming»: Jonathan Feigen, «NBA 2002–03», *Houston Chronicle*, 27 de octubre de 2002.

339 «Se hablaba, medio en broma, de una dinastía Ming»: Marc J. Spears, «Counting Down 24 Stories to Follow as the NBA Opens Today», *Denver Post*, 29 de octubre de 2002.

342 «Samake había nacido y crecido en una granja de la pequeña ciudad»: Pete Holtermann, «A Gem Out of Africa», *Cincinnati Enquirer*, 10 de febrero de 2000.

343 «No tiene mucha variedad de movimientos, pero cuenta con unas manos decentes»: Robyn Matt, «New Jersey Selects Stuff Center», *Cincinnati Enquirer*, 29 de junio de 2000.

343 «la diferencia entre Manute Bol...»: Steve Adamek, «No Parent Would Like This Dismal Report Card», The Record (Hackensack, N.J.), 18 de abril de 2001.

343 «Es joven, seguro que le irá bien»: «Samake Likely to Start for Shaq». *Great Falls Tribune*, 22 de octubre de 2002.

346 «Así que lanzó a canasta sin tregua»: Peter May, «It's a Return to Glory Days for Storied Rivals», *Boston Globe*, 8 de noviembre de 2002.

347 «Jackson justificó el cambio diciendo que era un gesto en deferencia a la edad de Winter»: Lazenby, *Showboat*, pp. 396-97.

347 «Miro a mi alrededor y no veo fuego en los ojos de nadie»: Tim Brown, «It's One of Doze Games», *Los Angeles Times*, 20 de noviembre de 2002.

348 «Dos de sus lanzamientos fueron taponados»: J. A. Adande, «By Leaps and Bounds, He's a Long Way Off Peak Form», *Los Angeles Times*, 23 de noviembre de 2002.

349 «No le duele más que a mí»: «Bryant Wants Walker to Play Hurt», *San Bernardino Sun*, 27 de noviembre de 2002.

349 «Hablad con los cabrones que no están haciendo nada»: Howard Beck, «Shaq's Complaints Puzzle Teammates», *Los Angeles Daily News*, 11 de diciembre de 2002.

350 «A Bryant, un hombre que consideraba a pocos homo sapiens dignos de su presencia»: Bill Plaschke, «He Makes It His Kind of Mad House», *Los Angeles Times*, 28 de abril de 2003.

351 «Sin ir más lejos, antes de empezar la temporada 2001-02»: Tim Brown, «A Bad Mark», *Los Angeles Times*, 4 de diciembre de 2001.

353 «Sin lugar a dudas, la liga sigue perteneciendo a O'Neal»: Howard Beck, «Rockets Time Is Yao», *Inland Valley Daily Bulletin* (Rancho Cucamonga, Calif.), 17 de enero de 2003.

353 «Jamás jugué un partido sobrio»: «In Hearing, Ex-NBA Player Clark Says He «Never Played a Game Sober»», ESPN.com, 15 de diciembre de 2007.

353 «Y por los mismos motivos se rio de que Mutombo»: Ohm Youngmisuk, «Dikembe Won't Be Tricked», *New York Daily News*, 1 de octubre de 2003.

353 «Todo pasaba por el monstruo»: Tim Brown, «Lakers Earn Their Spurs», *Los Angeles Times*, 2 de mayo de 2003.

353 «Tras el partido»: Howard Beck, «The Number Is Twelve», *San Bernardino Sun*, 2 de mayo de 2003.

353 «Jackson se acercó a la pizarra blanca que había en el vestuario»: Paul Wilborn, «Lakers Coach Phil Jackson Sidelined Following Angioplasty», Associated Press, 11 de mayo de 2003.

357 «Su lanzamiento sobrevoló la zona como el vuelo grácil de una paloma...»: Tim Brown, «Out on a Rim», *Los Angeles Times*, 14 de mayo de 2003.

Capítulo 14. La habitación 35

359 «Unos días antes, un artículo del Sacramento Bee lo mencionaba en relación con la intoxicación alimentaria»: R. E. Graswich, «Where Else Did Kobe Eat That Night? The Chanterelle Knows», *Sacramento Bee*, 31 de mayo de 2002.

362 «Como suele suceder con los famosos»: Jessica Marie, «The Funniest Athlete Aliases Ever», *Bleacher Report*, 22 de febrero de 2013.

362 «Michael Jackson, el «Doctor Doolittle»: Cailey Rizzo, «The Fake Names That Celebrities Use at Hotels», *Travel and Leisure*, 10 de agosto de 2018.

362 «En noviembre de 2002, Mathison y una amiga suya llamada Lindsey McKinney»: Francie Grace, «D.A. in Kobe Case Calls Timeout», CBSnews.com, 13 de julio de 2003.

364 «Entonces, ¿tienes novio?»: Shapiro y Stevens, *Kobe Bryant: The Game of His Life*, pp. 4-5.

364 «Jessica Mathison estaba muy unida a su madre, Lori Mathison»: Jana Bommersbach, «The Kobe Case: From the Perspective of the Valley Man Who Was Hired to Help Send Him to Prison», *Phoenix Magazine*, abril de 2005.

365 «Tras una conversación de cuarenta y cinco minutos en la sala de estar de los Mathison»: Shapiro y Stevens, *Kobe Bryant: The Game of His Life*, pp. 10-11.

Capítulo 15. Violadores del verso

377 «El 2 de marzo de 2003, un turista británico de treinta y un años»: Andrew Gumbel, «British Skier Held After American Is Killed in Accident». *The Independent* (Londres), 5 de marzo de 2003.

379 «Mackey, conocida por haber defendido»: Jack McCallum, «The Dark Side of a Star», *Sports Illustrated*, 28 de julio de 2003.

379 «Es alarmante que la oficina del comisario»: Tim Brown y Richard Marosi, «Bryant Facing Felony Count», *Los Angeles Times*, 7 de julio de 2003.

379 «estas acusaciones no encajan en absoluto con el Kobe Bryant que conocemos»: Jason Felch y Marc J. Spears, «Deputies Arrest Kobe Bryant», *Inland Valley Daily Bulletin* (Rancho Cucamonga, Calif.), 6 de julio de 2003.

380 «A Kobe puede consumirlo la ira de forma inesperada»: Jackson, *The Last Season*, p. 10.

380 «El 18 de julio, Hurlbert presentó formalmente los cargos: John Marshall, «Bryant Fighting for Family, Image After Sexual Assault Charge», Associated Press, 19 de julio de 2003.

380 «Me siento aquí ante vosotros furioso conmigo mismo»: John Nadel, «Tearful Kobe Bryant Says He's Innocent of Sexual Assault Charge», Associated Press, 19 de julio de 2003.

380 «Poco después, le compró en Rafinity un anillo de cuatro millones»: Beth Moore, «Bryant Gives His Wife a $4-Million Ring», *Los Angeles Times*, 26 de julio de 2003.

381 «Es una buena oportunidad para mí»: Tim Brown, «Happy to Assist», *Los Angeles Times*, 10 de julio de 2003.

382 «Tengo cuarenta años y es un honor»: Tim Brown, «They've Got Mailman», *Los Angeles Times*, 11 de julio de 2003.

382 «La ocasión no tenía relevancia jurídica particular»: Tom Kenworthy y Patrick O'Driscoll, «Very Fast Event for So Much Attention», *USA Today*, 7 de agosto de 2003.

382 «Cuando el jurado vea las pruebas, no tendrá ninguna duda»: Randy Wyrick, «Friend: Injuries Visible Days Later», *Vail Daily*, 24 de julio de 2003.

383 «Veinticinco reporteros y fotógrafos»: Chuck Plunkett y George Merritt, «Spectacle Takes On Air of a Carnival», *Denver Post*, 7 de agosto de 2003.

383 «Unos días antes, se había identificado erróneamente a una chica de dieciocho años: Jill Lieber y Richard Willing, «Lives in Eagle, Colo., Turned Upside Down», *USA Today*, 29 de julio de 2003.

383 «Toldos blancos daban sombra a los escenarios exteriores de televisión»: Patrick O'Driscoll, «Bryant Media Circus Sets Up All 3 Rings», *USA Today*, 7 de agosto de 2003.

384 «Cuando Los Angeles Times envió a dos reporteros»: Steve Henson y Lance Pugmire, «A Drowsy Town Now Wide Awake», *Los Angeles Times*, 21 de julio de 2003.

384 «Bryant hizo un comentario sobre lo que otro compañero de equipo hacía en situaciones así»: Jeff Benedict, Tim Brown, y Steve Henson, «Bryant Told Police of O'Neal Payouts», *Los Angeles Times*, 29 de setiembre de 2004.

386 «No estoy al corriente de su estado»: Bernie Wilson, «Lakers: Bryant «Under the Weather», Not in Hawaii Yet», Associated Press, 2 de octubre de 2003.

387 «El 3 de mayo de 1984, la niña dio a luz»: Charles Ross, «Karl Malone: The Scumbag», *Medium*, 16 de diciembre de 2015.

387 «Finalmente, un juez dictaminó que»: Jemele Hill, «Karl Malone Falls Short, as a Father», ESPN.com, 12 de mayo de 2008.

387 «por comprensión o por la proximidad de su experiencia, Malone era el único Laker que parecía empatizar con Bryant»: Bill Plaschke, «Already an Ill Wind Blowing in Laker Camp», *Los Angeles Times*, 3 de octubre de 2003.

388 «se le veía delgado y cansado»: Tim Brown and Steve Henson, «Court of Last Resort», *Los Angeles Times*, 17 de mayo de 2004.

389 «en una reunión corta a finales de agosto»: Jackson, *The Last Season*, pp. 16-17.

390 ¿Por qué?, respondió»: Kevin Ding, «Bryant Shows Up», *Orange County Register*, 5 de octubre de 2003.

391 «Karl y Shaq se escondieron todo el día»: Howard Beck, «Lakers Detour for Little R «n» R», *San Bernardino Sun*, 5 de octubre de 2003.

393 «Ni siquiera dijo un "deja que lo piense". Fue un "y una mierda"»: Ric Bucher, «An Oral History of the 2003–04 Los Angeles Lakers, the 1st Super Team», ESPN.com, 26 de mayo de 2015.

394 «¿Ahora me vais a pagar?»: Tim Brown, «Shaq's Talks Are a Scream», *Los Angeles Times*, 9 de octubre de 2003.

394 «Después del partido, al ver que había algunos periodistas en los pasillos del pabellón»: Kevin Ding, «O'Neal Hammers Home His Desire for Extension», *Orange County Register*, 9 de octubre de 2003.

394 «Fue una falta de respeto»: Bucher, «An Oral History of the 2003–04 Los Angeles Lakers».

394 «Así que sus heridas eran recientes»: Randy Wyrick, «Bombshell Question Clears Courtroom», *Vail Daily*, 10 de octubre de 2003.

395 «Solo, con su encantadora vida patas arriba»: Tim Kawakami, «In Bryant, Shades of Mike Tyson», *San Jose Mercury News*, 9 de octubre de 2003.

Capítulo 16. La última temporada

398 «Había jugado como escolta en la Universidad Estatal de Alcorn»: Blatt, *Gary Payton*, pp. 20-21.

398 «De niño le enseñé cómo mirar, cómo intimidar, cómo ser mezquino»: Curry Kirkpatrick, «Gary Talks It, Gary Walks It», *Sports Illustrated*, 5 de marzo de 1990.

398 «[Payton] lograba que quisieras esconderte en una biblioteca o algún lugar parecido»: Karl y Sampson, *Furious George*, p. 119.

402 «Las buenas noticias cada vez duran menos en los Lakers»: J. A. Adande, «Four on the Floor, but No Shiftin Mood», *Los Angeles Times*, 21de octubre de 2003.

402 «¡Necesitaba regresar para sentir el cariño de los aficionados!»: Ken Peters, «Bryant Plays in First Exhibition Game; Lakers Lose», Associated Press, 24 de octubre de 2003.

402 «Los Lakers, que protegieron a Bryant de la prensa colocando una cortina negra»: Doug Krikorian, «No Tear If Kobe Leaves», *Pasadena Star-News*, 22 de octubre de 2003.

402 «Quería uno de más categoría»: Jackson, *The Last Season*, p. 32.

403 «declaraciones de Jackson totalmente inocuas y sin ánimo de crítica»: Howard Beck, «O'Neal Knocks Jackson», *San Bernardino Sun*, 17 de octubre de 2003.

403 «El 25 de octubre, Jackson estaba en su despacho»: Jackson, *The Last Season*, pp. 35-36.

404 «un líder no suplica una prórroga de su contrato ni negocia un acuerdo»: Tim Brown, «Bryant Is Talking It Up», *Los Angeles Times*, 28 de octubre de 2003.

405 «Lo he consultado con Kobe»: Jackson, *The Last Season*, p. 44.

405 «Iban apareciendo nuevos tatuajes en su antebrazo derecho»: «Bryant Persona Takes On New Look», *Denver Post*, 6 de noviembre de 2003.

406 «No estoy pletórico, pero es un inicio esperanzador»: Howard Beck, «From Feudalism to Optimism», *Inland Valley Daily Bulletin* (Rancho Cucamonga, Calif.), 29 de octubre de 2003.

406 «En un matrimonio»: Mike Terry, «O'Neal Is Conciliatory in Ending His Silence», *Los Angeles Times*, 1 de noviembre de 2003.

407 «Estoy seguro de que, cuando firme, será el jugador mejor pagado de la liga»: Howard Beck, «Buss Won't Trade «My Son»», *Inland Valley Daily Bulletin* (Rancho Cucamonga, California), 2 de noviembre de 2003.

408 «empezó a hostigar a Ginóbili»: Tim Brown, «5-0 Doesn't Come Easily for Lakers», *Los Angeles Times*, 7 de noviembre de 2003.

408 «Nada desconecta más a un jugador que la sensación de ser ignorado»: Jackson, *The Last Season*, p. 49.

409 «Quizá cuando Shaq estuvo de baja [en el pasado] Kobe sintió»: Kevin Ding, «Bryant Must Share the Load», *Orange County Register*, 12 de noviembre de 2003.

409 «El 13 de noviembre, Bryant tuvo que volver a Eagle»: Jon Sarche, «Kobe Bryant Makes First Appearance Before Trial Judge», *Glenwood Springs Post Independent*, 14 y 15 de noviembre de 2003.

410 «En las sillas de la primera fila de la sala 1 estaban sentados»: Veronica Whit-

ney, «Kobe Bryant's Accuser's Family Appears in Court», *Vail Daily*, 14 de noviembre de 2003.

410 «Fuera de los juzgados había cientos de medios intentando hacerse un hueco»: Kathy Heicher, «Media Tent Up Again for Bryant», *Eagle Valley Enterprise* (Gypsum, Colorado), 13 de noviembre de 2003.

410 «Dentro de la carpa había risas y abrazos»: Veronica Whitney, «On the Road for the Kobe Bryant Case», *Vail Daily*, 14 de noviembre de 2003.

411 «Hubo gritos, amenazas y todo tipo de bajezas»: Kathy Heicher, «Media Vies for Seats in Bryant Courtroom». *Eagle Valley Enterprise* (Gypsum, Colo.), 20 de noviembre de 2003.

411 «Su mundo de fantasía, sus disputas con su compañero de equipo Shaquille O'Neal»: Don Rogers, «Landing in Reality», *Vail Daily*, 15 de noviembre de 2003.

411 «En un partido contra los Nuggets en Denver»: Tim Brown y Steve Henson, «Court of Last Resort», *Los Angeles Times*, 17 de mayo de 2004.

411 «Un estudiante de veintidós años de la Universidad de Iowa»: Teresa Taylor-Fresco, «Man Gets Jail for Threatening Kobe's Accuser», Associated Press, 16 de julio de 2004.

411 «El National Enquirer seguía cada uno de los pasos de Jessica Mathison»: Randy Wyrick, «Bryant Accuser Checks into Center», *Vail Daily*, 26 de noviembre de 2003.

412 «Soy yo»: Gideon Rubin, carta al editor, *Vail Daily*, 30 de noviembre de 2003.

413 «Sin embargo, a la mañana siguiente, Bryant se levantó con la cabeza congestionada»: Tim Brown, «Uncertainty Surrounds Bryant», *Los Angeles Times*, 19 de diciembre de 2003.

414 «Mackey argumentó que la presunta víctima había presentado cargos contra Bryant»: T. R. Reid, «Bryant Defense to Target His Accuser», *Washington Post*, 19 de diciembre de 2003.

414 «La ayudante del fiscal del distrito, Ingrid Bakke, argumentó que revelar aquellos detalles»: Marcia C. Smith, «Bryant Hearing Placed on Hold», *Orange County Register*, 20 de diciembre de 2003.

415 «[Kobe] estaba ansioso por demostrar a la afición que era capaz»: Jackson, *The Last Season*, p. 70.

415 «La victoria por 101-99 había sido emocionante»: Beth Harris, «Lakers Defeat Nuggets», *Fort Collins Coloradoan*, 20 de diciembre de 2003.

416 «He pensado en lo que me decía mi madre…»: Ramona Shelburne, «Bryant's Teammates Irked by His Shot Selection», *Pasadena Star-News*, 20 de diciembre de 2003.

416 «El estrés [del juicio] no puede compararse con nada»: Ric Bucher, «An Oral History of the 2003–04 Los Angeles Lakers, the 1st Super Team», ESPN.com, 26 de mayo de 2015.

416 «Aquella noche, Bryant recibió un puñado de llamadas»: Larry Stewart, «Bryant Says He Owed Team One», *Los Angeles Times*, 21 de diciembre de 2003.

417 «Winter le aseguró que el talento seguía ahí»: Tim Brown, «Winter, Rodman Reunite», *Los Angeles Times*, 20 de enero de 2004.

418 «Cuando era más joven, saltaba sobre el parqué con una rapidez increíble»: Jackson, *The Last Season*, p. 76.

418 «No fiché para esto. Esto es una mierda»: Howard Beck, «Payton Sounds Off After Defeat», *Inland Valley Daily Bulletin* (Rancho Cucamonga, Calif.), 6 de enero 2004.

418 «Durante el partido del 7 de enero que perdieron contra Denver: Jackson, *The Last Season*, p. 79.

421 «Un viaje sin ninguna alegría»: Bill Plaschke, «If Bryant Is an Empty Vessel, Their Ship Will Never Come In», *Los Angeles Times*, 13 de abril de 2004.

422 «Para entonces, los Lakers perdían 40-23 en un partido»: Plaschke, «If Bryant Is an Empty Vessel».

423 «Fue un desprecio final dedicado a las personas»: J. A. Adande, «When Bryant Doesn't Shoot First, Questions Asked Later», *Los Angeles Times*, 12 de abril de 2004.

423 «Le prometió respetar su anonimato»: Tim Brown, «Air Is Heavy for Bryant, Lakers», *Los Angeles Times*, 13 de abril de 2004.

424 ¡Aquí y ahora!: Jackson, *The Last Season*, p. 143.

Capítulo 17. Supervivencia

425 «Mientras la policía iba detrás de su coche en una persecución que duró noventa minutos»: Jack Hatton, «The O.J. Simpson Chase, 25 Years Ago, Squeezed the Knicks-Rockets NBA Final off and on NBC», *Sports Broadcast Journal*, 17 de junio de 2019.

427 «¿Entiende los cargos que se le imputan?»: Steve Lipsher, «Bryant Enters Not-Guilty Plea to Rape Count», *Denver Post*, 12 de mayo de 2004.

427 «en las que, como en un thriller de suspense, no se supo hasta el último minuto si llegaría o no a tiempo»: Tim Brown, «Lakers 98, San Antonio 90», *Los Angeles Times*, 12 de mayo de 2004.

428 «Con un O'Neal envejecido y lento»: John Nadel, «Lakers' Bryant Plays Best on Longest Days», Associated Press, 13 de mayo de 2004.

429 «¡Tú, maldito cabrón! ¡Cómo les has pateado el culo!»: Jackson, *The Last Season*, pp. 194–95.

430 «Si siguen jugando así»: John Nadel, «Lakers Playing Their Best Entering Conference Finals», Associated Press, 16 de mayo de 2004.

433 «Durante la eliminatoria, las dos estrellas principales»: Sam Smith, «Something's Gotta Give in L.A.», *Chicago Tribune*, 31 de mayo de 2004.

436 «Con el tiempo, se cansan de tu voz»: Kevin Ding, «Lakers Still Heed Jackson's Message», *Orange County Register*, 3 de junio de 2004.

438 «Los Pistons abrieron el marcador con un triple de Rasheed Wallace»: Frank Isola, «Shaq Attack Not Enough for L.A.», *New York Daily News*, 7 de junio de 2004.

439 «La verdad es que dejarlos en setenta y cinco puntos quiere decir que hemos hecho una defensa increíble»: Mark Heisler, «Meet the Team That Issued the Wake-up Call», *Los Angeles Times*, 7 de junio de 2004.

439 «El mejor lanzamiento de los Lakers de esta era»: Bill Plaschke, «Rising to the Moment», *Los Angeles Times*, 9 de junio de 2004.

441 «¿Dónde estaban los responsables de seguridad?»: Jay Posner, «Police Probe Incident Involving Malone», *San Diego Union-Tribune*, 12 de junio de 2004.

442 «Ya sabéis lo mucho que odio este sistema ofensivo»: Jackson, *The Last Season*, p. 239.

443 «Nuestro plan estaba muy estudiado»: Ric Bucher, «An Oral History of the 2003-04 Los Angeles Lakers, the 1st Super Team», ESPN.com, 26 de mayo de 2015.

444 «La primera noche de los Lakers fuera de casa»: Mark Koszla, «Let's Not Go There». *Denver Post*, 13 de junio de 2004.

445 «Tengo ocho anillos y quiero nueve»: Greg Beckham, «Jackson Sidesteps Magic's Game 3 Remarks», Associated Press, 13 de junio de 2004.

445 «Medvedenko había fichado en el verano de 2000»: Tara Tartaglia, «Lakers Sign Medvedenko», *Santa Maria Times* (Santa Maria, California), 16 de agosto de 2000.

446 «En un artículo de 2002 en Los Angeles Times»: Tim Brown, «Medvedenko Isn't Playing the Angles», *Los Angeles Times*, 19 de octubre de 2002.

446 «Aquella tarde, Bryant llegó al pabellón a las 17.45»: T. J. Simers, «With Everything on the Line, They Just Go Through the Motions», *Los Angeles Times*, 16 de junio de 2004.

447 «No es como queríamos que terminara, eso seguro»: Bill Plaschke, «Rout of Order», *Los Angeles Times*, 16 de junio de 2004.

Capítulo 18. Fin

453 «Dile a Mitch o a mi padre que puedes entrenar a Kobe»: Jackson, *The Last Season*, pp. 255-66.

455 «Ya no tenemos al jugador más dominante»: Eddie Sefko, «No Shaq, No Problem for Kobe?», *Dallas Morning News*, 16 de julio de 2004.

457 «Muy bien, Kobe. Ahora que el mejor pívot»: J. A. Adande, «He Loves a Charade, Not a Parade», *Los Angeles Times*, 17 de julio de 2004.

460 «Aunque creo sinceramente que nuestro encuentro fue consentido»: Kevin Fallon, «Kobe Bryant, Accused Rapist, Will Probably Win an Oscar», *Daily Beast*, 20 de febrero de 2018.

Índice onomástico

Este libro utiliza el tipo Aldus, que toma su nombre
del vanguardista impresor del Renacimiento
italiano, Aldus Manutius. Hermann Zapf
diseñó el tipo Aldus para la imprenta
Stempel en 1954, como una réplica
más ligera y elegante del
popular tipo
Palatino

El circo de los tres anillos
un día de primavera de 2021,
en los talleres gráficos de Liberdúplex, s. l. u.
Crta. BV-2249, km 7,4. Pol. Ind. Torrentfondo
Sant Llorenç d'Hortons (Barcelona)